【事例でわかる】
不動産の売却にかかる
譲渡所得の税金

[第2版]

はじめに

　所得税の中でも譲渡所得は難解といわれます。確かに譲渡所得は取り扱う頻度が少なく，特例が多いため税額を算出するまでの労力は大変なものがあります。

　資産の種類により総合課税と分離課税の譲渡所得に分かれ，分離課税の譲渡所得は土地建物等の分離課税と株式等の分離課税に分かれます。また，資産の取得時期や所有期間によって長期譲渡所得と短期譲渡所得に区分されます。更に分離課税は譲渡物件の種類により様々な特例があります。特例が適用できるかどうかで納税額に大きな差が出てきます。適用できる特例が複数あるにもかかわらず，選択を検討しなかったことによる不利益もあります。

　また，多岐にわたる譲渡所得の特例の選択誤りや細かな法定要件を満たさないことによる否認事例も数多くあります。譲渡所得が高額であるため納税者のダメージも大きくなります。

　平素から譲渡所得について知識を得る必要は感じていても，事例に当たらないと深度ある理解とはならないのが現実です。

　本書は税理士等実務家の方々が調べやすいように，土地建物等の譲渡所得の計算をするに当たって必須の知識である「譲渡の日，取得の日，取得費及び譲渡費用等の基本」を，次に譲渡所得の基本である「所得税法の特例等」を解説し，取扱いが多い特例である「居住用財産の譲渡で使える特例」「事業用資産の譲渡又は等価交換で使える特例」「収用等があった場合に使える特例」をグルーピングして解説しました。さらに譲渡所得に関する通達のほとんどを取り上げて分かり易く記述し，更に詳しく調べる方のために極力税法，通達等の条文を入れました。

　申告書を提出する際に戸惑うのが，提出方法と添付書類です。本書では各特例の解説の最後に申告書を提出する時にチェックできるように「確定申告の手続要領」として留意点を載せました。

　最高路線価がバブル期を超えたこともあり，地価上昇が言われております。地価の上昇は即売買件数の増加となり，譲渡所得件数は増加しています。本書は，取得費，譲渡費用等に迷った時，数ある特例の区別に迷った時に平易明快な参考書として活用できるスタイルで解説しています。譲渡所得に携わる先生方や職員の皆様に必ずやお役にたつことと思います。

租税特別措置法は毎年のように細かな改正が行われています。本書は譲渡所得について初版以降の改正を反映させたものです。

　譲渡所得の基本的な取扱い（第１章）についてはより詳細な解説をするため，スピンアウトさせて(株)税務経理協会から「譲渡所得の基礎　徹底解説」として出版しました。こちらも参考にしてください。

　なお，本書の文中，意見にわたる部分は筆者の個人的な見解に基づくものであることを念のため申し添えます。

2022年11月

税理士　武田秀和

目　　次

はじめに
本書を活用するにあたって

第1章　譲渡所得の基本

1　譲渡所得　6
　1　譲渡所得の変遷　7
　2　譲渡所得の基因となる資産　8
　3　譲渡　9
　4　みなし譲渡　10
　5　地上権等を設定して権利金などを受け取った場合　14
　6　資産の消滅等により補償金を受け取った場合　16

2　資産の譲渡のうち非課税とされる所得　17
　1　生活用動産の譲渡による所得　17
　2　強制換価手続等による譲渡による所得　17
　3　国や公益法人等に対して財産を寄附した場合の所得　19
　4　国等一定の団体に対して重要文化財を譲渡した場合の所得　20
　5　財産を相続税の物納に充てた場合の所得　21

3　譲渡ではあるが他の所得として課税される所得　22
　1　営利目的で継続的な資産の譲渡による所得　22
　2　棚卸資産の譲渡による所得　22
　3　棚卸資産に準ずる資産の譲渡による所得　22
　4　少額減価償却資産等の譲渡による所得　23
　5　山林の伐採又は譲渡による所得　23

4　譲渡所得の区分と税率　25

5　総合課税と分離課税　27
　1　総合課税　27
　2　分離課税　28
　3　損益の計算　29

6　長期保有資産と短期保有資産　33
　1　総合課税　33
　2　分離課税　34

7　特別控除　36
1　特別控除の種類　36
2　特別控除額の異なる資産の譲渡がある場合の譲渡所得の構成　36
3　特別控除の累積限度額　37

8　資産の取得の日　38
1　原則的取扱い　38
2　例外的取扱い　38
事例　買い換えた事業用資産の取得の日／マンションの取得の日／増築した建物の取得の日／借地権と底地の取得の日が異なる場合

9　資産の譲渡の日　46
1　原則的取扱い　46
2　例外的取扱い　46
事例　取得の日と譲渡の日の選択／申告後の譲渡の日の変更／引渡しが残金の支払日以後である場合／一の契約で譲渡した宅地の引渡しが2年にわたった場合

10　収入金額　49
1　譲渡所得の計算　49
2　原則的取扱い　49
3　その他の取扱い　50
4　買換え・交換等があった場合の譲渡価額及び収入金額　53
事例　手付金のみの申告の可否／共有者がいる場合の譲渡収入金額／固定資産税の清算金を支払った場合の取扱い／実測清算があった場合／税金負担分の追加払いがある場合／負担付贈与の場合

11　取得費　57
1　一般的な取得費　57
2　その他の取得費　57
3　取得費に該当しないもの　64
4　借地権と取得費　65
5　減価償却資産の取得費　67
6　土地と建物を一括購入している場合の取得費　68
7　概算取得費控除　70
事例　短期間の貸付けがあった場合の使用開始の日／割賦払いで支払った場合の取得費／立退料を支払って取得した建物を取り壊した場合／業務に供した資産の取得費／取得費の計算時の消費税／概算取得費と宅地造成費／抵当権設定費用

12　譲渡費用　74
1　譲渡費用　74
2　譲渡費用に該当しないもの　77
事例　倍返しした手付金の取扱い／立退料の取扱い／分筆するために測量をした場合の費用

13　相続財産を譲渡した場合の取得費の特例　79
　　1　特例の適用要件　79
　　2　相続等により取得した財産を譲渡した場合　80
　　3　所得税の更正の請求　86
　　4　申告にあたっての要点　87
　　5　相続税額の取得加算の特例を適用するにあたっての実務的判断　88
　　事例　相続税申告期限後3年を経過した場合の取得費加算／相続税の修正申告を行った場合／相続した持分を譲渡した場合

14　交換・買換特例を適用した資産を譲渡した場合の取得費　90
　　1　買換え又は交換特例の取得時期及び取得価額の引継ぎ　90
　　2　固定資産の交換の場合　91
　　3　特定の居住用財産の買換え（交換）の場合　93
　　4　特定の事業用資産の買換え（交換）の場合　95
　　5　買換え等の特例の適用にあたっての実務的判断　97

第2章　所得税法の特例等

1　固定資産の交換の場合の特例　100
　　1　特例適用要件　100
　　2　特例の計算　106
　　3　申告にあたっての要点　106
　　事例　金銭の授受がない場合／交換差金を受け取った場合／交換取得資産に引き継がれる取得費／建築できずに譲渡した場合の特例適用／取得価額より時価が低い資産の交換の場合／共有物分割から1年以内に交換した場合／交換の相手方の取得目的／親族間の不等価交換／異なった特例で申告できるか

2　生活に通常必要でない資産の災害等による損失がある場合の特例　110
　　1　特例の適用要件　110

3　資産の譲渡代金が回収不能となった場合等の所得計算の特例　112
　　1　特例の適用要件　112
　　事例　譲渡代金の回収を依頼した友人が持ち逃げした場合

4　保証債務の履行のために資産を譲渡した場合の特例　114
　　1　特例の適用要件　115
　　2　譲渡所得の計算　120
　　3　申告にあたっての要点　121
　　事例　債務者が数年間債務超過だった場合／複数の保証人がいる場合／会社が継続して営業している場合／預金を解約して保証債務の弁済を行った場合

5 財産分与による資産の移転　124
   1　取扱いの内容　124
   2　申告にあたっての要点　124
   事例　分与財産に譲渡益が発生する場合／分与財産に譲渡損が発生する場合

6 代償分割による資産の移転　126
   1　取扱いの内容　126
   2　代償分割により取得した資産の取得費　127
   事例　代償金は取得費となるか

7 遺留分侵害額請求により資産を移転した場合　128
   1　遺留分侵害額請求の効果　128
   2　金銭に代えて資産で支払った場合の譲渡所得　128

8 共有地の分割　130
   1　取扱いの内容　130
   2　分割の比が異なっている場合　130

9 譲渡担保に係る資産の移転　132
   1　取扱いの内容　132
   2　要件を欠くこととなった場合　132
   事例　担保財産を債権者が取得した場合の手続き

10 土地に区画形質の変更を加えた場合や造成等した場合の取扱い　134
   1　極めて長期間保有していた不動産の譲渡による所得　134
   2　土地に区画形質の変更等を加えて譲渡した場合　134

11 法律の規定に基づかない区画形質の変更をした場合等　136
   1　法律の規定に基づかない区画形質の変更に伴う土地の交換分合　136
   2　法律の規定に基づかない区画形質の変更に伴う土地の交換分合の取扱い　136
   3　宅地造成契約に基づく土地の交換等　137

第3章　居住用財産の譲渡で使える特例

1 居住用財産を譲渡した場合の特例の種類及び適用関係　142
   1　居住用財産を譲渡した場合の特例の変遷　142
   2　居住用財産を譲渡した場合の特例の種類と適用関係　144
   3　特例の適用ができない場合　147
   4　住民票の添付要件　149
   事例　借家権の譲渡と居住用の特例

2 居住用財産を譲渡した場合の長期譲渡所得の課税の特例　151
1　特例の適用要件　151
2　特例の適用ができない場合　165
3　申告にあたっての要点　166

事例　居住用家屋を取り壊し,連年譲渡した場合の特例の適用／居住用財産の3,000万円控除の特例を適用した後の年分に,軽減税率対象家屋を譲渡した場合

3 居住用財産を譲渡した場合の3,000万円特別控除の特例　169
1　特例の適用要件　169
2　特例の適用ができない譲渡の相手及び併用特例　175
3　申告にあたっての要点　176

事例　一部使用貸借による建物の敷地の譲渡益に対する特例の適用／借地権者が底地所有者と同時に譲渡した場合の底地の特例の適用／借地権の使用貸借をしている底地を取得した場合／同一年中に居住用財産を二つ譲渡した場合／居住しなくなった後で相続により取得した場合の特例適用／居住が短期間である場合／譲渡時に賃借人のいないアパートを譲渡した場合／別宅として使用している家屋の場合／居住用家屋を取り壊し,貸付け等で利用していた場合／同一敷地内に居住用部分と非居住用部分がある場合

4 特定の居住用財産の買換え・交換の特例　183
1　特例の適用要件　183
2　譲渡資産の要件　184
3　買換資産の要件　190
4　買換金額の計算　201
5　特例の適用ができない譲渡の相手及び併用特例　205
6　申告にあたっての要点　206

事例　10年以上居住していない場合の特例の適用／空き家にしていた期間がある場合の特例の適用／造り付けの家具は買換資産となるか

5 居住用財産の買換え等の場合の譲渡損失の損益通算及び繰越控除の特例　210
1　特例の適用要件　210
2　譲渡及び譲渡資産の要件　211
3　買換え及び買換資産の要件　218
4　損益通算・繰越控除の内容　222
5　特例の適用ができない譲渡の相手及び併用特例　224
6　申告にあたっての要点　225

事例　譲渡資産に住宅ローンがなかった場合の特例の適用／確定申告をしていない年がある場合の特例の適用

6 特定居住用財産の譲渡損失の損益通算及び繰越控除の特例　229
1　特例の適用要件　229
2　損益通算・繰越控除の内容　232

3　特例の適用ができない譲渡の相手及び併用特例　235
　　4　申告にあたっての要点　236
7　被相続人の居住用財産に係る譲渡所得の特別控除の特例　238
　　1　特例の適用要件　238
　　2　特例の適用ができない譲渡の相手方及び併用特例　257
　　3　申告にあたっての要点　257
　　事例 家屋を増築した場合／中古家屋を昭和56年6月1日以後に買い取っている場合／居住用財産を譲渡した場合の特例の適用／家屋の取壊しを買受人が引き受けてもよいか
8　配偶者居住権の消滅に伴う対価の授受があった場合の課税関係　263
　　1　配偶者居住権の消滅による課税関係　263
　　2　配偶者居住権等を譲渡した場合の取得の日及び取得費　265

第4章　事業用資産の譲渡又は等価交換で使える特例

1　特定の事業用資産の買換え・交換の場合の長期譲渡所得の課税の特例　270
　　1　特例の適用要件　270
　　2　事業用資産の要件　274
　　3　譲渡資産及び買換資産の要件　276
　　4　特例の計算　297
　　5　買換資産の取得時期及び取得価額（引継価額）　299
　　6　申告にあたっての要点　300
　　7　買換予定で申告した場合の修正申告と更正の請求　301
　　事例 事業の用に供していない場合／買換資産の使用を中止した場合／面積の小さい資産／買換資産の面積が譲渡資産よりはるかに大きい場合／相続で取得した事業用資産の適用

2　特定の事業用資産を交換した場合の譲渡所得の課税の特例　305
　　1　特例の適用要件　305

3　既成市街地等内にある土地等の中高層耐火建築物等の建設のための買換え・交換の場合の譲渡所得の課税の特例　307
　　1　中高層耐火建築物等の建設のための買換等の特例の区分　307
　　2　特定民間再開発事業の場合の買換えの特例　309
　　3　中高層耐火共同住宅の建設のための買換えの特例　311
　　4　特例の適用要件　312
　　5　中高層耐火建築物等の建設のための交換の特例　318
　　6　特例の適用が受けられない場合　319
　　7　特例の計算　319

8　申告にあたっての要点　321
　　9　買換予定で申告した場合の修正申告と更正の請求　322

4　特定の交換分合により土地等を取得した場合の特例　324
　　1　特例の適用要件　325
　　2　譲渡所得の計算　327
　　3　申告にあたっての要点　328
　　4　確定申告書の提出がなかった場合　328

5　特定普通財産とその隣接する土地等の交換の場合の譲渡所得の課税の特例　329
　　1　特例の適用要件　329
　　2　譲渡所得の計算　331
　　3　交換により取得した特定普通財産の取得時期及び取得価額　331
　　4　申告にあたっての要点　332

第5章　収用等があった場合に使える特例

1　収用等の場合の課税の特例の原則　336
　　1　収用等　336
　　2　収用等又は換地処分等があった日　338
　　3　収用等の場合の特例の種類と適用関係　341
　　4　収用補償金の課税区分　343
　　5　収益補償金の対価補償への振替え　357
　　6　事前協議　360

2　収用等に伴い代替資産を取得した場合の課税の特例　361
　　1　特例の適用要件　361
　　2　代替資産の取得　363
　　3　代替資産の組合せ及び代替資産　368
　　4　譲渡所得の計算　371
　　5　代替資産の取得価額の計算　373
　　6　申告にあたっての要点　375
　　7　代替予定で申告した場合の修正申告と更正の請求　375
　　事例　年をまたいで複数の資産譲渡を行った場合／農地の代替資産として賃貸用アパートを取得した場合／居住用の共有資産の収用と代替資産／移転補償金を代替資産に充当できるか

3　換地処分等に伴い資産を取得した場合の課税の特例　378
　　1　特例の適用要件　378

2 申告手続　380

4　収用交換等の場合の譲渡所得等の特別控除　381
　　1　特例の適用要件　381
　　2　譲渡所得の計算　386
　　3　確定申告にあたっての要点　387
　　事例　収用による場合の譲渡の日／複数の特別控除対象物件を譲渡／買取りの申出があった後に贈与した場合／収用補償金の名目／同一年中に２つの資産が収用された場合

5　特定土地区画整理事業等のために土地等を譲渡した場合の譲渡所得の特別控除　390
　　1　特例の適用要件　390
　　2　申告にあたっての要点　393

6　特定住宅地造成事業等のために土地等を譲渡した場合の1,500万円控除の特例　394
　　1　特例の適用要件　394
　　2　申告にあたっての要点　405
　　事例　２年連続の特例適用

7　農地保有合理化等のために農地等を譲渡した場合の譲渡所得の特別控除　407
　　1　特例の適用要件　407
　　2　申告にあたっての要点　408

第6章　その他の特例

1　優良住宅地の造成等のために土地等を譲渡した場合の長期譲渡所得の税率の特例　412
　　1　特例の適用要件　412
　　2　申告にあたっての要点　432
　　事例　特例の併用適用／建物への併用適用／超過物納の場合でも適用できるか

2　短期保有の土地等を譲渡した場合の短期譲渡所得の税率の特例　435
　　1　特例の適用要件　435
　　2　確定申告の手続要領　436

3　特定の期間内に取得をした土地等を譲渡した場合の長期譲渡所得の特別控除　438
　　1　特例適用要件　438
　　2　申告にあたっての要点　442

4 債務処理計画に基づき資産を贈与した場合の課税の特例 443
    1 特例の適用要件 443
    2 申告にあたっての要点 449

5 低未利用土地等を譲渡した場合の長期譲渡所得の特別控除 450
    1 特例の適用要件 450
    2 特例の適用できない譲渡の相手及び併用特例 451
    3 申告にあたっての要点 453

索　引 454
著者紹介 459

本書を活用するにあたって

　譲渡所得は特例が多く，その呼称も様々であるので本書は次のように統一した。また，必要に応じて略称を用いた。

1 特例の統一表記

特例等条文	特例	特例の略称
所法58	固定資産の交換の場合の譲渡所得の特例	固定資産の交換の特例
所法62	生活に通常必要でない資産の災害等による損失がある場合の特例	生活に通常必要でない資産の損失の特例
所法64①	譲渡代金が回収不能となった場合等の所得計算の特例	譲渡代金回収不能の特例
所法64②	保証債務の履行のために資産を譲渡した場合の譲渡所得の特例	保証債務の特例
措法31	長期譲渡所得の課税の特例	長期譲渡の特例
措法31の2	優良住宅地の造成等のために土地等を譲渡した場合の長期譲渡所得の課税の特例	優良住宅地の造成等の税率の特例
措法31の3	居住用財産を譲渡した場合の長期譲渡所得の課税の特例	居住用財産の軽減税率の特例
措法32①	短期譲渡所得の課税の特例	短期譲渡の特例
措法32③	短期保有の土地等を譲渡した場合の短期譲渡所得の税率の特例	短期譲渡の税率の特例
措法33	収用等に伴い代替資産を取得した場合の課税の特例	収用代替の特例（措法33の2と合わせて「収用交換等の特例」という）
措法33の2	交換処分等に伴い資産を取得した場合の課税の特例	交換処分等の特例
措法33の3	換地処分等に伴い資産を取得した場合の課税の特例	換地処分等の特例
措法33の4	収用交換等の場合の譲渡所得等の特別控除	収用交換等の5,000万円控除の特例
措法34	特定土地区画整理事業等のために土地等を譲渡した場合の譲渡所得の特別控除	特定土地区画整理事業等の2,000万円控除の特例

措法34の2	特定住宅地造成事業等のために土地等を譲渡した場合の譲渡所得の特別控除	特定住宅地造成事業等の1,500万円控除の特例
措法34の3	農地保有の合理化等のために農地等を譲渡した場合の譲渡所得の特別控除	農地保有合理化等の800万円控除の特例
措法35①	居住用財産の譲渡所得の特別控除	居住用財産の3,000万円控除の特例
措法35③	被相続人の居住用財産を譲渡した場合の特別控除	相続財産の3,000万円控除の特例
措法35の2	特定期間に取得をした土地等を譲渡した場合の長期譲渡所得の特別控除	特定の土地等の1,000万円控除の特例
措法35の3	低未利用土地等を譲渡した場合の長期譲渡所得の特別控除	低未利用土地等の100万円控除の特例
措法36の2	特定の居住用財産の買換えの場合の長期譲渡所得の課税の特例	特定の居住用財産の買換えの特例 (措法36の5を合わせて「特定の居住用財産の買換等の特例」ともいう)
措法36の5	特定の居住用財産を交換した場合の長期譲渡所得の課税の特例	特定の居住用財産の交換の特例
措法37	特定の事業用資産の買換えの場合の譲渡所得の課税の特例	特定の事業用資産の買換えの特例 (措法37の4と合わせて「特定の事業用資産の買換等の特例」ともいう)
措法37の4	特定の事業用資産を交換した場合の譲渡所得の課税の特例	特定の事業用資産の交換の特例
措法37の5①表1	既成市街地等内にある土地等の中高層耐火建築物等の建設のための買換えの場合の譲渡所得の課税の特例表1	特定民間再開発事業の場合の買換えの特例 (措法37の5①表2と合わせて「中高層耐火建築物等の建設のための買換えの特例」ともいう)
措法37の5①表2	既成市街地等内にある土地等の中高層耐火建築物等の建設のための買換えの場合の譲渡所得の課税の特例表2	中高層耐火共同住宅の建設のための買換えの特例
措法37の5④	既成市街地等内にある土地等の中高層耐火建築物等の建設のための交換の場合の譲渡所得の課税の特例	中高層耐火建築物等の建設のための交換の特例
措法37の6	特定の交換分合により土地等を取得した場合の課税の特例	特定の交換分合の特例
措法37の8	特定普通財産とその隣接する土地等の交換の場合の譲渡所得の課税の特例	特定普通財産と隣接土地等との交換の特例

措法39	相続財産に係る譲渡所得の課税の特例	相続税の取得費加算の特例
措法40の3の2	債務処理計画に基づき資産を贈与した場合の課税の特例	債務処理計画に基づいた贈与の特例
措法41の5	居住用財産の買換え等の場合の譲渡損失の損益通算及び繰越控除の特例	居住用財産の買換譲渡損失の特例
措法41の5の2	特定居住用財産の譲渡損失の損益通算及び繰越控除の特例	特定居住用財産の譲渡損失の特例

2 土地又は建物の表記

資産の内容	略称
土地及び土地の上に存する権利	土地等
建物及び構築物	建物等
土地等及び建物等	土地建物等

3 税法通達等の表記

法令・通達	略称
所得税法	所法
所得税法施行令	所令
所得税法施行規則	所規
所得税基本通達	所基通
租税特別措置法	措置法又は措法
租税特別措置法施行令	措置法令又は措令
租税特別措置法施行規則	措置法規則又は措規
租税特別措置法通達	措置法通達又は措通

本書は，2022年（令和4年）7月30日現在の法令・通達等に基づいている。

第 1 章
譲渡所得の基本

　譲渡所得を計算する上で必須の知識である「課税区分」「取得の日」「譲渡の日」「取得費」「譲渡費用」等を解説する。特に「特定の事業用資産の買換えの特例」等の特例を適用して買換えた資産を譲渡した場合の，取得の時期及び取得費の引継ぎについて詳しく解説した。

1 譲渡所得

　譲渡所得とは，資産の譲渡による所得をいう。資産の所有期間中にその価値が増加したこと（キャピタル・ゲイン）に対して，所有を離れる機会をとらえ，その担税力に着目して課税するものであり，建物又は構築物（以下「建物等」という。）の所有を目的とする地上権又は賃借権の設定，その他契約により他人に土地を長期間使用させる行為を含む（所法33①）。

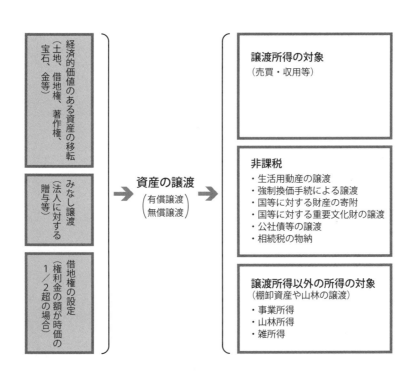

1 譲渡所得の変遷

　所得税の中でも譲渡所得は政策税制ともいわれる。また，譲渡所得の課税の対象となる資産は，土地及び土地の上に存する権利（以下「土地等」という。）及び建物等が圧倒的に多く，譲渡金額も高額になることから，所得税の中で重要な部分を占めている。そのため，その時々の社会経済情勢を反映させて課税方法，税率，特例，特別控除等の改正が頻繁に行われてきた。譲渡所得の基本は，数十年にわたって大きな変化はないが，土地建物等の譲渡を規定している租税特別措置法（以下「措置法」という）は，細かな改正が毎年のように行われていることから，譲渡所得を取り扱う場合は，改正された税制の情報を必ず確認しなくてはならない。

▼譲渡所得課税の変遷

改正又は適用年	課税方法・特例・特別控除等
1949年（昭和21年）	資産の譲渡による所得に対して所得税が課税されることとなった。譲渡所得の2分の1が課税対象となった。
1952年（昭和27年）	居住用財産を譲渡した場合の買換特例が創設された。
1959年（昭和34年）	固定資産の交換の特例が創設された。収用の場合，4分の1課税となった。
1961年（昭和36年）	居住用財産を譲渡した場合の特別控除（50万円）の特例が創設された。有価証券の譲渡が50回20万株以上のものは課税対象となった。
1963年（昭和38年）	特定公共事業用地の買取りの場合の特別控除（700万円）が創設された。事業用資産の買換特例が創設された。
1965年（昭和40年）	所得税法の全文改正に伴い長期譲渡所得（保有期間が3年超のものをいう）と短期譲渡所得が創設された。
1969年（昭和44年）	土地建物等の譲渡所得について分離課税を導入し，譲渡所得は全額課税となった。税率は分離長期譲渡所得10％，分離短期譲渡所得40％となった。事業用資産の買換特例が整備された。
1975年（昭和50年）	総合課税の特別控除が50万円となった。居住用財産の特別控除が3,000万円に引き上げられた。
1976年（昭和51年）	長期譲渡所得金額が2,000万円を超えるものについては4分の3を所得税率で税額計算をする一部総合課税方式が導入された。居住用財産の買換特例が復活した。
1979年（昭和54年）	「優良住宅地の造成等のために譲渡した場合の税率の特例」が創設された。

1980年 (昭和55年)	長期譲渡所得金額が4,000万円を超える部分については2分の1を所得税率で税額計算をする一部総合課税方式に改正された。 「中高層耐火建築物の建設のための買換特例」が創設された。
1982年 (昭和57年)	分離長期譲渡所得の範囲が譲渡の年の1月1日において所有期間が10年を超えるものと改正された。
1988年 (昭和63年)	株式等の譲渡による所得は全て課税対象となった。
1989年 (平成元年)	収用交換等の特別控除が5,000万円に引き上げられた。
1996年 (平成8年)	分離長期譲渡所得の所有年数を,譲渡の年の1月1日において5年を超えるものと改正された。
1998年 (平成10年)	「居住用財産の買換え等の場合の譲渡損失の繰越控除の特例」が創設された。
2004年 (平成16年)	土地建物等の譲渡による譲渡損失の金額を他の所得との損益通算及び繰越控除が廃止された。分離長期譲渡所得の特別控除100万円が廃止された。 「特定居住用財産の譲渡損失の損益通算及び繰越控除の特例」が創設された。 分離長期譲渡所得の税率が15%,分離短期譲渡所得の税率が30%となった。
2007年 (平成19年)	「相続等により取得した居住用財産の買換え及び交換の特例」が廃止された。
2009年 (平成21年)	「特定の土地等の長期譲渡所得の特別控除の特例」「平成21年及び平成22年に土地等の先行取得をした場合の譲渡所得の課税の特例」が創設された。
2016年 (平成28年)	「被相続人の居住用財産に係る譲渡所得の特別控除の特例」が創設された。
2017年 (平成29年)	特定非常災害による被災者に対する買換資産等の取得期間等の延長等,特定非常災害の指定があった場合の譲渡所得の取扱いが整備された。

2 譲渡所得の基因となる資産

　譲渡所得の基因となる資産とは,一般的にその経済的価値が認められて取引の対象となるあらゆる資産であり,キャピタルゲイン又はキャピタルロスを生ずるものである。基本的に,たな卸資産の譲渡その他営利を目的として継続的に行なわれる資産の譲渡や,山林の伐採又は譲渡による所得,及び金銭債権以外の一切の資産をいう。譲渡所得の対象となる資産には,借家権又は行政官庁の許可,認可,割当て等により発生した事実上の権利も含まれる（所法33,所基通33-1）。

　なお,土地の所有者が,その土地の地表又は地中の土石,砂利等を譲渡（営利を目的として継続的に行われるものを除く。）したことによる所得は,譲渡所得に該当する（所基通33-6の5）。

> 〈譲渡所得の課税対象となる資産の例〉
> 土地，土地の上に存する権利（借地権，耕作権等），建物，構築物，機械装置，船舶，航空機，車両，有価証券，鉱業権，漁業権，特許権，著作権，借家権，土石，書画，骨とう，宝石類，金，配偶者居住権及び配偶者居住権に基づく敷地利用権

3 譲渡

1 譲渡の概念

　所得税法でいう譲渡は，民法の概念より広くとらえられている。有償行為はもちろん無償行為による所有権やその他の権利の移転も含み，民法上の売買，交換等のほか，公売，収用の有償行為，贈与，寄附，遺贈などの無償による移転も譲渡の範疇に入る。

　贈与が譲渡所得の範疇に入ることは，贈与税の問題だけでは済まない場合が生じる。たとえば，居住用財産の買換えの特例は，譲渡価額が1億円を超える場合は適用できないが，居住用財産を譲渡した日の属する年，又は前年若しくは前々年に譲渡があった場合は，譲渡価額の合計額をもって1億円の判断をすることとなっている（措法36の2①）。この期間内に，贈与による移転があった場合でも贈与の時の価額，つまり時価で財産の移転があったとして計算する。被相続人の居住用財産を譲渡した場合（措法35③）の特例についても同様の規定があることに留意する。

　借地権を設定して時価の2分の1を超える権利金などを受け取った場合，漁業権などが収用により消滅してその対価を受け取った場合（所令95）など，資産の移転と見られないような行為でも譲渡の範疇に入る。

2 資産の譲渡

　資産の譲渡とは売買の他，財産分与や代物弁済による権利の移転があり，法人に対して資産を贈与した場合や，建物等の所有を目的とする賃借権の設定等がある。

　また，資産の譲渡であっても，事業所得や山林所得等，譲渡所得以外の所得区分により課税が行われる場合がある。

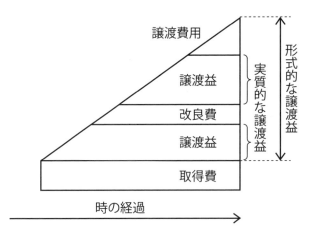

3 実務的判断

実務上は有償無償にかかわらず,「資産」の「移転」があったときには,「原則的に譲渡所得の対象になる」と判断し,そのうえで課税,非課税,損益,特例等の取扱いを検討する。

▼有償譲渡と無償譲渡

有償譲渡	①売買　②交換　③競売　④公売　⑤収用　⑥買取り　⑦換地処分　⑧権利変換　⑨代物弁済　⑩財産分与　⑪物納　⑫法人に対する現物出資　⑬負担付贈与（贈与者が受益者となるもの）　⑭低額譲渡　⑮共有物分割　等
無償譲渡	①贈与　②寄附　③遺贈　④限定承認に係る相続　等

4 みなし譲渡

1 みなし譲渡とは

みなし譲渡とは,法人に対する贈与,又は著しく低い対価による譲渡があった場合等,実質が資産の移転と同等の効果を生む行為を譲渡とみなして,時価による譲渡があったとするものである。

2 贈与・低額譲渡等の場合

次に該当する事由により,山林又は譲渡所得の起因となる資産の移転があった場合には,その事由が生じたときに,その時の価額で,これら資産の譲渡があったも

のとみなされる（所法59①）。なお，その時の価額とは「時価」のことをいい，時価とは通常取引される価額のことをいう。固定資産税評価額や相続税評価額でないことに留意する。

(1) 法人に対して贈与・遺贈した場合

　法人に対し贈与（一般財団法人の設立を目的とする財産の拠出を含む（所基通59-1））又は遺贈があった場合は，その時の価額で譲渡所得の課税の対象となる。個人間の贈与の場合，贈与者がその資産を取得した時の価額を，受贈者が引き継ぐこととなっている（所法60①）。本来は，資産の移転があった時点（贈与の時をいう。）でキャピタルゲイン課税が行われるが，この時に譲渡所得の課税が行われず，受贈者が将来その資産を譲渡した時点で課税されることとなる。しかし，法人に対する贈与又は遺贈の場合はこのような取扱いとなっていない。法人に対する贈与又は遺贈があったとした場合，取得価額を引き継ぐことで課税の繰延べになるため，個人の所得を法人に転嫁することとなる。このような不合理を避けることによる。

(2) 法人に対して著しく低い価額（時価の2分の1未満）で譲渡した場合

　法人に対して著しく低い価額の対価で譲渡した場合は，その時の価額で譲渡があったとみなされる（所法59②）。

　著しく低い価額とは，譲渡所得の起因となる資産の譲渡の時における価額の2分の1に満たない金額である（所令169）。贈与は対価のない資産の移転であるが，譲渡の場合でも時価の2分の1を下回る場合には，時価による譲渡所得が課税される。

(3) 限定承認による相続等があった場合

　限定承認による相続，又は個人に対する包括遺贈のうち限定承認があった場合，その時の価額で譲渡があったものとみなされる（所法59①）。

　限定承認とは，相続又は遺贈によって得た財産の限度においてのみ被相続人の債務を弁済する相続のことをいい，限定承認できるのは法定相続人と包括受遺者である（民法922，990）。一般の相続の場合，取得価額及び取得の日が引き継がれ，キャピタルゲイン課税が繰り越されるが，限定承認が行われた場合，被相続人の所有していた期間中のキャピタルゲインに対応する税額を，相続人が負担することになる。そのため，限定承認の効果が薄れてしまうこととなる。そこで，相続財産のうち山林所得又は譲渡所得の起因となる資産について，いったん相続時点でキャピタルゲインの精算が行われる。被相続人が所有していた期間中の値上がり益に対する所得税を，被相続人の債務として浮かび上がらせることにより，相続財産を精算

第1章　譲渡所得の基本

する。

限定承認の効果として次の点に注意する。
① 限定承認による譲渡価額は相続開始日の時価である。
② 譲渡は被相続人から相続人に対して譲渡があったものとみなす。
③ 被相続人の譲渡所得は，相続開始を知った日の翌日から4か月を経過した日の前日までに準確定申告をする。当該年分の住民税は賦課されない。
④ 譲渡する資産が，被相続人の居住用財産であっても，譲渡の相手が相続人になるので居住用財産を譲渡した場合の各特例の適用は受けられない。
⑤ 限定承認により取得した資産は，相続人が相続した時に時価で取得したものとみなされる。

③ 個人に対する低額譲渡

個人間で低額売買を行った場合は時価による課税はない。しかし，時価の2分の1未満で譲渡した場合は，実際の譲渡代金が収入金額であるが，譲渡所得が赤字の場合には，その譲渡損はなかったものとされる（所法59②）。

平成16年以後，土地建物等の譲渡損益について，損益通算が廃止になっている。譲渡資産が土地建物等で同一年中に他の土地建物等の譲渡がなければ，この規定が問題となることは原則としてなくなった。同一年中に他の土地建物等の譲渡がある場合や総合譲渡の場合に損益通算ができないので注意が必要である。

《土地建物等の譲渡の損益通算不適用》

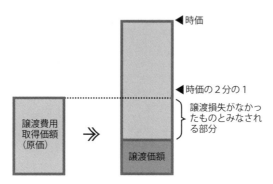

④ 低額譲渡

所得税法第59条第1項第2号に規定する「対価」には，金銭以外の物又は権利その他経済的な利益も含まれる。たとえ，贈与による法人に対する資産の移転で

あっても，移転に伴い債務を引き受けさせることなどによる経済的な利益による収入がある場合，所得税法第59条第1項第1号《法人に対する贈与の場合》の規定の適用はなく，経済的な利益による収入に基づいて同項第2号の規定（法人に対する著しく低い価額の譲渡）の適用の有無を判定する（所基通59-2）。これは，実質的に経済的利益があった場合の取扱いである。

5 同族会社等に対する低額譲渡

山林（事業所得の基因となるものを除く。）又は譲渡所得の基因となる資産を法人に対し時価の2分の1以上の対価で譲渡した場合には，所得税法第59条第1項第2号の規定の適用はない。しかし，時価の2分の1以上の対価による法人に対する譲渡であっても，その譲渡が同族会社等の行為又は計算の否認（所法157）に該当する場合，税務署長の判断によって，資産の時価に相当する金額により山林所得，譲渡所得又は雑所得を計算することとなる（所基通59-3）。

6 一の契約により2以上の資産を譲渡した場合の低額譲渡の判定

法人に対し一の契約により2以上の資産を譲渡した場合，低額譲渡に該当するかどうかを判定するときは，たとえ，契約により，譲渡した個々の資産の全部又は一部について対価の額が定められている場合であっても，個々の資産ごとに判定するのではなく，譲渡したすべての資産の対価の額の合計額を基として判定する（所基通59-4）。これは，個々の資産の価額では，みなし譲渡の規定に抵触するようなときに，恣意的に個々の譲渡価額を変動させる契約を行った場合でも，全体を合計して判断するためである。

7 借地権等の設定及び借地の無償返還

所得税法第59条第1項に規定する「譲渡所得の基因となる資産の移転」には，借地権等の設定は含まれない。しかし，借地の返還が次に掲げるような理由に基づくものである場合を除き，資産の移転に含まれる（所基通59-5）。

この取扱いは，借地権という財産権の返還が，無償若しくは低額で行われた場合には，時価で譲渡所得の課税の対象となるということである。

① 借地権等の設定に係る契約書において，将来借地を無償で返還することが定められていること。

② 土地の使用の目的が，単に物品置場，駐車場等として土地を更地のまま使用し，又は仮営業所，仮店舗等の簡易な建物の敷地として使用していたものであること。

③ 借地上の建物が著しく老朽化したことその他これに類する事由により，借地

権が消滅し，又はこれを存続させることが困難であると認められる事情が生じたこと。

建物が「著しく老朽化したこと」の判断が難しい。単に借地権を返還する，又は地代の支払いが大変だから返還する等の事例があるが，贈与税の課税関係が発生する。

5 地上権等を設定して権利金などを受け取った場合

1 地上権等を設定した場合

　建物等の所有を目的とする地上権又は賃借権の設定，その他契約により他人に土地を長期間使用させた場合は譲渡所得の課税の対象となる（所法33①）。建物等の所有を目的とする地上権若しくは賃借権（以下「借地権」という。）又は地役権の設定の対価として支払を受ける金額（以下「権利金等」という。）が次の各号に掲げる場合の区分に応じ，各号に定める金額の2分の1を超える場合をいう。なお，ここでいう地役権とは，特別高圧架空電線の架設，特別高圧地中電線若しくはガス事業者が供給する高圧のガスを通ずる導管の敷設，飛行場の設置，懸垂式鉄道若しくは跨座式鉄道の敷設又は砂防法に規定する砂防設備である導流堤その他財務省令で定めるこれに類するものの設置，都市計画法に規定する公共施設の設置若しくは特定街区内における建築物の建築のために設定された地役権（建造物の設置を制限するものに限る）をいう（所令79①）。

(1) 建物若しくは構築物の全部の所有を目的とする借地権又は地役権の設定である場合（(3)に掲げる場合を除く。）

　権利金等の額がその土地等の価額（時価）（その土地等が借地権である場合は，借地権の価額の2分の1を超える場合。）。

　なお，地下若しくは空間について上下の範囲を定めた借地権若しくは地役権の設定である場合，又は導流堤等若しくは河川法に規定する遊水地これに類するものの設置を目的とした地役権の設定である場合は，その土地等の価額の4分の1を超える場合。

(2) 建物等の一部の所有を目的とする借地権の設定である場合

　その土地等の価額に，建物等の床面積（対価の額が，建物等の階その他利用の効用の異なる部分ごとに，その異なる効用に係る適正な割合を勘案して算定されているときは，その割合による調整後の床面積。）のうちに借地権に係る建物等の一部

の床面積の占める割合を乗じて計算した金額

$$（土地等の価額）\times \frac{所有部分の床面積}{全体の床面積} \times 1/2$$

(3) 大深度地下の公共的使用に関する特別措置法（以下「大深度地下法」という。）の規定により使用の認可を受けた事業（以下「認可事業」という。）と一体的に施行される事業として認可事業の事業計画書に記載されたものにより設置される施設，又は工作物の全部の所有を目的とする地下について上下の範囲を定めた借地権の設定である場合

　その土地等の価額の2分の1に相当する金額に，その土地等における地表から大深度地下法に掲げる深さのうちいずれか深い方の深さ（以下「大深度」という。）までの距離のうちに，借地権の設定される範囲のうち最も浅い部分の深さから，大深度までの距離の占める割合を乗じて計算した金額（所基通33－15の3）。

（計算式）

その土地の価額(注1) $\times \dfrac{1}{2} \times \dfrac{認可事業と一体的に施工される事業により設置される施設又は工作物の全部の所有を目的とする地下について上下の範囲を定めた借地権（Ⓐ）の設定される範囲のうち最も浅い部分の深さから大深度^{(注2,注3)}までの距離}{その土地における地表から大深度までの距離^{(注4)}} \times \dfrac{5}{10}$

注1　認可事業と一体的に施行される事業により設置される施設又は工作物の全部の所有を目的とする地下について，上下の範囲を定めた借地権（Ⓐ）の設定される土地について所得税法施行令第79条第1項に規定する借地権（Ⓑ）の設定者にあっては，その借地権（Ⓑ）の価額による。

　2　「大深度」とは，所得税法施行令第79条第1項第3号に規定する大深度をいい，具体的には，その土地の地表から大深度地下法第2条第1項各号《定義》に掲げる深さ（次の①及び②に掲げる深さ）のうちいずれか深い方の深さをいう。

　　①　地表から40メートルの深さ

　　②　支持地盤（大深度地下法施行令第2条第1項《通常の建築物の基礎ぐいを支持することができる地盤等》に規定する支持地盤をいう。）のうち最も浅い部分の深さから10メートルの深さ

　3　借地権（Ⓐ）の設定される範囲より深い地下で，大深度よりも浅い地下において既に地下について上下の範囲を定めた他の借地権（Ⓒ）が設定されている

場合は，他の借地権（ⓒ）の範囲のうち最も浅い部分の深さとする。
4 借地権者も，借地権（Ⓑ）に係る土地における地表から大深度までの距離による。

2 借地権等の設定の対価の基準

借地権又は地役権の設定の対価として支払を受ける金額が，支払を受ける地代の年額の20倍以下である場合は，譲渡所得に該当しないものと推定する（措令79③）。

この規定は，借地権の設定がその土地の時価の2分の1を超えている場合に資産の譲渡とみなされることを判定する上での推定規定である。資産の譲渡と判定されたら，この規定は働かない。

3 経済的利益があった場合

借地権又は地役権の設定をしたことに伴い，通常の場合の金銭の貸付けの条件に比し特に有利な条件による金銭の貸付け（名義を問わず，これと同様の経済的性質を有する金銭の交付を含む。），その他特別の経済的な利益を受ける場合，通常の条件で金銭の貸付けを受けた場合に比して受ける利益，その他特別の経済的な利益の額を対価の額に加算した金額で2分の1の判定を行う（所令80①）。

6 資産の消滅等により補償金を受け取った場合

収用等により譲渡所得の起因となる資産（借地権，漁業権等）が，消滅，価値が減少することにより，補償金やそれに類する対価を受け取った場合は，譲渡所得の課税の対象となる（所令95）。

価値が減少するとは，その資産の価値が永久に失われることをいい，一時的な利用の制限となるような場合は含まれない。

2 資産の譲渡のうち非課税とされる所得

次の資産の譲渡又は寄附等については，原則として譲渡所得に該当する。しかし，少額資産の譲渡であるため課税が煩雑であることや，強制換価手続による譲渡については担税力がないこと等から，その譲渡益に対しては所得税が課税されない。

1 生活用動産の譲渡による所得

自己又は配偶者その他の親族が生活の用に供する家具，じゅう器（日常使う道具類），衣服等などは課税されない（所法9①9）。

生活に通常必要な資産を譲渡したとしても，譲渡益が生ずることが稀であることと譲渡益が生じても少額であることから，課税の煩雑さを避けるため非課税となったものである。またその逆に，生活用動産の譲渡による損失は，なかったものとされる（所法9②）。

ただし，生活に通常必要な動産であっても貴石，貴金属，書画，骨董，美術工芸品などで1個又は1組の価額が30万円を超えるものは，譲渡所得の課税対象となる（所令25）。

2 強制換価手続等による譲渡による所得

① 強制換価手続等

資力を喪失して債務を弁済することが著しく困難な場合の資産の譲渡による所得は，所得税が課せられない（所法9①10）。資力を喪失して強制換価手続による資産の譲渡による所得，又は，それに類する譲渡（以下「強制換価手続等」という）による所得は，担税力がないと認められるため，非課税となったものである。

強制換価手続等による譲渡損についてはなかったものとされる（所法9②）。

第1章 譲渡所得の基本

② 強制換価手続による資産の譲渡

強制換価手続とは次のものをいう（通則法2⑩）。
- イ　滞納処分
- ロ　強制執行
- ハ　担保権の実行としての競売
- ニ　企業担保権の実行手続
- ホ　破産手続

③ 任意換価手続による資産の譲渡

(1) 任意換価手続

資力を喪失して債務を弁済することが著しく困難であり，かつ，強制換価手続の執行が避けられないと認められる場合の資産の譲渡による所得で，譲渡の対価の全部が債務の弁済に充てられた場合は，譲渡所得は課税されない。強制換価手続に対して，任意換価手続という。

(2) 資力を喪失した場合等とは

非課税の要件である，資力を喪失して債務を弁済することが著しく困難である場合とは，債務者の債務超過の状態が著しく，その者の信用，才能等を活用しても，現にその債務の全部を弁済するための資金を調達することができないのみならず，近い将来においても調達することができないと認められる場合をいう。これに該当するかどうかは資産を譲渡した時の現況により判定する（所基通9-12の2）。

(3) 譲渡の対価が債務の弁済に充てられたかどうかの判定

譲渡の対価が債務の弁済に充てられたかどうかは，資産の譲渡の対価（資産の譲渡費用がある場合，その部分を除く。）の全部が，譲渡の時に存在した債務の弁済に充てられたかどうかにより判定する。任意換価手続の場合，譲渡の対価が債務の弁済に充てられなければならないが，対価の全部が債務の弁済に充てられなければならないことに注意する（所令26，所基通9-12の4）。

譲渡対価の一部が弁済に充てられていない場合，担税力があるものとみなされる。強制換価手続と同様の取扱いであるため，強制換価手続とのバランスにおいても，譲渡の対価の全部が弁済に充てられる必要がある。

④ 非課税とされる山林の伐採又は譲渡による所得

非課税とされる所得は，資産の譲渡による所得のうち棚卸資産（譲渡所得の基因とされない棚卸資産に準ずる資産を含む。）の譲渡，その他，営利を目的として継続的に行われる資産の譲渡による所得以外の所得に限られる。そのため，山林の伐

採又は譲渡による所得であっても、営利を目的として継続的に行われる山林の伐採又は譲渡による所得は、非課税とはならない（所基通9-12の3）。

5 代物弁済

次に掲げる代物弁済による資産の譲渡に係る所得は、譲渡の対価が債務の弁済に充てられたものに該当する。清算金とは、代物弁済となる資産の価額が債務の額を超える場合の、超える金額に相当する金額として、債権者から債務者に対し交付される金銭、その他の資産をいう（所基通9-12の5）。

① 債権者から清算金を取得しない代物弁済
② 債権者から清算金を取得する代物弁済で、清算金の全部を代物弁済に係る債務以外の債務の弁済に充てたもの

3　国や公益法人等に対して財産を寄附した場合の所得

1 特例の内容

国や地方公共団体又は公益法人等に対して一定の要件の下、財産を寄附した場合、譲渡所得が課税されない（措法40）。

法人に対して財産を贈与又は遺贈した場合には、時価で譲渡したものとして譲渡所得の課税対象になるが、その例外規定で、贈与がなかったものとみなされる。国や地方公共団体に対して無償で寄附を行った行為に対して所得税を課することの納税者感情、民間の公益事業に対する積極的な寄附の奨励に配意した規定である。

① 国又は地方公共団体に対し、財産の贈与又は遺贈（以下「贈与等」という。）があった場合。
② 公益社団法人、公益財団法人、特定一般法人その他の公益を目的とする事業を行う法人（以下「公益法人等」という。）に対する財産の贈与等（公益法人等を設立するためにする財産の提供を含む。）があった場合。

　その贈与等が教育又は科学の振興、文化の向上、社会福祉への貢献その他公益の増進に著しく寄与し、贈与財産が、贈与等があった日から2年を経過する日までの期間内に、公益法人等の公益目的事業の用に直接供され、又は供される見込みであること、その他一定の要件を満たすものとして、国税庁長官の承認を受けることが要件である。

2 国税庁長官の承認の取消しがあった場合

寄附財産を公益の事業等に供されなくなった場合等、一定の事由により国税庁長

官の承認が取り消された場合は，取消しがあった年分の所得税が課税される（措法40③）。

非課税の承認が取り消された場合，課税される場合として，次の2つの区分があることに留意する。

① 贈与等があった日から2年を経過するまでに公益目的事業の用に供されなかった場合	・贈与等した者の，贈与等があった日の属する年分の所得として所得税が課税される（措法40②）。
② ①以外で非課税の承認が取り消された場合	・非課税の承認が取り消された日の属する年分，又は遺贈があった日の年分の所得として，贈与等を受けた公益法人等を個人とみなして，その公益法人等に対して所得税（譲渡所得又は雑所得）が課税される（措法40③，措令25の17⑯）。

4 国等一定の団体に対して重要文化財を譲渡した場合の所得

1 非課税となる重要文化財の譲渡の相手方

文化財保護法第27条第1項の規定により重要文化財（土地を除く。）として指定されたものを，国又は次の団体に譲渡した場合，所得税は非課税である（措法40の2①，措令25の17の2）。

- ・独立行政法人国立文化財機構
- ・独立行政法人国立美術館
- ・独立行政法人国立科学博物館
- ・地方公共団体
- ・地方独立行政法人（地方独立行政法人法施行令第6条第3号に掲げる博物館，美術館，植物園，動物園又は水族館のうち博物館法第2条第2項に規定する指定施設に該当するものに係る地方独立行政法人法第21条第6号に掲げる業務を主たる目的とするもの）
- ・文化財保護法第192条の2第1項に規定する文化財保存活用支援団体（公益社団法人（その社員総会における議決権の総数の2分の1以上の数が地方公共団体により保有されているものに限る。）又は公益財団法人（その設立当初において拠出をされた金額の2分の1以上の金額が地方公共団体により拠出をされているものに限る。）であつて，その定款に法人が解散した場合にその残余財産が地方公共団体又はその法人と類似の目的をもつ他の公益を目的とする事業を行う法人に帰属する旨の定めがあるものとする。）

2 重要文化財等の敷地

重要文化財及び重要有形民俗文化財の譲渡の非課税の特例は，その敷地である土地が非課税の対象から除かれている。ただし，敷地については，その譲渡所得に対

して特定土地区画整理事業等の2,000万円控除の特例（措法34）が適用できる。

5 財産を相続税の物納に充てた場合の所得

1 物納による相続税の納付があった場合

　租税は納期限又は納付すべき日（修正申告又は期限後申告の場合）までに金銭で一括納付が大原則である（通則法34①）。しかし，相続税の場合，課税対象財産が換金困難資産が大半を占める場合や土地等の占める割合が高く，預貯金等金融資産が過少である場合は，納付が困難なことがある。このような場合に延納制度があるが，延納によっても納付が困難な場合は，一定の要件の下，納税手段の一つとして物納が認められている。このように，相続税を金銭納付に代えて，財産を物納に充てた場合は，譲渡がなかったものとみなされる（措法40の3）。

　物納は，国に対する寄附ではなく，国税債務の対価として代物弁済するためキャピタル・ゲインの課税対象となる。しかし，物納財産に対して値上がり益を課税すると所得税の納付が困難となることも予想され，納税困難者に対する配慮として非課税となっているものである。

　なお，この特例は，申告が要件となっていない。

2 超過物納となった場合

　物納財産の価額は，納付すべき相続税の価額と一致していることはほとんどない。物納財産の収納価額と相続税額の差額（以下「超過物納」という。）は，金銭をもって還付される（相基通41-4）。還付された金額は，譲渡所得の対象となり，譲渡所得の申告が必要である。この場合，措置法第31条の2，第32条，第39条等の要件を充足すれば特例の適用ができる。

3 譲渡ではあるが他の所得として課税される所得

　譲渡所得の基因となる資産とは，棚卸資産，準棚卸資産，営利を目的とする継続売買に係る資産，山林及び金銭債権を除く一切の資産である（所法33②）。つまり，これら譲渡所得の起因となる資産以外の資産の譲渡は，譲渡所得以外の所得（事業所得，雑所得，山林所得等）として課税されることとなる。

1 営利目的で継続的な資産の譲渡による所得

　譲渡所得とは資産の値上がり益であることから，これに着目して課税対象とするものである。個人が単発的，偶発的に資産を譲渡して，その利得を得る場合のことをいう。当初より，営利を目的として継続的に譲渡を行っている場合は，事業所得又は雑所得となる（所法33②一）。事業の規模に応じて事業所得又は雑所得に区分する。

2 棚卸資産の譲渡による所得

　棚卸資産の譲渡による所得は，営利を目的として，継続的に行われることから，事業所得として課税される（所法33②）。棚卸資産とは，商品又は製品（副産物及び作業くずを含む），半製品，仕掛品（半成工事を含む），原材料，消耗品で貯蔵中のものをいう（所令3）。

3 棚卸資産に準ずる資産の譲渡による所得

　棚卸資産に準ずる資産の譲渡による所得は，雑所得となる。棚卸資産に準ずる資産とは，不動産所得，山林所得及び雑所得を生ずる業務から生ずる，商品又は製品，半製品等棚卸資産に準ずる資産のことをいう（所法33②，所令3，81）。

4 少額減価償却資産等の譲渡による所得

　次の資産の譲渡による所得は，少額の減価償却資産として，事業所得又は雑所得となる（所令81①2，138，139）。これは，①及び②の資産は，取得価額の全額を取得した年分の事業所得等の計算にあたって必要経費として，③の資産は取得価額の3分の1を3年に分けて必要経費として算入していることによる。

① 　使用可能1年未満の減価償却資産

　使用可能期間が1年未満である減価償却資産で所得税法施行令第138条《少額の減価償却資産の取得価額の必要経費算入》の規定に該当するものの譲渡による所得は，減価償却資産が，業務の性質上基本的に重要なものであっても，譲渡所得には該当しない（所基通33－1の3）。

② 　取得価額が10万円未満の減価償却資産（所令138）

③ 　取得価額が20万円未満の減価償却資産で，一括償却資産の必要経費算入の特例を受けたもの（所令139①）

　ただし，製品の製造，農産物の生産，商品の販売，役務の提供等その者の目的とする業務の遂行上直接必要な減価償却資産で，業務の遂行上欠くことのできないもの（以下「少額重要資産」という。）を除く。

④ 　反復継続して譲渡する少額重要資産（所基通27－1，33－1の2注）

　少額重要資産であっても，貸衣装業における衣装類，パチンコ店におけるパチンコ器，養豚業における繁殖用又は種付用の豚のように，事業の用に供された後において反復継続して譲渡することが，事業の性質上通常である少額重要資産の譲渡による所得は，譲渡所得ではなく事業所得に該当する（所基通33－1の2）。

5 山林の伐採又は譲渡による所得

　山林の伐採又は譲渡による所得は山林所得となる（所法33②二）。山林所得とは，山林を伐採して譲渡したことにより生ずる所得，又は山林を伐採しないで譲渡したことにより生ずる所得をいう（所基通32－1）。

　ただし，山林を取得の日以後5年以内に伐採し，又は譲渡することによる所得は，山林所得ではなく，事業所得又は雑所得となる（所法32②）。

また，山林をその生立する土地とともに譲渡した場合，土地の譲渡から生ずる所得は，山林所得ではなく，譲渡所得となる（所基通32-2）。

4 譲渡所得の区分と税率

　譲渡所得には，総合課税対象資産の譲渡による所得，及び分離課税対象資産の譲渡による所得があり，それぞれが長期譲渡所得，及び短期譲渡所得に区分される。また，分離課税対象資産の譲渡は，土地建物等の譲渡所得と株式等の譲渡所得に区分される。土地建物等の譲渡所得はさらに，土地等及び建物等で課税区分が分かれる場合がある。更に細分化されて各種特例が規定されている。税額等の区分のほか，居住用財産の3,000万円の控除の特例や，収用交換等の5,000万円の特例をはじめとする各種特別控除がある。

　資産の種類，保有期間，適用特例等により課税区分，税率，特別控除が異なるため，譲渡所得の理解が困難なものとなっており，適用にあたって慎重さが求められる。

【譲渡所得の区分と税率】

譲渡資産	課税区分	譲渡資産の要件	税率
総合課税対象資産	総合長期	取得の日から譲渡の日までの所有期間が5年を超える資産	特別控除額50万円控除した金額の1/2に対して総合所得で計算する
	総合短期	取得の日から譲渡の日までの所有期間が5年以下の資産	特別控除額50万円控除した金額に対して総合所得で計算する
土地等分離課税対象資産	分離長期一般	譲渡の年の1月1日において所有期間が5年を超える土地等	譲渡所得金額×15%（5%）
	分離長期特定	譲渡の年の1月1日において所有期間が5年を超える土地等で優良住宅地の造成等のために譲渡したもの	譲渡所得金額が2,000万円以下…譲渡所得金額×10%（4%） 譲渡所得金額が2,000万円超…（譲渡所得金額－2,000万円）×15%（5%）＋200万円（80万円）

第1章　譲渡所得の基本

	分離長期軽課	譲渡の年の1月1日において所有期間が10年を超える土地等で居住用財産に該当する資産	譲渡所得金額が6,000万円以下…10%（4%） 譲渡所得金額が6,000万円超…（譲渡所得金額－6,000万円）×15%（5%）＋600万円（240万円）
	分離短期一般	譲渡の年の1月1日において所有期間が5年以下の土地等	譲渡所得金額×30%（9%）
	分離短期軽減	譲渡の年の1月1日において所有期間が5年以下の土地等で，国等に譲渡又は収用等で譲渡したもの	譲渡所得金額×15%（5%）
建物等分離課税対象資産	分離長期一般	譲渡の年の1月1日において所有期間が5年を超える建物等	譲渡所得金額×15%（5%）
	分離長期軽課	譲渡の年の1月1日において所有期間が10年を超える建物等で居住用財産に該当する資産	譲渡所得金額が6,000万円以下…10%（4%） 譲渡所得金額が6,000万円超…（譲渡所得金額－6,000万円）×15%（5%）＋600万円（240万円）
	分離短期一般	譲渡の年の1月1日において所有期間が5年以下の建物等	譲渡所得金額×30%（9%）
株式等	分離短期一般	土地類似株式等の譲渡に係る短期譲渡所得（措置法32②） ○所有する資産の時価の総額に占める土地等の時価の合計額が70%以上である法人の株式で，譲渡の年の1月1日において所有期間が5年以下であるもの	譲渡所得金額×30%（9%）

・2013年（平成25年）から2037年（令和19年）まで復興特別所得税（2.1%）が課される。
・（　）内は住民税の税率

5 総合課税と分離課税

　譲渡所得には，総合課税対象の所得と分離課税対象の所得がある。総合課税対象の所得は所得税法に，分離課税対象の所得は租税特別措置法に規定されている。

　本来，譲渡所得の基因となる資産の譲渡益に対する課税は一本であるべきである。しかし，昭和40年代に地価が物価上昇を上回る高騰となったことから，土地等及び建物等の譲渡に対する課税は別枠で行うこととなり，昭和44年に分離課税制度が創設された。

　総合課税対象の譲渡所得については，事業所得や給与所得などの他の所得と合算して所得の計算が行われ，超過累進税率で税額が計算される。分離課税対象の譲渡所得については他の所得と分離して，特別の税率を適用して計算が行われる。土地建物等及び株式等の譲渡は分離課税，その他の資産の譲渡は総合課税という具合に，譲渡資産によって明確に区分されている。

1 総合課税

① 総合課税とは
　分離課税の対象となる土地建物等や株式を除く資産の譲渡に係る課税方式で，総合課税の対象となる事業所得や給与所得等と合算して超過累進税率で税額を計算する（所法22②）。

② 総合課税対象資産
　総合課税の対象となる主な資産としては借家権，土石，ゴルフ会員権，金地金等がある。配偶者居住権及び配偶者居住権に基づき居住建物を使用する権利の譲渡にかかる譲渡所得についても総合課税対象である（措通31・32共-1）。

③ 総合課税の課税区分と特別控除
　総合課税の所得には，その資産の保有期間に応じて，長期譲渡所得と短期譲渡所得に区分される。なお，総合課税の譲渡益を限度として，特別控除50万円を控除

することができる。この特別控除は長期，短期にかかわらず適用できる（所法33④）。

長期譲渡所得は，特別控除後の金額に対して2分の1を乗じた金額である（所法22②2）。

4 総合課税の計算

総合課税の所得は次のように計算される。

```
総合長期譲渡所得＝（譲渡収入金額－取得費－譲渡費用－特別控除（50万円））×1/2
総合短期譲渡所得＝譲渡収入金額－取得費－譲渡費用－特別控除（50万円）
```

2 分離課税

1 分離課税とは

分離課税とは土地等及び建物等（土地等及び建物等を合わせて「土地建物等」という）の譲渡に係る課税方式で，これらの譲渡による所得を他の所得と分離独立して計算を行う（措法31①）。

2 分離課税対象資産

(1) 分離課税の対象となる具体的資産

分離課税の基因となる資産は，次の資産に限られる。なお，鉱業権，温泉を利用する権利，配偶者居住権（配偶者居住権の目的となっている建物の敷地の利用権を含む。），借家権，土石（砂）などは含まれない（措通31・32共－1）。

【対象資産】

資産の区分	具体的資産
土地	土地
土地の上に存する権利	借地権，地上権，耕作権，地役権，永小作権
建物及び附属設備	建物，冷暖房設備，照明設備，昇降機等
構築物	庭園，堀，橋，岸壁，軌道，貯水池，煙突，その他土地に定着する土木設備等
租税特別措置法第32条第2項に規定する株式等	イ　資産の時価の総額のうちに占める短期保有土地等の価額の合計額が70％以上である法人の株式等 ロ　資産の価額の総額のうちに占める土地等の価額の合計額の割合が70％以上である法人の株式等で短期保有のもの

(2) 転用未許可農地

次の農地や権利を譲渡した場合，分離課税対象の所得となる（措通31・32共-1の2)。

① 農地法第3条第1項《農地又は採草放牧地の権利移動の制限》の規制による許可を受けなければならない農地
② 農地法第5条第1項《農地又は採草放牧地の転用のための権利移動の制限》の規定による許可を受けなければならない農地
③ 採草放牧地又は農地法第5条第1項第7号の規定による届出をしなければならない農地
④ 採草放牧地を取得するための契約を締結した者のその契約に係る権利

3 分離課税の計算

分離課税の譲渡所得の計算は，次の算式による。特別控除の額は，適用する特例により異なり，また，特例により税率が異なる。

> 課税長期（短期）譲渡所得金額＝譲渡収入金額－取得費－譲渡費用－特別控除

3 損益の計算

1 譲渡所得の損益の計算

譲渡所得には分離短期一般資産，分離短期軽減資産，分離長期一般資産，分離長期特定資産，分離長期軽課資産の分離譲渡所得5グループと総合短期資産及び総合長期資産の総合譲渡所得2グループがある。

2 分離譲渡所得の損益の計算

(1) 分離譲渡所得の損益の相殺

分離譲渡所得の損益の相殺は次の点に留意する（措法31①，措通31・32共-2)。

① 分離短期譲渡所得内での損益を相殺する。
② 分離長期譲渡所得内での損益を相殺する。
③ 分離短期譲渡所得の損失は，分離長期譲渡所得の譲渡益から控除し，控除しきれない損失の金額は生じなかったものとみなす。
④ 分離長期譲渡所得の損失は，分離短期譲渡所得の譲渡益から控除し，控除しきれない損失の金額は生じなかったものとみなす。

居住用財産の買換え譲渡損失の特例（措法41の5）及び特定居住用財産の

譲渡損失の特例（措法41の5の2）は，損益通算及び譲渡損失の繰越しができるので除かれる。

⑤ 分離譲渡所得の赤字は総合譲渡所得と損益の相殺及び総合所得との損益通算はできない。

⑥ 総合所得の赤字は分離譲渡所得の黒字と損益通算はできない。

(2) 分離譲渡所得間の損益の相殺

分離長期譲渡所得及び分離短期譲渡所得間の損益の相殺は次により行う。

【分離譲渡所得間の損益の相殺適用表】

黒字＼赤字	分離短期一般資産	分離短期軽減資産	分離長期一般資産	分離長期特定資産	分離長期軽課資産
分離短期一般資産		②	⑨	⑨	⑨
分離短期軽減資産	①		⑩	⑩	⑩
分離長期一般資産	⑥	⑥		③	③
分離長期特定資産	⑦	⑦	④		④
分離長期軽課資産	⑧	⑧	⑤	⑤	

損益の相殺の具体的内容は，次のとおりである。なお，適用表番号①～⑩は　上記「分離譲渡所得間の損益の相殺適用表」の番号である。

適用表番号	損益の相殺の内容
①，②	・分離短期一般資産の赤字は分離短期軽減資産の黒字から控除し，分離短期軽減資産の赤字は分離短期一般資産の黒字から控除する。
③	・分離長期特定資産又は分離長期軽課資産の赤字は，分離長期一般資産の黒字から控除する。
④	・分離長期一般資産の赤字又は③で控除しきれなかった分離長期軽課資産の赤字は分離長期特定資産の黒字から控除する。
⑤	・③④で控除しきれなかった分離長期特定資産又は分離長期一般資産の赤字は分離長期軽課資産の黒字から控除する。
⑥，⑦，⑧	・①で控除しきれなかった分離短期一般資産及び分離短期軽減資産の赤字は，③④⑤の控除後の分離長期一般資産，分離長期特定資産及び分離長期軽課資産の黒字から控除する。
⑨，⑩	・③④⑤で控除しきれなかった分離長期一般資産，分離長期特定資産及び分離長期軽課資産の赤字は①②で控除された分離短期一般資産及び分離短期軽減資産の黒字から順次控除する。

3 総合譲渡所得内の損益の計算

総合譲渡所得の損益の相殺は次の点に留意する。
① 総合長期譲渡所得の赤字は総合短期譲渡所得の黒字から控除する。
② 総合短期譲渡所得の赤字は総合長期譲渡所得の黒字から控除する。
③ ①及び②の計算の結果生じた赤字は分離(長期・短期)譲渡所得の黒字から控除できない。
④ 総合譲渡所得の赤字は総合所得と損益通算ができる。

4 損益通算

(1) 損益通算とは

損益通算とは,総所得金額,退職所得金額又は山林所得金額を計算する場合,不動産所得の金額,事業所得の金額,山林所得の金額又は譲渡所得の金額の計算上生じた損失の金額があるときは,他の各種所得の金額から控除することをいう(所法69)。

(2) 譲渡所得の損益通算

譲渡益は常に生じるとは限らず,取得費と譲渡費用の合計額が譲渡収入金額より高額となり譲渡損となる場合も多くある。土地建物等の譲渡による譲渡損失金額は原則として他の所得と損益通算ができない。

損益の相殺又は損益通算の可否を図示すると次のとおりである。

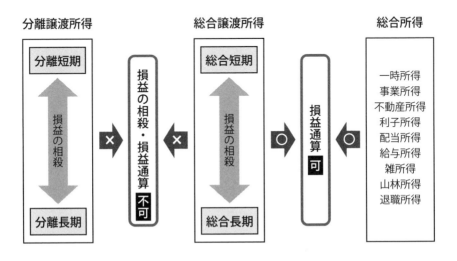

(3) 分離譲渡所得の損益通算の例外

分離譲渡所得の損失は総合所得と損益通算ができないが，下記の特例は例外的に損益通算及び繰越控除ができる。

① 居住用財産買換譲渡損失の特例（措法41の5）
② 特定居住用財産の譲渡損失の特例（措法41の5の2）

6 長期保有資産と短期保有資産

　総合課税の譲渡資産及び分離課税の譲渡資産は，それぞれ長期保有資産，短期保有資産に区分され，保有の別により，総合譲渡所得では所得金額が，分離譲渡所得では税率が異なる。また，総合課税と分離課税では長期保有，短期保有の概念が異なる。税額にダイレクトに影響するため適切・確実に判定する。

1 総合課税

1 総合長期資産
　総合課税における長期資産とは，その資産の取得の日以後譲渡の日までの保有期間が5年を超えるものをいう（所法33③2）。

2 総合短期資産
(1) 原則
　総合課税における短期資産とは，その資産の取得の日以後譲渡の日までの保有期間が5年以下のものをいう（所法33③1）。
(2) 例外
　保有期間が5年以下であっても，次のものは除かれる（所令82）。
① 自己の研究の成果である特許権，実用新案権その他の工業所有権
② 自己の育成の成果である育成者権
③ 自己の著作に係る著作権
④ 自己の探鉱により発見した鉱床に係る採掘権
⑤ 相続又は遺贈により取得した配偶者居住権の消滅（配偶者居住権を取得した時に配偶者居住権の目的となっている建物を譲渡したとしたならば，その建物を取得した日とされる日以後5年を経過する日後の消滅に限る。）による所得
⑥ 配偶者居住権の目的となっている建物の敷地の用に供される土地（土地の上に存する権利を含む。）を配偶者居住権に基づき使用する権利の消滅（権利を

取得した時に土地を譲渡したとしたならば、その土地を取得した日とされる日以後5年を経過する日後の消滅に限る。）による所得

③ 所有期間

総合課税における長期譲渡又は短期譲渡の判断は、資産の取得の日以後譲渡するまでの実際の所有期間で行う。

《総合課税における長期資産と短期資産》

2 分離課税

① 分離長期資産

分離課税における長期資産とは、譲渡の年の1月1日において、所有期間が5年を超えるものをいう（措法31①）。

② 分離短期資産

分離課税における短期資産とは、譲渡の年の1月1日において、所有期間が5年以下のものをいう（措法32①）。

株式等の譲渡であっても特定の株式等に該当するものについては、分離短期一般資産の譲渡となることがあるので注意する（措法32②）。

③ 所有期間

分離課税の計算における長期譲渡又は短期譲渡の判断は、資産を譲渡した年の1月1日のあり様による。総合課税と大きく異なり、実際の所有期間によるものではない。

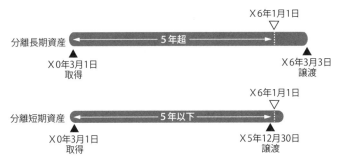

7 特別控除

譲渡所得には，特例の種類により特別控除が設けられている。この特別控除は，際限なく控除できるのはなく，1年間の譲渡所得金額に対し，5,000万円の限度額が設けられている。

1 特別控除の種類

措置法において，設けられている特別控除は次のとおりである。これらのうち2以上の特例の適用を受けることにより控除すべき金額の合計額が5,000万円を超えることとなるときは，控除すべき金額は，5,000万円が限度である（措法36）。

特例	条文
① 収用交換等の5,000万円控除の特例	措置法第33条の4
② 特定土地区画整理事業等の2,000万円控除の特例	措置法第34条
③ 特定住宅地造成事業等の1,500万円控除の特例	措置法第34条の2
④ 農地保有合理化等の800万円控除の特例	措置法第34条の3
⑤ 居住用財産の3,000万円控除の特例	措置法第35条第1項
⑥ 相続財産の3,000万円控除の特例	措置法第35条第3項
⑦ 特定の土地等の1,000万円控除の特例	措置法第35条の2
⑧ 低未利用土地等の100万円控除の特例	措置法第35条の3

2 特別控除額の異なる資産の譲渡がある場合の譲渡所得の構成

分離短期譲渡所得又は分離長期譲渡所得のうちに，次の対象となる所得又はその他の所得が2以上ある場合，その年中に譲渡した資産のうちに譲渡損失の生ずる資産があるときは，分離短期譲渡所得の譲渡益又は分離長期譲渡所得の譲渡益は，それぞれの金額の範囲内において，まず収用交換等の場合の5,000万円控除の対象となる資産の譲渡益から成るものとし，次に，居住用財産を譲渡した場合の3,000万円控除，

2,000万円控除，1,500万円控除，1,000万円控除，800万円控除若しくは100万円控除の対象となる資産の譲渡益又はその他の資産の譲渡益から順次成るものとする。

その年分の分離短期譲渡所得の金額又は分離長期譲渡所得の金額の計算上，居住用財産の買換え等の場合の譲渡損失の損益通算及び繰越控除（措置法41の5），特定居住用財産の譲渡損失の損益通算及び繰越控除（措置法41の5の2）又は雑損失の繰越控除の適用がある場合もこれに準ずる（措通31，32共−3）。

3 特別控除の累積限度額

その年において，2以上の特別控除の規定の適用を受ける場合，これらの特別控除額の合計額が5,000万円を超えることとなるときは，これらの特別控除額の合計額は，その年を通じて5,000万円である。この場合，特別控除額の控除は，5,000万円に達するまで次表に掲げる順序により行う（措令24，措通36−1）。

控除の区分＼所得の区分	分離短期譲渡所得	総合短期譲渡所得	総合長期譲渡所得	山林所得	分離長期譲渡所得
収用交換等の5,000万円控除の特例	①	②	③	④	⑤
居住用財産の3,000万円控除の特例	⑥	—	—	—	⑦
特定土地区画整理事業等の2,000万円控除の特例	⑧	—	—	—	⑨
特定住宅地造成事業等の1,500万円控除の特例	⑩	—	—	—	⑪
特定の土地等の1,000万円控除の特例	—	—	—	—	⑫
農地保有合理化等の800万円控除の特例	⑬	—	—	—	⑭
低未利用土地等の100万円控除の特例	—	—	—	—	⑮

8 資産の取得の日

　資産の取得の日の判定は，資産の譲渡の日と共に，長期・短期の判定の重要な要素である。資産の保有期間の計算の始期となる「資産の取得の日」は，原則としてその資産の引渡しを受けた日であるが，売買契約等の効力の発生の日によってもよいこととなっている。

　また，交換や買換えの特例を適用して取得した資産を譲渡した場合，買換譲渡資産（交換や買換えの特例を適用した時に譲渡した資産）の取得の日を引き継ぐ特例と引き継がない特例があるため，買換等の特例を適用して取得した資産を譲渡した場合，取得の日及び取得価額について十分検討する。

1 原則的取扱い

　資産の取得の日とは，原則的にその資産を実際に取得した日のことをいうが，資産の態様により「他から購入した資産」「自ら建設，製作又は製造した資産」「他に請け負わせて建設等をした資産」の別により取り扱われる（所法33③，所基通33－9，36－12）。

資産の区分	取得の日
① 他から購入した資産	・所基通36-12に準じて判定した日（譲渡所得の基因となる資産の引渡しがあった日）。
② 自ら建設，製作又は製造した資産	・建設等が完了した日。
③ 他に請け負わせて建設等した資産	・資産の引渡しを受けた日。

2 例外的取扱い

　資産の取得の日（以下単に「取得の日」ともいう。）は，引渡しを受けた日が原則であるが，土地等高額な資産の取得の場合，売買契約締結後一定期間の猶予を設

けて，その後に引き渡すことが多い。このような場合は，売買契約の効力の発生の日を選択することができる。また，相続，贈与，買換え，交換等により資産を取得した場合には各特例により取得の日が別途定められている。

1 他から購入した資産

(1) 契約の効力発生の日

購入した資産の取得の日は，引渡しがあった日が原則であるが，納税者の選択により，その資産の譲渡に関する契約の効力発生の日（以下「契約効力発生日」ともいう。）によってもよいことになっている（所基通33-9，36-12の準用）。譲渡に関する契約効力発生日とは，一般的には，売買契約の締結日である。

ただし，資産の譲渡の当事者間で行われる，資産に対する支配の移転の事実（例えば，土地の譲渡の場合の，所有権移転登記に必要な書類等の交付などがある。）に基づいて判定した資産の引渡しがあった日による。ただし，収入すべき時期は，原則として譲渡代金の決済を了した日より後にはならない。

(2) 契約の時に引渡しができない場合

取得の日について契約効力発生日によってもよいこととなっているのは，契約の時にその資産が現実に存在し，買主に対して引渡すことができるからである。もとより売主が引渡すことができない状態で売買契約を締結しても，それは空売りにしか過ぎないため，取得の日と認められない。契約効力発生日とは，次の場合は次の日による。

建物の状況	契約効力発生日
売買契約の日において建物の建築が完了していない場合	・建築完了の日
売買契約の日において譲渡者がその建物をまだ取得していない場合	・譲渡者が建物を取得した日

新築マンションの取得のように，建築中に契約を行ったとしても取得の日として選択できないことに留意する。

(3) 農地の場合

農地法第3条第1項又は第5条第1項の転用等の許可や届出を必要とする農地，若しくは採草放牧地（以下「農地等」という。）の譲渡については，その農地等の譲渡契約が締結された日でもよいこととなっている（所基通36-12カッコ書き）。農地等は許可や届出の効力の生じた日までは，契約の効力が生じないため，大規模開発の場合，譲渡代金の決済を了しても課税関係が何年も不安定なままになってしまうことの不都合を避けたものである。

2 贈与・相続又は遺贈によって取得した資産

　贈与，相続（限定承認に係るものを除く。）又は遺贈（包括遺贈のうち限定承認に係るものを除く）により取得した資産は，その者が引き続きこれを所有していたものとみなすため，贈与者，被相続人がその資産を取得した日が引き継がれる（所法60）。贈与の日，相続の日，遺贈があった日が取得の日にはならないことに注意する。

　限定承認による相続に係るもの，個人に対する包括遺贈のうち限定承認に係るものが除かれているのは，限定承認があった場合，譲渡所得が課税されていることによる（所法59①1）。

　贈与・相続・遺贈があった時にその時の時価で譲渡があったものとして贈与者等に譲渡所得が課税されている場合には贈与・相続・遺贈があった日が取得の日とされる場合がある（所法60，所基通60-1）。昭和47年12月31日以前に相続や低額譲受けがあった場合に例外的に適用される。取得価額の引継ぎについては「取得費」の項目参照のこと。

　贈与等の時期に応じ，従前の取扱いを示すと次の通りである。

【措通60-1表4】

贈与等の区分		贈与等の時期	昭25.4.1～昭26.12.31	昭27.1.1～昭28.12.31	昭29.1.1～昭32.12.31	昭33.1.1～昭36.12.31	昭37.1.1～昭40.3.31	昭40.4.1～昭47.12.31	昭48.1.1～
贈与		① 被相続人からの死因贈与							
贈与		② ①以外の贈与					有／無	有／無	
相続		③ 限定承認に係る相続						有／無	
相続		④ ③以外の相続							
遺贈	包括遺贈	⑤ 限定承認に係る包括遺贈						有／無	
遺贈	包括遺贈	⑥ ⑤以外の包括遺贈							
遺贈	特定遺贈	⑦ 被相続人からの特定遺贈							
遺贈	特定遺贈	⑧ ⑦以外の特定遺贈					有／無	有／無	

低額譲渡	譲渡の対価が取得費・譲渡費用の合計額以上のもの					有	有	
						無	無	～～
	譲渡の対価が取得費・譲渡費用の合計額未満のもの					有	有	
						無	無	┄┄

（注）1 ═══ の期間内に取得した資産は，その取得の時の時価に相当する金額により，当該取得の時において取得したものとみなされることを示す。

┄┄┄┄ の期間内に取得した資産は，贈与者等がその資産を保有していた期間を含めて引き続き所有していたものとみなされることを示す。

～～～ の期間内に取得した資産は，実際の譲受けの対価をもって，当該取得の時において取得したものとされることを示す。

2 「有」は，贈与者等について，所得税法の一部を改正する法律（昭和48年法律第8号）による改正前の所得税法第59条第1項《みなし譲渡課税》の規定の適用があったことを示す。「無」は，同条第2項の規定による書面を提出したことにより，贈与者等について，同条第1項の規定の適用がなかったことを示す。

③ 交換・買換えによって取得した資産

固定資産の交換や特定の事業用資産の買換えの特例等交換や買換えの特例（以下「買換え等の特例」という。）を適用して，新たに取得した資産を譲渡した場合のその資産の取得の日は，その譲渡した特例対象資産（以下「旧譲渡資産」という。）の取得の日を引き継ぐ特例と引き継がない特例がある（措通31・32共-5）。誤りやすい取扱いであるため譲渡所得の計算に当たって，譲渡資産が過去に特例の適用を受けて取得されたものかどうかの判断を適切に行う必要がある。

(1) 旧譲渡資産の取得の日を引き継ぐ主な特例

交換・買換え等があったとしても，旧譲渡資産を引き続き所有していたとみなす，又は譲渡がなかったものとみなすことにより，旧譲渡資産の取得の日を交換・買換え等により取得した資産に引き継ぐ。

・固定資産の交換の特例（所法58）
・収用代替の特例（措法33）
・交換処分等の特例（措法33の2）
・換地処分等の特例（措法33の3）
・特定の交換分合の特例（措法37の6）

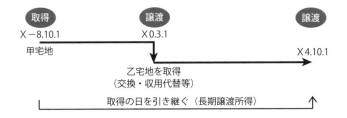

(2) 旧譲渡資産の取得の日を引き継がない主な特例

　交換，買換え等があったとしても次の特例を適用した場合の資産の取得の日は，その資産を実際に取得した日である。

- 相続等により取得した居住用財産の買換えの特例（旧措法36の2）
- 特定の居住用財産の買換えの特例（措法36の2）
- 特定の居住用財産の交換の特例（措法36の5）
- 特定の事業用資産の買換えの特例（措法37）
- 特定の事業用資産の交換の特例（措法37の4）
- 特定民間再開発事業の場合の買換え等の特例（措法37の5）
- 特定普通財産と隣接土地等との交換の特例（措法37の8）

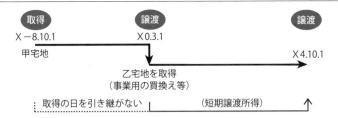

④ 時価の2分の1未満で取得した資産

　個人間で著しく低い価額の対価（時価の2分の1に満たない金額）による譲渡があった場合は，その不足額はなかったものとみなされる（所法59②，所令169）。

　この場合，取得者はその資産を引き続き所有していたものとみなされる（所法60①2）ことにより，将来その資産を譲渡した場合は，旧所有者の取得の日及び取得価額を基にして譲渡所得の計算を行うこととなる。

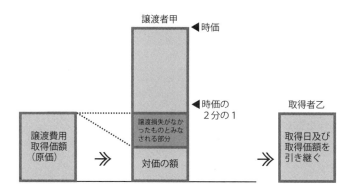

5 代償分割等により取得した資産

 代償分割の方法により遺産分割が行われた場合，代償債務を負担した者から債務の履行として取得した資産は，その履行があった時においてその時の価額により取得したこととなる（所基通38-7(2)）。なお，代償債務を負担した者に対して，その時の価額で譲渡所得の課税が行われることに留意する。

6 離婚等により財産分与で取得した財産

 離婚又は婚姻の取消し（民法768，749）による財産の分与により取得した財産は，財産の分与を受けた時に，その時の価額（時価）で取得したこととなる（所基通33-1の4，38-6）。

7 借地権者等が取得した底地の取得時期等

 借地権その他の土地の上に存する権利（以下「借地権等」という。）を有する者が，その権利の設定されている土地（以下「底地」という。）を取得した場合，その土地の取得の日は，底地に相当する部分とその他の部分とを各別に判定する。

 底地を有する者が，借地権等を取得した場合も，同様である（所基通33-10）。

8 改良，改造等があった土地建物等の所有期間の判定

 取得後，改良，改造等を行った土地建物等について所有期間を判定する場合における「その取得をした日」は，その改良，改造等の時期にかかわらず，その土地建物等の取得をした日による（措通31・32共-6）。

9 配偶者居住権等が消滅した場合における建物又は土地等の所有期間の判定

 配偶者居住権又は配偶者居住権の目的となっている建物の敷地の用に供される土地等を配偶者居住権に基づき使用する権利（以下「配偶者居住権等」という。）が消滅した後に，配偶者居住権の目的となっていた建物又は土地等を譲渡した場合，

措置法第31条第2項に規定する所有期間を判定するときにおける「その取得をした日」は，配偶者居住権等の消滅の時期にかかわらず，その建物又は土地等の取得をした日による（措法31・32共－7）。

10 配偶者が居住建物又はその敷地の用に供される土地等を取得した場合の居住建物又はその土地等の取得の日

(1) 配偶者居住権等が合意解除によって消滅した場合

配偶者居住権を有する配偶者が，居住建物等を取得した場合，混同により配偶者居住権は消滅する。消滅した後にその建物又は土地等を譲渡した場合，その取得の日を「配偶者居住権等」及び「建物及び土地の所有権」と区分して計算する必要があるかが問題となる。

(2) 配偶者居住権等が合意解除によって消滅した場合の取得の日

配偶者居住権を有する居住者が，居住建物等を取得し建物又は土地等を譲渡した場合，措置法第31条第2項に規定する所有期間を判定するときの「その取得をした日」は，配偶者居住権等の取得の時期にかかわらず，建物又は土地等の取得をした日による（措通31・32共－8）。つまり，配偶者居住権の設定の日にかかわらず，配偶者が建物又は土地等を取得した日から引続き所有していたとみなされる。

(3) 取得の違いによる取得の日の相違

配偶者が配偶者居住権が設定されている建物又は土地等を取得した場合の，取得の手段により取得の日が異なる。

取得の方法	取得の日
贈与，相続又は遺贈による	贈与者等が取得した日を引き継ぐ
売買による	売買により取得した日

事例　　　　　　　　　　　　　　　　CASE STUDY
こんな場合は適用できない?!

Q 買い換えた事業用資産の取得の日

X0年に事務所とその敷地を4,000万円で譲渡した。この土地建物はX-4年に特定事業用資産の買換えの特例を適用して取得したものである。X-4年に譲渡した事業用資産は昭和50年に取得したものであるため，引継価額の計算を行って長期譲渡所得として申告した。

A
　特定事業用資産の買換えの特例の適用を行った場合，取得価額は譲渡資産の取得価額を引き継ぐが，取得日は引き継がない。つまり，実際に取得した日が取得日となる。X-4年に買い換えた事業用資産をX年に譲渡した場合，短期譲渡所得となる。

Q マンションの取得の日
　マンションを譲渡したが，取得契約の時は，そのマンションが建築中で，翌年，建築完了後に引渡しを受けた。売買契約日をそのマンションの取得の日としてよいか。

A
　資産の取得日とは，その資産の引渡しを受けた日のことをいうが，売買契約の効力発生の日によってもよいこととなっている。この売買契約の効力とは契約によりその資産が現実に存在し，いつでも引き渡すことができる状態であることが，大前提となっている。
　新築マンションの場合，建築前又は建築途中で売買契約をすることが大半である。このようなマンションの取得の日とは，その建築が完了した日となる。また売買契約締結の日に譲渡者がその建物をまだ取得していない場合も考えられる。この場合は譲渡者がその建物を取得した日が資産の取得の日となる。

Q 増築した建物の取得の日
　10年前に建築した建物とその敷地を譲渡した。建物は，3年前に500万円かけて増築した部分がある。増築部分は短期譲渡所得となるか。

A
　増築部分は建物本体に付随するものである。本体の取得の時がその建物の取得の時となる。

Q 借地権と底地の取得の日が異なる場合
　30年前から借地している土地（底地）を3年前に購入した。今年更地にして譲渡したが，分離長期譲渡所得として計算してよいか。

A
　借地権と底地は別個の資産である。底地部分は譲渡の年の1月1日において所有期間が5年を超えていないので分離短期譲渡所得として計算する。
　底地所有者が借地権部分を取得して譲渡した場合にも同様に別々に判定する（所基通33-10）。

9 資産の譲渡の日

　譲渡所得の総収入金額の収入すべき時期の判断は，課税年分を判定するため非常に重要である。資産の譲渡の日は，取得の日と同様，引渡しが基本であるが契約の効力の発生の日を選択して，申告することができる。ただし，いったん適法に選択した譲渡の日（課税年分）は，後日訂正することはできないことに注意する。

1 原則的取扱い

　譲渡所得の総収入金額の収入すべき時期は，譲渡所得の基因となる資産の引渡しがあった日によるものとする（所基通36-12）。

　引渡しの日とは，当事者間で行われるその資産に対する支配の移転の事実に基づいて判定した資産の引渡しがあった日のことをいう。具体的には，土地の譲渡の場合の，所有権移転登記に必要な書類等の交付などがある。

2 例外的取扱い

1 契約の効力発生の日

　譲渡の日は引渡した日が原則であるが，納税者の選択により，その資産の譲渡に関する契約の効力発生の日によってもよいことになっている（所基通36-12）。一般的には，売買契約の締結日である。

　ただし，譲渡の当事者間で行われる資産の支配の移転の事実に基づいて判定をした資産の引渡しがあった日によるのであるが，収入すべき時期は，原則として譲渡代金の決済を了した日より後にはならない。

2 農地等の場合

　農地法第3条第1項又は第5条第1項の転用等の許可や届出を必要とする農地等の譲渡については，その農地等の譲渡に関する契約が締結された日でもよいこと

なっている（所基通36-12カッコ書き）。農地等は許可や届出の効力の生じた日までは契約の効力が生じないことによる。

　農地等の譲渡について、農地法第3条又は第5条に規定する許可を受ける前又は届出前に契約が解除された場合（再売買と認められるものを除く。）、契約が解除された日の翌日から2月以内に更正の請求をすることができる（所基通36-12注2）。

事例 ────────── CASE STUDY
こんな場合は適用できない?!

Q　取得の日と譲渡の日の選択

　X5年12月1日に土地の譲渡契約を締結し、X6年2月1日に引き渡したのでX6年分譲渡所得として申告する予定である。この物件はX0年11月1日に契約し、X1年1月10日に引渡しを受けたものである。

　譲渡の日を引渡し日で申告した場合、取得の日を契約した日を選択して申告できるか。

A

　課税年分を判定する際、引渡しの日と売買契約の効力発生の日は納税者の選択によるが、取得の日を判定する際も同様に選択によることもできる。

　取得の日の判定と譲渡の日の判定が引渡日・契約効力発生日と別々になっても差し支えない。長期・短期の判定の際、有利な方法を選択できる。

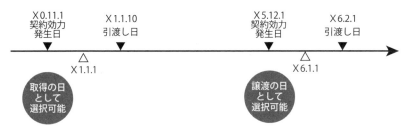

　引渡しベースでX6年分譲渡を申告する際、取得の日を平成X1年1月10日にすると、所有期間が5年に満たないので短期譲渡所得となる。取得の日を契約効力発生の日のX0年11月1日にすると長期譲渡所得になるので、税負担が大幅に軽減される。

Q 申告後の譲渡の日の変更

譲渡の日について契約の日を選択して申告したが，引渡しの日の年分に他の物件が譲渡損となったため，契約した年分の申告を取り消して，引渡しの日として訂正したい。

A

契約の効力の発生した日により総収入金額に算入して申告があったときは，譲渡の日と認められる。これは納税者の選択に任せられているものであり，契約の日を適法に選択して申告を行ったら変更はできない。

引渡しの日の年分に，他に譲渡損が生じて損益の通算ができる場合や，税制の改正等があった場合に想定される事例である。

譲渡の日の選択は十分に検討する。

Q 引渡しが残金の支払日以後である場合

X0年中に契約残金を受領し，登記も完了した。ただし，子供の学校の都合で，翌X1年3月末に家を明け渡した。引渡しがX1年であるのでX1年分として申告できるか。

A

譲渡代金の収入すべき時期は譲渡代金を決済を了した日以後にはならない（所基通36-12注1）。X0年中に譲渡代金を全額受領している。翌年3月末まで譲渡した家屋に居住していたとしても，所有者として居住しているわけではない。買受人の好意，契約の条件又は賃借等が考えられる。以上のことから譲渡年分はX0年分である。

Q 一の契約で譲渡した宅地の引渡しが2年にわたった場合

X0年にA宅地及びB宅地の2筆を一の契約で譲渡した。A宅地はX0年に引き渡したが，B宅地はX1年に引き渡す予定なのでB宅地をX1年分の譲渡所得として申告する予定である。

A

A及びB宅地は一の契約で譲渡したものであるから，2年に分割して申告することはできない。この場合，契約年又は引渡年のどちらかを選択して申告する（所基通36-12）。

10 収入金額

　譲渡所得における収入金額は，譲渡によりその年において収入すべき金額をいう。必ずしも現金とは限らず，現物出資や交換の場合のように，譲渡の対価として受け取るものが金銭以外の場合がある。通常は売買契約書等に基づいて受け取る金額をいうが，売買契約書等に表現されない金額であっても，実質的に譲渡収入金額の一部を構成するものがある。例えば，実測清算金，固定資産税清算金，債務免除等の経済的利益などがある。譲渡に起因して受領する金員又は清算や，相殺される対価を見逃すことが往々にしてある。

1　譲渡所得の計算

　譲渡所得の計算は，収入金額から，その資産を取得した時の金額と取得に要した費用（以下合わせて「取得費」という。）及び，譲渡に要した費用を控除する。収入金額が確定しないと正しい譲渡所得が算出されない。

> 譲渡所得＝収入金額－（取得費＋譲渡費用）－特別控除

2　原則的取扱い

1　収入金額の原則

　譲渡所得の計算上収入金額とすべき金額，又は総収入金額に算入すべき金額は，別段の定めがあるものを除き，その年において収入すべき金額とする（所法36）。その収入の基因となった行為が適法であるかどうかは問わない（所基通36-1）。

　収入すべき金額には，金銭以外の物又は権利その他経済的な利益をもって収入する場合には，その金銭以外の物，又は権利その他経済的な利益の価額も該当する。この場合の価額はその利益を享受する時の価額，つまり時価である（所法36①，②）。

その年において収入すべき金額	金銭	
	金銭以外の物又は権利	・価額は譲渡の時の時価による
	その他経済的な利益	
	その他	

3 その他の取扱い

1 未収金がある場合

　収入すべき金額が未収となっている場合でも，譲渡代金全額が収入金額となる。受領済みの金額のみを申告することはできない。

　また，契約の効力発生の日を譲渡の日として申告する場合でも，未収入金額を含めた全額が収入金額となるので，契約時の手付金のみを申告することはできない。

2 交換・現物出資等の場合

　交換や現物出資などにより資産を譲渡して，譲渡代金に代えて現金以外の資産を取得した場合は，その受け取ったものの「時価」が収入金額となる。

　たとえば，所得税法第58条を適用した交換の場合は，交換取得資産の価額が収入金額であり，現物出資により株式を取得した場合は，その取得した株式の取得時の価額が収入金額となる。その際，交換差金を同時に収受している場合は，その交換差金を含めた額が収入金額である。

3 特別な経済的利益の加算

　借地権又は地役権の設定をしたことに伴い，通常の場合の金銭の貸付けの条件に比し，特に有利な条件による金銭の貸付け，その他特別の経済的な利益を受ける場合，その特別の経済的な利益の額を権利金等の額に加算した金額をもって，支払を受ける金額とみなされる（所令80①）。

4 代物弁済の場合の収入金額

　代物弁済とは負担した給付に代えて他の給付をすることである（民法482）。本来弁済すべき債務に代えて土地等を交付することが一般的である。代物弁済を行った場合の収入金額は，債務の金額及び利息の合計額である。代物弁済により譲渡した資産の価額が，消滅した債務の価額を超える場合で，その差額に対して清算金を受領した場合はその清算金の額も収入金額に加算する。逆に資産の価額が，債務の額より低い場合，贈与税の課税の問題が生じる。

5　特定の事業用資産の交換や買換えの特例を受けた場合

　特定の事業用資産の買換えの特例等各種特例を適用した場合の収入金額の計算は別途設けられている（措法37他で解説する。）。

6　法人に対して時価の2分の1未満で譲渡した場合等

　法人に対して時価の2分の1未満で譲渡した場合等にはその時に「時価」で譲渡があったものとみなされるので，その価額が収入金額である（所法59）。本書第1章1-4を参照のこと。

> ①　法人に対して贈与・遺贈をした場合
> ②　法人に対して著しく低い価額の対価（時価の2分の1未満）で資産を譲渡した場合
> ③　限定承認による相続の場合
> ④　個人に対する包括遺贈のうち限定承認による場合

7　固定資産税の清算金

　譲渡に際して，未経過期間に対応する固定資産税相当額を受け取った場合は，その金額は譲渡の収入金額となる。

　土地又は建物の固定資産税の納税義務者は各年1月1日現在の所有者である。年の途中で譲渡した場合，引渡し後の日数に対応する固定資産税相当額は，譲渡人の負担すべき固定資産税ではないということから，日数又は月数の按分による清算が行われている。しかし，固定資産税は1月1日現在の所有者に課せられるものであり，年の途中で取得したものについて納税義務はない。そのため，譲受人から受け取った固定資産税相当額は売買の取引条件の一つであり，譲渡に基因する対価の一部として譲渡収入金額を構成すると考えられる。

8　譲渡資産のうちに短期保有資産と長期保有資産とがある場合の収入金額等の区分

　一の契約により譲渡した資産のうちに短期保有資産と長期保有資産とがある場合，それぞれの譲渡資産の収入金額は，譲渡収入金額の合計額をそれぞれの譲渡資産の譲渡の時の価額の比によりあん分して計算する（所基通33-11）。

9　借地権等を消滅させた後，土地を譲渡した場合等の収入金額の区分

　借地権等が設定されている土地の所有者が，借地権等を消滅させた後に土地を譲渡し，又はその土地に新たな借地権等の設定（その所得が譲渡所得とされる場合に限る。）をした場合，借地権等の消滅時に取得したものとされる部分（以下「旧借地権部分」という。）及びその他の部分（以下「旧底地部分」という。）を譲渡し，又はそれぞれの部分について借地権等の設定をしたものとして取り扱う。この場合

の旧借地権部分及び旧底地部分に係る収入金額は，次に掲げる算式により計算した金額による（所基通33-11の2）。

(1) 旧借地権部分に係る収入金額

$$\text{土地の譲渡の対価の額又は新たに設定した借地権等の対価の額} \times \frac{\text{旧借地権等の消滅時の旧借地権等の価額}}{\text{旧借地権等の消滅時の土地の更地価額}}$$

(注) 「旧借地権等の消滅時の旧借地権等の価額」は，その借地権等の消滅について対価の支払があった場合，その対価の額が適正であると認められるときは，その対価の額（手数料その他の附随費用の額を含まない。）によることができる。

(2) 旧底地部分に係る収入金額

$$\text{土地の譲渡の対価の額又は新たに設定した借地権等の対価の額} - (1)\text{の金額}$$

(注) 借地権等を消滅させた後，土地を譲渡した場合等における譲渡所得の金額の計算上控除する取得費の額の区分については，所基通38-4の2参照のこと（本書第1章10-4）。

10 底地を取得した後，土地を譲渡した場合等の収入金額の区分

借地権等を有する者が，底地を取得した後に，その土地を譲渡し，又はその土地に借地権等を設定した場合，土地のうち取得した底地に相当する部分（旧底地部分）及びその他の部分（旧借地権部分）を譲渡し，又はそれぞれの部分について借地権等を設定したものとして取り扱う。この場合の旧底地部分及び旧借地権部分に係る収入金額は，次に掲げる算式により計算した金額による（所基通33-11の3）。

(1) 旧底地部分に係る収入金額

$$\text{土地の譲渡の対価の額又は設定した借地権等の対価の額} \times \frac{\text{旧底地の取得時の旧底地の価額}}{\text{旧底地の取得時の土地の更地価額}}$$

(注) 「旧底地の取得時の旧底地の価額」は，その底地の取得にあたって対価の支払があった場合，対価の額が適正であると認められるときは，その対価の額（手数料その他の附随費用の額を含まない。）によることができる。

(2) 旧借地権部分に係る収入金額

土地の譲渡の対価の額又は設定し
た借地権等の対価の額 － (1)の金額

(注) 底地を取得した後，土地を譲渡した場合等の譲渡所得の金額の計算上控除する取得費の額の区分については，第1章11-4を参照のこと。

11 遺留分侵害額相当額を遺産で弁済した場合

(1) 遺留分侵害額請求とは

　民法旧規定では遺留分減殺請求すると，当然に贈与又は遺贈は，遺留分を侵害する限度で失効する。その失効した部分は遺留分権利者に帰属し，物権的効果が生じることから財産が共有状態となった。2018年（平成30年）に改正された民法では，受遺者又は受贈者（以下「受遺者等」という。）に対し「遺留分侵害額に相当する金銭の支払いを請求することができる（民法1046）」として，明確に金銭債権とした。

(2) 金銭に代えて資産で支払った場合の譲渡所得

　遺留分侵害額請求が金銭債権化されたことにより，その債務を資産（一般的には土地建物等不動産，株式等）で支払った場合，代物弁済としてその資産を譲渡したことになるため，譲渡所得の課税対象となる。収入金額は，消滅した債務（遺留分侵害額）相当額である。譲渡所得の計算における取得の日又は取得価額は，弁済（譲渡）した資産により異なる。

弁済した資産	譲渡所得の計算における取得費等
相続財産	被相続人が取得した日及び取得価額を引き継ぐ
受遺者等の固有資産	受遺者等が実際取得した日及び取得価額による

　受遺者等が遺贈又は贈与を受けた資産又は固有の財産にかかわらず譲渡所得が発生することに留意する（所基通33-1の6）。

4 買換え・交換等があった場合の譲渡価額及び収入金額

　特定の居住用財産の買換等の特例，特定の事業用資産の買換等の特例等譲渡所得には買換え又は交換の特例（以下「買換え等の特例」という。）がいくつもある。この買換え等の特例を適用し，譲渡価額より買換価額が低い場合，その差額が収入金額である。

売買契約書等に記載された金額他譲渡に当たって収受する金額が譲渡価額である。一般の譲渡所得の場合譲渡価額は収入金額となり、この金額から譲渡所得が計算される。買換え等の場合、譲渡価額から買換価額を控除した差額が収入金額となり、この金額から譲渡所得が計算される。7,000万円の居住用財産を譲渡して5,000万円の居住用財産を買換えたとした場合の譲渡所得の計算は次の通りである。

	一般の譲渡	①≦②の場合	①＞②の場合
①譲渡価額	7,000	7,000	7,000
②買換価額	0	8,000	5,000
③収入金額（①－②）	7,000	0	2,000
④取得費	350		100
⑤譲渡費用	250		65
譲渡所得金額（③－（④＋⑤））	640	0	1,835

事例　　CASE STUDY
こんな場合は適用できない?!

Q　手付金のみの申告の可否
前年12月に土地を譲渡する契約を結び、譲渡価額の1割を手付金として受領し、本年1月に残金を受領し、引き渡した。この場合、譲渡収入として、前年分として手付金のみを申告し、本年分として残金を申告できるか。

A
譲渡所得における譲渡の日は、譲渡所得の起因となる資産の引渡しがあった日である。納税者の選択により、譲渡に関する契約の効力発生の日（通常は売買契約の日）により申告があった場合でも認められる。その場合でも、譲渡収入金額は契約による金額全額となる。手付金のみの申告や任意の金額による申告はできない。

Q　共有者がいる場合の譲渡収入金額
相続人3人が相続財産である土地建物を一括で譲渡した。土地は6筆に分かれており筆ごとに持分割合がそれぞれ異なっていた。確定申告を相続人各人に任せたところ、譲渡代金の合計額が契約金額と一致しないことが分かった。

A

　共有者がいる場合には，各人の共有割合の合計が1.0となっているか確認が必要である。各人の共有割合の合計が，1.0となっていない場合は，税務調査により更正が行われることとなる。また，土地と建物の共有割合が異なっていることがあるので，土地建物それぞれの共有割合を確認し，譲渡代金の配分額と持分割合が一致することを確認する。

　相続財産を譲渡した場合によく発生する誤りである。この誤りを避けるためには，主たる譲渡者が譲渡所得の計算をまとめて行い，共有者各人に対して計算内容及び所得を連絡することが確実である。

Q　固定資産税の清算金を支払った場合の取扱い

　昨年5月に借家人が住んでいる貸家を購入した。その際固定資産税の清算金として1年分の3分の2に当たる40万円を譲渡人に支払った。貸付用であったため固定資産税相当額を不動産所得の経費としたい。

A

　固定資産税の納税義務者は，各年1月1日の土地建物の所有者である。譲渡があった場合でも，譲渡した年の1月1日に譲渡人が所有しているため，譲渡人が固定資産税の納税義務者である。買受人が支払った固定資産税相当額の清算金は固定資産税ではないので，不動産所得の費用にはならない。支払った金額は取得した土地建物の取得費となる。

　なお，譲渡人が支払った固定資産税は，その全額が譲渡人の不動産所得の費用となる。

Q　実測清算があった場合

　売買契約の条件に土地の面積は実測によるものとしていたことから，実測したところ縄延びがあった。これにより150万円の清算金を受け取った。

A

　実測清算金は，土地の譲渡代金の一部である。売買契約書の金額及び実測清算金の合計額が譲渡収入金額となる。

Q　税金負担分の追加払いがある場合

　駅前の駐車場を業者がどうしても購入したいとのことなので譲渡した。契約にあたって，譲渡所得に対応する税金分を別途支払ってもらうことにした。また，特定の事業用資産の買換えの特例を適用して申告するつもりだが，特例の適用を否認された場合，それに対応する税額も業者が負担することになった。

|A|
　譲渡契約に起因して受領する金員は譲渡収入金額となる。特に初めから税金分の負担を契約している場合は，譲渡所得の収入金額になると考えられる。

|Q| **負担付贈与の場合**
　Aは所有している宅地（時価5,000万円）をBに贈与した。この宅地は購入した時のローンが3,000万円あったので，このローンの返済を条件に負担付で贈与したものである。時価との差額2,000万円が贈与税の課税価額となる。

|A|
　負担付贈与の場合，負担部分が債務の減少となり，Aは経済的利益を受けることになる。3,000万円はAの譲渡所得の収入金額となる。

11 取得費

　譲渡所得の計算において，必要経費は譲渡した資産の取得費，及び譲渡費用がある。資産の取得費とは別段の定めのあるものを除き，その資産の取得に要した金額並びに設備費及び改良費の額の合計額をいう（所法38）。売買仲介手数料等下記のものが含まれる。取得費が不明な場合は概算取得費（収入金額の5％）が適用できるが，概算取得費を適用した場合は，実際の費用を同時に控除することはできない。

1 一般的な取得費

取得費には資産の購入代金のほか，下記に該当するものを含めて計算する。

1 他から購入した資産の取得費
① 購入手数料（仲介料）
② 売買契約書に貼付した収入印紙
③ 登録免許税・不動産取得税，特別土地保有税（平成15年度以降は課税なし）
④ 住宅や工場などの敷地に供するために要した宅地造成費（埋立費や土盛費）

2 自己の建築・製作に係る資産の取得費
① 建設等に要した材料費・労務費その他の経費
② 登録免許税・不動産取得税，特別土地保有税（平成15年度以降は課税なし）
③ その他取得のために要した費用

2 その他の取得費

1 土地等と共に取得した建物等の取壊し費用等
　底地の所有者が借地人の建物を取得した場合や，土地等をその建物等と共に取得した場合，その取得後おおむね1年以内に建物等の取壊しに着手するなど，その取得が当初からその建物等を取り壊して，土地を利用する目的であることが明らかで

あると認められるときは，建物等の取得に要した金額及び取壊しに要した費用の額の合計額（発生資材がある場合には，その発生資材の価額を控除した残額）は，土地の取得費に算入する（所基通38-1）。

2 一括して購入した一団の土地の一部を譲渡した場合の取得費

一括して購入した一団の土地の一部を譲渡した場合，原則として，譲渡した部分の面積が土地の面積のうちに占める割合を，土地の取得価額に乗じて計算した金額による。なお，譲渡した部分の譲渡時の価額が土地の譲渡時の価額のうちに占める割合を，土地の取得価額に乗じて計算した金額によっても差し支えないこととなっている（所基通38-1の2）。

3 所有権等を確保するために要した訴訟費用等

取得に関し争いのある資産の所有権等を確保するために，直接要した訴訟費用，和解費用等の額は，資産の取得に要した金額となる（所基通38-2）。

ただし次のものは除かれる。
① 他の所得の計算上必要経費に算入されたもの
② 相続争いに要した費用
③ 既に所有権のある資産を侵害されたことに伴う訴訟費用等

4 主たる部分を業務の用に供していない譲渡資産の取得費

譲渡資産が業務の用と業務の用以外の用とに併用されていることがある。この場合，所有期間を通じて，業務の用以外の部分が譲渡資産の90％以上であるときは，その資産の全部が業務の用以外の用に供されていたものとすることができる（所基通38-3）。

5 取得費等に算入する借入金の利子等

(1) 借入金の利子の算入

固定資産の取得のために借り入れた資金の利子のうち，借入れの日からその固定資産の使用開始の日までの期間に対応する部分の金額は，業務用資産で必要経費に算入されたものを除いて，その固定資産の取得費又は取得価額に算入する（所基通38-8）。

(2) 借入をする際に支出した抵当権設定登記費用等の取扱い

借り入れる際に支出する公正証書作成費用，抵当権設定登記費用，借入れの担保として締結した保険契約に基づき支払う保険料，その他の費用でその資金の借入れのために通常必要と認められるものについても取得費に算入する。購入手数料等固定資産の取得費に算入される費用に充てられた場合には，その充てられた部分の借

入金も同様である（所基通38-8）。
(3) 使用開始の日の判定

「使用開始の日」は，譲渡した資産の区分に応じて次により判定する（所基通38-8の2）。

資産の区分	使用の状況	使用開始の日
土地	① 新たに建物等の敷地の用に供するもの	・建物等を居住の用，事業の用等に供した日
	② 既に建物等の存するもの	・建物等を居住の用，事業の用等に供した日
	③ 建物等が土地の取得の日前からその者の居住の用，事業の用等に供されており，かつ，引き続きこれらの用に供されるもの	・土地を取得した日
	④ 建物等の施設を要しないもの	・本来の目的のために使用開始した日
	⑤ 建物等の施設を要しない土地が取得の日前から譲渡者が使用しているもの	・土地を取得した日
建物，構築物，機械及び装置	○ 建物，構築物並びに機械及び装置	・本来の目的のために使用開始した日
	○ 取得の日前から譲渡者が使用しているもの	・そのものを取得した日
書画等	○ 書画，骨とう，美術工芸品などその資産の性質上取得の時が使用開始の時であると認められる資産	・そのものを取得した日

(4) 書画骨とう等を取得するための借入金の利子

　書画，骨とう，美術工芸品など，その資産の性質上取得の時が使用開始の時であると認められる資産については，その取得の日が使用開始の日となる。そのため，借入金の利子は取得費に該当しない（所基通38-8の2(3)）。なお，ゴルフ会員権を借入金により取得した場合についても，その会員権を取得した日が使用開始の日であるが，オープン前の会員権を取得した場合は，そのゴルフ場がオープンした日が使用開始の日と取り扱われる。

(5) 借入金により取得した固定資産を使用開始後に譲渡した場合

　借入金により取得した固定資産の使用開始があった日後，譲渡の日までの間に使用しなかった期間があるときであっても，使用開始があった日後，譲渡の日までの期間に対応する借入金の利子については固定資産の取得費又は取得価額に算入しない（所基通38-8の3）。使用開始の日とは，最初に使用開始した日のことをいうこ

とに注意する。

(6) 固定資産を取得するために要した借入金を借り換えた場合

　固定資産を取得するための借入金を借り換えた場合には，借換え前の借入金の額（借換え時までの未払利子を含む。）と借換え後の借入金の額とのうちいずれか低い金額は，借換え後もその固定資産の取得資金に充てられたものとして取り扱う（所基通38-8の4）。

　借換え前の未返済額を超える部分は，必要額を超えた借入金となり，固定資産を取得するための借入金と合理的な関連性がないことによる。

(7) 借入金で取得した固定資産の一部を譲渡した場合

　借入金により取得した固定資産の一部を譲渡した場合，譲渡した部分の取得時の価額が，固定資産の取得時の価額のうちに占める割合を借入金の額に乗じて計算した金額を，譲渡した固定資産の取得のために借り入れたものとして取得費に算入する（所基通38-8の5）。残余部分を後日譲渡した場合，既に譲渡した部分に対応する利息は，加算の有無にかかわらず，今回の譲渡には加算できないことに留意する。

(8) 借入金で取得した固定資産を買換えた場合

　借入金により取得した固定資産を譲渡し，その譲渡代金をもって他の固定資産を取得した場合には，その借入金（次に掲げる金額のうち最も低い金額に相当する金額に限る。）は，その譲渡の日に，新たに取得した固定資産の取得のために借り入れたものとして取り扱う。

　① 譲渡の日における借入金の残存額（譲渡資産が借入金により取得した固定資産の一部である場合，所法基本通達38-8の5（借入金で取得した固定資産の一部を譲渡した場合）に定めるところにより計算した譲渡資産に対応する借入金の残存額。）
　② 譲渡資産の譲渡価額
　③ 新たに取得した固定資産の取得価額

　なお，借入金により取得した固定資産を譲渡し，措置法第33条《収用代替の特例》，第33条の2第2項《交換処分等の特例》，第36条の2《特定の居住用財産の買換えの特例》，第37条《特定の事業用資産の買換えの特例》又は第37条の5《中高層耐火建築物等の建設のための買換等の特例》の適用を受ける場合，新たに取得した固定資産の取得のために借り入れたものとされる借入金の利子のうち，譲渡した資産（以下「譲渡資産」という。）の譲渡の日から代替資産又は買換資産（以下「代替資産等」という。）の取得の日までの期間に対応する部分の金額は，代替資産

等の取得に要した金額に算入する。また，借入金の利子のうち，代替資産等の取得の日後使用開始の日までの期間に対応する部分の金額は，同法第33条の6第1項《収用交換等により取得した代替資産等の取得価額の計算》，第36条の4《買換えに係る居住用財産の譲渡の場合の取得価額の計算等》，第37条の3第1項《買換えに係る特定の事業用資産の譲渡の場合の取得価額の計算等》又は第37条の5第3項の規定により代替資産等の取得価額とされる金額に加算することができる（所基通38-8の6）。

(9) 借入金で取得した固定資産を交換した場合等

　借入金により取得した固定資産を交換により譲渡した場合，交換の日の借入金の残存額と交換取得資産の価額のうちいずれか低い金額は，交換の日において，交換取得資産を取得するために借り入れたものとして取り扱う。

　措置法第33条の2第1項に規定する交換処分等又は同法第33条の3《換地処分等の特例》に規定する換地処分等があった場合も，同様である。

　また，交換差金を支払うために借り入れた資金は，交換取得資産の取得のために借り入れたものとして取り扱われる（所基通38-8の7）。

(10) 代替資産等を借入金で取得した場合

　固定資産を代替資産等として措置法第33条，第33条の2第2項，第36条の2，第37条又は第37条の5の規定の適用を受けるときには，借入金の利子は代替資産等の取得費又は取得価額に算入しない。ただし，次に該当する場合，次の借入金の利子については，取得費に算入することができる（所基通38-8の8）。

①	譲渡資産の譲渡の日前に借入金により代替資産等を取得した場合	・借入れをした日から譲渡資産の譲渡の日までの期間に対応する部分の借入金の利子
②	譲渡資産の収入金額が代替資産等の取得価額に満たない場合	・その満たない金額に対応する部分の借入金の利子

(11) 被相続人が借入金により取得した固定資産を相続により取得した場合

　被相続人が借入金により取得した固定資産（既に被相続人が使用していたものを除く。）を，相続人が相続又は遺贈（以下「相続等」という。）により取得した場合，相続人がその借入金を承継したときは，次に掲げる金額のうちいずれか低い金額に相当する借入金は，その相続人が相続開始の日において，固定資産の取得のために借り入れたものとして取り扱う。

　① 相続人が承継した借入金の額
　② 次の算式により計算した金額

なお，被相続人が固定資産を取得するために要した借入金の利子のうち，相続開始の日までの期間に対応する部分の金額は，所得税法第60条第1項の規定により計算した取得費又は取得価額に算入する（所基通38-8の9）。

$$\text{被相続人が借り入れた資金のうち相続開始の日における残存額} \times \frac{\text{固定資産のうち，相続人が取得した部分の相続開始の日における価額}}{\text{固定資産の相続開始の日における価額}}$$

6 非業務用の固定資産の登録免許税等

固定資産（業務の用に供されるものを除く。）の登録免許税（登録に要する費用を含む。），不動産取得税等，固定資産の取得に伴う租税公課は取得費に算入する（所基通38-9）。

7 業務用の固定資産の登録免許税等

業務の用に供される資産に係る固定資産税，登録免許税（登録に要する費用を含み，資産の取得価額に算入されるものを除く。），不動産取得税，地価税，特別土地保有税，事業所税，自動車取得税等は，業務上の各種所得の必要経費に算入する（所基通37-5）。

減価償却資産の登録免許税（登録に要する費用を含む。）を，その資産の取得価額に算入するかどうかについては，次による。この場合，相続等により取得した減価償却資産を含む（所基通49-3）。

① 特許権，鉱業権のように登録により権利が発生する資産に対応するものは，取得価額に算入する。
② 船舶，航空機，自動車のように業務の用に供するについて登録を要する資産に対応するものは，取得価額に算入しないことができる。
③ ①及び②以外の資産に対応するものは，取得価額に算入しない。

8 非事業用資産の取得費の計算上控除する減価償却費相当額

家屋等減価する資産の取得費は，その資産が各種所得（不動産所得，事業所得，山林所得又は雑所得をいう。）を生ずべき業務の用に供されていない資産（以下「非事業用資産」という。）であり，かつ，非事業用資産と同種の減価償却資産が所得税法施行令第6条第1号から第7号までに掲げる減価償却資産に該当する場合，取得費の計算上控除する減価償却費相当額については，所得税法第38条第1項に規定する合計額に相当する金額の100分の95に相当する金額が限度となる。

なお，各種所得を生ずべき業務の用に供されていた期間については，所得税法第38条第1項に規定する合計額に相当する金額から，期間内の日の属する各年分の

各種所得の金額の計算上必要経費に算入される償却費の額の累積額を控除して資産の取得費を計算する。ただし，業務の用に供されなくなった後に譲渡した場合，償却費の額の累積額が資産の合計額に相当する金額の100分の95に相当する金額を超えているときは，合計額に相当する金額から控除する減価償却費相当額は，償却費の額の累積額となる（所基通38-9の2）。

⑨ 契約解除に伴い支出する違約金

いったん締結した固定資産の取得に関する契約を解除して，他の固定資産を取得することとした場合に支出する違約金の額は，取得した固定資産の取得費又は取得価額に算入する。ただし他の所得の計算上必要経費に算入されたものは除かれる（所基通38-9の3）。

⑩ 離婚等に伴う分与財産の取得費

離婚又は婚姻の取消し（民法768，749）による財産の分与により取得した財産は，分与を受けた時において，その時の価額により取得したこととなる（所基通38-6）。なお財産を分与した者の課税関係は第2章「5　財産分与による資産の移転」で解説する。

⑪ 代償分割で取得した資産の取得費

代償分割により代償債務を負担した者から取得した資産は，履行があった時においてその時の価額により取得したこととなる（所基通38-7(2)）。

また，代償分割により負担した債務に相当する金額は，債務を負担した者が代償分割により取得した相続財産の取得費にはならない（所基通38-7(1)）。

なお，代償分割及び代償債務者の課税関係は第2章「6　代償分割による資産の移転」で解説する。

⑫ 土地建物等の取得に際して支払う立退料等

土地建物等の取得に際し，土地建物等を使用していた者に支払う立退料その他その者を立ち退かせるために要した金額は，取得費又は取得価額に算入する（所基通38-11）。

⑬ 贈与・相続等により取得した財産の取得費

贈与，相続（限定承認に係るものを除く）又は遺贈（包括遺贈のうち限定承認に係るものを除く）により取得した財産の取得費は贈与者，被相続人が取得した時の価額を引き継ぐ（所法60）。贈与や相続があった時の価額ではないことに留意する。

14 贈与・相続等の際に支出した費用

　贈与，相続又は遺贈（以下「贈与等」という。）による受贈者等が，資産を取得するために通常必要と認められる費用を支出しているときには，資産に対応する金額については，所得税基本通達37-5（固定資産税等の必要経費算入）及び同49-3（業務用の固定資産の登録免許税等）の定めにより，各種所得の金額の計算上必要経費に算入された登録免許税，不動産取得税等を除き，資産の取得費に算入できる（所基通60-2）。

　贈与等で取得した財産を譲渡した時に，活用できる取扱いであるが，失念することが多い。費用としては次のようなものがある。

① 不動産登記費用・不動産取得税
② ゴルフ会員権の名義変更手数料
③ 株式の名義変更手数料
④ 特許権，鉱業権の登録費用

15 特別縁故者が相続財産の分与により取得した財産

　特別縁故者が取得した財産は，財産分与によるものであり，相続等によって取得したものではないことから所得税法第60条第1項（贈与等により取得した資産の取得費等）の適用はない。財産分与の時が取得の時であり，その時の価額（時価）が取得価額である。

16 限定承認により取得した財産

　限定承認により相続財産を引き継いだ相続人が，その財産を将来譲渡する場合の取得価額は，限定承認が行われた時の時価による。

17 遺留分侵害額請求により取得した資産の取得価額

　受遺者等から，遺留分侵害額請求の対価として取得した資産は相続財産として取得したものではないことから，取得の日はその資産を取得した時であり，取得価額はその時の債権の消滅の金額となる（所基通38-7の2）。遺留分侵害額請求により，受遺者等が資産を引き渡した場合の譲渡所得の課税については第2章「7 遺留分侵害額請求により資産を移転した場合」を参照。

3 取得費に該当しないもの

　資産の取得に際して支払った金員であっても，譲渡所得の計算上取得費として算入できないものがある。

1 　修繕費や固定資産税等資産の維持・管理に要する費用

　建物等の修繕や維持管理に要する費用は，取得費及び譲渡費用のどちらにも該当しない。

2 　事業所得等の必要経費に算入されたもの

　すでに事業所得等他の所得の必要経費に算入されたものは，譲渡所得の取得費として控除することはできない。

4 借地権と取得費

1 　借地権等を設定した場合の譲渡所得に係る取得費

借地権等の設定の対価による所得が譲渡所得とされる場合，収入金額から控除する取得費は，次の区分に応じて計算した金額となる（所基通38-4）。なお，この算式により計算した金額が赤字となる場合は，その赤字はゼロとする。

(1) 土地について初めて借地権等を設定した場合

$$\text{借地権等を設定した土地の取得費(A)} \times \frac{\text{借地権等の設定の対価として支払を受ける金額(B)}}{\text{B+その土地の底地としての価額(C)}}$$

(2) 現に借地権等を設定している土地について更に借地権等を設定した場合

$$\left(A - \text{現に設定されている借地権等につき(1)により計算して取得費とされた金額} \right) \times \frac{B}{B+C}$$

(3) 先に借地権等の設定があった土地で現に借地権等を設定していないものについて借地権等を設定した場合（所基通38-4の2の取扱いが適用される場合を除く。）

$$A \times \frac{B}{B+C} - \text{先に設定した借地権等につき(1)により計算して取得費とされた金額}$$

2 　借地権等を消滅させた後，土地を譲渡した場合等の取得費

借地権等が設定されている土地の所有者が，対価を支払って借地権等を消滅させ，又は借地権等の贈与を受けたことにより借地権等が消滅した後に土地を譲渡し，又は土地に新たな借地権等を設定（その設定による所得が譲渡所得とされる場合に限る。）した場合の譲渡所得の金額の計算上控除する旧借地権部分及び旧底地部分の取得費は，次の区分に応じる算式により計算した金額による（所基通38-4の2）。

(1) 土地を譲渡した場合

　イ　旧借地権部分に係る取得費

$$\text{旧借地権等の消滅につき支払った対価の額(A)} \times \frac{\text{土地のうち譲渡した部分の面積}}{\text{土地の面積}}$$

(注)　「旧借地権等の消滅につき支払った対価の額」は、所得税法第60条第1項《贈与等により取得した資産の取得費等》の規定の適用がある場合には、その計算した金額となる。

　ロ　旧底地部分に係る取得費

$$\left(\text{譲渡又は借地権等の設定をした土地の取得費(B)} - \text{先に設定した借地権等につき38-4により計算して取得費とされた金額(C)}\right) \times \frac{\text{土地のうち譲渡した部分の面積}}{\text{土地の面積}}$$

(2) 土地に新たに借地権等の設定をした場合

　イ　旧借地権部分に係る取得費

$$\{(B-C)+A\} \times \frac{\text{新たに設定した借地権等の対価の額(D)}}{\text{新たに借地権等の設定をした時のその土地の更地価額(E)}} \times \frac{A}{(B-C)+A}$$

　ロ　旧底地部分に係る取得費

$$\{(B-C)+A\} \times \frac{D}{E} \times \frac{B-C}{(B-C)+A}$$

3　底地を取得した後、土地を譲渡した場合等の取得費

　借地権者が、底地を取得した後にその土地を譲渡し、又は土地に借地権等の設定をした場合の譲渡所得の計算上控除する所基通33-11の3に定める旧底地部分及び旧借地権部分に係る取得費は、次の算式により計算した金額による（所基通38-4の3）。

(1) 土地を譲渡した場合

　イ　旧底地部分に係る取得費

$$\text{底地の取得のために要した金額(A)} \times \frac{\text{土地のうち譲渡した部分の面積}}{\text{土地の面積}}$$

(注)　「底地の取得のために要した金額」は、所法第60条第1項の規定の適用がある場合には、同項の規定により計算した金額となる。

ロ　旧借地権部分に係る取得費

$$\text{旧借地権等の設定又は取得に要した金額(B)} \times \frac{\text{土地のうち譲渡した部分の面積}}{\text{土地の面積}}$$

(2) 土地に新たに借地権等の設定をした場合

イ　旧底地部分に係る取得費

$$(A+B) \times \frac{\text{借地権等の設定の対価の額(C)}}{\text{借地権等の設定をした時のその土地の更地価額(D)}} \times \frac{A}{A+B}$$

ロ　旧借地権部分に係る取得費

$$(A+B) \times \frac{C}{D} \times \frac{B}{A+B}$$

5 減価償却資産の取得費

　譲渡した資産が，建物その他使用又は期間の経過により減価する資産の取得費は，資産の取得に要した金額並びに設備費及び改良費の合計額に相当する金額から，取得の日から譲渡の日までの期間に対応する減価償却費相当額を控除した金額による（所法38②）。減価償却費相当額は事業用資産又は非事業用資産の別に次のように計算される。事業用資産である場合は，未償却残高が取得費となる。減価償却に誤りがあったとしても，そのままの金額で計算する。

1 事業用資産

　事業用資産の減価償却について平成19年4月1日以後に取得したものと平成19年3月31日以前に取得したものの取扱いが異なる。

(1) 平成19年3月31日以前に取得された資産である場合

　譲渡した時までの減価償却費の累積額（事業等に供していた期間において各年分の所得金額の計算上必要経費に算入された償却費の額の累積額となる）が，減価償却費相当額となる。

　　旧定額法の場合の減価償却費の累積額は次のように計算する（所令120①）。

$$\text{減価償却の累積額} = \begin{bmatrix} \text{取得価額} \\ \text{設備費} \\ \text{改良費の合計額} \end{bmatrix} \times 90\% \times \text{耐用年数に応ずる定額法の償却率} \times \frac{\text{経過総月数}}{12}$$

・経過総月数に1か月未満の端数があるときは1か月とする。
・減価償却費の累積額が償却可能限度額(取得価額の95%相当額)まで達した場合，その達した翌年分以後の5年間で1円まで償却することができる(所令134①一)。

$$償却費の額＝(取得価額－取得価額の95\%相当額－1円)\div 5年$$

(2) 平成19年4月1日以降に取得された資産である場合

譲渡した時までの減価償却費の累積額が，減価償却費相当額となる。

$$減価償却の累積額 = \begin{bmatrix} 取得価額 \\ 設備費 \\ 改良費の合計額 \end{bmatrix} \times 耐用年数に応ずる定額法の償却率 \times \frac{経過総月数}{12}$$

・経過総月数に1か月未満の端数があるときは1か月とする。
・減価償却費の累積額は，取得価額から1円を控除した金額を限度とする(所令134①二)。

2 非事業用資産

非事業用資産の減価償却費は次のように計算する(所令85)。

$$減価償却の累積額 = \begin{bmatrix} 取得価額 \\ 設備費 \\ 改良費の合計額 \end{bmatrix} \times 90\% \times 耐用年数の1.5倍の旧定額法の償却率 \times \frac{経過総月数}{12}$$

・償却費相当額は取得価額の100分の95に相当する額が限度である。
・譲渡資産の耐用年数は1.5倍の年数で計算する。1年未満の端数が生じた場合はその端数は切り捨てる(所令85②一)。
・経過年数は6か月以上の端数は1年とし，6か月未満の端数は切り捨てる(所令85②二)。

6 土地と建物を一括購入している場合の取得費

一括購入した場合の土地建物等の対価の区分については，税務上定められていないが，建物等を取得する時に支払った消費税額や，標準的な建築価額から推定できる場合がある。建物価額がわかれば，土地の価額は，必然的に算出される。通常は次のいずれかの場合に応じて計算する。

1 購入時の契約等により土地建物等の価額が区分されている場合

取得時の契約や特約事項等で土地建物等の価額が区分されている場合は，その価額を基にして取得費の計算を行う。

2 購入時の契約書等により建物等の消費税相当額がわかる場合

平成元年4月1日以降取得された土地建物等について，契約書に建物等の消費税額が記されていることがある。契約書又はその他の書類で建物等の消費税額がわかる場合は建物等の価額が計算できる。

建物等の取得価額

$$= その建物等の消費税額 \times \frac{1+消費税の税率}{消費税の税率}$$

※1　消費税の税率

適用期間	消費税率
1989年(平成元年)4月1日～1997年(平成9年)3月31日	3%
1997年(平成9年)4月1日～2014年(平成26年)3月31日	5%
2014年(平成26年)4月1日～2019年(令和元年)9月30日	8%
2019年(令和元年)10月1日以降	10%

※2　簡便計算
　　建物等の取得価額＝消費税額÷(上記の消費税率)＋消費税額

3 購入時の契約等により土地建物等の価額が区分されていない場合

取得時の契約等により土地建物等の価額が区分されていない場合は，土地建物等をともに時価の割合で区分する。

取得時の土地の時価及び建物の時価の算定は困難である。地価水準の変遷等のデータを活用することも可能であるが，特定の物件に直に適用することはできないと考える。

4 「建物の標準的な建築価額表」を活用する場合

建物の建築価額が不明な場合，国税庁が公表している「建物の標準的な建築価額表」により計算する。特に他に参考となる資料がない場合，この価額を使用する。なお昭和40年代以前のデータは，国土交通省ホームページを参考に作成した。

▼建物の標準的な建築価額表(単位:千円/m²)

建築年	木造	鉄骨鉄筋コンクリート	鉄筋コンクリート	鉄骨	建築年	木造	鉄骨鉄筋コンクリート	鉄筋コンクリート	鉄骨
昭和34年	8.7	34.1	20.2	13.7	平成元年	123.1	237.3	193.3	128.4
35年	9.1	30.9	21.4	13.4	2年	131.7	286.7	222.9	147.4
36年	10.3	39.5	23.9	14.9	3年	137.6	329.8	246.8	158.7
37年	12.2	40.9	27.2	15.9	4年	143.5	333.7	245.6	162.4
38年	13.5	41.3	27.1	14.6	5年	150.9	300.3	227.5	159.2
39年	15.1	49.1	29.5	16.6	6年	156.6	262.9	212.8	148.4
40年	16.8	45.0	30.3	17.9	7年	158.3	228.8	199.0	143.2
41年	18.2	42.4	30.6	17.8	8年	161.0	229.7	198.0	143.6
42年	19.9	43.6	33.7	19.6	9年	160.5	223.0	201.0	141.0
43年	22.2	48.6	36.2	21.7	10年	158.6	225.6	203.8	138.7
44年	24.9	50.9	39.0	23.6	11年	159.3	220.9	197.9	139.4
45年	28.0	54.3	42.9	26.1	12年	159.0	204.3	182.6	132.3
46年	31.2	61.2	47.2	30.3	13年	157.2	186.1	177.8	136.4
47年	34.2	61.6	50.2	32.4	14年	153.6	195.2	180.5	135.0
48年	45.3	77.6	64.3	42.2	15年	152.7	187.3	179.5	131.4
49年	61.8	113.0	90.1	55.7	16年	152.1	190.1	176.1	130.6
50年	67.7	126.4	97.4	60.5	17年	151.9	185.7	171.5	132.8
51年	70.3	114.6	98.2	62.1	18年	152.9	170.5	178.6	133.7
52年	74.1	121.8	102.0	65.3	19年	153.6	182.5	185.8	135.6
53年	77.9	122.4	105.9	70.1	20年	156.0	229.1	206.1	158.3
54年	82.5	128.9	114.3	75.4	21年	156.6	265.2	219.0	169.5
55年	92.5	149.4	129.7	84.1	22年	156.5	226.4	205.9	163.0
56年	98.3	161.8	138.7	91.7	23年	156.8	238.4	197.0	158.9
57年	101.3	170.9	143.0	93.9	24年	157.6	223.3	193.9	155.6
58年	102.2	168.0	143.8	94.3	25年	159.9	258.5	203.8	164.3
59年	102.8	161.2	141.7	95.3	26年	163.0	276.2	228.0	176.4
60年	104.2	172.2	144.5	96.9	27年	165.4	262.2	240.2	197.3
61年	106.2	181.9	149.5	102.6	28年	165.9	308.3	254.2	204.1
62年	110.0	191.8	156.6	108.4	29年	166.7	350.4	265.5	214.6
63年	116.5	203.6	175.0	117.3	30年	168.5	304.2	263.1	214.1
					令和元年	170.1	363.3	285.6	228.8
					2年	172.0	279.2	277.0	230.2
					3年	172.2	338.4	288.3	227.7

7 概算取得費控除

1 概算取得費控除とは

　概算取得費控除とは,土地建物等の取得価額が不明な場合,収入金額の5%を取得費として控除できる簡便な計算方式である。

2 長期譲渡所得の概算取得費控除

　昭和27年12月31日以前から所有している土地建物等を譲渡した場合,その譲渡収入金額の5%を取得費として控除できる。ただし,土地建物等の実際の取得費(減価償却後)に満たない場合は,実際の取得費による(措法31の4)。

　概算取得費控除は昭和27年12月31日以前に取得した土地建物等に適用される

ものであるが，昭和28年1月1日以降に取得した土地建物等についても適用できる。長期保有資産のみならず短期保有資産でも適用できる（措通31の4-1）。なお，建物等について概算取得費控除を適用した場合，減価償却費を考慮しない。

③ 土地建物等以外の譲渡資産の取得費

昭和27年12月31日以前から所有している資産の取得費は，昭和28年1月1日現在の相続税評価額を基にした金額による（所法61，所令172）。

この取扱いは実務的ではないので，土地建物等以外の資産，たとえば株式等の取得費であっても概算取得費控除を適用することができる（所基通38-16）。

④ 概算取得費の計算

実際の取得費や改良費の合計額が多い場合には，実際の取得費を選択することができる。また，同時に売却した二つの資産のうち，取得価額の不明なもののみに対して適用ができる。

土地建物を譲渡し，建物の取得価額が判明している場合，土地の取得価額部分のみに概算取得費の適用ができる。この場合，収入金額のうち土地に対応する金額に対し，5％を乗じて計算する。

⑤ 概算取得費が適用できないもの

土地の地表又は地中にある土石等並びに借家権及び漁業権等は，本来取得するときに原価性が認められない資産であり，取得費がないものとされる。そのため，これらの資産の譲渡について，概算取得費控除の取扱いを適用することはできない（所基通38-16）。

事例 ……………………………………… CASE STUDY
こんな場合は適用できない?!

Q 短期間の貸付けがあった場合の使用開始の日

15年前に借入れによって取得した未利用の土地を資材置場として約10年前に2年程貸し付けていた。その後貸付けが終了し，再度更地として保有していた。昨年譲渡したが，取得してから譲渡するときまでの借入金利子全額を取得費に含めて計上した。

A

　資産を取得するために借り入れた借入金の利子のうち，使用開始の日までの期間に対応する部分の金額は，取得費に含まれる。いったん使用開始した場合には，その後使用しなかった期間があっても，使用開始があった日後譲渡の日までの期間に対応する借入金の利子は取得費又は取得価額に算入することはできない（所基通38-8の3）。借入金の利子の計上は取得した時から最初に貸し付けた時までしか認められない。

Q 割賦払いで支払った場合の取得費

　割賦払いで土地建物を取得した。7年後に譲渡したが，支払った全額が取得費となるか。

A

　割賦で支払った金額の中に，利息相当額が混在する。利息相当額は取得費とならない。ただし，取得した土地建物の使用開始の日までは認められる。

Q 立退料を支払って取得した建物を取り壊した場合

　土地建物の取得に際して建物の賃借人に立退料を支払った。建物を取得後1年以内に取り壊し，新たに建物を建築し，その後譲渡した。

A

　立退料は建物の取得費となるが，取得して1年以内に取り壊しているので，もとよりその土地を利用することが目的であると認められるため，土地の取得費に算入される（所基通37-23）。

　なお立退料は次の点に留意する。
① 賃貸建物を取得し，建て替え等のために立ち退き料を支払った場合，支払った年分の不動産所得の経費となる。
② 建物の譲渡に際して立退料を支払った場合，譲渡所得の計算上費用として計上する。

Q 業務に供した資産の取得費

　4年前に6,405万円で取得した店舗用建物を譲渡した。これまで減価償却費を定率法で計算しており，毎年の必要経費に算入していた。譲渡時における未償却残高は，4,916万円であった。今回の譲渡に係る譲渡所得の計算上，取得費を定額法で計算し直し，5,738万円を取得費として申告したい。

A

　業務に供していた資産は，未償却残高相当額を取得費として計算する。

Q 取得費の計算時の消費税

平成6年に土地建物を5,045万円（うち建物の消費税45万円）で取得した。建物の取得価額の計算方法を教えてほしい。

A

土地と建物を一括で購入し，建物の消費税額が判明している。平成6年当時の消費税率は3％であることから，次のように計算する。

建物の取得価額＝$450,000 円 \times \dfrac{1+0.03}{0.03}$＝15,450,000円

土地の取得価額＝50,450,000円－15,450,000円＝35,000,000円

Q 概算取得費と宅地造成費

譲渡する直前に農地を宅地に造成した。譲渡所得の計算の際，宅地造成費は取得費に該当するとのことだったので造成費を取得費とした。また，その土地は相続により取得したもので，実際の取得価額が不明であったために取得費は概算取得費を適用して譲渡価額の5％を適用して計算した。

A

概算取得費は，実際の取得価額が不明な場合に，実際の取得価額に替えて譲渡価額の5％を取得価額とするものである。概算取得費を適用する場合は，譲渡価額の5％に宅地造成費を加算することはできない。

Q 抵当権設定費用

借入れにあたって支出した抵当権設定費用は全額取得費に加算できるか。それとも使用開始の日までに応じる金額しか加算できないか。

A

抵当権設定費用は全額取得費加算する。

第1章　譲渡所得の基本

12 譲渡費用

　譲渡所得の金額とは，総収入金額から所得の基因となった資産の取得費，及びその資産の譲渡に要した費用（譲渡費用）の額の合計額を控除したものをいう（所法33③）。

1 譲渡費用

1 譲渡費用の具体例

　譲渡に際して様々な支出が発生するが，譲渡所得の計算において控除される費用とは，基本的に次のものである（所基通33-7）。
- 〇　譲渡のために直接要した費用
- 〇　資産の譲渡価額を増加させるために，譲渡に際して支出した費用

　譲渡費用に該当する支出の具体的な例は，次の通りである。

(1) 仲介手数料

　宅地建物取引業者が受け取ることができる報酬は次のとおりである。依頼者の一方につき取引金額に応じた報酬額となる（昭和45年建設省告示第1552号）。

取引額	報酬額
200万円以下の金額	取引額の5％以内
200万円を超え400万円以下の金額	取引額の4％以内
400万円を超える金額	取引額の3％以内

取引金額が400万円を超える場合の簡便計算は次のとおりである。

((取引金額×3％)＋60,000円)＋消費税＝報酬の額

(2) 運搬費

　運搬費とは，譲渡資産を引き渡すための運搬に要した費用をいい，転居のために要した費用等は，譲渡費用に該当しない。

(3) 登記若しくは登録に要する費用

(4) 売買契約書に貼付した印紙代

▼印紙税額一覧表（印紙税法別表第1号文書）

文書の種類（物件名）	印紙税額（1通又は1冊につき）	主な非課税文書
1 不動産，鉱業権，無体財産権，船舶若しくは航空機又は営業の譲渡に関する契約書 （注）無体財産権とは，特許権，実用新案権，商標権，意匠権，回路配置利用権，育成者権，商号及び著作権をいいます。 （例）不動産売買契約書，不動産交換契約書，不動産売渡証書 2 地上権又は土地の賃借権の設定又は譲渡に関する契約書 （例）土地賃貸借契約書，土地賃料変更契約書など 3 消費貸借に関する契約書 （例）金銭借用証書，金銭消費貸借契約書など 4 運送に関する契約書 （注）運送に関する契約書には，用船契約書を含み，乗車券，乗船券，航空券及び運送状は含まれません。 （例）運送契約書，貨物運送引受書など	記載された契約金額が 　　1万円以上　10万円以下のもの　　200円 　　10万円を超え　50万円以下　　〃　400円 　　50万円を超え　100万円以下　　〃　1千円 　　100万円を超え　500万円以下　〃　2千円 　　500万円を超え　1千万円以下　〃　1万円 　　1千万円を超え　5千万円以下　〃　2万円 　　5千万円を超え　1億円以下　　〃　6万円 　　1億円を超え　　5億円以下　　〃　10万円 　　5億円を超え　　10億円以下　〃　20万円 　　10億円を超え　50億円以下　　〃　40万円 　　50億円を超えるもの　　　　　　　60万円 契約金額の記載のないもの　　　　　　　200円	記載された契約金額が1万円未満のもの
上記の1に該当する「不動産の譲渡に関する契約書」のうち，平成9年4月1日から平成30年3月31日までの間に作成されるものについては，契約書の作成年月日及び記載された契約金額に応じ，右欄のとおり印紙税額が軽減されています。 （注）契約金額の記載のないものの印紙税額は，本則どおり200円となります。	【平成26年4月1日～平成30年3月31日】 記載された契約金額が 　　1万円を超え　50万円以下のもの　　200円 　　50万円を超え　100万円以下　〃　500円 　　100万円を超え　500万円以下　〃　1千円 　　500万円を超え　1千万円以下　〃　5千円 　　1千万円を超え　5千万円以下　〃　1万円 　　5千万円を超え　1億円以下　　〃　3万円 　　1億円を超え　　5億円以下　　〃　6万円 　　5億円を超え　　10億円以下　〃　16万円 　　10億円を超え　50億円以下　　〃　32万円 　　50億円を超えるもの　　　　　　　48万円 【平成9年4月1日～平成26年3月31日】 記載された契約金額が 　　1千万円を超え　5千万円以下のもの　1万5千円 　　5千万円を超え　1億円以下　　〃　4万5千円 　　1億円を超え　　5億円以下　　〃　8万円 　　5億円を超え　　10億円以下　〃　18万円 　　10億円を超え　50億円以下　　〃　36万円 　　50億円を超えるもの　　　　　　　54万円	

令和4年3月現在

(5) 土地等を譲渡するに際して要する測量費，分筆費用等

測量等は，所有物件を一括で行うことがあるが，譲渡費用となるのは，原則として譲渡物件に係る部分のみである。

(6) 借家人等を立ち退かせるための立退料

譲渡に際して借家人等を立ち退かせるために支出した費用のことをいう。譲渡に係わらない立退料は，譲渡費用とならない。

(7) 建物等の取壊しに要した費用

土地等を譲渡するため，その土地の上にある建物等を取り壊した場合の費用をい

う。

(8) **契約を解除したことに伴い支出する違約金**

既に売買契約を締結している資産を，更に有利な条件で他に譲渡するため，契約を解除したことに伴い支払った違約金をいう。

(9) **建物等を取壊し又は除去した場合の取壊し損失（所基通33-8）**

土地の上にある建物等を取壊し，又は除却して更地を譲渡したような場合，建物の価額が譲渡所得の計算上反映されない。非事業用の建物であっても，その取壊し又は除却が，譲渡のために行われたものであることが明らかであるときは，所得税法施行令第142条《必要経費に算入される資産損失の金額》又は第143条《昭和27年12月31日以前に取得した資産の損失の金額の特例》の規定に準じて計算した金額（発生資材がある場合には，その価額を控除した残額）は，譲渡費用となる。

(10) **農地転用決済金等**

農地転用許可等が停止条件となっている土地改良区内への農地の売買契約において，土地改良区へ支払った農地転用決済金等は次の①及び②の区分ごとにイ～ニの全てを満たした場合，譲渡費用となる。
（「土地改良区内の農地の転用目的での譲渡に際して土地改良区に支払われた農地転用決済金等がある場合における譲渡費用の取扱いについて」（平成19年6月22日付国税庁通達課資3-7他）参照）

一般の農地転用に係る費用は該当しないことに留意する。

① 農地転用決済金

イ 売買契約で農地転用許可等が停止条件とされているなど，売買契約において，土地改良区内の農地を転用して売買することが契約の内容になっていたものであること。

ロ 土地改良法第42条第2項（権利義務の承継及び決済）及びこれを受けた土地改良区の規程により，土地改良区に支払うことが義務付けられている償還金，事業費等であること。

ハ 転用目的での譲渡に際して土地改良区に支払われたものであること。

ニ 決済の時点で既に支払義務が発生していた決済年度以前の年度に係る賦課金等の未納入金でないこと。

② 協力金等

イ 売買契約で農地転用許可等が停止条件とされているなど，売買契約において，土地改良区内の農地を転用して売買することが契約の内容になっていた

ものであること。
　ロ　土地改良区の規程により，土地改良区に支払うことが義務付けられている協力金，負担金等であること。
　ハ　転用された土地のために土地改良施設を将来にわたって使用することを目的としたものであること。
　ニ　転用目的での譲渡に際して土地改良区に支払われたものであること。

(11) **譲渡契約の効力に関する紛争費用**

　譲渡契約の効力に関する紛争に契約が成立することとされた場合の費用は，その資産の譲渡に要した費用とされる（所基通37-25(2)注）。

(12) **その他譲渡のために直接要した費用**

2　短期保有資産と長期保有資産とがある場合の譲渡費用の区分

　一の契約により譲渡した資産のうちに，短期保有資産と長期保有資産とがある場合，個々の譲渡資産との対応関係の明らかでない譲渡費用を，それぞれの資産の収入金額の比であん分するなど，合理的な方法により計算する。この場合，それぞれの譲渡資産に対応する収入金額が区分されており，かつ，その区分がおおむねその譲渡の時の価額の比により適正に区分されている場合は，それでよいこととなっている（所基通33-11）。

2　譲渡費用に該当しないもの

　次の費用は，譲渡に際して支払った場合でも，譲渡所得に対応する費用とならない。

(1) **譲渡資産の修繕費・固定資産税等**

　その資産の維持管理に要する費用は譲渡費用・取得費ともに認められない（所基通33-7注）。

(2) **譲渡資産の遺産分割協議に係る弁護士費用**

(3) **申告書の作成や税務相談に係る税理士費用**

(4) **住所変更登記費用・抵当権抹消登記費用**

(5) **自己の引越費用**

　譲渡に際する運搬費や立退き費用とは認められない。

(6) **資産の取得費に該当するもの**

　取得費と譲渡費用とを二重に計上することはできない。

事例　　　　　　　　　　　　　　　　　　　CASE STUDY
こんな場合は適用できない?!

Q 倍返しした手付金の取扱い

総額8,000万円で譲渡する契約を結び，手付金を1,000万円受領していた。その後1億1,000万円の購入者が現れたので，違約金1,000万円を含み2,000万円を返して当初契約を解除した。譲渡所得の計算の際，倍返しした手付金2,000万円を譲渡経費として計上した。

A

既に売買契約を締結している資産を更に有利な条件で他に譲渡するため当該契約を解除したことに伴い支出する違約金1,000万円は譲渡費用であるが，手付金は仮受金であるため譲渡費用とはならない（所基通33-7）。なお，契約解除となった売買契約において支払った仲介手数料は，譲渡費用とならないことに留意する。

Q 立退料の取扱い

店舗として借りていた建物が譲渡されることになり立退料として450万円を受け取った。立退交渉が長引いたため，営業補償等を含め450万円でまとめたものである。立退料の課税関係はどうなるか。

A

借家権の取引の慣行のある地域では，立退料の一部が借家権の譲渡の対価となり，総合譲渡所得の対象となる（所基通33-6）。借家権の消滅の対価に相当する部分に限られることに留意する。立退料の中に休業補償等営業に対する補てん部分が含まれている場合はその業務に係る各種所得の総収入金額に算入する。いずれにも該当しないものは一時所得の収入金額となる（所基通34-1(7)）。

Q 分筆するために測量をした場合の費用

宅地を譲渡するために，測量して譲渡する部分（約1/3）を分筆し登記した。これらの費用は3分の1しか認められないか。

A

測量し，分筆しなければ譲渡する部分が確定できない。このような場合の測量費や分筆費用は譲渡費用として控除することができる。ただし，残りの宅地を譲渡するときにこれらの費用は控除することができないのは言うまでもない。

13 相続財産を譲渡した場合の取得費の特例

　相続財産を譲渡した場合の取得費の特例（以下「相続税の取得費加算の特例」という。）は，相続又は遺贈により取得した財産を，相続の開始があった日の翌日から，相続税の申告書の提出期限の翌日以後3年を経過する日までの間に譲渡した場合には，譲渡した財産に対する相続税額を，取得費として加算できる特例である。

　相続直後の相続財産の譲渡は，相続税の納税資金を捻出するためであることが多い。相続税と所得税は税体系が異なり連動するものではないが，相続税に続く所得税の負担という，相続人の二重の負担感を緩和するために設けられた特例である。昭和45年の創設当初は，譲渡した相続財産に対応する税額のみを控除していた。平成初め，いわゆるバブル期に土地等の異常な高騰があり，相続財産のうち土地等の占める割合が高まり，必然的に相続税の負担が大きくなった。そこで，平成5年分から相続開始により取得した土地等については，土地等に係る相続税額を全額控除できるようになった。この取扱いは平成26年12月31日までの相続開始があったものについて適用され，平成27年1月1日以後に相続等により取得した土地等については廃止となった。

　平成27年1月1日以後に相続等により取得した財産を譲渡した場合の相続税額の取得費については，その譲渡した土地等に対応する相続税相当額が控除されることとなった（措法39①，措令25の16①）。譲渡していない土地等に対応する相続税額まで控除していたものを是正し，本来の姿に戻ったこととなる。

1 特例の適用要件

　相続財産を譲渡した場合の，相続税の取得費加算の特例の適用要件は次のとおりである（措法39）。
　① 相続又は遺贈（贈与者の死亡により効力を生ずる贈与を含む。以下「相続等」という。）により財産を取得していること。

②　相続税を納付していること。
③　相続の開始があった日の翌日から，相続税の申告書の提出期限の翌日以後3年を経過する日までの間に，相続税の課税価格の計算の基礎に算入された財産（以下「相続財産」という。）を譲渡していること。

2 相続等により取得した財産を譲渡した場合

1 加算する金額の計算

平成27年1月1日以後に開始する相続等により取得した資産を譲渡した場合，相続税額のうち，その譲渡した資産に対応する相続税額を，取得費に加算することができる（措令25の16①）。

$$譲渡者の相続税額 \times \frac{譲渡者の譲渡した資産の価額}{譲渡者の相続税の課税価格（課税価格＋債務控除額）}$$

2 相続税額とは

(1) **計算の基となる相続税額とは**

相続税額とは，譲渡をした資産の取得の基因となった相続等による相続税額で，譲渡の日の属する年分の，所得税の納税義務の成立する時（その時が，相続税申告書の提出期限内における相続税申告書の提出期限前である場合には，提出の時。）において確定しているものをいう（措令25の16①）。

(2) **所得税の納税義務の成立の時**

取得費に加算される相続税額とは，譲渡の日の属する年分の所得税の納税義務の成立する時において確定している金額をいう。具体的には次による（措通39-2）。

原則…国税通則法第15条第2項第1号に掲げる暦年の終了の時。原則として，譲渡した年の12月31日のことをいう。

例外…年の中途において死亡した者は死亡の時，年の中途において出国する者は出国の時

(3) **所得税の納税義務成立後に相続税額が確定する場合等**

所得税の納税義務の成立する時が，相続税の申告書の提出期限前である場合，たとえその時において確定している相続税額がない場合であっても，提出期限までに相続税額が確定したときは，相続税の取得費加算の特例の適用がある（措通39-1）。この場合，措置法第39条を適用せずに所得税の確定申告をし，相続税の申告をし

た日の翌日から2か月以内に更正の請求をする。3（所得税の更正の請求）参照。

(4) 贈与税額控除額がないものとして計算した相続税額

相続税額は，次に掲げる者の区分に応じ，それぞれ次に掲げる金額となることに留意する（措通39-4）。

イ　納付すべき相続税額がある者

その者の相続税額に相続税法第19条《相続開始前3年以内に贈与があった場合の相続税額》の規定により控除される贈与税の額を加算した金額

ロ　納付すべき相続税額がない者

相続税法第19条の規定により控除される贈与税の額（その者のものに限る。）がないものとして同法第15条《遺産に係る基礎控除》から第20条の2《在外財産に対する相続税額の控除》及び第21条の14《相続時精算課税に係る相続税額》から第21条の18までの規定により算出した金額

③　相続税の課税価格

(1) 相続税の課税価格とは

譲渡所得の計算の上で「相続税の課税価格」とは，相続開始前3年以内の贈与財産及び相続時精算課税財産を加算した金額である。この場合，贈与税の納税額がある場合でも，計算上は考慮しない。

(2) 非課税財産がある場合の課税価格

課税価格には，相続税法第12条第1項《相続税の非課税財産》及び措置法第70条第1項《国等に対して相続財産を贈与した場合の相続税の非課税》の規定により相続税の課税価格に算入されない財産の価額は含まれない（措通39-3）。

④　相続財産を2以上譲渡した場合の取得費に加算する相続税額

相続税の課税価格の計算の基礎に算入された資産を，同一年中に2以上譲渡した場合の譲渡した資産に対応する部分の相続税額は，措置法第39条第8項の規定により譲渡した資産ごとに計算する。たとえ，譲渡した資産のうちに譲渡損失の生じた資産があり，譲渡損失の生じた資産に対応する部分の相続税額を，取得費に加算することができない場合であっても，相続税額を他の譲渡資産の取得費に加算することはできない（措通39-5）。

5 相続財産の譲渡に際して，交換の特例等の適用を受ける場合の相続税額の加算

相続税の課税価格の計算の基礎に算入された資産を譲渡し所得税法第58条等，交換の特例等の適用を受けた場合，資産のうちの一部について譲渡があったものとされる部分，又は措置法第35条第3項の規定の適用対象とならない部分があるときは，取得費に加算される金額は，相続税額に次の区分に応じ，次の算式により計算した金額が課税価格のうちに占める割合を乗じて計算した金額による（措通39-6）。

①交換差金等がある交換で，所得税法第58条の規定の適用を受けた場合

譲渡資産の相続税の課税価格の計算の基礎に算入された価額（以下「譲渡資産の相続税評価額」という。） × $\dfrac{\text{取得した交換差金等の額}}{\text{取得した交換差金等の額} + \text{交換取得資産の価額}}$

②収用等による資産の譲渡又は特定資産の譲渡で，措置法第33条，第36条の2，第36条の5又は第37条の5の規定の適用を受けた場合

譲渡資産の相続税評価額 × $\dfrac{\text{譲渡資産の譲渡による収入金額} - \text{代替資産又は買換資産の取得価額}}{\text{譲渡資産の譲渡による収入金額}}$

③交換処分等による譲渡につき措置法第33条の2第1項の規定の適用を受けた場合

譲渡資産の相続税評価額 × $\dfrac{\text{取得した補償金等の額}}{\text{取得した補償金等の額} + \text{交換取得資産の価額}}$

④特定資産の譲渡につき措置法第37条又は第37条の4の規定の適用を受けた場合

譲渡資産の相続税評価額 × $\dfrac{\text{譲渡資産について譲渡があったものとされる部分に対応する収入金額}}{\text{譲渡資産の譲渡による収入金額}}$

⑤相続の開始の直前において被相続人の居住の用に供されていた家屋又はその敷地等の譲渡につき措置法第35条第3項（相続財産の3,000万円控除の特例）の規定の適用を受けた場合

譲渡資産の相続税評価額 × $\dfrac{\text{譲渡資産のうち特例の適用対象とならない部分に対応する収入金額}}{\text{譲渡資産の譲渡による収入金額}}$

6 代償金を支払って取得した相続財産を譲渡した場合の取得費加算額の計算

代償金を支払って取得した相続財産を譲渡した場合の取得費に加算する相続税額は，次の算式により計算する（措通39-7）。

なお，「確定した相続税額」とは，措置法令第25条の16第1項第1号に掲げる相

続税額をいい，同条第2項に該当する場合はその相続税額をいう。

また，支払代償金については，相続税法基本通達11の2-10（代償財産の価額）に定める金額による。

$$確定した相続税額 \times \frac{譲渡資産の相続税評価額B-支払い代償金C \times \frac{B}{A+C}}{譲渡者の相続税の課税価格(債務控除前)A}$$

⑦ 相続税額に異動が生ずる更正であっても再計算をしない場合

資産の譲渡の日の属する年分の所得税の納税義務の成立の時，又は相続税の申告書の提出期限のうち，いずれか遅い日を経過した後に行われた相続税の申告，又は遅い日を経過した後に行われた相続若しくは遺贈に係る相続税の決定に対する修正申告書の提出又は更正があった場合，特例の適用はない（措通39-8）。これは，所得税の納税義務の成立の日又は相続税の申告期限を過ぎて申告をした場合には，相続税の取得費加算の特例が適用できないこととなるので，注意しなければならない。

⑧ 判決等により相続税額が異動した場合

相続税についての再調査の請求に係る決定，審査請求に係る裁決又は判決により，相続税額に異動が生じた場合，更正があった場合に準じ，異動後の相続税額を基礎として取得費に加算すべき金額の再計算を行う（措通39-9）。

⑨ 取得費に加算すべき相続税額の再計算

次に該当する場合，修正申告又は更正後の相続税額を基礎として取得費に加算すべき金額を再計算するが，修正申告書の提出がある場合を除き，税務署長は国税通則法第24条又は第26条の規定により更正することとなる。この場合，同法第70条に規定する更正をすることができる期間を超えて更正することはできない（措通39-10）。

(1) 措置法令第25条の16第2項の規定の適用がある場合

所得税の納税義務の成立後に，相続税の修正申告書の提出又は国税通則法第24条又は第26条の更正があった場合

(2) 判決等により相続税額が異動した場合（措通39-9）により，措置法令第25条の16第2項の更正があった場合に準じて取り扱う場合

相続税についての再調査の請求に係る決定，審査請求に係る裁決又は判決により，相続税額に異動が生じた場合

10 第2次相続人が第1次相続に係る相続財産を譲渡した場合の取得費加算額の計算

相続等により財産を取得した個人のうち，相続税の取得費加算の特例の適用を受けることができる者（以下「第1次相続人」という。）について，措置法第39条第1項に規定する期間（以下「特例期間」という。）内に相続が開始した場合（以下「第2次相続」という。），第2次相続により財産を取得した相続人又は包括受遺者（以下「第2次相続人」という。）が特例対象資産（第1次相続人の相続税の課税価格の計算の基礎に算入された譲渡所得の基因となる資産をいう。）を第1次相続（第1次相続人が特例対象資産を相続等により取得したときの相続をいう。）に係る特例期間内に譲渡した場合，第1次相続人が死亡する直前において取得費に加算できる金額（以下「第1次限度額」という。）を第2次相続人が承継しているものとみなして相続税の取得費加算の特例が適用できる（措通39-11）。

① 上記の場合において，措置法第39条第1項の規定により譲渡した特例対象資産の取得費に加算する金額は，次の算式により計算した金額とする。

$$譲渡した特例対象資産に係る取得費加算額 = A \times \frac{C}{B}$$

(注) 算式中の符号は，次のとおりである。

・Aは，第2次相続人の適用限度額をいい，次の計算式1により算出した第1次限度額を基に，次の計算式2により算出する。

（計算式1）

$$\left[第1次相続に係る相続税額 \times \frac{第1次相続に係る特例対象資産の価額の合計額}{第1次相続に係る相続税の課税価格（債務控除前）} \right] - 既に適用を受けた取得費加算額$$

$$= 第1次限度額$$

（計算式2）

$$第1次限度額 \times \frac{第2次相続人の第2次相続に係る相続税の課税価格の計算の基礎に算入された特例対象資産の価額の合計額}{第2次相続に係る相続税の課税価格の計算の基礎に算入された特例対象資産の価額の合計額}$$

$$= 第2次相続人の適用限度額$$

・Bは，第2次相続に係る相続税の課税価格の計算の基礎に算入された特例対象資産の価額の合計額
・Cは，第2次相続に係る相続税の課税価格の計算の基礎に算入された特例対象資産である譲渡資産の価額

② 相続税の申告義務がないことなどにより，第2次相続の相続税の申告書の提出がない場合の上記①の計算は，第2次相続の相続税の課税価格の計算の基礎に算入すべき特例対象資産の価額を基に行うものとする。

③ 特例対象資産は，第2次相続人が第2次相続により取得した資産でもあることから，取得費に加算する金額の計算に当たっては，第1次相続の金額を基として行うか，又は第2次相続の金額を基として行うかは，譲渡した特例対象資産ごとに資産を譲渡した第2次相続人の選択したところによる。

11 相続時精算課税適用者の死亡後に特定贈与者が死亡した場合

相続時精算課税適用者の死亡後に，特定贈与者が死亡した場合，相続税法第21条の17第1項に規定する納税に係る権利又は義務を承継した相続時精算課税適用者の相続人（以下「承継相続人」という。）が，特定贈与者からの贈与財産のうち同法第21条の9第3項の規定の適用を受けたもの（以下「相続時精算課税適用資産」という。）を相続時精算課税適用者から相続等により取得しているときには，相続時精算課税適用資産は，措置法第39条の規定の適用上，相続時精算課税適用者及び特定贈与者の相続税の課税価格の計算の基礎にそれぞれ算入された資産とし，承継相続人が相続時精算課税適用資産を，それぞれの特例適用期間内に譲渡したときには，いずれの相続税額についても同条の規定を適用して差し支えない。相続税法第21条の18第2項に規定する相続人についても同様である。

なお，この場合における措置法第39条の規定の適用については，相続時精算課税適用者の死亡に係る相続税額を先に適用する。ただし，承継相続人が特定贈与者に係る相続税額を先に適用して申告したときは，その申告が認められる（措通39－13）。

12 延滞税の計算の基礎となる期間に算入しないこととされる所得税の額

措置法第39条第9項に規定する納付すべき所得税の額（相続税法第32条第1項《更正の請求の特則》の規定による更正の請求を行ったことにより措置法第39条第1項の相続税額が減少した場合，相続税額が減少したことに伴い修正申告書を提出したこと又は更正があったことにより納付すべき所得税の額をいう。）については，次の区分に応じ，それぞれに掲げる金額が限度となる（措通39－15）。

(1) 相続税法第32条第1項に掲げる事由以外の他の相続税に係る事由による措置法第39条第1項の相続税額の異動に伴う所得税の額の異動がある場合

次のイ又はロのうちいずれか低い金額

イ 所得税の修正申告書を提出したこと又は更正があったことにより納付すべき所得税の額（以下「所得税の修正申告等により納付すべき所得税の額」という。）

ロ 他の相続税に係る事由がないものとして計算される「措置法第39条第9項に規定する納付すべき所得税の額」

(2) 「措置法第39条第9項に規定する納付すべき所得税の額」の異動以外の他の所得税に係る事由による所得税の額の異動がある場合

次のイ又はロのいずれか低い金額

イ 所得税の修正申告等により納付すべき所得税の額

ロ 他の所得税に係る事由がないものとして計算される「措置法第39条第9項に規定する納付すべき所得税の額」

(3) 相続税法第32条第1項に掲げる事由以外の他の相続税に係る事由による措置法第39条第1項の相続税額の異動に伴う所得税の額の異動があり、かつ、「措置法第39条第9項に規定する納付すべき所得税の額」の異動以外の他の所得税に係る事由による所得税の額の異動がある場合

次のイ又はロのいずれか低い金額

イ 所得税の修正申告等により納付すべき所得税の額

ロ 他の相続税に係る事由及び当該他の所得税に係る事由がないものとして計算される「措置法第39条第9項に規定する納付すべき所得税の額」

3 所得税の更正の請求

次の各号に掲げる者が相続税の取得費加算の特例を適用することにより、譲渡した年分の所得税について、所得税法第153条の2《国外転出者が帰国した場合等の更生の請求の特例》第1項各号に該当する場合、それぞれ次の各号に定める日まで、税務署長に対し、更正の請求をすることができる（措法39④）。

(1) 資産を譲渡した日の属する年分の確定申告期限の翌日から、相続税申告期限までの間に相続税申告書の提出（以下「相続税の期限内申告書の提出」という。）をした者（確定申告期限までに既に相続税申告書の提出をした者、及び相続税の期限

内申告書の提出後に確定申告書の提出をした者を除く。)
・相続税の期限内申告書の提出をした日の翌日から2か月を経過する日
(2) 資産を譲渡した日以後に相続又は遺贈に係る被相続人（包括遺贈者を含む。）の相続の開始の日の属する年分の所得税につき所得税法第60条の3第6項前段の規定の適用があったことにより，同法第151条の3第1項の規定による修正申告書の提出又は同法第153条の3第1項の規定による更正の請求に基づく国税通則法第24条又は第26条の規定による更正（請求に対する処分に係る不服申立て又は訴えについての決定若しくは裁決又は判決を含む。以下「更正」という。)があった者
・修正申告書の提出又は更正があった日の翌日から4か月を経過する日
(3) 資産を譲渡した日以後に相続又は遺贈に係る被相続人（包括遺贈者を含む。）の相続の開始の日の属する年分の所得税につき所得税法第151条の6第1項に規定する遺産分割等の事由が生じたことにより，同項の規定による修正申告書の提出又は同法第153条の5の規定による更正の請求に基づく更正があった者
・修正申告書の提出又は更正があった日の翌日から4か月を経過する日

4 申告にあたっての要点

1 申告要件

相続税額の取得費加算の特例は，譲渡をした日の属する年分の確定申告書又は修正申告書（所得税法第151条の4第1項の規定により提出するものに限る。）に，措置法第39条の適用を受ける旨の記載をし，次の「確定申告の手続要領」に記載の書類の添付する（措法39②）。

2 確定申告書の手続要領

> ① 「確定申告書（分離課税用）第三表」の特例適用条文欄に「措法39条」と記入する（措法39②）。
> ② 「譲渡所得の内訳書（確定申告書付表兼計算明細書）」
> ③ 「相続財産の取得費に加算される相続税の計算明細書」
>
> （措法39②，措規18の18）

3 確定申告書の提出がなかった場合

確定申告書若しくは修正申告書の提出がなかった場合又は必要事項の記載若しくは必要書類の添付がない確定申告書若しくは修正申告書の提出があった場合，その提出又は記載若しくは添付がなかったことについてやむを得ない事情があると税務

署長が認めるときは，記載をした書類及び必要書類の提出があった場合に限り，相続税額の取得費加算の特例を適用することができる（措法39③）。

5 相続税額の取得加算の特例を適用するにあたっての実務的判断

1 相続税額に移動がある場合

相続税を取得費に加算した所得税の確定申告書を提出した後，更正等により相続税が異動することがある。この場合は，更正後の相続税額を基に計算することになる（措令25の16③）。

また，相続税について修正申告書の提出，異議申し立ての決定，審査請求による裁決等により，相続税額に異動が生じた場合にも同様に，異動後の相続税額を基礎として取得に加算する金額の再計算を行う（措通39-17）。この特例を適用している場合，相続税の処理だけでは完結しない。

2 相続人に対するアドバイス

この特例は相続税の申告期限の翌日以後3年を経過する日までに相続財産を譲渡することが要件である。特例の要件を知らずに，3年を少し超えて譲渡し，期限の利を失う事例がある。相続税の申告にあたって，相続財産を譲渡するかどうかにかかわらず，特例の概要を相続人に確実に説明をしておく必要がある。

事例 ———— CASE STUDY
こんな場合は適用できない?!

Q 相続税申告期限後3年を経過した場合の取得費加算

X0年10月10日に父が死亡し，貸家とその敷地を相続し，相続税を納付した。X4年9月末にこの貸家及びその敷地の譲渡契約を締結し12月に引き渡した。相続税の取得費加算を受けられるか。

A

相続税の取得費加算を受けられる譲渡の期限は，相続の開始があった日の翌日から相続税の申告書の提出期限の翌日以後3年以内に譲渡した場合に限られる。相続税の申告期限（X4年8月10日）の翌日以後3年を経過しているため，特例の適用はできない。よく指摘される誤りである。

Q 相続税の修正申告を行った場合

昨年6月に死亡した父の相続財産を同年中に譲渡して措置法第39条の適用を受けて確定申告をした。その後相続税の調査があり，申告漏れ財産があったため修正申告書を提出し追加納税した。所得税の計算に影響はないか。

A

相続税の修正申告により相続税額が増額となった。取得費に加算される相続税額が増額となるため，所得金額が減少する。そのため所得税の更正の請求を行い納め過ぎた所得税を還付請求する。

相続税が更正の請求等で減額となった場合は，取得費に加算される相続税額が減額となるため，所得税の修正申告書を提出することになる。

Q 相続した持分を譲渡した場合

父と子が土地を2分の1の共有で所有していた。父から2分の1の持分を相続し，子が単独所有者となった。父の相続後2年以内に2分の1を譲渡したが，措置法第39条の適用ができるか。

A

子が譲渡した2分の1が相続により取得した部分ということはできない。譲渡した部分の2分の1（全体の4分の1）に対して特例の適用ができる。

14 交換・買換特例を適用した資産を譲渡した場合の取得費

　固定資産の交換の特例や特定の事業用資産の買換えの特例は、交換や買換えが行われた時点で譲渡がなかったとみなされ、課税が繰延べられる制度である。交換又は買換え等の特例を適用するために譲渡した資産（以下「譲渡資産」という。）の取得価額を交換又は買換え等の特例を適用して取得した資産（以下「買換資産」という。）に引き継ぐことになる。これは譲渡があった時点で、譲渡者が課税の繰延べを選択し、その年分の課税が行われなかったことにより、買換資産を将来譲渡した時点で課税の繰延べがされている部分も含め、まとめて譲渡益の課税が行われる。そのため買換資産に引き継がれた譲渡資産の取得価額を的確に管理する必要がある。

1 買換え又は交換特例の取得時期及び取得価額の引継ぎ

(1) 特例による取得時期及び取得価額の相違

　資産の買換え又は交換が行われた場合、譲渡した資産の取得の日（取得時期）及び取得価額を買い換えた資産に引き継ぐかどうかは、将来買換資産を譲渡した時の課税関係に大きく影響する。買換え等の特例は原則として譲渡がなかったものとみなされ、譲渡益に対して課税が行われないことから、将来の課税のために譲渡資産の取得価額を買換資産に引き継ぐことが特例の根幹である。しかし、取得の日は、特例により引継の有無が異なる。次の表は、特例ごとの取得時期や取得価額の引継ぎの有無をまとめたものである。

特例等条文	特　例	取得時期の引継ぎ	取得価額の引継ぎ
所法58	固定資産の交換の特例	有	有
措法33	収用代替の特例	有	有
措法33の2	交換処分等の特例	有	有
措法33の3	換地処分等の特例	有	有

措法36の2	特定の居住用財産の買換えの特例	無	有
措法36の5	特定の居住用財産の交換の特例	無	有
措法37	特定の事業用資産の買換えの特例	無	有
措法37の4	特定の事業用資産の交換の特例	無	有
措法37の5	中高層耐火建築物等の建設のための買換等の特例	無	有
措法37の5④	中高層耐火建築物等の建設のための交換の特例	無	有
措法37の6	特定の交換分合の特例	有	有
措法37の8	特定普通財産と隣接する土地等の交換の特例	無	有
措法41の5	居住用財産の買換譲渡損失の特例	無	無

(2) **引継価額**

買換え等の特例を適用した場合，譲渡資産の取得価額及び譲渡費用の合計額が買換資産に引き継がれる。これを「引継価額」という。

引継価額が買換資産の譲渡価額の5％に満たない場合，5％（概算取得費）を適用して計算する。

2 固定資産の交換の場合

取得価額を引き継ぐことにより，将来取得資産を譲渡した時の取得価額の計算は次のように行う。引き継がれる取得価額は，買換価額と譲渡価額との差額により異なることに留意する。

次は，所得税法第58条を適用した固定資産の交換の場合の引継価額の計算である。

交換により譲渡した資産（以下「交換譲渡資産」という。）を甲，甲の譲渡により取得した資産（以下「交換取得資産」という。）として取得し今回譲渡する資産を乙とする。

1 甲の時価Ⓐ ＝ 乙の時価Ⓑ である場合

交換譲渡資産の時価Ⓐと交換取得資産の時価Ⓑが等しい場合，交換譲渡資産の取得費及び譲渡費用を合計した金額（Ⓒ＋Ⓓ　1,200千円）が交換取得資産に引き継がれる。

第1章　譲渡所得の基本

```
甲の時価Ⓐ        10,000千円
乙の時価Ⓑ        10,000千円
甲の取得費Ⓒ        600千円
甲の譲渡費用Ⓓ        600千円
《引継価額の計算》
    (Ⓒ+Ⓓ) = 1,200千円
```

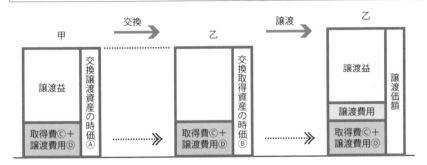

② 甲の時価Ⓐ ＜ 乙の時価Ⓑである場合

交換譲渡資産の時価Ⓐより交換取得資産の時価Ⓑの方が大きいので，交換譲渡資産の取得費及び譲渡費用の合計額（Ⓒ+Ⓓ）と交換譲渡資産の時価と交換取得資産時価との差額（Ⓔ）の合計額が交換取得資産に引き継がれる。

```
甲の時価Ⓐ        10,000千円
乙の時価Ⓑ        11,000千円
甲の取得費Ⓒ        600千円
甲の譲渡費用Ⓓ        600千円
《引継価額の計算》
    (Ⓒ+Ⓓ)+(Ⓑ-Ⓐ)=1,200千円+(11,000千円-10,000千円)=2,200千円
```

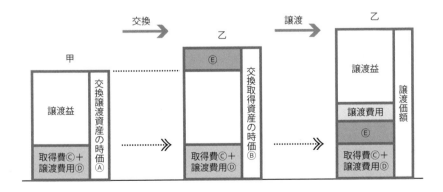

③ 甲の時価Ⓐ ＞ 乙の時価Ⓑ である場合

　交換譲渡資産の時価Ⓐより交換取得資産の時価Ⓑの方が小さく，交換差金が生ずる場合，譲渡資産の取得費及び譲渡費用の合計額（Ⓒ＋Ⓓ）は交換差金が課税される部分（Ⓔ＝Ⓐ－Ⓑ）を除いて買換資産に引き継がれる。

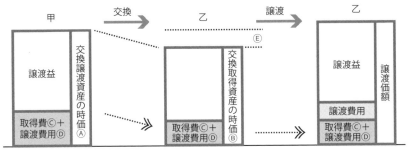

3 特定の居住用財産の買換え（交換）の場合

譲渡した資産を甲，甲の譲渡による買換資産として取得した資産を乙とする。

① 甲の譲渡価額Ⓐ ＝ 乙の買換価額Ⓑである場合

　譲渡価額Ⓐと買換価額Ⓑが等しい場合，譲渡資産の取得費及び譲渡費用を合計した金額（Ⓒ＋Ⓓ　1,200千円）が買換資産に引き継がれる。

```
甲の譲渡価額Ⓐ    10,000千円
乙の買換価額Ⓑ    10,000千円
甲の取得費Ⓒ      600千円
甲の譲渡費用Ⓓ    600千円
《引継価額の計算》
    （Ⓒ＋Ⓓ）＝1,200千円
```

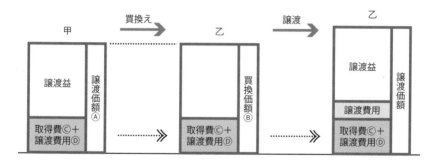

2 甲の譲渡価額Ⓐ ＜ 乙の買換価額Ⓑである場合

　譲渡価額Ⓐより買換価額Ⓑの方が大きいので，譲渡資産の取得費及び譲渡費用の合計額（Ⓒ＋Ⓓ）と譲渡価額と買換価額との差額（Ⓔいわゆる持出し価額）の合計額が買換資産に引き継がれる。

　　買換価額が大きいため譲渡益はなかったものとみなされ課税される部分はない。

```
甲の譲渡価額Ⓐ　　10,000千円
乙の買換価額Ⓑ　　11,000千円
甲の取得費Ⓒ　　　 600千円
甲の譲渡費用Ⓓ　　 600千円
引継価額の計算
　（Ⓒ＋Ⓓ）＋（Ⓑ－Ⓐ）＝1,200千円＋（11,000千円－10,000千円）＝2,200千円
```

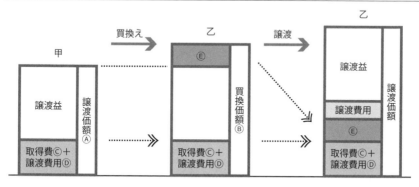

3 甲の譲渡価額Ⓐ ＞ 乙の買換価額Ⓑである場合

　譲渡価額Ⓐより買換価額Ⓑの方が小さい場合，譲渡資産の取得費及び譲渡費用の合計額（Ⓒ＋Ⓓ）は，譲渡益として課税される部分（Ⓔ＝Ⓐ－Ⓑ）の経費として算入された金額を除いて買換資産に引き継がれる。

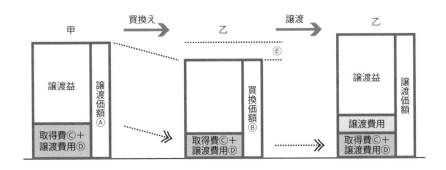

4 特定の事業用資産の買換え（交換）の場合

　特定事業用資産の買換えや交換の特例は，高額な譲渡所得を得た場合でも，税負担が全くなくなることへの批判があったことから，譲渡資産の譲渡価額と買換資産の取得価額のうちいずれか少ない方の金額の原則として80％に相当する額に対して課税の繰延べが行われ，20％が課税される。この80％に相当する部分の取得価額及び課税された部分が買換取得資産に引き継がれることになるため，取得価額の計算が複雑になる。また，特定の事業用資産の買換えの特例を適用して取得したもののうち，例えば，「既成市街地等の内から外への買換えのうち近郊整備地帯等への買換え」については平成3年〜同5年は課税繰延割合が60％となっている。申告に当たって過去の特例の適用条文を確認する必要がある。また，平成27年から繰延割合が70％，75％の部分があるので，これから特定の事業用資産の買換え等の特例を選択する場合，将来にわたって引継価額を管理する必要がある（措法37，37⑨，37の4）。

　特定の事業用資産の買換え（交換）の場合は次の計算となる（措法37，措法37の4）。

　譲渡資産の譲渡価額と買換資産の取得価額のうち，いずれか少ない方の金額の

80％に相当する部分について課税の繰延べができる。

譲渡した資産を甲，甲の譲渡による買換資産として取得し今回譲渡する資産を乙とする。

1 甲の譲渡価額Ⓐ ＝ 乙の買換価額Ⓑである場合

譲渡価額Ⓐと買換価額Ⓑが等しい場合，譲渡価額の20％が課税対象となり，譲渡資産の取得費及び譲渡費用の合計額（Ⓒ＋Ⓓ）の80％に相当する部分の取得価額及び課税された部分Ⓔが買換取得資産に引き継がれることになる。

```
甲の譲渡価額Ⓐ    10,000千円
乙の買換価額Ⓑ    10,000千円
甲の取得費Ⓒ      600千円
甲の譲渡費用Ⓓ    600千円
《引継価額の計算》
  （Ⓒ＋Ⓓ）×0.8＋Ⓐ×0.2＝2,960千円
```

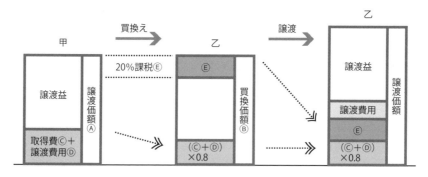

2 甲の譲渡価額Ⓐ ＜ 乙の買換価額Ⓑである場合

譲渡価額Ⓐより買換価額Ⓑの方が大きい場合，譲渡資産の取得費及び譲渡費用の合計額（Ⓒ＋Ⓓ）の80％と譲渡価額のうち課税された20％相当部分Ⓔと買換取得資産と譲渡価額との差額Ⓕの合計額が買換資産に引き継がれる。

```
甲の譲渡価額Ⓐ    10,000千円    乙の買換価額Ⓑ    11,000千円
甲の取得費Ⓒ      600千円
甲の譲渡費用Ⓓ    600千円
引継価額の計算
  （Ⓒ＋Ⓓ）×0.8＋Ⓐ×0.2＋（Ⓑ－Ⓐ）＝3,960千円
```

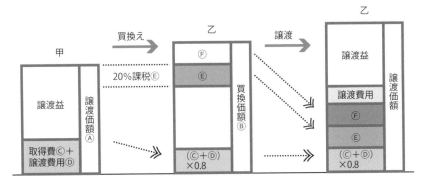

3 甲の譲渡価額Ⓐ ＞ 乙の買換価額Ⓑである場合

譲渡価額Ⓐより買換価額Ⓑの方が少ない場合，Ⓑの20％が課税対象となる。譲渡資産の取得費及び譲渡費用の合計額（Ⓒ＋Ⓓ）は譲渡価額と買換価額との差額Ⓔと課税された20％相当に対応する金額を除いて買換資産に引き継がれる。

```
甲の譲渡価額Ⓐ    10,000千円    乙の買換価額Ⓑ    8,000千円
甲の取得費Ⓒ      600千円
甲の譲渡費用Ⓓ    600千円
引継価額の計算
   (Ⓒ＋Ⓓ) × (Ⓑ×0.8)/Ⓐ ＋ (Ⓑ×0.2) ＝ 2,368千円
```

5 買換え等の特例の適用にあたっての実務的判断

1 買換え等の特例の性質について納税者への説明

一般的に，納税者は，譲渡した資産の取得の日及び取得価額が，取得した資産に引き継がれる，若しくは引き継がれないことの認識が薄い。譲渡所得が課税されなかったことは非課税ではないこと，取得した資産を将来譲渡した時の課税関係に大きな影響を及ぼすこと，買換え等の特例を適用して申告することは納税者の選択であることを確実に説明する必要がある。

2 取得の日及び取得価額の管理

取得時期を引き継がない特例（特定の事業用資産の買換え等の特例等）を適用した場合，旧譲渡資産の所有期間がいかに長期にわたっていようが，買換え等の特例を適用したとたんにその時が取得の日となる。つまり，買換え等の特例を適用して新しい資産を取得した場合，その資産の取得の日は買換え等の日である。その後，

事業不振等様々な都合により5年以内に譲渡した場合は，分離短期譲渡所得として課税される。旧譲渡資産の取得価額を引き継ぐため，長期保有であった旧譲渡資産の譲渡益も，短期譲渡所得として，まとめて課税の対象となる。この点が，買換え等の特例の本質である。

③ 買換資産を譲渡した場合

買換資産を取得した後，数十年後の譲渡となることが想定される。時が経過することにより，買い替えた事実を失念してしまう，買い換えた者が死亡し相続人が譲渡する，買換えの申告をした税理士が失念する等々様々な要因で買換え等の特例を適用したことが霧消してしまうことがある。結局，買換資産を実際の取得価額で計算をして申告することになる。

税務署から指摘があって初めて買換え等の特例の構造を認識することもある。旧譲渡資産の譲渡益は買換え特例を適用したことにより非課税となるわけではない。旧譲渡資産を譲渡した時の譲渡益に課税できなかった課税庁は，買換資産を譲渡した時にまとめて課税するため，買換特例を適用して申告した事実を，「取得価額引継整理表」等の形式で保管管理する。課税しなかった事実を放置することはない。たとえ30年後50年後であろうと，買換資産を譲渡したときに買換えがあった事実の指摘を受けることになる。

④ 買換資産を譲渡して，引継価額等が不明な場合

譲渡した資産が，買換等の特例を適用して取得しているが，取得価額が不明な場合又は買換え特例を適用して取得しているか不明な場合，税務署に照会確認するのが確実である。税務署では「引継取得価額」「特例適用条文」等，申告にあたっての必要事項を回答してくれる。照会者は譲渡者本人又は委任を受けた税理士で，身分の確認が必要となる。

第2章
所得税法の特例等

　譲渡所得は，件数や所得金額の大きい土地等の譲渡所得を規定する租税特別措置法の取扱いにウェイトを置きがちになる。
　しかし，譲渡所得の基本は，所得税法にある。所得税基本通達には様々な取扱いが規定されている。また，適用事例が多い固定資産の交換の特例と保証債務を履行するための譲渡所得の特例が規定されている。
　ここでは所得税法と所得税基本通達から，知っておけば役に立つ特例や取扱いを解説する。

所得税法第58条

1 固定資産の交換の場合の特例

　固定資産の交換の場合の譲渡所得の特例（以下「固定資産の交換の特例」という。）は，1年以上有していた固定資産を，他の者が1年以上有していた固定資産と交換し，その交換により取得した資産（以下「交換取得資産」という。）を，その交換により譲渡した資産（以下「交換譲渡資産」という。）の譲渡の直前の用途と同一の用途に供した場合には，譲渡がなかったものとみなされる特例である（所58）。

　そのことにより，交換譲渡資産の取得日・取得価額等の性質が全て，交換取得資産に引き継がれる。将来交換取得資産を譲渡したときに，交換譲渡資産の取得価額等を基に所得の計算が行われる。

　昭和34年に創設され基本的な要件にほとんど改正がない。譲渡所得の特例としては大変ポピュラーであるが，要件が細かく規定されているため慎重に適用する。特に親族間の交換は，交換価額によっては贈与税の課税対象となることもある。

1 特例適用要件

① 特例の内容

　固定資産の交換の特例は次の(1)から(6)までの要件を全て満たさなければ適用できない（所法58）。

(1) **交換譲渡資産と交換取得資産は，ともに固定資産であること**

　不動産業者等が販売のために所有している土地や建物等の棚卸資産は固定資産の交換の特例の対象にならない。

(2) **交換譲渡資産と交換取得資産がいずれも次の区分別に同種の資産であること**

① 土地，借地権（建物又は構築物の所有を目的とする地上権及び賃借権），耕作権（農地法第2条第1項に規定するもの（農地法第43条第1項に規定するものを含む）をいう）
② 建物（建物に附属する設備及び構築物を含む）
③ 機械及び装置
④ 船舶
⑤ 鉱業権（租鉱権及び採石権その他土石を採掘し採取する権利を含む）

(3) 交換譲渡資産及び交換取得資産ともにその所有者が1年以上所有していた資産であること

　イ　1年以上所有となる交換譲渡資産の取得の日の判定は次による（所基通58-1，33-9）

①	他から取得した資産	・所基通36-12（山林所得又は譲渡所得の総収入金額の収入すべき時期）に準じて判定した日
②	自ら建設，製作又は製造をした資産	・建設等が完了した日
③	他に請け負わせて建設等をした資産	・資産の引渡しを受けた日

　ロ　「1年以上有していた固定資産」であるかどうかの判定は次による（所基通58-1の2）

　　1年以上有していた資産で，譲渡の直前に固定資産としたものは該当しないことに留意する。

①	贈与，相続又は遺贈により取得した資産	・贈与者，被相続人が取得した日
②	収用交換等により取得した資産	・収用交換等により譲渡した資産を取得した日
③	所得税法第58条の固定資産の交換の特例を受けて取得した資産	・その実際の取得の日

(4) 交換の相手方の資産は交換の目的で取得したものでないこと

(5) 交換取得資産を交換譲渡資産の交換直前と同一の用途に供すること

　イ　資産別の用途区分

　　取得資産を譲渡資産の譲渡直前の用途と同一の用途に供したかどうかは，その資産の種類に応じ，おおむね次に掲げる区分により判定する（所基通58-6）。

資産の種類	用途の区分
土地	①宅地②田畑③鉱泉地④池沼⑤山林⑥牧場や原野⑦その他
建物	①居住の用②店舗や事務所の用③工場の用④倉庫の用⑤その他の用
機械装置	耐用年数省令別表第2に掲げる区分ごとの用
船舶	①漁船②運送船（貨物船，油そう船，薬品そう船，客船等）③作業船（しゅんせつ船及び砂利採取船を含む。）④その他

ロ　譲渡資産の譲渡直前の用途

　交換取得資産を交換譲渡資産の交換直前の用途に供するとは，具体的には，宅地を譲渡した場合は，交換取得資産も宅地として利用するということである。借地権と底地との交換の事例が多くあるが，借地権も底地も宅地であるため底地の所有者が借地権を取得したとしても，交換直前の同一の用途に供したということができる。また，農地を宅地に造成し，又は住宅を店舗に改造するなど譲渡資産を他の用途に供するために，造成又は改造に着手して他の用途に供することとしている場合には，その造成又は改造後の用途をいう。

　なお，農地を宅地に造成した後，他人が所有する宅地と交換したような場合，譲渡所得又は事業所得若しくは雑所得として取り扱われるときは，譲渡所得の基因となる部分についてのみ固定資産に該当し，固定資産の交換の特例を適用することができる。事業所得又は雑所得に係る収入金額に相当する金額は，交換差金となる（所基通58-7）。

　農地を宅地に造成する場合，造成規模が概ね3,000m^{2}以下である場合，小規模であることから，造成後の宅地を交換した場合でも特例の適用ができる（国税庁質疑応答，所通33-4）。

ハ　取得資産を譲渡資産の譲渡直前の用途と同一の用途に供する時期

　交換取得資産を，その交換の日の属する年分の確定申告書の提出期限までに，交換譲渡資産の譲渡直前の用途と同一の用途に供する（相続人が用途に供した場合を含む。）。

　この場合，交換取得資産を交換譲渡資産の譲渡直前の用途と同一の用途に供するには改造等を要するため，提出期限までに改造等に着手しているとき（改造等が相当期間内に了する見込みであるときに限る。）は，提出期限までに同一の用途に供されたものとする（所基通58-8）。

(6) 交換譲渡資産と交換取得資産の価額の差額が、いずれか高い価額の20％以内であること

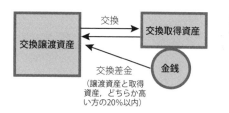

20％を超える交換差金等（交換価額の差額を補うための金銭その他の資産のこと。所令168。以下「交換差金等」という。）がある場合は、交換により譲渡した資産の全体が譲渡所得の対象となることに留意する。

2 交換の対象となる土地等の範囲

(1) 土地の範囲

固定資産の交換の場合の特例の適用の場合、土地には、立木その他独立して取引の対象となる定着物は含まれない。宅地である場合、庭木、石垣、庭園（庭園に附属する亭、庭内神し（祠）その他これらに類する附属設備を含む。）その他これらに類するもののうち、宅地と一体として交換されるもの（所法第58条第1項第2号に該当するものを除く。）は含まれる（所基通58-2）。

(2) 耕作権の範囲

特例の対象となる「耕作に関する権利」とは、耕作を目的とする地上権、永小作権又は賃借権で、これらの権利の移転、権利に係る契約の解約等をする場合には農地法第3条第1項《農地又は採草放牧地の権利移動の制限》、第5条第1項《農地又は採草放牧地の転用のための権利移動の制限》又は第18条第1項《農地又は採草放牧地の賃貸借の解約等の制限》の規定の適用があるものをいう。したがって、これらの条項の適用がない、いわゆる事実上の権利は含まれない（所基通58-2の2）。

3 交換の対象となる建物附属設備等

建物に附属する設備及び構築物は、その建物と一体となって交換される場合に限り、建物として特例の適用がある。したがって、建物に附属する設備又は構築物は、それぞれ単独には特例が適用できない（所基通58-3）。

4 2以上の種類の資産を交換した場合等の交換差金等

固定資産の交換の場合、当事者間の時価の認識は等価であることがほとんどであるため、あまり問題となることはないが、次の場合には交換差金等となることから、その金額によっては交換の特例が適用できないこととなる。

(1) 2以上の種類の資産を交換した場合

 2以上の種類の固定資産を同時に交換した場合，例えば，土地及び建物と土地及び建物とを交換した場合には，土地は土地と，建物は建物とそれぞれ交換したものとする。この場合，これらの資産は，全体としては等価であるが土地と土地，建物と建物との価額がそれぞれ異なっているときは，それぞれの価額の差額は，固定資産交換の特例の規定する差額に該当する（所基通58-4）。

 土地を交換し，そのうち一方の土地上にある建物を売買とした場合，土地の交換は土地で判断する（国税庁文書回答事例参照）。

(2) 2以上の同種類の資産のうちに同一の用途に供さないものがある場合

 交換により同種類の2以上の資産を取得した場合，譲渡直前の用途と同一の用途に供さなかったものがあるときは，固定資産の交換の場合の特例の適用については，用途に供さなかった資産は，交換差金等となる（所基通58-5）。

(3) 資産の一部分を交換とし他の部分を売買とした場合

 交換取得資産に合わせて土地の一部に固定資産の交換特例を適用し，残った土地につき金銭による取引をするような，一の資産の一部分については交換とし，他の部分については売買としているときは，他の部分を含めて交換があったものとし，売買代金は交換差金等となる（所基通58-9）。

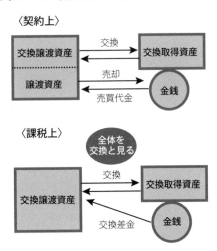

5 交換費用の区分

 交換のために要した費用の額を所得税法施行令第168条第1号《交換による取得資産の取得価額等の計算》に規定する「譲渡資産の譲渡に要した費用」の額と同条

第3号に規定する「取得資産を取得するために要した経費の額」とに区分する場合，仲介手数料，周旋料その他譲渡と取得との双方に関連する費用（受益者等課税信託（所得税法第13条第1項に規定する受益者（同条第2項の規定により同条第1項に規定する受益者とみなされる者を含む。以下「受益者等」という。）が，その信託財産に属する資産及び負債を有するものとみなされる信託をいう。）の信託財産に属する資産（信託財産に属する資産が譲渡所得の基因となる資産である場合におけるその資産をいう。）を交換した場合，交換の信託報酬として受益者等課税信託の受益者等が受益者等課税信託の受託者に支払う金額を含む。）で，いずれの費用であるか明らかでないものがあるときは，費用の50％ずつをそれぞれの費用とする（所基通58-10）。

6 借地権等の設定の対価として土地を取得した場合

自己の有する土地に借地権等の設定（その設定が，譲渡所得とされる場合に限る。）をし，対価として相手方から土地等を取得した場合，固定資産の交換の特例を適用することができる（所基通58-11）。

7 交換資産の時価

固定資産の交換において，交換当事者間で合意されたその資産の価額が，交換をするに至った事情等に照らし合理的に算定されていると認められるものであるときは，その合意された価額が通常の取引価額と異なるときであっても，固定資産の交換の特例の適用上，これらの資産の価額は当事者間において合意されたところによるものとする（所基通58-12）。

8 取得価額及び取得の日

交換取得資産は，交換譲渡資産の取得価額と取得の日を引き継ぐ（所法58，所令168）。

交換によって新しい資産を取得したが，税務上は交換そのものがなかったこととして取り扱われるため，交換譲渡資産を取得した日が交換取得資産に引き継がれる。

取得価額は，交換差金等がなく等価の場合は交換譲渡資産の取得価額をそのまま引き継ぐ。交換差金等がある場合等については取得費の項での説明を参照されたい。

2 特例の計算

1 交換差金等の授受がない場合

交換譲渡資産の時価＝交換取得資産の時価

譲渡所得は課税されない。

2 交換差金等の授受がある場合

交換譲渡資産の時価＝交換取得資産の時価＋交換差金等

○ 収入金額＝交換差金等
○ 必要経費＝

$$(交換譲渡資産の取得費＋譲渡費用) \times \frac{交換差金等}{交換差金等＋交換取得資産の価額}$$

3 申告にあたっての要点

1 申告要件

確定申告書に所得税法第58条の適用を受ける旨，適用を受けようとする年分の確定申告書に，所得税法第58条の適用を受ける旨を記載し，次の「確定申告の手続要領」に記載の書類を添付する（所法58③）。

2 確定申告の手続要領

① 「確定申告書（分離課税用）第三表」の特例適用条文欄に「所法58条1項」と記入する。
② 「譲渡所得の内訳書（確定申告書付表兼計算明細書）」に，次の交換譲渡資産及び交換取得資産の明細を記入の上，添付する。
　イ　取得資産及び譲渡資産の種類，数量及び用途
　ロ　交換の相手方の氏名又は名称及び住所，若しくは居所又は本店若しくは主たる事務所の所在地
　ハ　交換年月日
　ニ　取得資産及び譲渡資産の取得の年月日
　ホ　その他参考となるべき事項

（所法58③，所規37）

3 確定申告書の提出がなかった場合

確定申告書の提出がなかった場合又は必要事項の記載がない確定申告書の提出があった場合，その提出がなかったこと又はその記載がなかったことについてやむを

得ない事情があると税務署長が認めるときは，固定資産の交換の特例を適用することができる（所法58④）。

事例　　　　　　　　　　　　　　　　　　　　　　CASE STUDY
こんな場合は適用できない?!

Q　金銭の授受がない場合
　兄の所有する宅地120㎡と私の所有する宅地110㎡を等価で交換し，登記も済ませたが，金銭の授受がなかったので申告しなかった。

A
　固定資産の交換の特例は，取得資産及び譲渡資産の価額等を記載した書類を添付し，確定申告を行うことが要件である（所法58③）。確定申告を行うことにより，交換がなかったものとみなされ，取得価額，取得時期の引継ぎが行われることとなる。

Q　交換差金を受け取った場合
　時価1,200万円の宅地を交換し，1,100万円の宅地と100万円の交換差金を受け取った。交換差金の計算をする際，交換譲渡資産の総額に対して概算取得費の5％を適用して取得価額を60万円として計算した。

A
　概算取得費で計算する場合は，交換譲渡資産の5％ではなく，受け取った交換差金の5％が取得費となる。
　取得費の金額＝100万円×0.05＝5万円

Q　交換取得資産に引き継がれる取得費
　時価3,000万円の宅地を交換資産として提供し，時価2,700万円の宅地と交換差金として300万円を受け取った。交換譲渡資産は昭和52年に500万円で取得したもので，譲渡費用は20万円であった。交換取得資産に引き継がれる取得費の計算はどうするか。

A
　交換差金を課税された場合，取得費と譲渡費用の一部は課税譲渡所得の必要経費として控除されるが，残りの部分は交換取得資産の取得費となる。
　具体的な計算は次のとおり。

交換差金の所得の計算

$$(3{,}000万円 - 2{,}700万円) - (500万円 + 20万円) \times \frac{300万円}{3{,}000万円}$$
$$= 300万円 - 52万円 = 248万円$$

引き継がれる取得費の計算

$$(500万円 + 20万円) \times \frac{2{,}700万円}{3{,}000万円} = 468万円$$

Q 建築できずに譲渡した場合の特例適用

昨年2月に宅地と宅地を等価交換した。交換取得資産に建物を建築する予定であったが、都合で建築できず同年12月に譲渡した。固定資産の交換の特例の適用が受けられるか。

A

交換の特例は交換取得資産を、交換譲渡資産の交換直前と同一の用途に供することが要件となっている。宅地を譲渡し、宅地を取得しているので、交換譲渡資産と交換取得資産の用途は同一である。建物を建築できなかった相応の事情があり、譲渡するために交換したと認められず、交換後相当期間経過している等の事実があること等から交換は認められると考える。

Q 取得価額より時価が低い資産の交換の場合

10年前に2,300万円で取得したA宅地（時価1,500万円）と、乙の所有するB宅地（時価1,500万円）と等価交換した。交換差金はない。所得税法第58条の適用を受けて申告したい。

A

所得税法第58条の固定資産の交換の特例は、1年以上所有していた固定資産を譲渡し、代わりに取得した資産を譲渡した資産と同一の用途に供する等一定の要件を満たした場合に、譲渡がなかったものとみなす特例である。譲渡がなかったものとみなすことにより、交換譲渡資産の取得価額と取得時期を引き継いで、キャピタル・ゲインの繰延べを行うものである。譲渡損の金額については、交換取得資産に引継ぎがないと考えられるため、固定資産の交換の特例は受けられない。

所得税法第58条の規定は所得税法第33条の規定を受けており、所得税法第33条における譲渡所得は譲渡益に対して課税することを前提にしていることからも明らかである（所法33(3)）。

Q 共有物分割から1年以内に交換した場合

10年前に相続で取得した土地を兄と共有で所有していた。昨年共有物分割でそれぞれの所有する部分に分けた。それから1年以内に交換の話があったので応じたが，分割から1年以内の交換は認められないか。

A

個人の共有している土地を持分に応じて分割した場合，分割による譲渡はなかったものと取り扱われる（所基通33－1の6）。よって，共有物分割により取得した土地は10以上年前から所有していたことになり，また，交換のために取得した土地にも該当しない。

Q 交換の相手方の取得目的

交換の要件の一つである「交換の相手方が交換のために取得したと認められるものを除く」は相手方の取得目的をどう判断すればいいか。

A

交換の相手が交換資産を取得した目的は忖度できない。実務的には，相手方が1年以上所有していることをもって判断するしかない。

Q 親族間の不等価交換

AとBの兄弟は，それぞれ所有する甲宅地（時価6,000万円）と乙宅地（時価4,000万円）を交換した。交換の特例は認められるか。

A

一般的に第三者間ではこのような等価交換はあり得ない。明らかに不等価であることから所得税第58条の適用はない。A，Bともに収入金額4,000万円として譲渡所得の課税対象となる。甲宅地を取得したBは時価との差額2,000万円は贈与により取得したこととなる。

Q 異なった特例で申告できるか

AとBは，それぞれ居住用財産を交換した。Aは交換取得資産を譲渡する予定であることから，措置法第35条第1項（居住用財産の3,000万円控除の特例）を適用して申告したい。

A

Aは措置法第35条第1項を適用して申告できる。Bは所得税法第58条を適用して申告できる。

所得税法第62条

2 生活に通常必要でない資産の災害等による損失がある場合の特例

競走馬や別荘のような生活に通常必要でない資産が，災害又は盗難もしくは横領によって損失が生じた場合は，総合課税の所得と損益通算することはできない（所法69②）。ただし，その年分又は翌年分に総合課税の譲渡所得がある場合は，その所得から控除することができる。

1 特例の適用要件

1 特例の内容

この特例を適用するための要件は次のとおりである（所法62）。

(1) 災害・盗難・横領により，生活に通常必要でない資産について生じた損失があること

「生活に通常必要でない資産」とは下記の資産をいう（所令178①）。
① 競走馬（その規模，収益の状況その他の事情に照らし，事業と認められるものを除く），その他射こう的行為の手段となる動産
② 通常，自己及び自己と生計を一にする親族が，居住の用に供しない家屋で，主として趣味，娯楽又は保養の用に供する目的で所有するもの。
③ その他，主として趣味，娯楽，保養又は鑑賞の目的で所有する資産（ゴルフ会員権等）
④ 貴金属，貴石，書画，骨董などのうち，1個又は1組の価額が30万円を超えるもの。

(2) 災害等を受けた年又はその翌年に総合課税の譲渡所得があること（所法62①）

(3) 損失の金額から保険金，損害賠償金その他これらに類するものにより，補てんされる金額が除かれること

その他これらに類するものとは次のものをいう（所基通51-6）。

① 損害保険契約又は火災共済契約に基づき，被災者が支払を受ける見舞金
② 資産の損害の補てんを目的とする，任意の互助組織から支払を受ける災害見舞金

2 損失の金額

控除される損失の金額は，損失を受ける直前に譲渡したと仮定した場合に，その資産の取得費とされる金額を基として計算する（所令178③）。

3 譲渡所得の計算

譲渡損失金額の控除の計算は，次の通りである（所令178②）。
① X0年中に受けた損失は，X0年中の総合課税の譲渡所得から控除する。
② X0年中に控除しきれなかった金額，及びX1年中に受けた損失の金額は，X1年中の総合課税の譲渡所得から控除する。
③ X1年中に控除しきれなかったX0年分の損失は打ち切られ，X2年には繰り越されない。

4 損失の控除の適用順

災害等による損失の金額は，納税者に有利な総合短期資産の譲渡益から控除し，控除しきれなかった金額を総合長期資産の譲渡益から控除する（所令178②）。損失の金額を控除しても，総合短期譲渡所得が生ずる場合は，総合課税の特別控除50万円を総合短期譲渡所得から控除できる。

所得税法第64条第1項

3 資産の譲渡代金が回収不能となった場合等の所得計算の特例

　土地建物等を譲渡する時は，売買契約の締結及び手付金の授受，そして，残金の受領と引替えに所有権を移転するのが一般的である。しかし，買受人の都合や，買受人を信頼をしたことにより，譲渡代金未収のまま所有権を移転してしまう例もある。その後，買受人の破産や倒産等により，譲渡代金が回収できなくなることがある。この特例は，このように譲渡代金が回収不能となった場合に，その金額はなかったものとみなされる。

　取扱いは，保証債務の履行のために資産を譲渡した場合の譲渡所得の特例（所法64②）に同じである。

1 特例の適用要件

　譲渡代金が回収不能となった場合に，金額はなかったものとみなされる特例であるが，回収不能となった，とは次の場合をいう（所法64①）。
① 譲渡代金の全部若しくは一部を回収することができないこととなった場合。
② 国家公務員退職手当法第2条の3第2項（退職手当の支払）に規定する一般の退職手当の支払を受けた者が同法第15条第1項（退職をした者の退職手当の返納）の規定による処分を受けたことその他これに類する事由があった場合。

事例　　　　　　　　　　　　　　　CASE STUDY
こんな場合は適用できない?!

Q 譲渡代金の回収を依頼した友人が持ち逃げした場合

　7,500千円で土地の譲渡契約を結んだが，引渡しの時に都合があり譲渡人が行くことができず，知人に委任状を渡し譲渡代金を受け取ってくるよう依頼した。その知人は受け取った譲渡代金全額を譲渡人に引き渡さず，しつこく督促したら所在不

明となってしまった。譲渡代金が回収不能なので所得税の申告は必要ないか。

A
　譲渡代金が回収不能というのは，買受人から回収することができない場合をいう。買受人が買受代金を譲渡者の委任を受けた者に支払ったので回収不能ということにはならない。

所得税法第64条第2項

4 保証債務の履行のために資産を譲渡した場合の特例

　他人の債務の保証を行い，その債務を弁済するために資産を譲渡し，弁済した額を，保証を受けたものに求償するが，倒産や破産等で弁済を受けることができないことがある。典型的な例として，会社の代表者が自己の財産を担保として提供し，会社が金融機関等から借入れた債務の保証をすることがある。その会社の経営が悪化して借入金の返済ができず，結局，担保として提供していた財産を処分し弁済することになる。

　このような場合であっても，譲渡所得の課税の対象となるが，保証債務の履行のために資産を譲渡した場合の特例の一定の要件のもと，譲渡所得がなかったものとみなすことができる（以下「保証債務の特例」という。）。借金の保証の場合に限らず，身元保証の場合でも適用できる。

　譲渡所得がなかったものとみなす特例であることから，適用要件が厳しい。適用に当たっては事実関係を確実にチェックする必要がある。

　保証債務の履行のために資産を譲渡した場合の概要は次図のとおりである。

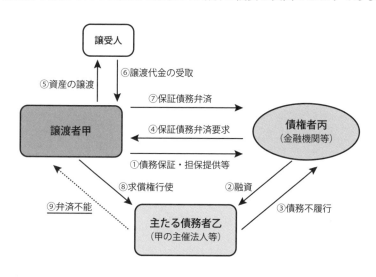

1 特例の適用要件

1 特例の内容

保証債務の特例を適用するためには，次の要件がある（所法64②）。申告に当たって，要件の一つひとつを確実に確認する。

(1) **他人の債務の保証人となったこと**
　① 「保証債務」とは民法第446条以降に規定する保証債務を受けている。民法第446条は他人の債務の保証を行った保証人の責任の範囲が定められている。保証債務とは保証人の場合のほか連帯保証人の場合がある。
　② 保証は必ずしも担保提供を要しないが，保証した事実が明確でなければならない。
　③ 債務保証を行った時に，主たる債務者に資力がない等最初から求償権の行使が不能となることが予想される場合は，保証債務の特例の適用を受けることができない。

(2) **保証債務を履行するために資産の譲渡があったこと**
　① 資産の譲渡と保証債務の履行とは表裏一体のものでなければならない。
　② 自己の債務の弁済に充当する譲渡は，保証債務の弁済のための譲渡ではないため，特例の適用ができない。保証債務とは主たる債務者の債務を保証することにより，債権者の安心安全を担保するものである。主たる債務者の破綻や弁済不能により，やむを得ず資産を譲渡した場合の特例である。

(3) **債権者から弁済要求があったこと**
　債権者からの弁済要求がなく保証債務を履行するための譲渡があった場合，特例の適用はできない（平成30年10月5日裁決参照）。

(4) **譲渡代金により保証債務の履行を行ったこと**

(5) **その履行に伴う求償権の全部又は一部を，行使することができないこととなったこと**

2 回収不能の判定

回収することができなくなった事実及び金額の判定は次の基準による（所基通64-1，51-11～16）。

貸倒れ事実	回収不能金額
① 更生計画認可の決定，又は再生計画認可の決定があったこと。	・これらの決定により，切り捨てられることとなった部分の金額
② 特別清算の協定の認可の決定があったこと。	・これらの決定により，切り捨てられることとなった部分の金額
③ 法令の規定による整理手続きによらない関係者の協議決定で，次に掲げる者により切り捨てられたこと。 イ 債権者集会の協議決定で，合理的な基準により債務者の負債整理を定めているもの ロ 行政機関又は金融機関，その他の第三者のあっせんによる当事者間の協議により締結された契約で，その内容がイに準ずるもの	・切り捨てられることとなった部分の金額
④ 債務者の債務超過の状態が相当期間継続し，その貸金等の弁済を受けることができないと認められる場合に，その債務者に対し債務免除額を書面により通知したこと。	・通知した債務免除額

3 譲渡所得に関する買換え等の規定との関係

　譲渡所得の計算をするにあたって，所得税法第58条《固定資産の交換の特例》又は措置法第33条《収用代替の特例》（措置法第33条の2第2項《交換処分等の特例》において準用する場合を含む。)，第36条の2《特定の居住用財産の買換え特例》，第36条の5《特定の居住用財産の交換の特例》，第37条《特定の事業用資産の買換えの特例》，第37条の4《特定の事業用資産の交換の特例》，第37条の5《中高層耐火建築物等の建設のための買換等の特例》，第37条の6《特定の交換分合の特例》，若しくは第37条の8《特定普通財産と隣接土地等の交換の特例》と，所得税法第64条の規定の適用を受ける場合，まず，買換え等の規定を適用し，次に同条の規定を適用する（所基通64-3の2）。

4 買換え等の規定の適用を受ける場合の回収不能額等

　買換え等の規定の適用を受ける譲渡資産の譲渡対価のうち，回収することができなくなった部分の金額（保証債務の履行に伴う求償権のうち，求償権を行使することができなくなった部分の金額を含む。）が，譲渡資産のうち，譲渡があったものとされる部分の収入金額を超えるときは，「回収不能額等」は，収入金額に相当する金額に限られ，超える部分の金額は，回収不能額等に含まれない（所基通64-3の3）。

5 2以上の譲渡資産がある場合の回収不能額等の配分

　回収不能額等が，2以上の資産の譲渡所得の収入金額について生じた場合，回収不能額等がいずれの資産の譲渡に係る収入金額について生じたものであるか明らかでないときは，回収不能額等を各資産の譲渡に係る収入金額の比によりあん分して計算した金額を，各資産収入金額に対応する回収不能額等とする。ただし，明らかでない場合であっても，納税者が2以上の資産のうちいずれか一の資産，又は2以上の資産を選択し，選択した資産の収入金額について回収不能額等が生じたものとして計算をして申告しても構わない。更正の請求をする場合においても，同様である（所基通64-3の4）。

6 概算取得費によっている場合の取得費等の計算

　取得費について長期譲渡所得の概算取得費控除（措法31の4）の適用を受ける場合，取得費は，回収不能額等が生じた時の直前において確定している譲渡所得の金額の計算上控除すべき取得費による（所基通64-3の5）。つまり，回収不能額が生じる直前の，収入金額の5％を，譲渡所得の計算上控除する取得費として計算する。

7 保証債務の履行の範囲

　保証債務の履行があった場合とは，保証人の債務（民法446）又は連帯保証人の債務の履行（民法454）があった場合等，次に掲げる場合である（所基通64-4）。

① 保証人の債務の履行があった場合
② 連帯保証人の債務の履行があった場合
③ 不可分債務の債務者の債務の履行があった場合
④ 連帯債務者の債務の履行があった場合
⑤ 合名会社又は合資会社の無限責任社員による会社の債務の履行があった場合
⑥ 身元保証人の債務の履行があった場合
⑦ 他人の債務を担保するため質権若しくは抵当権を設定した者がその債務を弁済し，又は質権若しくは抵当権を実行された場合
⑧ 法律の規定により連帯して損害賠償の責任がある場合において，その損害賠償金の支払があった場合

8 借入金で保証債務を履行した後に資産の譲渡があった場合

　保証債務の履行を借入金で行い，その借入金（借入金の利子を除く。）を返済するために資産の譲渡があった場合，譲渡が実質的に保証債務を履行するためのものであると認められるときは，保証債務を履行するため資産の譲渡があったとみる。

　被相続人が借入金で保証債務を履行した後にその借入金を承継した相続人がその借入金（借入金の利子を除く。）を返済するために資産を譲渡した場合も，同様である。

なお，借入金を返済するための資産の譲渡が保証債務を履行した日からおおむね1年以内に行われているときは，実質的に保証債務を履行するために資産の譲渡があったものとみなされる（所基通64-5）。

⑨ **保証債務を履行するため山林を伐採又は譲渡した場合**

保証債務の特例の対象となる所得は，棚卸資産の譲渡，その他営利を目的として継続的に行われる資産の譲渡による所得以外の所得に限られる。山林の伐採又は譲渡による所得であっても，営利を目的として継続的に行われる山林の伐採又は譲渡による所得については，特例は適用できない（所通64-5の2）。

⑩ **保証債務に係る相続税法第13条と法第64条第2項の規定の適用関係**

被相続人の保証債務を承継した相続人が，その保証債務を履行するために資産を譲渡した場合，相続税の計算の上で保証債務を被相続人の債務として債務控除（相法13）したとしても，保証債務の特例を適用することができる（所通64-5の3）。

⑪ **確定している総所得金額等の意義及び税額の改算**

所得税法施行令第180条第2項第1号に規定する「確定している所得税法第64条第1項に規定する年分の総所得金額，退職所得金額及び山林所得金額」の意義，及び所得税法第64条の規定を適用した場合の所得税の額の改算については，所得税基本通達63-2（確定している総所得金額等の意義）及び63-3（法第63条の規定を適用した場合における税額の改算）の取扱いに準ずる（所基通64-6）。

⑫ **主たる債務者の倒産等の判断**

主たる債務者に対して求償権が行使できるかどうかの判断は難しいところである。ただし，主たる債務者が，必ずしも破産，倒産や清算をすることが要件ではない。倒産等に至らない場合でも，保証債務の特例は受けることができる。次の「保証債務の特例における求償権の行使不能に係る税務上の取扱いについて」を参考にして判断する。

【保証債務の特例における求償権の行使不能に係る税務上の取扱いについて（抜粋）（資産課税課情報（課資3-14他）：平成14年12月25日）】
 Ⅰ 求償権行使の能否判定の考え方
  主たる債務者である法人の代表者等が，その法人の債務に係る保証債務を履行した場合において，所得税法第64条第2項におけるその代表者等の求償権行使の能否判定等は，次による。
 1 求償権行使の能否判定は，他のケースと同様，所得税基本通達51-11に準じて判定する（所得税基本通達64-1）。このうち，同通達51-11(4)については，その法人がその求償権の放棄後も存続し，経営を継続している場合でも，次のすべての状況に該当

すると認められるときは，その求償権は行使不能と判定される。
① その代表者等の求償権は，代表者等と金融機関等他の債権者との関係からみて，他の債権者の有する債権と同列に扱うことが困難である等の事情により，放棄せざるを得ない状況にあったと認められること。
　これは，法人の代表者等としての立場にかんがみれば，代表者等は，他の債権者との関係で求償権の放棄を求められることとなるが，法人を存続させるためにこれに応じるのは，経済的合理性を有する，との考え方に基づくものである。
② その法人は，求償権を放棄（債務免除）することによっても，なお債務超過の状況にあること。
　これは，求償権の行使ができないと認められる場合の判定に際しての考え方である。
　なお，その求償権放棄の後において，売上高の増加，債務額の減少等があった場合でも，この判定には影響しないことになる。
2　その法人が債務超過かどうかの判定に当たっては，土地等及び上場株式等の評価は時価ベースにより行う。
　なお，この債務超過には，短期間で相当の債務を負ったような場合も含まれる。
Ⅱ　特例の適用に関する相談等の対応
　保証債務の特例に関して相談があった税務署においては，仮に確定申告時点において求償権行使不能と判定されない場合であっても，その後，求償権が行使不能な状態に陥ったときには，所得税法第152条による更正の請求ができるのであるから，その旨及びその手続等について説明する。
　また，納付困難との申し出があった場合には，納付についての相談に応じる。

13　他人のために農業協同組合等から借入れた債務を弁済するために資産を譲渡した場合

　他人のために農業協同組合から借入れし，その借入金を返済するために資産を譲渡した場合，実質が保証債務を履行するための資産の譲渡と同等のものであると認められるものについては，次の要件を満たすことにより保証債務の特例が適用できる。

① 資金の借入をしようとする者（以下「実質上の債務者」という。）が農業協同組合の組合員でないため，当該組合から資金の借入（以下「員外貸付」という。）ができないので，その組合の組合員（以下「名目上の債務者」という。）がその資格を利用して組合から資金を借入れて，これを実質上の債務者に貸付けた場合のように，その借入及び貸付が債務を保証することに代えて行われたものであること。

② 実質上の債務者が，その貸付を受ける時において資力を喪失した状態にないこと。

③ 名目上の債務者が借入れた資金は，その借入を行った後直ちに実質上の債務者に貸付けられており，その資金が名目上の債務者において運用された事実が

ないこと。
④ 名目上の債務者が、その貸付に伴い実質上の債務者から利ざやその他の金利に相当する金銭等を収受した事実がないこと。
(昭和54年10月27日付直審5-22「他人のために農業協同組合等から借入れた債務を弁済するために資産を譲渡した場合における所得税法第64条第2項の規定の適用について」参照)
なお、農業協同組合であっても、定款で員外貸付が認められており実質上の債務者が貸付を受けられる場合、保証債務の特例の適用ができない。

2 譲渡所得の計算

1 なかったものとみなす金額

収入金額又は総収入金額で、回収することができないこととなったもの（回収することができないこととなったものとみなされるものを含む。）又は返還すべきこととなったもの（以下「回収不能額等」という。）のうち、次に掲げる金額のうちいずれか低い金額に達するまでの金額を、各種所得の金額の計算上なかったものとみなす（所令180②）。
① 回収することができないこととなった金額又は返還すべきこととなった金額
② 回収不能額等が生じた時の直前において確定している、その年分の総所得金額、退職所得金額及び山林所得金額の合計額
③ ②の金額の計算の基礎とされた、譲渡所得の金額

2 回収不能額等が生じた時の直前において確定している「総所得金額」

総所得金額とは、総所得金額の計算の基礎となった利子所得の金額、配当所得の金額、不動産所得の金額、事業所得の金額、給与所得の金額、譲渡所得の金額、一時所得の金額及び雑所得の金額（損益通算の規定の適用がある場合には、その適用後のこれらの所得の金額とし、赤字の所得はないものとする。）の合計額（純損失の繰越控除又は雑損失の繰越控除の規定の適用がある場合には、合計額から総所得金額の計算上控除すべき純損失の金額又は雑損失の金額を控除した金額とする。）をいう。

この場合において、長期譲渡所得及び一時所得については、2分の1する前の金額をいう（所基通64-3）。

3 申告にあたっての要点

1 申告要件

保証債務の特例は，確定申告書，修正申告書又は更正請求書に同項の規定の適用を受ける旨の記載があり，かつ，譲渡をした資産の種類その他財務省令で定める事項を記載した書類の添付がある場合に限り，適用できる。

2 確定申告の手続要領

【保証債務等の履行が譲渡所得の確定申告前に行われた場合】
① 「確定申告書（分離課税用）第三表」の特例適用条文欄に「所法64条2項」と記入する。
② 「保証債務の履行のための資産の譲渡に関する計算明細書（確定申告書付表）」。
③ 保証債務，及び保証債務を履行した事実がわかる書類
④ 求償権の行使が不能であることを証する書類等（主たる債務者の決算書等）
⑤ その他参考となる書類

(所法64③，所規38)

3 更正の請求

保証債務等の履行が譲渡所得の申告後に行われた場合，その事実が発生した日の翌日から2か月以内に更正の請求書を提出する（所法152，通則法23②）。更正の請求書と同時に上記②②〜⑤の書類を添付する。

事例　　　　　　　　　　　　　　　　　　　　　　CASE STUDY
こんな場合は適用できない?!

Q　債務者が数年間債務超過だった場合

甲は同族会社乙の借入金の保証人となった。保証した時点で，債務者乙の債務超過状態が数年続いていた。今年3月，乙が倒産したため甲が担保としていた宅地を譲渡して，譲渡代金全額を乙の債務の弁済に充当した。保証債務の特例を適用して確定申告をするつもりである。

A

保証した時点で主たる債務者が資力を喪失しており債務超過であった場合は，当初より弁済の可能性が薄いと認められるため，特例の適用はできない。

「所得税法第64条第2項は，保証債務を履行するために資産の譲渡があった場合

には，その履行に伴う求償権の行使が予定されているから，その行使が不能となったときは，譲渡代金が回収不能となったとき（所法64①）に準じて，求償権の行使が不能となった金額を所得計算上存在しないものとみなす旨の規定であるから，保証人が，債務保証をした当初から，主たる債務者に対する求償権行使による回収の期待を全く持てなかった場合には，所得税法第64条第2項を適用する余地はないというべきである」（平成元年6月9日名古屋地裁判決）。

Q 複数の保証人がいる場合

同族会社乙の借入れに際して，甲，丙，丁の3人が連帯保証人となっていたが，今年10月に乙が倒産した。同年11月に，甲の所有する宅地を譲渡して，保証債務を全額弁済した。甲は保証債務の特例の適用を受けて確定申告する予定である。

A

甲が乙の債務を全額弁償したとしても，連帯保証人丙，丁に対する求償権があるため弁済した金額全額は保証債務の特例の適用ができない。連帯債務者の一人が弁済をし，その他自己の財産をもって共同の免責を得た時は，その連帯債務者は，他の連帯債務者に対し，各自の負担部分について求償権を有する（民法442①）。また，連帯債務者の中に償還をする資力のないものがあるときは，その償還をすることができない部分は，求償者及び他の資力のある者の間で，各自の負担部分に応じて分割して負担することとなっている（民法444）。

甲が全額弁済し連帯保証人丙，丁に対して求償権を行使しなかった場合，丙，丁は贈与税の課税の問題が生じる。

Q 会社が継続して営業している場合

甲は自己が代表者となっている，甲の同族会社乙の借入金5,000万円の保証をしていた。近年は売上が低迷しており，今年5月に債権者である銀行から借入金の返済を強く求められた。そのため，甲は担保として提供していた宅地を7,000万円で譲渡し，返済した。会社は継続して営業しているが，この場合，保証債務の特例の適用を受けられるか。

A

主たる債務者が債務超過の状態が相当期間継続し，弁済を受けることができないと認められる場合，債務免除を書面で通知することが要件（所基通51-11）であり，必ずしも会社の清算が必要ではない。特に非上場会社等の場合は①代表者等と金融機関等他の債権者との関係からみて，他の債権者の有する債権と同列に扱うことが困難である等の事情により，放棄せざるを得ない状況にあったと認められること②

その法人は求償権を放棄することによっても，なお債務超過の状況にあること等の場合は，認められる（「保証債務の特例における求償権の行使不能に係る税務上の取扱いについて」（平成14課資3-14他））。

Q 預金を解約して保証債務の弁済を行った場合

甲は，甲の同族会社乙が丙銀行からの債務3,000万円の保証人となっていた。乙の借入金の返済が滞るようになったため，今年5月に甲は丙にあった預金を解約して乙の債務に充当した。その後，同年中に甲は土地を譲渡して，譲渡代金の大半を丙銀行に預金した。この場合保証債務の特例の適用が受けられるか。

A

保証債務の弁済を預金や現金で行い，その後土地を譲渡した場合，保証債務を履行するために資産の譲渡があった場合には，保証債務の特例に該当しない（所法64②）。

借入金で保証債務を履行し，その後おおむね1年以内に借入金を返済するために譲渡が行われた場合は，その譲渡所得に保証債務の特例が認められる。借入金と保証債務の弁済に密接な関連があるためであり，預金や現金で履行した場合と同一には取り扱うことができない（所通64-5）。

また，手持資金と譲渡代金を併せて保証債務の履行をした場合，原則として金額の比で按分するが，納税者の選択により回収不能額等の金額が譲渡代金部分からなるものとして申告することができる。

所得税基本通達33-1の4

5 財産分与による資産の移転

　離婚に伴い，相手方に慰謝料として資産を分与した場合，その資産を分与した時の時価で譲渡したこととなり，譲渡所得の課税の対象となる。

1 取扱いの内容

　離婚に伴い，相手方に対して財産の分与を請求し（民法768），資産の移転があった場合には，分与をした者は，分与をした時に，その時の価額により資産を譲渡したこととなる。財産分与による資産の移転は，財産分与義務の消滅という経済的利益を対価とする譲渡であり，贈与ではないから，みなし譲渡課税（所法59①）の規定は適用されない（所基通33-1の4）。

2 申告にあたっての要点

1 譲渡所得の申告
　財産を分与した者は，分与した財産の時価を譲渡収入金額として，譲渡所得の申告をする。

2 居住用の特例の取扱い
　分与した財産が，分与した者の居住用財産である場合は，居住用財産を譲渡した場合の特例の適用ができる。離婚した相手は，居住用財産を譲渡した場合の特例の不適用要件に該当しない。居住用財産の譲渡については第3章を参照されたい。

3 取得価額等
　財産の分与を受けて取得した財産は，分与された時に，その時の価額で取得したこととなる（所基通38-6）。

事例　　　　　　　　　　　　　　　　　　　　CASE STUDY
こんな場合は適用できない?!

Q 分与財産に譲渡益が発生する場合

離婚の慰謝料として自宅を分与した。この土地建物は10年前に取得したものである。建物の減価償却を計算すると譲渡益が発生する。申告はどうすればいいか。

A

離婚に伴う慰謝料に替えて、譲渡所得の対象となる資産を分与した場合、譲渡収入金額は、その資産の分与した時の時価である。譲渡益が計算される場合は確定申告が必要である。ただし、その資産が、分与した者の居住用であれば、居住用財産を譲渡した場合の特例が適用できる。離婚した元の配偶者は、居住用特例の適用除外対象者には該当しない。

なお、居住用財産を譲渡した場合の各特例の要件に該当すれば、どの特例でも適用できる。譲渡損失が生じた場合居住用財産の買換譲渡損失の特例（措法41の5）又は特定居住用財産の譲渡損失の特例（措法41の5の2）を適用し損益通算及び繰越控除ができる。

Q 分与財産に譲渡損が発生する場合

甲は離婚に伴う慰謝料として、A市所在の時価3,000万円の土地を、前の配偶者に分与した。この土地は、約10年前に3,900万円で買ったものである。分与した時の時価を算定すると損が生じた。同年中に他に譲渡があり譲渡所得が生じている。この場合この二つの譲渡は損益通算ができるか。

A

財産分与による資産の移転は、分与した時においてその時の時価により資産を譲渡したこととなる（所基通33-1の4）。取得費及び譲渡に要した費用を控除して赤字となった場合、他の物件の譲渡益と損益通算することができる。この場合、分離課税の譲渡所得以外の所得との損益通算はできないことに留意する（措法31①）。

所得税基本通達33-1の5

6 代償分割による資産の移転

　共同相続人の一人がある相続財産を取得するにあたって，他の相続人に対し，代償として金銭や土地等を交付する遺産分割を行うことがある。通常は代償金の支払を行うが，自己の資産（土地等）を代償金に替えて交付する場合は，その時の時価によりその資産を，他の相続人に譲渡したことになる。代償分割は遺産分割協議の一環として取り扱われるため，その固有財産を提供した時に譲渡所得の課税が行われることについて認識が薄い。代償分割は一般的に行われているので注意したい取扱いである。代償財産を取得した相続人は，代償分割が行われた時に，その時の価額で取得したことになる。

1 取扱いの内容

1 代償分割とは

　代償分割とは，現物による遺産の分割に代え，共同相続人の1人又は数人（以下「代償債務者」という）が他の共同相続人に対して債務を負担する方法により行う遺産の分割をいう。特に，主たる相続財産が土地等又は非上場株式等で，遺産分割することが困難な場合，特定の相続人がその土地等や株式等を取得し，共同相続人に対して金銭を交付するような場合が多い。

2 代償債務者に対する譲渡所得の課税

　代償分割により負担した債務が，代償債務者の所有する資産の移転を要するものである場合，履行をした時にその時の価額（時価）で資産を譲渡したこととなる（所基通33-1の5）。
　この規定は，代償債務者がその所有する固有財産を代償債務として移転した時に，その所有していた期間の資産益（キャピタル・ゲイン）を精算することによる。

2 代償分割により取得した資産の取得費

代償分割により取得した資産の取得費については次による（所基通38－7）。
① 代償分割により負担した債務に相当する金額は，債務を負担した者が，代償分割により取得した資産の取得費には算入されない。

代償金を支払って取得した資産を譲渡した場合，その代償金の額はその資産の取得費とはならない。この代償金の額は遺産分割に伴う支払であり，相続税の課税価格の計算の上で控除されていることによる。
② 代償債務者から債務の履行として取得した資産は，その履行があった時において，その時の価額により取得したこととなる。

取得した代償財産は，相続，遺贈又は贈与による取得ではないので，代償債務者又は被相続人の取得日や取得価額を引き継がない。

事例 ·· CASE STUDY
こんな場合は適用できない？！

Q　代償金は取得費となるか

5年前に死亡した父甲からの相続財産は自宅及びその敷地だけであった。総遺産価額は約8,000万円で，相続人は，A，B及びCの3人であった。財産は全てAが相続し，代償金としてB及びCに対し，それぞれ2,000万円を支払った。代償金として支払った4,000万円は自宅の取得費に算入できるか。

A

代償分割により取得した財産は，相続により取得したものであるため，譲渡所得の計算を行う上で取得費とはならない。代償金の支払があったとしても，その金額は相続財産の調整金額である（所基通38－7）。

所得税基本通達33-1の6

7 遺留分侵害額請求により資産を移転した場合

　2018年（平成30年）に改正された民法では，遺留分侵害に対する弁済について，受遺者又は受贈者（以下「受遺者等」という。）に対し「遺留分侵害額に相当する金銭の支払いを請求することができる（民法1046）」として，明確に金銭債権とした。これにより遺留分権利者に対して現物返還を前提とした弁償の概念が無くなった。

1 遺留分侵害額請求の効果

　遺留分権利者及びその承継人は，受遺者等（特定財産承継遺言により財産を承継し又は相続分の指定を受けた相続人を含む。）に対し，遺留分侵害額に相当する金銭の支払を請求することができる（民法1046）。
　旧規定である遺留分減殺請求は，物権的効果が生じたが，遺留分侵害額請求は金銭債権となったことで，受遺者等に対しては金銭の請求のみとなった。

2 金銭に代えて資産で支払った場合の譲渡所得

　遺留分侵害額に相当する金銭の支払請求があった場合（民法1046），金銭の支払に代えて，その債務の全部又は一部の履行として資産（遺留分侵害額に相当する金銭の支払請求の基因となった遺贈又は贈与により取得したものを含む。）の移転があったときは，その履行をした者は，原則として，その履行があった時においてその履行により消滅した債務の額に相当する価額によりその資産を譲渡したこととなる（所基通33-1の6）。
　受遺者等が遺贈を又は贈与を受けた資産又は固有の財産にかかわらず譲渡所得が発生することに留意する。
　受遺者等の譲渡所得の収入金額は，消滅した債務（遺留分侵害額）相当額である。

また，譲渡した資産は相続財産であることから，被相続人の取得の日及び取得価額を引き継ぐ。

所得税基本通達33-1の6

8 共有地の分割

　共有地の分割とは，土地を共有している者がお互いにその共有持分を解消して，その持分に応じた現物分割をすることである。共有地の分割は，お互いが共有する土地の持分を相手方に渡し，相手方から持分を取得することになるため，譲渡所得の対象となる。しかし実質的には，持分相当分を取得するだけであり経済効果が発生していないため，土地の譲渡はなかったものとする。

1 取扱いの内容

　個人が他の者と土地を共有している場合，共有である一の土地の持分に応ずる現物分割があったときは，その分割による土地の譲渡はなかったものとして取り扱われる（所基通33-1の6）。
　分割に要した費用の額は，その土地が業務の用に供されるもので，業務に係る各種所得の金額の計算上必要経費に算入されたものを除き，その土地の取得費に算入する。
　共有地の分割に伴って金銭の授受がある場合は，譲渡所得の課税対象となる。

2 分割の比が異なっている場合

　分割されたそれぞれの土地の面積の比と共有持分の割合とが異なる場合であっても，分割後のそれぞれの土地の価額の比が共有持分の割合に概ね等しいときは，その分割はその共有持分に応ずる現物分割に該当する（所基通33-1の6②）。
　A及びBがそれぞれ3分の1，3分の2を所有している土地をAが3分の1を，Bが3分の2を分割登記する場合などである。

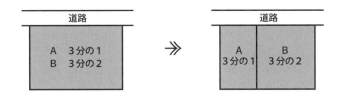

　合理的に区分されている場合は分割後の面積が共有持分の比と必ず一致していなくても認められる（所基通33-1の6注）。

　例えば，下図のように，Aが取得する部分が二方の道路に面しており，利用効率が高い場合，Aの持分に比して異なった持分を取得するような場合が考えられる。

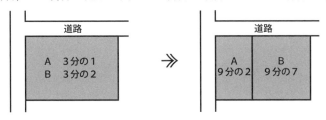

所得税基本通達33-2

9 譲渡担保に係る資産の移転

　借入れの担保として，債務者が自己の土地建物等を提供し，その名義を債権者に変更することによって担保力を一層強くするということが行われる。金銭の授受があり実質的に所有権が移転した場合には，登記名義変更事由はどうあれ，原則として譲渡所得の課税対象となる。

　しかし，借入れの担保として一時的に債権者の名義とされたものにまで譲渡所得が課税されるのは適切ではない。そこで，一定の要件の下，譲渡所得の課税が行われない。ただし，金銭の授受を伴っているため，後日，返済不能等により所有権が実質的に移転した時点で，譲渡所得の申告を行わなければならないことに留意する。

1 取扱いの内容

　譲渡担保による資産の移転があった場合，譲渡所得の課税を回避するためには財産の名義変更が債権担保のみを目的として形式的にされたものである旨，及び，次の①及び②の事項を記載した債権者債務者連名の申立書を税務署長に提出する。なお，形式上「買戻条件付譲渡」や「再売買の予約」等の名称の取引であっても，下記の要件を具備しているものは譲渡担保に該当する（所基通33-2）。
　①　その担保資産を債務者が従来どおり使用収益すること。
　②　通常支払うと認められる債務の利子，又はこれに相当する使用料の支払に関する定めがあること。

2 要件を欠くこととなった場合

　上記の要件を欠くこととなったとき，又は債務不履行のためその弁済に充てられたときは，これらの事実が生じた時に譲渡があったこととなる（所基通33-2）。具体的には，弁済ができなくなった日の属する年分で，譲渡所得の申告をすること

となる。

　債務の弁済が確実に行われており，土地建物等の名義が本来の所有者に戻るまで，継続的に弁済状況を確認していなければならない。

　税務署は，確実な課税を期するため，時折返済状況を確認する。「申立書」を提出したことにより債務の弁済が完了するまで，税務署の監視下にあることに留意する。

事例 ……………………………………………………… CASE STUDY
こんな場合は適用できない?!

Q　担保財産を債権者が取得した場合の手続き

　X0年に4,000万円の借金の担保で宅地を提供した。譲渡担保として債権者に名義変更を行い税務署にも譲渡担保である旨の届出をした。

　X7年11月に事業を閉鎖し，借入金の返済ができなかったので，その宅地を債権者がそのまま取得することとなった。

A

　X7年に債務不履行となり所有権の移転が確定したため，X7年に譲渡があったこととなる。X7年分の譲渡所得の確定申告をしなければならない。

【参考】
　請求人は，所基通33-2に定める手続を行っていないから，税務上譲渡担保であることが否定されることとなり，本件土地の譲渡は，平成3年分の譲渡となる旨主張する。しかしながら，本件土地の譲渡担保を原因とする平成3年6月10日付の所有権の移転は，本件譲渡担保契約の内容及び本件土地の利用状況等から，債権の担保を目的とするものであったことは明らかであり，そして，本件和解によって，本件譲渡担保契約が実行され，本件土地の所有権が完全に移転したことを確認しているものと認められる。そうすると，本件和解に基づき，本件土地を現状有姿でA法人へ引き渡した平成6年6月10日に，本件土地の譲渡があったものとするのが相当であり，本件土地の譲渡に係る譲渡の年分は，平成6年となる。したがって，この点に関する請求人の主張には理由がない。

（平成11年11月30日名古屋審判所）

所得税基本通達33-4他

10 土地に区画形質の変更を加えた場合や造成等した場合の取扱い

　土地に区画形質の変更を加えて譲渡した場合は，事業所得又は雑所得に該当するが，一定の場合は譲渡所得とみることができる。固定資産である土地を譲渡した場合についての課税区分の判定は，次のように行う。

1 極めて長期間保有していた不動産の譲渡による所得

　固定資産である不動産の譲渡による所得であっても，その不動産を相当の期間にわたり継続して譲渡している者の譲渡による所得は，棚卸資産の譲渡又は営利を目的として継続的に行われる譲渡（所法33②一）による所得に該当し，譲渡所得には含まれない。しかし，極めて長期間，引き続き所有していた不動産（販売の目的で取得したものを除く。）の譲渡による所得は，譲渡所得に該当する。極めて長期間とはおおむね10年以上をいう（所基通33-3）。

2 土地に区画形質の変更等を加えて譲渡した場合

1 固定資産である土地に区画形質の変更等を加えて譲渡した場合の所得

　固定資産である林地その他の土地に区画形質の変更を加え，若しくは水道その他の施設を設け宅地等として譲渡した場合，又は固定資産である土地に建物を建設して譲渡した場合，その譲渡による所得は棚卸資産又は雑所得の基因となる棚卸資産に準ずる資産の譲渡による所得として，その全部が事業所得又は雑所得に該当する。

　ただし，固定資産である土地に区画形質の変更又は水道その他の施設の設置を行った場合であっても，次のいずれかに該当するときは，固定資産に該当するものとして差し支えない（所基通33-4）。

　① 区画形質の変更又は水道その他の施設の設置に係る土地の面積（その土地の所有者が2以上いる場合には，その合計面積）が小規模（おおむね3,000m²以

下をいう。）であるとき。
  ② 区画形質の変更又は水道その他の施設の設置が土地区画整理法，土地改良法等法律の規定に基づいて行われたものであるとき。

2 区画形質の変更等を加えた土地に借地権等を設定した場合の所得

固定資産である林地その他の土地に区画形質の変更を加え，又は水道その他の施設を設け宅地等とした後，その土地に所得税法施行令第79条第1項《資産の譲渡とみなされる行為》の借地権又は地役権（以下「借地権等」という。）を設定した場合，その借地権等の設定（営利を目的として継続的に行われるものを除く。）が同項に規定する行為に該当するときは，その借地権等の設定に係る対価の額の全部が譲渡所得に係る収入金額に該当することに留意する（所基通33-4の2）。

3 極めて長期間保有していた土地に区画形質の変更等を加えて譲渡した場合の所得

土地，建物等の譲渡による所得が所得税基本通達33-4により，事業所得又は雑所得に該当する場合であっても，その区画形質の変更若しくは施設の設置又は建物の建設（以下「区画形質の変更等」という。）に係る土地が，極めて長期間引き続き所有されていたものであるときは，所得税基本通達33-4にかかわらず，その土地の譲渡による所得のうち，区画形質の変更等による利益に対応する部分は事業所得又は雑所得とし，その他の部分は譲渡所得として差し支えない。この場合，譲渡所得に係る収入金額は区画形質の変更等の着手直前の土地の価額とする。

なお，土地，建物等の譲渡に要した費用の額は，すべて事業所得又は雑所得の金額の計算上必要経費に算入する（所基通33-5）。

所得税基本通達33-6の6他

11 法律の規定に基づかない区画形質の変更をした場合等

1 法律の規定に基づかない区画形質の変更に伴う土地の交換分合

　複数の地権者の所有する土地の形状が絡み合って，利用効率が悪い地域がある。この土地を整理することに合意し，土地の区画形質の変更をした場合，所有権の変動が必ず生じる。相手方に交付する土地の価額は時価となり，相互に譲渡所得が生じることになる。税を負担してまでもやることではないということになると，形状の悪い不効率な土地が放置される。土地区画整理事業法に基づく区画整理事業ほどの規模ではないが，区画を整理する事例は多い。所得税法58条は，2者間での交換に適用されることから，3者以上の土地の交換は適用ができない。

2 法律の規定に基づかない区画形質の変更に伴う土地の交換分合の取扱い

1 基本的な取扱い

　法律の規定に基づかない区画形質の変更に伴う土地の交換分合（「任意の区画整理」ということもある。）により区画を整理する場合の課税の取扱いは次のとおりである。

　一団の土地の区域内に土地等を有する2以上の者が，その一団の土地の利用の増進を図るために行う土地の区画形質の変更に際し，相互にその区域内に有する土地の交換分合（土地区画整理法，土地改良法等の法律の規定に基づいて行うものを除く。）を行った場合には，その交換分合が区画形質の変更に必要最小限の範囲内で行われるものである限り，その交換分合による土地の譲渡はなかったものとして取り扱う（所基通33-6の6）。

　この取扱いは，交換分合が，一団の土地の区画形質の変更に伴い行われる道路そ

の他の公共施設の整備，不整形地の整理等に基因して行われるもので，四囲の状況からみて必要最小限の範囲内であると認められるものについて適用できることに留意する。

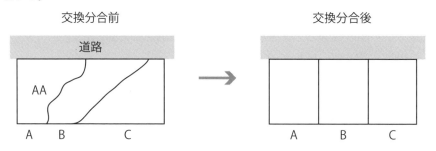

2 土地の一部を譲渡した場合

　交換分合を行う区域内にある土地の一部が，区画形質の変更に要する費用に充てるために譲渡されたときは，その収入金額が所得税の対象となる。収入金額の配分は，2以上の者がその区域内に有していた土地の面積の比その他合理的な基準による。

3 取得の日及び取得価額の引継ぎ

　交換分合により取得した土地の取得の日及び取得費は，譲渡がなかったものとされることから，交換分合前の取得の日及び取得費が引き継がれる（（所基通33−6の6注）。なお，土地の区画形質の変更に要した費用があるときは，その取得費に費用の額を加算した金額が取得費となる。

3 宅地造成契約に基づく土地の交換等

1 事業者が行う宅地造成

　一団の土地の区画形質の変更は，個人間であれば所得税法基本通達33−6の6により土地の譲渡がなかったものとして取り扱われる。土地区画整理事業や土地改良法の規定によるもの以外の土地の区画整理が行われることもある。この地域内に土地を所有している者が土地を提供し，区画整理後にその地域内の土地を取得した場合に譲渡所得の課税の対象となる。この場合の取扱いが定められている。

2 宅地造成契約に基づく土地の交換等

(1) 宅地造成契約に基づく土地の交換等とは

　一団の土地の区画形質の変更に関する事業（土地区画整理法，土地改良法等の規

定に基づくものを除く。）が施行される場合，その事業の施行者とその一団の土地の区域内に土地等を有する者（以下「従前の土地の所有者」という。）との間に締結された契約に基づき，従前の土地の所有者の有する土地をその事業の施行のためにその事業施行者に移転し，その事業完了後に区画形質の変更が行われたその区域内の土地の一部を従前の土地の所有者が取得する場合のことをいう。

(2) **土地の交換を行った場合の取扱い**

宅地造成契約に基づく土地の交換後に，従前の土地の所有者が有する土地とその取得する土地との位置が異なるときであっても，その土地の異動がその事業の施行上必要最小限の範囲内のものであると認められるときは，その従前の土地の所有者の有する土地（以下「従前の土地」という。）のうちその取得する土地（以下「換地」という。）の面積に相当する部分は譲渡がなかったものとして取り扱かわれる（所基通33-6の7）。

なお，金銭等とともに土地を取得するときは，従前の土地の所有者の有する土地のうちその金銭等に対応する部分は譲渡所得の対象となり，金銭等の支払があるときは，その取得する土地のうちその金銭等で取得したと認められる部分はこの取り扱いが適用できないことに留意する。

(3) **換地の面積が従前の土地の面積に満たないとき**

換地の面積が従前の土地の面積に満たないときにおけるその満たない面積に相当する従前の土地（以下「譲渡する土地」という。）の譲渡所得の収入金額は，取得した換地について行われる区画形質の変更に要する費用の額に相当する金額による。ただし，事業の施行に関する契約において譲渡する土地の面積が定められている場合には，課税上特に弊害がないと認められる限り，譲渡する土地の契約時における価額によることができる。「区画形質の変更に要する費用の額」は，契約において定められた金額がある場合にはその金額によるが，その定めがないときは，事業の施行者が支出する区画形質の変更に要する工事の原価の額と，その工事の通常の利益の額との合計額による。

(4) **引渡しの日**

譲渡所得の総収入金額の収入すべき時期は「引渡しがあった日」である。この取り扱いの引渡しがあった日とは「換地の取得の日」である（所基通36-12）。

(5) **取得の日及び取得価額の引継ぎ**

契約により取得した換地の取得の日及び取得費は，従前の土地（譲渡がなかったものとされる部分に限る。）の取得の日及び取得費となることに留意する。なお，

取得費のうちに従前の土地のうち譲渡があったものとされる部分があるときは，その取得費に，その部分の譲渡による譲渡所得の収入金額とされた金額に相当する金額を加算した金額となる。

第3章
居住用財産の譲渡で使える特例

　第3章では居住用財産を譲渡した場合の特例を解説する。
　居住用財産を譲渡した場合，譲渡益又は譲渡損のケースにより軽課税率の特例，特別控除の特例，買換又は交換の特例，損益通算及び繰越控除の特例等所得税の負担の軽減のための各種特例が設けられている。また，2016年（平成28年）から相続により取得した被相続人の居住用財産を譲渡した場合の特別控除の特例が創設された。
　居住用財産を譲渡した場合の特例は，相続財産を譲渡した場合の特例を除き，原則的に譲渡者が居住していた建物及びその敷地である土地等を譲渡した場合に限り適用される。居住事実及び家屋の利用状況をを確実に判断する。

1 居住用財産を譲渡した場合の特例の種類及び適用関係

　自己の住居家屋やその敷地等居住用財産を譲渡した場合，次の理由から，その所得に対して様々な特例が用意されて税負担の緩和を図っている。
・居住用財産の取得や譲渡は投機や投資目的が薄いこと
・譲渡代金で代替資産の取得が予定されるため，担税力が弱いこと
・居住用財産はやむを得ず譲渡することが多いこと
　居住用財産を譲渡する事例は大変多く，譲渡所得の特例のうちでもっとも認知度が高い。ただし，特例が7種類あり，譲渡益が生じる場合，及び譲渡損失が生じる場合で特例が大きく分かれ，また，所有期間・居住期間によっても適用できる特例が異なる。適用誤りが多い特例でもある。以下，居住用財産を譲渡した場合の特例全般を指す場合「居住用財産譲渡の特例」という。

1 居住用財産を譲渡した場合の特例の変遷

　居住用財産の譲渡益に対する特例の歴史は古く，1957年（昭和27年）には居住用交換制度があった。現在では特別控除の特例，軽減税率の特例，買換え・交換の特例や譲渡損が生じた場合の損益通算及び繰越控除の特例等，土地家屋の譲渡の特例形態を網羅するくらいの緩和策を講じている。居住用財産譲渡の特例は，譲渡者が居住していた財産の譲渡所得に対して適用できるのが大原則であるが，2016年（平成28年）4月1日以後の譲渡から期限付きであるが，相続等により取得した被相続人の居住用財産を譲渡した場合の特別控除が創設された。

【特別控除】

年	特別控除額	特例の概要
1961年（昭和36年）	50万円	・居住用財産の譲渡所得に対し特別控除制度が創設された。適用要件は基本的に現在と同様である。

年		特例の概要
1969年（昭和44年）	1,000万円	・特別控除額が1,000万円に引き上げられた。 ・3年に一度の適用，特殊関係者に対する譲渡の場合の適用除外等の要件が追加された。
1973年（昭和48年）	1,700万円	・特別控除額が1,700万円に引き上げられた。
1975年（昭和50年）	3,000万円	・特別控除額が3,000万円に引き上げられて現在に至る。
2016年（平成28年）	3,000万円	・相続により取得した被相続人の居住用財産を譲渡した場合の3,000万円の特別控除が創設された。

【買換えの特例】

年	特例の概要
1951年（昭和26年）	・居住用交換の特例が創設された。
1952年（昭和27年）	・居住用買換えの特例が創設された。
1969年（昭和44年）	・居住用買換え・交換の特例が廃止された。同時に特別控除額が1,000万円に引上げられた。
1982年（昭和57年）	・居住用財産の所有期間を10年超とするなどの買換要件を組み替えて買換特例が復活した。
1988年（昭和63年）	・相続財産の買換え制度が追加された。譲渡者が30年以上居住の用に供している場合に適用された。
1993年（平成5年）	・特定の居住用財産の買換え・交換の特例が創設された。譲渡価額1億円以下の要件が付された。
1994年（平成6年）	・譲渡価額2億円以下に引き上げられた。
1998年（平成10年）	・譲渡価額要件が廃止された。
2004年（平成16年）	・買換え見込みの場合の税務署長の承認制度が廃止された。
2010年（平成22年）	・譲渡価額2億円以下となった。
2012年（平成24年）	・譲渡価額1.5億円以下となった。
2014年（平成26年）	・譲渡価額1億円以下となった。

【譲渡損失の繰越控除の特例】

年	特例の概要
1998年（平成10年）	・居住用財産を譲渡して損失が発生した場合，買換えを要件に「特定の居住用財産の買換え等の場合の譲渡損失の繰越控除の特例」が創設された。
2004年（平成16年）	・買換要件等特例の見直しが行われ「居住用財産の買換え等の場合の譲渡損失の損益通算及び繰越控除の特例」と買換えを行わなかった場合でも損益通算及び繰越控除が適用できる「特定居住用財産の譲渡損失の損益通算及び繰越控除の特例」が創設された。

2 居住用財産を譲渡した場合の特例の種類と適用関係

1 特例の種類

居住用財産を譲渡した場合，7つの特例がある。これらはそれぞれ譲渡益・譲渡損が出た場合，特別控除を適用して所得を軽減する場合，高額な譲渡所得のため特別控除の範囲では収まらず買換え等を適用する場合等，譲渡者の意向や都合に合わせて選択できるようになっている。

特 例	条 文
① 居住用財産を譲渡した場合の長期譲渡所得の税率の特例	措法31の3
10年超所有した居住用財産の分離長期譲渡所得の譲渡所得に対して6,000万円までの部分の税率が10％，6,000万円超の部分の税率が15％に軽減される。	
② 居住用財産を譲渡した場合の譲渡所得の特別控除	措法35①
居住用財産の分離譲渡所得から，3,000万円の特別控除が適用できる。	
③ 相続した被相続人の居住用財産を譲渡した場合の3,000万円の特別控除の特例	措法35③
一定の要件に該当する相続財産を譲渡した場合，譲渡所得から，3,000万円の特別控除が適用できる。平成28年4月1日から令和5年12月31日までの譲渡に適用される。	
④ 特定の居住用財産の買換えの場合の長期譲渡所得の課税の特例	措法36の2
10年超所有し，10年以上居住した居住用財産を譲渡し，代わりの居住用財産を買い換えた場合，課税の繰延べが適用できる。	
⑤ 特定の居住用財産を交換した場合の長期譲渡所得の課税の特例	措法36の5
10年超所有し，10年以上居住した居住用財産を交換に提供し，代わりの居住用財産を交換取得した場合，課税の繰延べが適用できる。	
⑥ 居住用財産の買換え等の場合の譲渡損失の損益通算及び繰越控除の特例	措法41の5
5年超所有した居住用財産を譲渡して損失が生じ，代わりの居住用財産を買換えた場合，損益通算及び譲渡損失の3年間の繰越控除ができる。	
⑦ 特定居住用財産の譲渡損失の損益通算及び繰越控除の特例	措法41の5の2
5年超所有した居住用財産を譲渡して損失が生じた場合，損益通算及び譲渡損失の3年間の繰越控除ができる。	

2 特例適用のパターン

(1)利益があった場合に選択できる特例	
① 居住用財産の軽減税率の特例	措法31の3
② 居住用財産の3,000万円控除の特例	措法35①
③ 相続財産の3,000万円控除の特例	措法35③

④ 特定の居住用財産の買換えの特例	措法36の2
⑤ 特定の居住用財産の交換の特例	措法36の5
(2)損失があった場合に選択できる特例	
⑥ 居住用財産の買換譲渡損失の特例	措法41の5
⑦ 特定居住用財産の譲渡損失の特例	措法41の5の2

③ 居住用財産を譲渡した場合の特例の適用関係

　自己の居住用財産を譲渡して利益が生じた場合，相続財産の3,000万円控除の特例を除き，居住用財産の軽減税率の特例，居住用財産の3,000万円控除の特例，特定の居住用財産の買換等の特例が選択適用できる。これらの特例は所有期間，居住期間により適用適否があり，さらに各特例を併用適用の適否があることに留意する。各特例の適用関係を解説する。

(1) **所有期間が10年を超え居住期間が10年以上の居住用財産を譲渡した場合**

　① 居住用財産の軽減税率の特例と居住用財産の3,000万円控除の特例が併用適用できる。つまり譲渡所得から3,000万円控除しても所得がある場合，その所得に対して軽減税率を適用できる。

　② 特定の居住用財産の買換等の特例が適用できる。

　③ 居住用財産の3,000万円控除の特例と居住用財産の軽減税率の特例を併用して適用するか，特定の居住用財産の買換等の特例を適用するか選択できる。

(2) **所有期間が10年を超え居住期間が10未満の居住用財産を譲渡した場合**

　① 居住用財産の軽減税率の特例と居住用財産の3,000万円控除の特例が併用適用できる。

　② 特定の居住用財産の買換等の特例は適用できない。

(3) **所有期間が10年以下の居住用財産を譲渡した場合**

　① 居住用財産の3,000万円控除の特例が適用できる。この特例は居住期間は問われない。

　② 居住用財産の軽減税率の特例及び特定の居住用財産の買換等の特例は適用できない。

　これらの関係を図示すると次のとおりである。

所有・居住期間区分		居住用財産の 3,000万円控除の特例	居住用財産の 軽減税率の特例	特定の居住用財産 の買換等の特例
所有期間	居住期間			
10年超 のもの	10年以上(1)	①併用適用できる		②適用できる
		← ③選択適用できる →		
	10年未満(2)	①併用適用できる		②適用できない
10年以下 のもの	制限なし(3)	①適用できる	②適用できない	②適用できない

④ 居住用財産の譲渡の損益通算及び繰越控除の特例の相違と適用

　居住用財産を譲渡して損失が生じた場合には，新たに居住用財産を住宅ローン付きで買換えをした場合（居住用財産の買換譲渡損失の特例），買換えをしなかったが譲渡した資産に住宅ローンがあった場合（特定居住用財産の譲渡損失の特例）で適用できる特例が二つある。譲渡者の譲渡内容に応じて，該当する特例のどちらか一方を選択適用できる。

　この二つの関係を図示すると次のとおりである。

	居住用財産の買換 譲渡損失の特例 （措法41の5）	特定居住用財産の 譲渡損失の特例 （措法41の5の2）
譲渡した居住用財産	譲渡の年の1月1日現在所有期間5年超の所有であること。	
譲渡財産の住宅ローン残高	住宅ローンの残高は必要としない。	譲渡契約日の前日で償還期間10年以上の住宅ローンがあること。
譲渡財産の土地の面積制限	500㎡を超える部分を除く。	なし
買換資産の面積制限	居住用部分の床面積が50㎡以上であること。	
買換え財産の住宅ローン	買換え資産を取得した年の12月31日現在で償還期間10年以上のローンがあること。	
譲渡損失の制限	なし	住宅借入金から譲渡価額を控除した金額が限度である。
所得制限	繰越控除をする年分について合計所得金額が3,000万円を超えないこと。	
所得控除の判定	寡婦控除，配偶者控除，扶養控除の判定所得は，繰越控除の特例の適用を受けて控除した金額はないものとする。	

3 特例の適用ができない場合

1 譲渡の相手方の制限

居住用財産譲渡の特例は所得に対して自宅を売却せざるを得ない事情等を鑑み特別控除，緩和税率等納税者の負担緩和のために多岐にわたるメニューが用意されている。これらの特例を不当に活用することを封じるために，譲渡の相手方に一定の制限が設けられている。譲渡の相手方の制限は居住用財産譲渡の特例すべてに共通することからここで解説する。

2 譲渡の相手

(1) 居住用財産譲渡の特例の対象とならない譲渡の相手

居住用財産を次の者（以下「特殊関係者」という。）に譲渡したとしても特例の適用は受けられない（措法31の3①，措令20の3①）。

① 譲渡者の配偶者及び直系血族
② 譲渡者の親族（①に掲げる者を除く）で譲渡者と生計を一にしている者，及びその者の親族で，家屋が譲渡された後，譲渡者とその家屋に居住をするもの
③ 譲渡者と婚姻の届出をしていないが事実上婚姻関係と同様の事情にある者，及びその者の親族でその者と生計を一にしているもの
④ ①から③に掲げる者及び譲渡者の使用人以外の者で，譲渡者から受ける金銭その他の財産によつて生計を維持している者，及びその者の親族でその者と生計を一にしているもの
⑤ 譲渡者，①②に該当する親族，譲渡者の使用人若しくはその使用人の親族でその使用人と生計を一にしているもの，又は③④に掲げる者（以下「同族関係者」という。）を判定の基礎となる株主等とした場合に，法人税法施行令第4条第2項に規定する特殊の関係その他これに準ずる関係のあることとなる次の会社その他の法人 　イ　同族関係者の有する株式の数若しくは金額又は一定の議決権の数等が発行済株式等の総数若しくは総額又は一定の議決権数の総数等の50％を超えている法人 　ロ　同族関係者及び上記イの法人の有する株式等の数若しくは金額又は一定の議決権の数等が，発行済み株式等の総数若しくは総額又は一定の議決権の総数等の50％を超えている法人 　ハ　同族関係者及び上記イ・ロの法人の有する株式等の数若しくは金額又は一定の議決権の数等が，発行済み株式等の総数若しくは総額又は一定の議決権の総数等の50％を超えている法人

(2) 特殊関係者に対する譲渡の判定の時期

上記(1)の特殊関係者に対する譲渡の時期の判定は次による（措通31の3-20）。

①　譲渡した時で判定する。
②　(1)②の譲渡者がその家屋に居住する場合は，譲渡後の状況により判定する。

(3) 「生計を一にしているもの」等の意義

「生計を一にしているもの」とは所得税基本通達2-47（生計を一にするの意義）による（措通31の3-21）。

「法に規定する「生計を一にする」とは，必ずしも同一の家屋に起居していることをいうものではないから，次のような場合には，それぞれ次による（所基通2-47）。

①　勤務，修学，療養等の都合上他の親族と日常の起居を共にしていない親族がいる場合であっても，次に掲げる場合に該当するときは，これらの親族は生計を一にするものとする。
　　イ　他の親族と日常の起居を共にしていない親族が，勤務，修学等の余暇には他の親族のもとで起居を共にすることを常例としている場合
　　ロ　これらの親族間において，常に生活費，学資金，療養費等の送金が行われている場合
②　親族が同一の家屋に起居している場合には，明らかに互いに独立した生活を営んでいると認められる場合を除き，これらの親族は生計を一にするものとする。」

(4) 同居の親族

(1)②の「譲渡者の親族で，家屋が譲渡された後，譲渡者とその家屋に居住をするもの」とは，家屋の譲渡後に，譲渡者である個人及び譲受者である個人の親族（譲渡者の配偶者及び直系血族並びに譲渡の時において個人と生計を一にしている親族を除く。）が共にその家屋に居住する場合におけるその譲受者をいう（措令20の3①二，措通31の3-22）。

(5) 「譲渡者から受ける金銭その他の財産によって生計を維持しているもの」の意義

(1)③の「譲渡者から受ける金銭その他の財産によって生計を維持しているもの」とは，譲渡者から給付を受ける金銭その他の財産又は給付を受けた金銭その他の財産の運用によって生ずる収入を日常生活の資の主要部分としている者をいう。ただし，譲渡者から離婚に伴う財産分与，損害賠償その他これらに類するものとして受ける金銭その他の財産によって生計を維持している者は含まれない（措令20の3①4，措通31の3-23）。

(6) 名義株についての株主等の判定

(1)⑤の「株主等」とは，株主名簿又は社員名簿に記載されている株主等をいう。ただし，株主名簿又は社員名簿に記載されている株主等が単なる名義人であって，その名義人以外の者が実際の権利者である場合には，その実際の権利者をいう（措令20の3①5，措通31の3-24）。譲渡者の関係会社に譲渡する場合は，株主構成を十分検討しなければならない。

(7) 会社その他の法人

(1)⑤の「会社その他の法人」には，例えば，出資持分の定めのある医療法人のようなものがある（措令20の3①5，措通31の3-25）。

4 住民票の添付要件

1 住民票の添付

居住用財産の譲渡の特例を適用するにあたって，居住していた事実を証するものとして，住民票除票の添付が要件となっていた。

2016年（平成28年）1月1日以後の譲渡から居住用財産の譲渡所得の特例を適用するにあたって，原則として住民票の写しの添付を要しない（措規13の4，18の2②，18の4⑤，18の25①，18の26①）。

ただし，譲渡契約を締結した日の前日において，譲渡をした者の住民票に記載されていた住所と譲渡をした土地建物等の所在地とが異なるなど一定の場合には，次の書類を添付する必要がある。

① 戸籍の附票の写し
② 消除された戸籍の附票の写し
③ その他上記①②に類する書類で，譲渡をした者がその土地建物等を居住の用に供していたことを明らかにするもの

2 添付を不要とする特例

イ 居住用財産の軽減税率の特例（措法31の3）
ロ 居住用財産の3,000万円控除の特例（措法35）
ハ 特定の居住用財産の買換えの特例（措法36の2）
ニ 特定の居住用財産の交換の特例（措法36の5）
ホ 居住用財産の買換譲渡損失の特例（措法41の5）
ヘ 特定居住用財産の譲渡損失の特例（措法41の5の2）

事例　CASE STUDY
こんな場合は適用できない?!

Q　借家権の譲渡と居住用の特例

建物の利用権(借家権)を譲渡して利益が生じた場合，居住用財産を譲渡した場合の特例が適用できるか。

A

居住用財産を譲渡した場合の各特例は，措置法の特例である。措置法における譲渡所得の対象は，土地等及び建物等に限られる。借家権の譲渡は総合課税であることから措置法の特例は適用できない。

措置法第31条の3

2 居住用財産を譲渡した場合の長期譲渡所得の課税の特例

「居住用財産を譲渡した場合の長期譲渡所得の課税の特例」(以下「居住用財産の軽減税率の特例」という。)は,所有期間10年を超える自己の居住用の財産を譲渡した場合に,担税力等を考慮し,一般の分離長期譲渡所得より軽い税率を適用するものである。3,000万円控除後の所得に対して軽減税率を適用することができるため,居住用財産を譲渡する者にとっては税負担の大幅な緩和となっている。

居住用財産を譲渡した場合の特例に関する措置法通達の基本的な適用要件等は,居住用財産の軽減税率の特例(措通31の3)関係の項目に集約され,準用されている。

この特例が適用される資産を「分離長期軽課資産」という。

1 特例の適用要件

1 居住用財産とは

居住用財産とは次の要件に該当する家屋及びその敷地のことをいう(措法31の3①②,措令20の3②)。基本的に特例は「家屋」について適用され,その敷地は従たるものである。このことから家屋のありよう(利用状況)の判断が重要となる。この考え方は居住用財産を譲渡した場合の特例全てに通ずる。

> ① 国内にある家屋であること。
>
> ② 譲渡者(個人)がその居住の用に供している家屋(以下「居住用家屋」という。)及びその敷地の用に供している土地等(以下「居住用家屋及び土地等」という。)であること。
>
> ③ 譲渡した年の1月1日に所有期間が10年を超えていること。
>
> ④ 居住の用に供されなくなった日から3年を経過する日の属する年の12月31日までに譲渡された家屋であること。

⑤ 家屋のうちにその居住の用以外の用に供している部分があるときは，その居住の用に供している部分に限ること。

⑥ 居住の用に供している家屋を2以上有する場合には，これらの家屋のうち，主としてその居住の用に供していると認められる一の家屋に限ること。

2 税率

居住用財産の軽減税率の特例を適用した場合の長期譲渡所得の税率及び税額の計算は次のとおりである。

なお，この特例は，居住用財産の3,000万円控除の特例，その他の特別控除の特例を受ける場合は，特別控除後の譲渡所得金額に対して適用できる。

長期譲渡所得金額	税率	税額の計算
6,000万円以下の場合	10%（4%）	課税長期譲渡所得金額×10%（4%）
6,000万円を超える場合	15%（5%）	（課税長期譲渡所得金額－6,000万円） ×15%（5%）＋600万円（240万円）

（カッコ内は住民税の税率である）

3 居住用財産の譲渡の日

(1) 特例の適用を受けることができる譲渡の日とは

居住用財産の軽減税率の特例の適用を受けることができるのは，居住しなくなった年分の所得に限らない。居住用財産を譲渡するまでには様々な事情や経緯があり，転居した数年後に売却することもよくあるから，譲渡するまでの特例対象期間に猶予が設けられている。

(2) 居住の用に供さなくなった日後の譲渡の期限

特例の適用を受けるためには，譲渡者が居住の用に供されなくなった日から3年を経過する日の属する年の12月31日までに譲渡しなければならない（措法31の3②）。

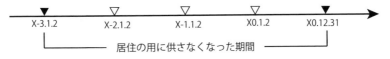

(3) 空き家にしてから譲渡するまでの家屋の利用

居住の用に供されなくなった日以後譲渡するまでの間，この家屋がどのような形で利用していたものであっても構わない。自用はもちろん，放置していた場合や貸し付けていた場合でも適用できる（措通31の3－7）。

4 居住用家屋の範囲

(1) 居住用家屋とは

居住用家屋とは，譲渡者が生活の拠点として利用している家屋のことをいう（措通31の3-2）。居住用家屋は，譲渡者，配偶者等の日常生活の状況，その家屋への入居目的，家屋の構造及び設備の状況その他の事情を総合勘案して判定する。

「配偶者等」とは，社会通念に照らしその者と同居することが通常であると認められる配偶者その他の者をいう。

(2) 居住用家屋に該当しないもの

居住用家屋であっても，次に該当する家屋は特例の適用ができない（措通31の3-2(1)，(2)）。

① 転勤，転地療養等の事情のために居住する家屋が2以上となった場合，主としてその居住の用に供している家屋以外の家屋
② 居住用財産の軽減税率の特例の適用を受けるためのみの目的で入居したと認められる家屋
③ 居住の用に供するための家屋の新築期間中だけの仮住まいである家屋
④ 一時的な目的で入居したと認められる家屋
⑤ 主として趣味，娯楽又は保養の用に供する目的で有する家屋

②～④の場合，居住期間が短期間であってもその家屋への入居目的が一時的なものでない場合は居住用家屋に該当する。

(3) 転勤等で居住していない場合

転勤，転地療養等の事情のため，配偶者等と離れ単身で他に起居している等，その家屋に居住していない若しくは居住できない場合であっても，その事情が解消したときは配偶者等と起居を共にすることとなると認められるときは，配偶者等が居住の用に供している家屋は，譲渡者にとっても居住用家屋に該当する。

これにより，居住用家屋を2以上所有することとなる場合には，主としてその居住の用に供していると認められる一の家屋のみが，居住用財産の軽減税率の特例の対象となる家屋に該当する（措令20の3②，措通31の3-2(1)注）。

(4) 「主としてその居住の用に供していると認められる一の家屋」の判定時期

複数の家屋を居住の用に供している場合の「主としてその居住の用に供していると認められる一の家屋」に該当するかどうかのは，次の「判定時期」の現況による（措令20の3②，措通31の3-9）。

第3章 居住用財産の譲渡で使える特例　**153**

区分	判定時期
① 譲渡した家屋が，譲渡の時に譲渡者の居住の用に供している家屋である場合	・譲渡の時
② 譲渡した家屋が，譲渡者の居住の用に供していた家屋で，譲渡の時に譲渡者の居住の用に供されていない場合	・家屋が譲渡者の居住の用に供されなくなった時 なお，家屋が，「その者が主としてその居住の用に供していると認められる一の家屋」に該当すると判定された場合，譲渡者が他に居住用家屋を有している場合であっても，その家屋は，特例対象となる家屋に該当する。

5 生計を一にしている親族が居住している家屋

譲渡者が居住の用に供していない家屋であっても，生計を一にしている親族の居住の用に供しており，次の要件の全てを満たすものは，譲渡者の居住用家屋に該当する（措通31の3-6）。

① その家屋は，譲渡者が従来から所有者として居住していた家屋であること。 　なお，譲渡者が従来その居住していた家屋であるかどうかは措置法通達31の3-2（居住用家屋の範囲）に定めるところに準じて判定する。
② その家屋は，譲渡者がその居住の用に供さなくなった日以後，引き続き生計を一にする親族（所得税基本通達2-47《生計を一にするの意義》に定める親族をいう。）の居住用家屋であること。 　なお，生計を一にする親族の居住用家屋であるかどうかは，措置法通達31の3-2（居住用家屋の範囲）に定めるところに準じて判定する。
③ 譲渡者は，その家屋を居住しなくなった日以後，措置法第31条の3，第35条第1項（第3項の適用を除く。），第36条の2，第36条の5，第41条の5又は第41条の5の2の規定の適用を受けていないこと。
④ 譲渡者が居住している家屋は，譲渡者の所有する家屋でないこと。
⑤ この取扱いは，家屋を譲渡した年分の確定申告書に次に掲げる書類の添付がある場合（確定申告書の提出後に書類を提出した場合を含む。）に限り適用される。 　イ　譲渡者の戸籍の附票の写し 　ロ　生計を一にしている親族が居住の用に供していることを明らかにする書類 　ハ　譲渡した家屋及び譲渡者が居住している家屋の登記事項証明書

6 家屋と敷地の所有期間の要件

(1) 居住用の家屋の敷地の用に供されている土地等とは

居住用家屋の敷地の用に供されている土地等とは，その家屋又は居住の用に供されなくなった日から3年を経過する日の属する年の12月31日までに譲渡された家屋の敷地の用に供されている土地等で，譲渡した年の1月1日において所有期間

（措置法第31条第2項に規定する所有期間をいう。）が10年を超えるものをいう（措通31の3-3）。

(2) **家屋又は土地等のうち一方のみの特例の適用**

居住の用に供していた家屋及び土地等の譲渡があった場合，そのいずれか一方の資産の譲渡所得についてのみ居住用財産の軽減税率の特例を適用することはできない（措通31の3-3注1）。

(3) **土地又は家屋の所有期間が10年以下である場合**

家屋又は土地等のいずれか一方が，譲渡した年の1月1日において所有期間が10年以下であるときは，居住用財産の軽減税率の特例を適用することはできない（措通31の3-3注2）。

7 **居住用家屋の敷地の判定**

譲渡した土地等が居住用家屋の「敷地」に該当するかどうかは，社会通念に従い，その土地等が家屋と一体として利用されている土地等であったかどうかにより判定することになる。つまり社会常識に委ねられる（措通31の3-12）。

8 **敷地のうちに所有期間の異なる部分がある場合**

(1) **敷地のうちに所有期間が10年以下の部分がある場合**

居住用家屋とともにその家屋の敷地である土地等の譲渡があった場合，その年1月1日における所有期間が10年を超える部分とその他の部分があるときは，10年を超える部分のみが居住用財産の軽減税率の特例が適用できる（措通31の3-4）。

(2) **借地権部分と底地部分に分かれている場合**

居住用家屋の敷地の用に供されている一の土地が，その取得の日を所得税基本通達33-10（借地権者等が取得した底地の取得時期等）により借地権等に相当する部分と底地に相当する部分とに区分して判定するものである場合，譲渡の年1月1日における所有期間が10年を超えることとなる部分のみが居住用財産の軽減税率の特例の適用対象となる（措通31の3-4注）。

9 **居住用土地等のみの譲渡**

(1) **土地等のみの譲渡でも特例の適用ができる場合**

土地等は，居住の用に供してる家屋の敷地の用に供されているものに限られる（措法31の3②）。居住用財産とは居住の用に供している財産のことをいうことから，原則として，土地等のみの譲渡は，居住用財産の軽減税率の特例の適用を受けることができない。

契約等により居住用家屋を取り壊すなどして，その家屋の敷地として利用されて

いた土地等を譲渡する場合、居住用の特例を一切認められないとすると譲渡者に酷な場合がある。そのため次の要件を全て満たせば特例の適用ができることとなっている（措通31の3-5）。要件が厳しいことに留意する。

①　家屋が取り壊された日の属する年の1月1日において、その家屋及び土地等の所有期間が10年を超えていること。
②　土地等の譲渡契約が家屋を取り壊した日から1年以内に締結されていること。
③　家屋が居住の用に供されなくなった日以後3年を経過する日の属する年の12月31日までに譲渡すること。
④　家屋を取り壊した後、譲渡契約の日までの間、その土地等を貸付けその他の用に供されていないこと。無償による貸付けでも適用できない。

(2)　土地等のみの譲渡で、特例の適用ができない場合

　居住用家屋の敷地であった土地等を譲渡した場合でも、次の場合は特例の適用ができない（措通31の3-5）。

①　家屋を取り壊した後、土地等の上に譲渡者が新たに建物を建築し、その建物とともに土地等を譲渡した場合。
②　家屋を引き家して土地等を譲渡した場合。例えば、庭先の部分を譲渡するような場合がある。
③　家屋を取壊したの日の属する年の1月1日において、所有期間が10年を超えていない場合。この場合は、土地等の譲渡の要件を満たしているとしても、特例の適用はできない。

10　災害により家屋が滅失した場合の土地等

(1)　家屋が火災によって滅失した場合の特例の適用

　居住用家屋を取り壊して任意に譲渡する場合と異なり、家屋が災害により滅失した場合、譲渡者の事情を鑑み、特例が適用できる期間が順延される。

　譲渡者が、その家屋を引き続いて所有していたとしたならば、譲渡の年の1月1日に所有期間が10年を超える場合、その家屋の敷地である土地等は、特例の適用ができる。ただし、災害があった日から3年を経過する日の属する年の12月31日までの間に譲渡されるものに限られる（措法31の3②4）。

(2)　災害の意味

　この場合の「災害」とは、所得税法第2条第1項第27号の規定による「災害、震災、風水害、火災その他政令で定める災害」をいい、所得税法施行令第9条で定め

る災害の範囲は「冷害，雪害，干害，落雷，噴火その他の自然現象の異変による災害及び鉱害，火薬類の爆発，その他の人為による異常な災害並びに害虫，害獣その他の生物による異常な災害」である（所法2①，所令9，措通31の3-13）。

(3) 災害により滅失した家屋の跡地等の譲渡

　災害により滅失した居住用財産の譲渡が，居住しなくなった日以後3年を経過する日の属する年の12月31日までの間に行われている場合，その譲渡した資産は，居住しなくなった日以後，貸付け等どのような利用であっても，居住用財産の軽減税率の特例が適用できる（措通31の3-14）。

　なお，所得税基本通達33-4（固定資産である土地に区画形質の変更等を加えて譲渡した場合の所得）及び同33-5（極めて長期間保有していた土地に区画形質の変更等を加えて譲渡した場合の所得）により，その譲渡による所得が事業所得又は雑所得となる場合には，その部分については，特例の適用はない。特例は譲渡所得に該当するものについて適用されるからである。

　特例の適用対象となる家屋の跡地等とは次のものをいう。
・災害により滅失した居住用家屋の敷地の用に供されていた土地等
・居住用家屋でその居住の用に供されなくなったもの
・居住用家屋とともにその家屋の敷地の用に供されている土地等

(4) 災害により滅失した家屋を取り壊した場合

　居住用家屋の敷地の用に供されている土地等を譲渡するため，その家屋を取り壊した場合における取扱いについては，措置法通達31の3-5（居住用土地等のみの譲渡）の取扱いによる（措通31の5-14(2)）。

11 居住の用に供されなくなった家屋が災害により滅失した場合

　居住用家屋で，居住されなくなったものが災害により滅失した場合，その居住の用に供されなくなった日以後3年を経過する日の属する年の12月31日までの間に，家屋の敷地である土地等を譲渡したときは，居住用財産の軽減税率の特例が適用できる。

　この場合，家屋の所有期間は，譲渡の時までその家屋を引き続き所有していたものとして判定する（措通31の3-15）。

12 居住用家屋の敷地の一部を譲渡した場合

　居住用家屋（居住されなくなったものを含む。）の敷地である土地等又は災害により滅失した家屋（措置法通達31の3-5に定める取り壊した家屋を含む。）の敷地である土地等の一部を区分して譲渡した場合には，次の点に留意する（措通31

の3-18)。

①現に存する家屋の敷地の用に供されている土地等の一部の譲渡である場合	・譲渡が家屋の譲渡と同時に行われたものであるときは，特例に該当する。 ・譲渡が家屋の譲渡と同時に行われたものでないときは，特例の適用はできない。
②災害により滅失した家屋の敷地の用に供されていた土地等の一部の譲渡である場合	・譲渡は，全て特例に該当する。 なお，譲渡した土地等が居住用家屋の敷地の用に供されている土地又は家屋の敷地の用に供されていた土地に該当するかどうかは，措置法通達31の3-12（居住用家屋の敷地の判定）により判定する。

13 居住用家屋の所有者とその敷地の所有者が異なる場合

(1) 家屋と敷地の所有者が異なる場合の適用要件

措置法第31条の3第2項第1号又は第2号に掲げる家屋（以下「譲渡家屋」という。）の所有者以外の者が，その家屋の敷地の用に供されている土地等で，譲渡の年の1月1日における所有期間が10年を超えているもの（以下「譲渡敷地」という。）の全部又は一部を有している場合，譲渡家屋の所有者と譲渡敷地の所有者の行った譲渡が次の要件の全てを満たすときは，これらの者がともに居住用財産の軽減税率の特例を適用して申告したときに限り，特例の適用が認められる（措通31の3-19）。

①譲渡敷地は，譲渡家屋とともに譲渡したこと。
②譲渡家屋の所有者と譲渡敷地の所有者とが親族関係を有し，かつ，生計を一にしていること。
③譲渡家屋は，その家屋の所有者が，譲渡敷地の所有者とともに居住していること。

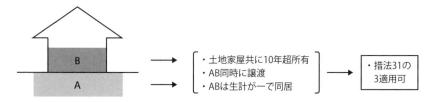

(2) 適用要件の判定の時

家屋と敷地の所有者が異なる場合の適用要件の判定は次による（措通31の3-19注1）。

イ 上記(1)②及び③の要件に該当するかどうかは，家屋の譲渡の時の状況により判定する。

ロ　家屋が，居住の用に供されなくなった日以後3年を経過する日の属する年の12月31日までの間に譲渡されたときは，②の要件に該当するかどうかは，家屋が居住の用に供されなくなった時から譲渡の時までの間の状況による。③の要件に該当するかどうかは，家屋がその所有者の居住の用に供されなくなった時の直前の状況により判定する。

(3) **家屋の所有者が軽減税率の特例を受けない場合**

　この取扱いは，譲渡家屋の所有者が家屋（譲渡敷地のうち，家屋の譲渡者が有している部分を含む。）の譲渡に居住用財産の軽減税率の特例の適用を受けない場合（課税長期譲渡所得金額がない場合を除く。），譲渡敷地の所有者について適用することはできない（措通31の3-19注2）。

(4) **措置法41の5，41の5の2との関係**

　譲渡敷地の所有者がその敷地の譲渡に居住用財産の軽減税率の特例の規定の適用を受ける場合，譲渡家屋の所有者の家屋の譲渡について措置法第41条の5《居住用財産の買換譲渡損失の特例》又は第41条の5の2《特定居住用財産の譲渡損失の特例》の適用を受けることはできない（措通31の3-19注3）。

14　借地権等が設定されている土地の譲渡についての取扱い

　譲渡家屋の所有者が，家屋の敷地である借地権等が設定されている土地でその譲渡の年の1月1日における所有期間が10年を超えているもの（以下「居住用底地」という。）の全部又は一部を所有している場合，その家屋を取り壊し居住用底地を譲渡したときの居住用財産の軽減税率の特例の適用については措置法通達31の3-5（居住用土地等のみの譲渡）に準じて取り扱う（⑨(1)参照のこと）。居住用底地が家屋とともに譲渡されているときは，家屋及び居住用底地の譲渡について特例の適用が認められる。

　また，家屋の所有者以外の者が，居住用底地の全部又は一部を所有している場合の特例の適用については，措置法通達31の3-19（居住用家屋の所有者とその敷地の所有者が異なる場合の取扱い）に準じて取り扱う（措通31の3-19の2）。

　この取扱いは，父の所有する借地権を使用貸借により借り入れて建物を建築した子がその敷地を取得して居住の用に供した後，建物，借地権及び底地を譲渡するような場合が想定される。同一人が所有する建物及び底地を挟んで借地権があるようなケースであることからサンドイッチ型と呼ばれることがある。本来底地についてはダイレクトに建物の敷地となってはいないが，建物の敷地の用に供されている土地であることから，一定の要件のもと，特例の適用ができる。

図示すれば次のとおりである。なお，措置法第31条の3及び措置法通達31の3
－9の要件は具備しているものとする。

図	説明
A / B / A	【借地権Bの底地をAが取得し「借地権者の地位に変更がない旨の申出書」を提出。その後Bの借地権上の建物の贈与を受けて権利関係がサンドイッチ型になった場合】 Aの家屋及び底地：適用可 Bの借地権：適用可
A・B / B / A	【借地権者と底地所有者が異なるが，家屋が共有の場合】 Aの家屋及び底地：適用可 Bの家屋及び借地権：適用可
A・C / B / A・C	【底地をA及びCが共有で取得し，A及びCが家屋を取得した後譲渡した場合】 A及びCの家屋及び底地：適用可 Bの借地権：適用可

15 店舗等併用住宅について他の特例の適用を受ける場合

(1) 居住用部分と非居住用部分がある場合

　収用代替えの特例等，他の特例を適用した場合，居住用財産の軽減税率の特例の適用はない。しかし，譲渡した資産が居住の用に供している部分（以下「居住用部分」という。）と居住用の用以外の用に供している部分（以下「非居住用部分」という。）とからなる家屋（家屋がその居住の用に供されなくなったものを含む。）又はその家屋の敷地の用に供されている土地等である場合，非居住用部分の譲渡についてのみ措置法第33条（措置法第33条の2第2項において準用する場合を含み，措置法令第22条第5項又は第6項《代替資産の特例》に規定する資産を代替資産とする場合に限る。），第33条の2第1項（措置法令第22条の2第2項《同種の資産の特例》において準用する措置法令第22条第5項に規定する資産を同種の資産とする場合に限る。），措置法第37条又は同第37条の4の適用を受けることができる。

　非居住用部分の譲渡で，これらの特例の適用を受ける場合であっても，居住用部

分の譲渡が居住用財産の軽減税率の特例の規定による要件を満たすものである限り，特例を適用することができる（措通31の3-1）。

(2) 居住の用に供されなくなった後の利用状況

居住の用に供されなくなった後に譲渡した家屋又は土地等の居住用部分及び非居住用部分の判定は，居住の用に供されなくなった時の直前における利用状況に基づいて行い，居住の用に供されなくなった後の利用状況は，この判定には影響がない。

(3) 居住の用に供されなくなった後に事業用等に転用した場合

居住の用に供されなくなった後に，居住用部分の全部又は一部を他の用途に転用した家屋又は土地等を譲渡し，転用後の用途に基づいて措置法第33条，同第33条の2第1項，同第37条又は同第37条の4の適用を受ける場合，居住用部分の譲渡については居住用財産の軽減税率の特例の適用はない。

16 非居住用部分がある家屋の居住部分の判定

(1) 非居住用部分がある場合の取扱い

家屋の利用形態は，全体を居住用としている一般の家屋，全体が居住用であるがその一部を他人に貸し付けている家屋，一階部分を店舗等で利用し2階部分を居住用としている家屋等様々である。

このうち居住用財産として特例の適用対象となるのは「居住の用に供している家屋」であり非居住用部分があるときは，居住用部分だけである（措令20の3②，措通31の3-7）。

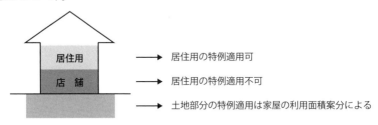

(2) 居住用部分の判定

非居住用部分のある家屋及び土地等のうち居住用部分として利用している部分は次の算式により判定する。

① 家屋のうち居住用部分の計算

家屋のうちその居住の用に専ら供している部分の床面積(A) ＋ 家屋のうちその居住の用と居住の用以外の用とに併用されている部分の床面積 × $\dfrac{(A)}{(A) + 居住の用以外の用に専ら供されている部分の床面積}$

②　土地等のうち居住用部分の計算

$$\begin{pmatrix} 土地等のうちその居 \\ 住の用に専ら供して \\ いる部分の面積 \end{pmatrix} + \begin{pmatrix} 土地等のうちその居 \\ 住の用と居住の用以 \\ 外の用とに併用され \\ ている部分の面積 \end{pmatrix} \times \frac{家屋の床面積のうち①の算式により計算した床面積}{家屋の床面積}$$

(3)　居住の用に供されなくなった後の譲渡の場合の判定

　非居住用部分のある家屋又はその家屋の敷地の用に供されている土地等を居住の用に供されなくなった後において譲渡した場合の判定は，その家屋又は土地等をその居住の用に供されなくなった時の直前における利用状況に基づいて行う。
　その居住の用に供されなくなった後における利用状況は，この判定には影響がないことに留意する（措通31の3-7注）。

17　非居住用部分の割合が低い場合

　非居住用部分の割合が低い家屋の場合，特例適用に大きな弊害がないと認められる。上記16の計算により算出された居住用部分の割合が概ね90％以上であれば家屋及び土地等の全体が居住の用に供していると取り扱うことができる（措通31の3-8）。

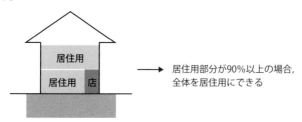

18　土地区画整理事業等の施行地区内の土地等の譲渡

　土地区画整理法による土地区画整理事業，新都市基盤整備法による土地整理又は大都市地域住宅等供給促進法による住宅街区整備事業（以下「土地区画整理事業等」という。）の施行地区内にある従前の宅地（その宅地の上に存する建物の所有を目的とする借地権を含む。）を仮換地の指定又は使用収益の停止があった後に譲渡した場合，居住の用に供している家屋（その家屋でその居住の用に供されなくなったものを含む。）の移転又は除却（土地区画整理事業等のために行われるものに限る。）後における家屋の敷地の用に供されていた従前の宅地の譲渡（換地処分による譲渡を除く。）で，その家屋が居住の用に供されなくなった日から次に掲げる日のうちいずれか遅い日までの間にされたものは，居住用財産の軽減税率の特例

の適用ができる。この場合、その家屋の所有期間の判定に当たっては、譲渡の時までその家屋を引き続き所有していたものとする（措通31の3-16）。
　イ　家屋が居住の用に供されなくなった日以後3年を経過する日の属する年の12月31日
　ロ　家屋を居住の用に供されなくなった日から1年以内に仮換地の指定があった場合（仮換地の指定後において居住の用に供されなくなった場合を含む。）は、仮換地の使用又は収益を開始することができることとなった日以後1年を経過する日

19　権利変換により取得した施設建築物等の一部を取得する権利等の譲渡

　次に掲げる事業の施行地区内に、居住の用に供している家屋（居住の用に供されなくなったものを含む。）及びその家屋の敷地の用に供されている土地等（災害により滅失した家屋の敷地であった土地等を含む。）を有する者が、措置法第33条の3の規定による旧資産、防災旧資産又は変換前資産の譲渡があったとみなされる日が、その家屋を居住の用に供されなくなった日以後3年を経過する日の属する年の12月31日までの間にあるときは、その譲渡は、居住用財産の軽減税率の特例が適用できる（措通31の3-17）。

(1)　都市再開発法による市街地再開発事業に係る権利変換又は収用若しくは買取りに伴い取得した施設建築物の一部を取得する権利（その権利とともに取得した施設建築敷地若しくはその共有持分又は地上権の共有持分を含む。）又は建築施設の部分の給付を受ける権利を譲渡（措置法第33条の3第3項に規定する相続、遺贈又は贈与を含む。）した場合、又は建築施設の部分につき都市再開発法第118条の5第1項《譲受け希望の申出等の撤回》に規定する譲受け希望の申出を撤回した場合（同法第118条の12第1項《仮登記等に係る権利の消滅について同意が得られない場合における譲受け希望の申出の撤回》又は同法第118条の19第1項《譲受け希望の申出を撤回したものとみなす場合》の規定により、譲受けの申出を撤回したものとみなされる場合を含む。）において、旧資産の譲渡があったものとみなされる日

(2)　密集市街地における防災街区の整備の促進に関する法律による防災街区整備事業に係る権利変換に伴い取得した防災施設建築物の一部を取得する権利（その権利とともに取得した防災施設建築敷地若しくはその共有持分又は地上権の共有持分を含む。）を譲渡（相続、遺贈又は贈与を含む。）した場合において、防災旧資産の譲渡があったものとみなされる日

(3) マンションの建替え等の円滑化に関する法律によるマンション建替事業に係る権利変換に伴い取得した施行再建マンションに関する権利を取得する権利（その権利とともに取得した施行再建マンションに係る敷地利用権を含む。）を譲渡（相続，遺贈又は贈与を含む。）した場合において，変換前資産の譲渡があったものとみなされる日

なお，この場合，旧資産，防災旧資産又は変換前資産の所有期間は，それらの譲渡があったものとみなされる日の属する年の1月1日における所有期間となる。

20　居住用家屋の一部を譲渡した場合

居住用家屋の一部を譲渡することがある。また，複数の家屋を居住用として一体利用している場合，そのうち一部を譲渡することがある。このように居住用家屋の一部を譲渡し，残った部分に継続して居住するような場合，譲渡した部分の所得に対して特例の適用について迷うことがある。この場合は次のとおり取り扱う。

居住の用に供している家屋（譲渡者が居住の用に供する一の家屋に限る。）又は家屋で居住の用に供されなくなったものを区分して所有権の目的としその一部のみを譲渡した場合又は2棟以上の建物から成る一構えの居住の用に供している家屋（家屋でその居住の用に供されなくなったものを含む。）のうち一部のみを譲渡した場合，譲渡した部分以外の部分が機能的にみて独立した居住用の家屋と認められない場合に限り，居住用財産の軽減税率の特例が適用できる（措通31の3-10）。

残った部分が居住用としてのインフラ・設備が整っているかどうかの判断をすることとなる。

21　居住用家屋を共有とするための譲渡

居住の用に供している家屋（居住の用に供されなくなったものを含む。）を他の者と共有にするため譲渡した場合又はその家屋の共有持分の一部を譲渡した場合，居住用財産の軽減税率の特例は適用できない（措通31の3-11）。

居住用財産を譲渡した場合の各特例は，本来居住用財産を譲渡したことにより新たに居住用財産を購入する等が想定され，担税力が弱い譲渡者の負担を軽減するためにある。譲渡しても依然としてその家屋に居住すること等が想定される場合は特例の適用が認められないことによる。

22　買換資産を取得できなかった場合の軽減税率の適用

特定の居住用財産の買換えの特例（措法36の2）を適用する者が，災害その他その者の責めに帰せられないやむを得ない事情により，措置法第36条の2第2項に規定する取得期限までに買換資産を取得できなかったため，特例の適用を受けら

れないこととなった場合，取得期限の属する年の翌年4月30日までに修正申告書を提出するときに限り，居住用財産の軽減税率の特例の適用をすることができる（措法31の3-27）。

2 特例の適用ができない場合

1 譲渡の相手方の制限

譲渡の相手方の制限については本章1-1を参照のこと（措法31の3①，措令20の3①）。

2 併用して適用が受けられない特例

(1) 併用して適用が受けられない場合とは

居住用財産を譲渡した場合の特例には連年適用排除の規定がある。居住用財産を毎年買い替えることを想定していないことや，3,000万円控除の特例等は控除額が非常に高額であるため，悪用防止が目的と考えられる。また，固定資産の交換の特例や事業用資産の買換特例等下記(2)に該当する各特例とは，併用して適用することができない。

確定申告にあたって過去の適用の確認は必須である。特に居住用財産を譲渡した場合は納税地が変更されていることが多く，税務署の管轄が異なることにあまり注意を払わないことが多い。

(2) 居住用財産の軽減税率の特例が他の特例と重複している場合

居住用財産の軽減税率の特例の適用を受ける場合，次の特例を同時に適用することはできない（措法31の3）。

---

① 固定資産の交換の特例（所法58）
② 優良住宅地の造成等の税率の特例（措法31の2）
③ 収用代替の特例（措法33）
④ 交換処分等の特例（措法33の2）
⑤ 換地処分等の特例（措法33の3）
⑥ 低未利用土地等の100万円控除の特例（措法35の3）
⑦ 特定の居住用財産の買換えの特例（措法36の2）
⑧ 特定の居住用財産の交換の特例（措法36の5）
⑨ 特定の事業用資産の買換えの特例（措法37）
⑩ 特定の事業用資産の交換の特例（措法37の4）
⑪ 特定民間再開発事業の場合の買換えの特例（措法37の5：ただし第5項を除く）
⑫ 特定の交換分合の特例（措法37の6）
⑬ 特定普通財産と隣接土地等の交換の特例（措法37の8）

(3) 居住用財産の軽減税率の特例を前年又は前々年に適用している場合

譲渡の年の前年又は前々年に，既に居住用財産の軽減税率の特例の適用を受けている場合は適用できない（措法31の3①）。

3 申告にあたっての要点

1 申告要件

居住用財産の軽減税率の特例は，適用を受けようとする年分の確定申告書に，措置法第31条の3の規定の適用を受ける旨の記載があり，かつ，同項の規定に該当するものとして，次の「確定申告の手続要領」に記載した書類の添付がある場合に限り適用がある（措法31の3③）。

2 確定申告の手続要領

1 「申告書（分離課税用）第三表」の「特例適用条文」欄に「措法31条の3（第）1項」と記入する。
2 「譲渡所得の内訳書（確定申告書付表兼計算明細書）」に必要事項を記入し添付する。
3 譲渡した建物又は土地等の登記事項証明書。
4 譲渡した土地建物等が措置法第31条の3第2項各号のいずれかの資産に該当する事実を記載した書類。
5 譲渡契約締結日の前日において，譲渡者の住民票に記載されていた住所と譲渡をした資産の所在地とが異なる場合その他これに類する場合，戸籍の附票の写し，消除された戸籍の附票の写しその他これらに類する書類で居住事実を明らかにするもの。

（措法31の3③，措規13の4）

3 確定申告書の提出がなかった場合

確定申告書の提出がなかった場合，又は必要事項の記載若しくは必要書類の添付がない確定申告書の提出があった場合，その提出又は記載若しくは添付がなかったことについてやむを得ない事情があると税務署長が認めるときは，記載をした書類及び必要書類の提出があった場合に限り，居住用財産の軽減税率の特例を適用することができる（措法31の3④）。

事例　　　　　　　　　　　　　　　　　CASE STUDY
こんな場合は適用できない?!

Q　居住用家屋を取り壊し，連年譲渡した場合の特例の適用

居住用家屋を取り壊して更地にした。全体の敷地を2分割し，A宅地をX0年に，B宅地をX1年に譲渡した。譲渡益はそれぞれ次の通りである。

A宅地	昭和55年5月	取得	2,000万円
	X0年6月	譲渡	4,500万円
	分離長期譲渡所得		2,500万円
B宅地	昭和55年5月	取得	2,000万円
	X1年12月	譲渡	5,300万円
	分離長期譲渡所得		3,300万円

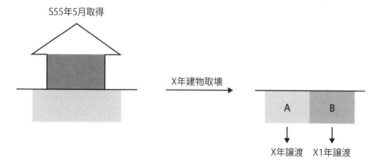

A

A宅地は措法35条の3,000万円控除の特例を受けることができる。B宅地は連年適用廃除規定に抵触するので3,000万円控除は適用できないが，10年以上所有する居住用宅地に該当するので，居住用財産の軽減税率の特例が適用できる。居住用財産の軽減税率の特例は，譲渡の年またはそれ以前の年に適用した措置法35条の廃除規定が無い。

Q　居住用財産の3,000万円控除の特例を適用した後の年分に，軽減税率対象家屋を譲渡した場合

平成10年に購入した居住用土地家屋BをX0年に譲渡し，3,000万円控除の特例を適用した。昭和55年から所有するA家屋に転居し居住したが，X2年に譲渡した。X2年分の居住用財産の軽減税率の特例を受けることができるか。

A家屋	昭和55年 5月	取得	2,000万円
	X0年5月 B家屋より転入		
	X2年6月	譲渡	5,500万円
	分離長期譲渡所得		3,500万円
B家屋	平成10年 7月	取得	3,000万円
	X0年5月 A家屋へ転居		
	X0年12月	譲渡	5,300万円
	分離長期譲渡所得		2,300万円

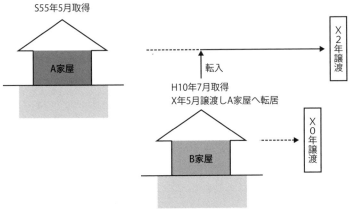

A

A家屋は所有者の居住用であるから居住期間が短いとしても所有期間が10年を超えているため軽減税率の適用ができる。

【譲渡所得の計算】

| X0年分
分離長期譲渡所得 | 5,300万円－3,000万円－2,300万円（特別控除）＝0 |
| X2年分
分離長期譲渡所得 | 5,500万円－2,000万円＝3,500万円（軽減税率適用可） |

措置法第35条第1項

3 居住用財産を譲渡した場合の3,000万円特別控除の特例

　居住用財産を譲渡した場合の3,000万円特別控除の特例（以下「居住用財産の3,000万円控除の特例」という。）は，譲渡益が生じた場合に3,000万円まで特別控除を適用して税負担が緩和される特例である。

　1961年（昭和36年）に創設されて以来，特別控除額の変遷はあるものの，基本的な変更はなく，大変ポピュラーな特例であり，申告手続きも簡便である。ただ，申告手続きが簡単で，特別控除額が大きいため，特例の適用を受けるための目的で居住する等，不正な適用や誤った適用事例が多く見受けられる。

　居住用財産の譲渡に関する特例であることから，居住用家屋等の基本的な要件は，措置法第31条の3（居住用財産の軽減税率の特例）と同様である。

1 特例の適用要件

①　特例の内容

　居住の用に供している家屋を譲渡，もしくはその家屋とともにその敷地の用に供している土地等（以下「家屋及び土地等」という。）を譲渡した場合，その家屋及び土地等の譲渡所得から3,000万円を控除できる特例である。居住期間に関係なく適用されることから分離長期譲渡所得，分離短期譲渡所得のどちらの場合でも適用できる。

　適用要件は次の通り非常に簡便である（措法35①，②，措令23，20の3②）。

①　譲渡者がその居住の用に供している家屋であること。
②　居住用家屋の敷地の用に供されている土地等であること。
③　居住の用に供されなくなった日から3年を経過する日の属する年の12月31日までに譲渡された家屋及び土地等であること。

> ④ 家屋のうちにその居住の用以外の用に供している部分があるときは、その居住の用に供している部分に限ること。
>
> ⑤ 居住の用に供している家屋を2以上有する場合には、これらの家屋のうち、主としてその居住の用に供していると認められる一の家屋に限ること。

2 特別控除

特別控除は次の順番で控除する。

① 居住用財産の譲渡所得のうち、短期譲渡所得と長期譲渡所得がある場合、短期譲渡所得から控除する。

② 譲渡した年中に、収用交換等により譲渡した他の資産があり収用交換等の5,000万円控除の特例の適用を受ける場合、3,000万円控除は、次のイ又はロの金額のうちいずれか低い金額である（措法36①、措令24、措通36-1）。

　イ　居住用財産の譲渡所得金額

　ロ　5,000万円から収用交換とにより譲渡した他の資産の譲渡所得から控除した、収用交換等の5,000万円の特別控除額

3 居住用土地等のみの譲渡

(1) 土地等のみの譲渡でも特例の適用ができる場合

契約等により居住用家屋を取り壊すなどして、その家屋の敷地として利用されていた土地等を譲渡する場合、居住用の特例を一切認められないとすると譲渡者に酷な場合がある。そのため一定の要件を満たすことにより、特例の適用が認められる。

要件は次のとおりであるが、特例適用のためにはすべてを満たす必要があることに留意する（措通35-2）。

> ① 土地等の譲渡契約が家屋を取り壊した日から1年以内に締結されていること。
>
> ② 家屋が居住の用に供されなくなった日以後3年を経過する日の属する年の12月31日までに譲渡すること。
>
> ③ 家屋を取り壊した後、その土地等を譲渡契約の日まで、貸付け等をしていないこと。

(2) 土地等のみの譲渡で特例の適用ができない場合

居住用家屋の敷地であった土地等を譲渡した場合でも、次の場合は特例の適用ができない（措通35-2）。

> ① 家屋を取り壊した後，土地等の上に新たに建物を建築し，その建物とともに土地等を譲渡した場合。
> ② 家屋を引き家して土地等を譲渡した場合。

④ 土地区画整理事業等の施行地区内の土地等の譲渡

　土地区画整理法による土地区画整理事業，新都市基盤整備法による土地整理又は大都市地域住宅等供給促進法による住宅街区整備事業（以下「土地区画整理事業等」という。）の施行地区内にある従前の宅地（その宅地の上に存する建物の所有を目的とする借地権を含む。）を仮換地の指定又は使用収益の停止があった後に譲渡した場合の3,000万円控除の特例の適用は次による（措通35-3）。

(1) 従前の宅地の所有者（借地権者を含む。）が，仮換地にその居住用家屋（居住の用に供されなくなったものを含む。）を有する場合，その宅地はその家屋の敷地の用に供されているものとして取り扱う。

(2) 居住用家屋の移転又は除却（土地区画整理事業等のために行われるものに限る。）後の家屋の敷地である宅地の譲渡（換地処分による譲渡を除く。）で，家屋がその居住の用に供されなくなった日から次に掲げる日のうちいずれか遅い日までの間にされたものは，居住用財産の3,000万円控除の特例に該当するものとして取り扱う。

　イ　家屋が居住の用に供されなくなった日以後3年を経過する日の属する年の12月31日

　ロ　家屋を居住の用に供されなくなった日から1年以内に仮換地の指定があった場合（仮換地の指定後において居住の用に供されなくなった場合を含む。）は，仮換地の使用又は収益を開始することができることとなった日以後1年を経過する日

⑤ 家屋と土地等の所有者が異なる場合の特別控除の取扱い

(1) 家屋と土地等の所有者が異なる場合とは

　居住用財産を譲渡した場合の特例は，原則として家屋の所有者の譲渡所得に対して受けることができる。家屋と家屋の敷地である土地等の所有者が異なる場合，土地等の譲渡所得に対しては特例の適用はできない。

　近年は父親の土地を使用貸借により借り受け，子が居住用家屋を建築して居住することはまれではない。また，将来を見据えて，父親も同居していることも多い。このような場合に，父親の土地の譲渡所得に対して居住用の特例の適用ができない

とすると，特例の本旨から外れることになる。

(2) 家屋と土地等の所有者が異なる場合の取扱い

家屋の所有者と土地等の所有者が異なる場合であっても，次の要件すべてに該当する場合，家屋の譲渡所得から控除しきれなかった金額を，土地等の譲渡所得から控除することができる（措通35-4）。

① 家屋とともにその敷地である土地等の譲渡があったこと。
② 家屋の所有者とその土地等の所有者とが親族関係を有し，かつ，生計を一にしていること。
③ 土地等の所有者は，家屋の所有者とともにその家屋を居住の用に供していること。

【ケース】

子Aは父Bの土地を使用貸借により借用して居住用家屋を建てて居住していた。AとBは生計を一にしてAの家屋に居住していた。その家屋と敷地を同時に売却した場合，Aの譲渡所得が3,000万円に満たなかった場合，満たない金額をBの譲渡所得から3,000万円を限度として控除することができる。特別控除額は家屋及び土地所有者2名合計で3,000万円である。

譲渡者	譲渡物件	譲渡所得	特別控除後の譲渡所得の計算
A	家屋	200万円	200万円－200万円＝0
B	土地	2,900万円	2,900万円－（3,000万円－200万円）＝100万円

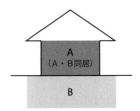

(3) 親族関係等の判定の基準

親族関係等の判定は次の基準による（措通35-4注1）。

イ　上記(2)②及び③の要件に該当するかどうかは，家屋の譲渡の時の状況により判定する。

ロ　家屋が居住の用に供されなくなった日以後3年を経過する日の属する年の12月31日までの間に譲渡されたものであるときは，(2)②の要件に該当するかどうかは，その家屋がその所有者の居住の用に供されなくなった時から家屋の

譲渡の時までの間の状況により判定する。

ハ　(2)③の要件に該当するかどうかは，家屋がその所有者の居住の用に供されなくなった時の直前の状況により判定する。

(4) 特別控除の限度額

上記の要件を具備する家屋の所有者が2人以上ある場合には，家屋の譲渡の満たない金額の合計額の範囲内で，土地等の所有者についてこの取扱いを適用する。つまり，家屋の所有者各人が居住用財産の3,000万円控除の特例を適用して，控除しきれなかった金額の合計額を，土地の所有者から控除することができる。

土地等の所有者が1人である場合には3,000万円を限度とし，土地等の所有者が2人以上である場合には，合計額の範囲内で土地等の所有者各人に任意に配分した金額として，土地等の所有者各人ごとに3,000万円を限度とする（措通35-4注2）。

(5) 居住用の損益通算の特例等との関係

この取扱いにより，居住用家屋の所有者以外の者が，家屋の敷地である土地等の譲渡で居住用財産の3,000万円控除の特例の適用を受ける場合には，家屋の所有者の譲渡で居住用財産の買換譲渡損失の特例又は特定居住用財産の譲渡損失の特例の適用を受けることはできない。

家屋の譲渡損が見込まれる場合，家屋の損失のみを捉えて居住用財産の買換譲渡損失の特例等の適用を受けることができないことに注意する。

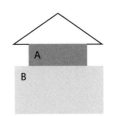

Aの譲渡損500万円（居住用買換譲渡損失の特例の適用はできない）

Bの譲渡益2,000万円
（3,000万円控除の特例適用）

6　借地権等が設定されている土地を譲渡した場合

居住用家屋の所有者が，家屋の敷地である借地権等が設定されている土地（以下「居住用底地」という。）の全部又は一部を所有している場合，家屋を取り壊しその居住用底地を譲渡したときの居住用財産の3,000万円控除の特例の適用については，措置法通達35-2（居住用土地等のみの譲渡）に準じて取り扱う。居住用底地が家屋とともに譲渡されているときは，家屋及び居住用底地の譲渡について居住用財産の3,000万円控除の特例の適用が認められる。

また，居住用家屋の所有者以外の者が，居住用底地の全部又は一部を所有してい

第3章　居住用財産の譲渡で使える特例　173

る場合の特例の適用については，措置法通達35-4（居住用家屋の所有者と土地の所有者が異なる場合の特別控除の取扱い）に準じて取り扱う（措通35-4の2）。

7 店舗等併用住宅について他の特例の適用を受ける場合

(1) 居住用部分と非居住用部分がある場合

収用代替えの特例等他の特例を適用した場合，居住用財産の3,000万円控除の特例の適用はない。しかし，譲渡した資産が居住用部分と非居住用部分とからなる家屋（家屋がその居住の用に供されなくなったものを含む。）又はその家屋の敷地の用に供されている土地等（その家屋の敷地の用に供されていたものを含む。）である場合，非居住用部分の譲渡についてのみ措置法第33条（措置法第33条の2第2項において準用する場合を含み，措置法令第22条第5項又は第6項《代替資産の特例》に規定する資産を代替資産とする場合に限る。），第33条の2第1項（措置法令第22条の2第2項《同種の資産の特例》において準用する措置法令第22条第5項に規定する資産を同種の資産とする場合に限る。），同第37条又は第37条の4の適用を受けることができる。非居住用部分の譲渡で，これらの規定の適用を受ける場合であっても，居住用部分の譲渡が居住用の3,000万円控除の特例の要件を満たすものである限り，特例を適用することができる（措通35-1）。

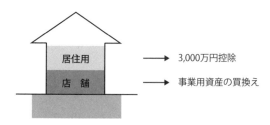

(2) 居住の用に供されなくなった後の利用状況

居住の用に供されなくなった後に譲渡した家屋又は土地等の居住用部分及び非居住用部分の判定は，居住の用に供されなくなった時の直前における利用状況に基づいて行い，居住の用に供されなくなった後の利用状況は，この判定には関係がない。

(3) 居住の用に供されなくなった後に事業用等に転用した場合

居住の用に供されなくなった後に，居住用部分の全部又は一部を他の用途に転用した家屋又は土地を譲渡し，転用後の用途に基づいて措置法第33条，第33条の2第1項，第37条又は第37条の4の適用を受ける場合には，居住用部分の譲渡については，居住用財産の3,000万円控除の特例の適用はない。

8 居住用財産の軽減税率の特例に関する取扱いの準用

譲渡した家屋若しくは土地等が，措置法第35条第1項の規定の譲渡資産に該当するかどうかの判定等は，次の措置法通達の取扱いに準じる（措通35-6）。

- ・31の3-2　（居住用家屋の範囲）
- ・31の3-6　（生計を一にする親族の居住の用に供している家屋）
- ・31の3-7　（店舗兼住宅等の居住部分の判定）
- ・31の3-8　（店舗等部分の割合が低い家屋）
- ・31の3-9　（「主としてその居住の用に供していると認められる一の家屋」の判定時期）
- ・31の3-10　（居住用家屋の一部の譲渡）
- ・31の3-11　（居住用家屋を共有とするための譲渡）
- ・31の3-12　（居住用家屋の敷地の判定）
- ・31の3-13　（「災害」の意義）
- ・31の3-14　（災害滅失家屋の跡地等の用途）
- ・31の3-15　（居住の用に供されなくなった家屋が災害により滅失した場合）
- ・31の3-17　（権利変換により取得した施設建築物等の一部を取得する権利等の譲渡）
- ・31の3-18　（居住用家屋の敷地の一部の譲渡）
- ・31の3-20　（特殊関係者に対する譲渡の判定時期）
- ・31の3-21　（「生計を一にしているもの」の意義）
- ・31の3-22　（同居の親族）
- ・31の3-23　（「個人から受ける金銭その他の財産によって生計を維持しているもの」の意義）
- ・31の3-24　（名義株についての株主等の判定）
- ・31の3-25　（会社その他の法人）
- ・31の3-26　（住民票の写しの添付ができない場合）
- ・31の3-27　（買換資産を取得できなかった場合の軽減税率の適用）

2 特例の適用ができない譲渡の相手及び併用特例

1 譲渡の相手方の制限

譲渡の相手方の制限については本章1-3を参照のこと（措法35②，措令23，措令20の3①）。

2 併用して適用が受けられない特例

(1) 他の特例と重複している場合（措法35①）

- ① 固定資産の交換の特例（所法58）
- ② 収用代替の特例（措法33）
- ③ 交換処分等の特例（措法33の2）
- ④ 換地処分等の特例（措法33の3）
- ⑤ 収用交換等の5,000万円控除の特例（措法33の4）

⑥ 特定の事業用資産の買換えの特例（措法37）
⑦ 特定の事業用資産の交換の特例（措法37の4）
⑧ 特定普通財産と隣接土地等の交換の特例（措法37の8）

(2) 譲渡の年の前年又は前々年に下記の特例の適用を受けている場合（措法35①）

① 居住用財産の3,000万円控除の特例（措法35）
② 居住用財産の買換譲渡損失の特例（措法41の5）
③ 特定居住用財産の譲渡損失の特例（措法41の5の2）

(3) 譲渡の年，前年又は前々年に下記の特例の適用を受けている場合（措法35①，36の2①，36の5）

① 特定の居住用財産の買換えの特例（措法36の2）
② 特定の居住用財産の交換の特例（措法36の5）

3 申告にあたっての要点

1 申告要件

　居住用財産の3,000万円控除の特例は，適用を受けようとする年分の確定申告書に，措置法第35条第1項の規定の適用を受ける旨の記載があり，その他の財務省令で定める事項の記載があり，かつ次の「確定申告の手続要領」に記載した書類の添付がある場合に限り適用がある（措法35⑪）。

2 確定申告の手続要領

1　「申告書第3表（分離課税用）」の「特例適用条文」欄に「措法35条1項」と記入する。
2　「譲渡所得の内訳書（確定申告書付表兼計算明細書）」。
3　譲渡契約締結日の前日において譲渡をした者の住民票に記載されていた住所と譲渡をした資産の所在地とが異なる場合その他これに類する場合，戸籍の附票の写し，消除された戸籍の附票の写しその他これらに類する書類で居住事実を明らかにするもの
（措法35②，措規18の2②一）

3 確定申告書の提出がなかった場合

　確定申告書の提出がなかった場合，又は必要事項の記載若しくは必要書類の添付がない確定申告書の提出があった場合，提出又は記載若しくは添付がなかったことについてやむを得ない事情があると税務署長が認めるときは，必要事項を記載をし

た書類及び財務省令で定める書類の提出があった場合に限り，居住用の3,000万円控除の特例を適用することができる（措法35⑫）。

事例　　　　　　　　　　　　　　　　　　　　　　CASE STUDY
こんな場合は適用できない?!

Q　一部使用貸借による建物の敷地の譲渡益に対する特例の適用

子Aは家屋と敷地の一部を所有し，一部は父Bの土地を使用貸借により借用して居住していた。BはAと生計を一にしてAの家屋に同居していた。その家屋と敷地を同時に売却したため，居住用の特例を受けたいと考えている。Bが所有していた土地の譲渡益に対しても居住用の特例を受けることができるか。

譲渡者	譲渡物件	譲渡所得
A	家屋・土地	1,200万円
B	土地	2,500万円

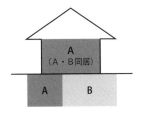

A

家屋の所有者と敷地の所有者が異なっているときでも，同居等の要件を満たせば家屋の所有者の譲渡所得金額から控除しきれない特別控除額を，土地所有者の譲渡益から控除することができる（措通35－4）。

事例の場合，A及びBは生計を一にし同居しており，Aの所有する家屋及び土地の譲渡所得が3,000万円に満たないことから，満たない金額をBの譲渡所得から3,000万円を限度として控除することができる。特別控除額は家屋及び土地所有者2名合計で3,000万円である。

〔譲渡所得の計算〕

譲渡者	譲渡物件	譲渡所得	特別控除後の譲渡所得の計算
A	家屋・土地	1,200万円	1,200万円－1,200万円＝0
B	土地	2,500万円	2,500万円－(3,000万円－1,200万円) ＝700万円

Q 借地権者が底地所有者と同時に譲渡した場合の底地の特例の適用

子Aは家屋及び借地権を所有し居住していた。土地（底地）所有者は父Bであり，家屋及び土地を同時に譲渡した。BはAと生計を一にし，Aの家屋に同居していた。Bの譲渡所得から3,000万円の特別控除を適用できるか。

譲渡者	譲渡物件	譲渡所得
A	家屋・借地権	2,500万円
B	土地（底地）	900万円

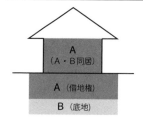

A

借地権者が居住用家屋とともにその借地権を譲渡した場合，底地の所有者が同時にその土地を譲渡したとしても，3,000万円の特別控除の適用はない。

ただし，AとBで地代の授受がない場合等底地の使用貸借と認められ，生計が一であり同居している場合，Aの譲渡益から控除しきれない部分をBの譲渡益から控除することができる。特別控除額は家屋及び土地所有者2名合計で3,000万円である。

〔譲渡所得の計算〕

譲渡者	譲渡物件	譲渡所得	特別控除後の譲渡所得の計算
A	家屋・土地	2,500万円	2,500万円－2,500万円＝0
B	土地	900万円	900万円－(3,000万円－2,500万円) ＝400万円

Q 借地権の使用貸借をしている底地を取得した場合

Aは家屋を建築するに当たって，借地権者の父Bから借地権を使用貸借により借

入れた。その後底地を買取った。この時「借地権者の地位に変更がない旨の届出書」を提出した。この家屋及び土地を同時に譲渡した。A及びBは同居し，生計を一にしている。

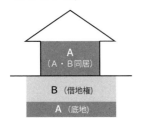

A

　Aの所有する底地は家屋の敷地であるので特例の適用ができる。借地権者Bの特例は，Aの譲渡益の控除不足額をBの譲渡益から控除できるが，特別控除額は家屋及び土地所有者2名合計で3,000万円である。

　なお，Bの譲渡益の控除不足額に対して，Bの借地権の所有期間が10年を超えていれば軽減税率の適用ができる。

Q　同一年中に居住用財産を二つ譲渡した場合

　AはX0年3月に，30年ほど居住していた甲市の土地建物を4,500万円で譲渡し，譲渡益が2,000万円あった。譲渡代金で乙市の土地建物を購入し居住していたが事情があり同年11月に譲渡した。この時の譲渡益は300万円であった。同一年中に二つの居住用財産を譲渡した場合でも特例の適用を受けられるか。

甲市家屋	X－30年　5月	取得	2,000万円
	X0年　6月	譲渡	4,500万円
	X0年　7月	乙市家屋へ転居	
	分離長期譲渡所得		2,500万円
乙市家屋	X0年　7月	取得	5,000万円
	X0年　7月	甲市家屋から転入	
	X0年12月	譲渡	5,300万円
	分離短期譲渡所得		300万円

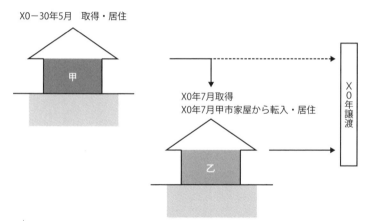

A

　同一年中に複数回居住用財産の譲渡があった場合でも特例の適用は制限されていない。居住用財産に該当すれば，それぞれの譲渡所得について特例の適用を受けることができる。ただし，同一年で受けることができる特別控除額は3,000万円が限度である。

　なお，分離長期譲渡所得と分離短期譲渡所得がある場合，特別控除額は短期譲渡所得から先に控除する。納税者有利となっている。

【譲渡所得の計算】

譲渡物件	譲渡所得区分	特別控除後の譲渡所得の計算
乙市	分離短期譲渡所得	5,300万円－5,000万円－300万円（特別控除）＝0
甲市	分離長期譲渡所得	4,500万円－2,000万円－（3,000万円－300万円）（特別控除）＝－200（⇒0）

Q　居住しなくなった後で相続により取得した場合の特例適用

　Aは甲市の土地家屋を所有し，配偶者Bとともに長年居住していたが，X0年12月に乙市に住む長男の家に転居した。X1年1月にAが死亡しBが甲市の土地家屋を相続した。BはX2年5月にその土地家屋を譲渡した。居住用財産の特例の適用を受けることができるか。

A

　Bはかつてその家屋に居住しており，相続により取得し居住の用に供さなくなって3年以内に譲渡している。しかし，Bはその家屋に居住の事実があるが，その家屋の所有者として居住したことがないため居住用財産の特例の適用を受けることはできない。

Q 居住が短期間である場合

X年2月に新築した家屋に家族で居住を開始した。同年3月に所有者が事故で死亡し，配偶者がその家屋を相続した。配偶者は同年5月に家屋を譲渡した。短期間に譲渡益が生じたが措法35条の特例の適用を受けられるか。

A

居住期間の長短は特例適用の要件ではない。設例のように，実際に居住しており，また特殊な事情により短期間で譲渡せざるを得ないような場合は，特例の適用を受ける目的で居住したものではないことが明白であることから，特例の適用が受けられる。

Q 譲渡時に賃借人のいないアパートを譲渡した場合

自宅の2階を3室に区分してアパートとして貸し付けていた。譲渡する3年前から入居者がおらず空室だったため，家屋全体を居住用として3,000万円控除の特例の適用を受けて申告した。

A

家屋を旅館，店舗，アパート等事業や賃貸で利用してきた場合，その事業の廃止により空室となることがある。特に居住用家屋の一部を貸し付ける等しており，譲渡の時に空室となっているような場合，自然と居住用となるわけではない。居住用はあくまでも居住用として利用していた部分に限られる。居住用として使用していない部分は特例の対象とならない。

Q 別宅として使用している家屋の場合

配偶者や子供たちと住んでいる居住用家屋があるが，2年前に死亡した父の住んでいた実家の家屋に住民票を移し，時折立ち寄り，本を読んだり音楽を聴いたりして居住用家屋として使用していた。

A

家族が居住する主たる家屋がある。別荘若しくは別宅として使用している家屋は一時的な居住とみられ，特例の対象とならない。居住用家屋が2つ以上ある場合は主として居住の用に供している家屋しか認められない。配偶者や子供が居住する家屋が譲渡者の主たる居住用家屋でないことを証明できない限り，実家の家屋は譲渡者の居住用家屋として認められないと考える。

Q 居住用家屋を取り壊し，貸付け等で利用していた場合

昨年2月に居住用家屋を取り壊した。昨年4月に更地となった土地を近隣のマンション建築のため，建築業者に対して駐車場と建築資材置き場として貸し付ける賃

貸借契約を結んだ。

　今年10月に，建築業者との賃貸借契約を解除し，12月に，更地となった土地を譲渡した。居住用財産の3,000万円控除の特例の適用を受けたいと考えている。

A

　家屋を取り壊して譲渡した場合，次の要件を満たせば居住用財産の3,000万円控除の特例の適用が受けられる（措通35-2）。

① 譲渡契約が家屋を取り壊した日から1年以内に締結され，かつ，その家屋を居住の用に供さなくなった日以後3年を経過する日の属する年の12月31日までに譲渡したこと。

② その家屋を取り壊した日から譲渡契約を締結した日まで，その土地を貸付け等の用に供していないこと。

　本件の場合は上記①②のどちらにも該当しないため，3,000万円控除の特例の適用はできない。

Q　同一敷地内に居住用部分と非居住用部分がある場合

　譲渡した土地の上に居住用家屋（2階建て）と非居住用家屋（平屋）があった。この場合土地の利用状況はどのように区分するのか。

A

　同一敷地内に居住用部分と非居住用部分がある場合，利用状況を適切に判断して区分する。区分が難しい場合は，それぞれの家屋の1階の床面積の比で按分計算する。この場合総床面積を基に計算するのではないことに留意する。

> 措置法第36条の2、第36条の5

4 特定の居住用財産の買換え・交換の特例

　「特定の居住用財産の買換えの場合の長期譲渡所得の課税の特例」（以下「特定の居住用財産の買換えの特例」という。）及び「特定の居住用財産を交換した場合の長期譲渡所得の課税の特例」（以下「特定の居住用財産の交換の特例」という。）は、所有期間が10年を超え、10年以上居住していた居住用財産を譲渡し、譲渡価額以上の居住用財産を買い換えた場合、又は交換により取得した場合に所得が発生せず、譲渡価額に満たない金額で買換えが行われた場合にその差益に対して課税が行われる特例である。居住用財産の3,000万円控除の特例を適用しても高額な譲渡益が生じる場合に活用される。高額な譲渡益が生じているにもかかわらず税負担がないことに対する批判があったために、平成22年、23年の譲渡は譲渡価額2億円以下、平成24年、25年の譲渡は譲渡価額1.5億円以下、平成26年分以降の譲渡は譲渡価額1億円以下の要件が加わっている。特定の居住用財産の買換えの特例は特定の居住用財産の交換の特例と要件が同じであるためこの項で解説する（以下合わせて「特定の居住用財産の買換等の特例」ともいう）。

1 特例の適用要件

1 特例の内容

　特定の居住用財産の買換等の特例の内容は次のとおりである（措法36の2①、36の5①）。

① 国内にある家屋であること。
② 譲渡者がその居住の用に供している家屋及びその敷地である土地等であること。
③ 家屋及び土地等の所有期間が、譲渡の年の1月1日において10年を超えていること。
④ 譲渡者が10年以上居住していること。

⑤	譲渡の対価の額が1億円以下であること。
⑥	居住の用に供されなくなった日から3年を経過する日の属する年の12月31日までに譲渡された家屋であること。
⑦	居住用家屋又はその敷地を取得し，居住の用に供すること。

2 特例の適用期間

特定の居住用財産の買換等の特例は，1993年（平成5年）4月1日から2023年（令和5年）12月31日までの譲渡に適用される。

2 譲渡資産の要件

1 譲渡資産の所有期間

譲渡した資産の要件の基本は，10年を超えて所有し，かつ，10年以上居住していることである（以下「譲渡資産」という。）。

(1) 家屋及び土地等の所有期間

特例の対象となるのは，居住の用に供している家屋及び家屋の敷地である土地等の所有期間が，譲渡した年の1月1日において10年を超えていなければならない（措法36の2①，措通36の2-1）。

(2) 家屋と土地の所有期間が異なっている場合

① 家屋及び土地等の譲渡があった場合，そのいずれか一方の資産についてのみ特例を適用することはできない（措通36の2-1注1）。

② 家屋とともに土地等の譲渡があった場合，家屋又は土地等のいずれか一方が譲渡した年の1月1日において所有期間が10年以下であるときは，，特定の居住用財産の買換等の特例を適用することはできない（措通36の2-1注2）。

2 居住の用に供さなくなった日以後3年を経過する日の属する年の譲渡

(1) 居住用買換等の特例が受けられる空き家等の期間

特定の居住用財産の買換等の特例の適用を受けるためには，譲渡者が居住の用に供されなくなった日から3年を経過する日の属する年の12月31日までに譲渡しなければならない（措法36の2①）。

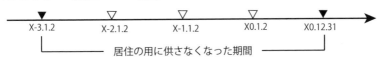

(2) 空き家にしてから譲渡するまでの家屋の利用

居住の用に供されなくなった日以後譲渡するまでの間，この家屋がどのような形で利用していたものであっても構わない。自用はもちろん，放置していた場合や貸し付けていた場合でも特定の居住用財産の買換等の特例が適用できる（措通36の2-23，31の3-7注）。

3 家屋の居住期間の判定

(1) 家屋の居住期間

居住用家屋の居住期間とは，譲渡者がその家屋のある場所に居住していた期間をいう。居住期間が10年以上であることが要件である（措法36の2①1，措令24の2⑥，措通36の2-2）。

(2) 10年以上の居住の判定

譲渡者が家屋に10年以上居住していたかどうかは，次により判定する。

① 譲渡した家屋に居住していなかった期間がある場合は，居住していなかった期間を除きその前後の居住していた期間を合計する（措通36の2-2(1)）。

② 居住期間に該当するかどうかの判定については，措置法通達31の3-2（居住用家屋の範囲）及び同31の3-6（生計を一にする親族の居住の用に供している家屋）に準じて取り扱う（措通36の2-2(2)）。

③ 譲渡した土地等が，土地区画整理法による土地区画整理事業，新都市基盤整備法による土地整理若しくは大都市地域住宅等供給促進法による住宅街区整備事業又は都市再開発法による第一種市街地再開発事業若しくは密集市街地における防災街区の整備の促進に関する法律による防災街区整備事業による換地処分又は権利変換（以下「換地処分等」という。）によって取得したものである場合，譲渡者が換地処分等に係る従前の家屋に居住していた期間は，居住期間に含まれない（措通36の2-3）。

④ 譲渡した家屋の居住期間を計算する場合，その家屋が譲渡者以外の者が所有する期間があっても，譲渡者がその家屋に居住していた期間は居住期間に含まれる（措通36の2-4）。借家として居住していた建物を買い取ってそのまま居住したような場合のことをいう。

⑤ 家屋の建替えのために一時的に他の家屋に転居し居住していた場合は，その期間も含めて計算する（措通36の2-5）。

4 譲渡価額の制限

(1) 譲渡価額

譲渡の対価の額（譲渡価額）が1億円を超える場合は，特例の適用を受けることができない（措法36の2①）。

(2) 譲渡の年の前年又は前々年に譲渡がある場合

譲渡した日の属する年又は前年若しくは前々年に，その譲渡資産と一体として居住の用に供されていた家屋又は土地等を譲渡している場合（以下「前3年以内の譲渡」という。），前3年以内の譲渡の額と譲渡資産の譲渡の額との合計額が1億円を超えることとなるときは特例の適用ができない（措法36の2③）。

この場合の譲渡には，「収用交換等の5,000万円控除の特例（措法33条の4）」「特定土地区画整理事業等の2,000万円控除の特例（措法34）」「特定住宅地造成事業等の1,500万円控除の特例（措法34の2）」（以下「収用交換等の特例」という。）は除かれる。

(3) 譲渡の年の翌年又は翌々年に譲渡がある場合

譲渡した日の属する年の翌年又は翌々年に，その譲渡資産と一体として居住の用に供されていた家屋又は土地等を譲渡した場合，譲渡の額と譲渡資産の譲渡の額（前3年以内の譲渡がある場合には，その合計額）との合計額が1億円を超えることとなったときは，特例の適用ができない（措法36の2④）。この場合の譲渡には，収用交換等の特例は除かれる。

つまり，譲渡した年の前後5年以内に居住用財産を分割して譲渡した場合，その合計額が1億円を超える場合は特定の居住用財産の買換等の特例の適用ができないことになる。

(4) 譲渡価額の適用年分

譲渡価額の制限は次のように年により異なることに留意する。

適用期間	特例適用限度譲渡価額
平成22年1月1日～平成23年12月31日	2億円以下
平成24年1月1日～平成25年12月31日	1億5千万円以下
平成26年1月1日～令和5年12月31日	1億円以下

5 譲渡価額の判定

(1) 譲渡資産の譲渡に係る対価の額

「譲渡資産の譲渡に係る対価の額（以下「譲渡対価」という。）」とは，例えば譲渡協力金，移転料等のような名義のいかんを問わず，その実質において譲渡資産の

譲渡の対価たる金額をいう（措通36の2-6）。

(2) 1億円の判定

譲渡の年の前後2年以内に居住用土地の一部を譲渡した場合の譲渡対価が1億円を超えるかどうかは次により判定する（措通36の2-6の2）。

イ 譲渡資産が共有である場合

所有者ごとの譲渡対価により判定する。

ロ 譲渡資産が店舗兼住宅等及びその敷地である土地等である場合

居住の用に共している部分に対応する譲渡対価により判定する。

ただし，これにより計算したその居住の用に供している部分がそれぞれ家屋又は土地等のおおむね90％以上である場合，措置法通達31の3-8（店舗部分の割合が低い家屋）に準じて，その家屋又は土地等の全部を居住の用に供している部分に該当するものとして取り扱うときは，家屋又は土地等の全体の譲渡価額により判定する。

(イ) 家屋のうち居住用部分の譲渡対価の計算

$$\text{家屋の譲渡価額} \times \frac{\text{家屋のうちその居住の用に専ら供している部分の床面積A} + \text{家屋のうち居住の用と居住の用以外の用とに併用されている部分の床面積}}{\text{家屋の床面積}} \times \frac{A}{A + \text{居住の用以外の用に専ら供されている部分の床面積}}$$

(ロ) 土地等のうち居住用部分の譲渡対価の計算

$$\text{土地等の譲渡価額} \times \frac{\text{土地等のうちその居住の用に専ら供している部分の面積} + \text{土地等のうち居住の用と居住の用以外の用とに併用されている部分の面積}}{\text{土地等の床面積}} \times \frac{\text{家屋の床面積のうち(イ)の算式により計算した居住の用に供している部分の床面積}}{\text{家屋の床面積}}$$

ハ 災害により滅失した居住用家屋の敷地である土地等に区画形質の変更等を加えて譲渡した場合

所得税基本通達33-4（固定資産である土地に区画形質の変更等を加えて譲渡した場合の所得）及び同33-5（極めて長期間保有していた土地に区画形質の変更等を加えて譲渡した場合の所得）により譲渡所得となる部分について特定の居住用財産の買換等の特例を適用する場合は，譲渡対価の額のうち譲渡所

得となる部分の対価の額により判定する。
    ニ　家屋の所有者とその家屋の敷地の所有者が異なる場合
　　　措置法通達36の2-19（居住用家屋の所有者とその敷地の所有者が異なる場合の取扱い）により，これらの者がともに特定の居住用財産の買換等の特例の適用を受ける旨の申告をするときは，家屋及び土地等の譲渡価額の合計額により判定する。
(3)　**贈与等による場合**
　譲渡が贈与又は著しく低い価額の対価による場合（以下「贈与等」という。），贈与等の時の価額に相当する金額を譲渡対価の額として判定する（措令24の2⑨）。
　贈与等の時の価額とは譲渡の時における通常の取引価額（時価）をいう。なお，その譲渡が，著しく低い価額の対価による譲渡に該当するかどうかは，その譲渡の時における通常の取引価額の2分の1に相当する金額に満たない金額かどうかにより判定する（措通36の2-6の4）。

6　**譲渡資産と一体として居住の用に供されていた家屋又は土地等の判定**
(1)　**譲渡資産と一体の判定**
　譲渡をした資産が，譲渡資産と一体として個人の居住の用に供されていた家屋又は土地等に該当するかどうかは，社会通念に従い，それぞれ次に掲げる時の利用状況によって判定する。譲渡価額の要件である1億円を超えそうな場合に，庭先の一部を先行して譲渡するなどが想定される。そのため，もとより居住用家屋及びその敷地として使用していた土地等を分割して，非居住用として譲渡した場合の判定の基準を設けたものである（措通36の2-6の3）。

①　譲渡資産を譲渡する以前に譲渡している資産（③に掲げる資産を除く。）	・その資産を譲渡した時
②　譲渡資産を譲渡した後に譲渡をしている資産（③に掲げる資産を除く。）	・譲渡資産を譲渡した時
③　譲渡資産を譲渡した時に居住の用に供されていないため，その居住の用に供されなくなった時の直前における利用状況により特例の適用を受ける場合において，居住の用に供されなくなった後に譲渡をしている資産	・居住の用に供されなくなった時の直前

(2)　**一時的に居住用以外に使用した場合**
　特定の居住用財産の買換等の特例の適用を受けるためのみの目的で，上記(1)①②③に掲げる時の前に一時的に居住の用以外の用に供したと認められる部分については，譲渡資産と一体として居住の用に供されていた家屋又は土地等に該当する（措

通36の2-6の3注1)。

例えば，庭先の一部を駐車場等として第三者に貸し付けるなどが考えられる。

(3) **所有期間が10年以下である底地等**

譲渡の年の1月1日において，所有期間が10年以下である底地や買増しした庭の一部のように，特定の居住用財産の買換等の特例の適用対象とならないものも，譲渡資産と一体として居住の用に供されていた家屋又は土地等に該当する（措通36の2-6の3注2)。

例えば，譲渡直前に底地を取得して短期譲渡所得に該当する部分があった場合でも，一体として判断することになる。

7 **低額譲渡等**

特定の居住用財産の買換等の特例は譲渡価額と買換価額に着目して課税関係を構築している。譲渡の場合及び買換えの場合それぞれ対価を伴わない贈与等による取得は特例の適用はできない。低額売買があった場合は時価と売買価額との差額は贈与とみなして，その部分は特例適用の対象とならない。

譲渡資産の譲渡が所得税法第59条第1項第2号《法人に対する著しく低い価額の対価による譲渡》に該当するもの，又は買換資産（措置法第36条の2第1項に規定する買換資産をいう。）の取得が相続税法第7条（贈与又は遺贈により取得したものとみなす場合）に該当する場合の特定の居住用財産の買換等の特例（措置法第36条の2第2項において準用する場合を含む。）の適用は次の通りである（措通36の2-6の5)。

(1) **譲渡資産の場合**

譲渡の日における譲渡資産の価額から譲渡の対価の額を控除した金額に相当する部分については，贈与による譲渡があったものとする。贈与による譲渡があったものとする部分の金額は，「譲渡資産の譲渡による収入金額」に含まないものとする。

この場合，贈与による譲渡があったものとする部分以外の部分の取得費は，その譲渡資産の取得費に，譲渡の対価の額が譲渡資産の譲渡の日における価額のうちに占める割合を乗じて計算した金額とする。

(2) **買換資産の場合**

取得の日における資産の価額から取得の対価の額を控除した金額に相当する部分については，贈与による取得があったものとする。贈与による取得があったものとする部分の金額は買換資産の取得価額に含まないものとする。

3 買換資産の要件

1 買換資産

買換資産は次のとおりである（措法36の2，措令24の2③，措規18の4）。

(1) 買換資産は日本国内に所在していること。
(2) 譲渡者の居住用家屋及び土地等であること。
(3) 居住用家屋の要件

居住用家屋は，次の区分に応じたものをいう（措令24の2③）。

家屋の区分	内容
① 建築後使用されたことのない家屋	イ 一棟の家屋の床面積のうち居住の用に供する部分の床面積が50㎡以上であるもの ロ 一棟の家屋のうちその独立部分（一棟の家屋でその構造上区分された数個の部分を独立して住居その他の用途に供することができるもののその部分をいう。）を区分所有する場合には，その独立部分の床面積のうち居住の用に供する部分の床面積が50㎡以上であるもの ハ 家屋を令和6年1月1日以後に居住の用に供した場合又は供する見込である場合，特定居住用家屋 (*2) は，除かれる。
② 建築後使用されたことのある家屋で耐火建築物 (*1) に該当するもの	①イ又はロに掲げる家屋（その取得の日以前25年以内に建築されたもの又は建築基準法施行令第3章及び第5章の四，若しくは地震に対する安全性に係る基準（以下「建築基準等」という。）に適合することにつき財務省令で定めるところにより証明がされたものに限る。）
③ 建築後使用されたことのある家屋で耐火建築物に該当しないもの	①イ又はロに掲げる家屋（その取得の日以前25年以内に建築されたもの又は譲渡の日の属する年の12月31日（措置法第36条の2条第2項において準用する場合は，同条第2項に規定する取得期限）までに建築基準等に適合することにつき財務省令で定めるところにより証明がされたものに限る。）

* 1 「耐火建築物」とは，建物の主たる部分の構成材料が石，レンガ，コンクリートブロック，鉄骨，鉄筋コンクリート，鉄骨鉄筋コンクリート造りとなっているものをいう（措規18の4）。
* 2 「特定居住用家屋」とは，措置法第41条第25項に規定する家屋で，省エネ基準を満たしていない家屋をいう。

(4) 床面積

上記(3)の家屋の床面積は，次による（措通36の2-14）。

家屋の区分	床面積の判断
① (3)①イの家屋の床面積	・各階ごとに壁その他の区画の中心線で囲まれた部分の水平投影面積（登記簿上表示される面積）による。

② (3)①ロの独立部分の床面積	・壁その他の区画の内側線で囲まれた部分の水平投影面積（登記簿上表示される面積）による。床面積には，数個の独立部分に通ずる階段，エレベーター室等共用部分の面積は含まれない。

(5) 家屋の敷地の用に供する土地等（以下「買換土地等」という。）は，面積が500㎡以下であること（措令24の2③2）。

(3)①ロの家屋の場合，家屋の床面積のうちに区分所有する独立部分の床面積の占める割合を乗じて計算した面積とする。

買換土地等に該当するかどうかは，措置法通達31の3-12（居住用家屋の敷地の判定）に準じて判定する（措通36の2-8）。

(6) 2024年（令和6年）1月1日以後に建築確認を受ける住宅（登記簿上の建築日付が同年6月30日以前のものを除く。）又は建築確認を受けない住宅で登記簿上の建築日付が同年7月1日以降のものである場合の要件に，その住宅が一定の省エネ基準を満たすものであること。

2 買換家屋の床面積要件及び買換土地等の面積要件の判定

買換家屋の床面積（50㎡以上）及び買換土地等の面積（500㎡以下）の要件の具体的判定をする場合，次の点に留意する（措通36の2-13）。

家屋の状況	判定
① 居住用床面積が50㎡以上であるかどうかを判定する場合	・家屋と一体として利用される離れ屋，物置等の附属家屋は，家屋に合わせて判定する。
② 家屋又は土地等が共有の場合	・家屋の全体の床面積（区分所有家屋は，その独立部分の床面積）又は土地等の全体の面積（土地等が区分所有家屋の敷地の場合，土地等の全体の面積に，区分所有する独立部分の床面積の占める割合を乗じて計算した面積）で判定する。
③ 家屋が店舗兼住宅等である場合	・家屋については措置法通達31の3-7（店舗兼住宅等の居住部分の判定）に準じて計算した居住用部分の床面積により判定する。 ・土地等は店舗兼住宅等の敷地である土地等の全体の面積によって判定する。 ・なお，居住用部分の床面積が家屋の床面積のおおむね90％以上である場合，措置法通達36の2-7（店舗兼住宅等の居住部分の判定）に準じて家屋の全部を居住用として判定した場合は，家屋の全体の床面積で判定する。

④ 取得した仮換地を居住の用に供したことで，措置法通達36の2-18（仮換地の指定されている土地等の判定）に準じて特例を適用する場合	・仮換地の面積で判定する。	
⑤ 家屋が床面積要件を満たさない場合	・土地等の面積が500㎡以下のものであっても，特例の買換資産に該当しない。	
⑥ 買換資産の取得期間内に取得をした土地等とその他の土地等がある場合	・買換資産の取得期間内に取得（相続，遺贈又は贈与による取得を除く。）をした土地等の合計面積により判定する。	
⑦ 譲渡した家屋の所有者と土地等の所有者が異なる場合	・措置法通達36の2-19（居住用家屋の所有者とその敷地の所有者が異なる場合の取扱い）により，これらの者がともに特例の適用を受ける旨の申告をするときは，これらの者が取得をした家屋の全体の床面積及び取得した土地等の面積の合計面積により判定する。	
⑧ 借地権又は借地権の設定されている土地（底地）を取得した場合	・借地権の目的となっている土地又は借地権の設定されている土地の面積による（措通36の2-15）。	

③ 買換資産を一括取得した場合の取得価額の区分

買換資産に該当する家屋と土地等を一の契約により取得した場合，家屋及び土地等のそれぞれの取得価額は次による区分をする（措通36の2-9）。

契約内容	区分の判断
① 家屋及び土地等の価額が当事者間の契約において区分されており，かつ，その区分された価額が家屋及び土地等の取得の時の価額としておおむね適正なものであるとき	・契約により明らかにされている価額による。
② 家屋及び土地等の価額が当事者間の契約において区分されていない場合	・家屋及び土地等が建設業者から取得したものであって，建設業者の帳簿書類に家屋及び土地等のそれぞれの価額が区分して記載されている等それぞれの価額がその取得先等において確認され，かつ，その区分された価額が取得の時の価額としておおむね適正なものであるときは，その価額による。
③ ①及び②により難いとき	・一括して取得した家屋及び土地等の取得の時における価額の比によりあん分して計算した金額による。

4　店舗兼住宅等の居住部分の判定

　家屋又はその敷地に居住の用以外の用に供する部分がある場合の判定は、措置法通達31の3-7（店舗兼住宅等の居住部分の判定）に準じて取り扱う（措通36の2-7）。

　この計算により居住の用に供する部分の面積が家屋又は土地等の面積のおおむね90％以上となるときは措置法通達31の3-8（店舗部分の割合が低い家屋）に準じて全部が居住用と取り扱われる。

5　立退料等を支払って貸地の返還を受けた場合

　土地を他人に使用させていた者が、立退料等を支払って、借地人から貸地の返還を受けた場合には、借地権等に相当する部分の取得があったものとし、支払った金額を借地権等に相当する部分の取得価額として特例（措置法36の2条第2項において準用する場合を含む。）を適用することができる。

　支払った金額の中に、借地人から取得した建物、構築物等で土地の上にあるものの対価等、借地権等の対価以外の対価に相当する金額があるときは、その金額は除く（措通36の2-10）。

6　元から所有する土地を宅地に造成した場合

　譲渡者の所有する土地を居住の用に供するために地盛り、切土等して宅地の造成をすることがある。この場合、その費用の額が相当の金額に上り、実質的に新たに土地を取得したことと同様であると認められるときは、その造成は完成の時に新たな土地の取得があったものとし、費用の額を取得価額として特例（措置法36の2条第2項において準用する場合を含む。）を適用することができる（措通36の2-11）。

7　買換資産を改良、改造等した場合

　譲渡者が既に所有する家屋又は土地等を居住の用に供するため改良、改造等（以下「改良等」という。）を行った場合、その改良等は、措置法通達36の2-11（宅地の造成）に定めるものを除き買換資産の取得には当たらない。ただし、買換資産の取得期間（後記「買換資産の取得期限」）内にされた買換資産に該当する家屋又は土地等の取得に伴って、買換資産の取得期間内に次に掲げる改良等が行われた場合、その改良等は買換資産の取得に当たるものとして、特例（措置法第36条の2第2項において準用する場合を含む。）を適用することができる（措通36の2-12）。

　①　家屋又は土地等を居住の用に供するために改良等を行った場合。

　②　家屋の取得に伴って次に掲げる資産（事業又は事業に準ずる不動産の貸付け

の用に供されるものを除く。）の取得をした場合。なお，この場合，既存の居住用家屋に新たに取得したものは，買換資産に該当しないことに留意する。
　　イ　車庫，物置その他の附属建物（家屋の敷地内にあるものに限る。）又は建物に係る建物附属設備
　　ロ　石垣，門，塀その他これらに類するもの（家屋の敷地内にあるものに限る。）

8　居住用家屋と敷地の所有者が異なる場合

　居住用の住宅では使用貸借等によって父親の土地の上に子が建物を建てて同居していることが多くある。このような状況の土地建物を譲渡した場合に土地所有者に居住用の特例の適用を制限されると酷なことになる。居住用買換等の特例においても，一定の要件の下，特例の適用が認められる。

　家屋の所有者以外の者がその家屋（以下「譲渡家屋」という。）の敷地の用に供されている土地等で，譲渡の年の1月1日における所有期間が10年を超えているもの（以下「譲渡敷地」という。）の全部又は一部を所有している場合，譲渡家屋の所有者と譲渡敷地の所有者の行った譲渡等が次の要件の全てを満たすときは，これらの者がともに特定の居住用財産の買換えの特例（措置法36条の2第2項において準用する場合を含む。以下同じ。）の適用を受ける旨の申告をしたときは特例を適用することができる（措通36の2-19）。

(1)　譲渡資産の要件
　①　譲渡家屋及び譲渡敷地の所有期間が10年を超えていること。
　②　譲渡敷地の所有者は譲渡家屋に10年以上居住していること。
　③　譲渡敷地は，譲渡家屋とともに譲渡されていること。
　④　譲渡家屋は譲渡の時において所有者が譲渡敷地の所有者とともにその居住の用に供している家屋であること。
　　家屋がその所有者の居住の用に供されなくなった日以後3年を経過する日の属する年の12月31日までの間に譲渡されている場合，居住の用に供されなくなった時の直前に居住の用に供していた家屋であること。

(2)　買換資産の要件
　①　取得した資産は，居住の用に供する一の家屋又はその家屋とともに取得した家屋の敷地である一の土地等であること。
　②　買換資産は国内にあること。
　③　取得した家屋又は土地等は，おおむね譲渡収入金額の割合に応じて，全部又

は一部を取得していること。

　　この場合の譲渡収入金額とは，家屋の取得価額又は家屋及び土地等の取得価額の合計額が，譲渡した家屋及び譲渡した敷地の譲渡収入金額の合計額を超える場合，それぞれの者の譲渡収入金額に超える金額のうちその者が支出した額を加算した金額の割合をいう。

④　取得した家屋又は土地等は，買換資産の取得期間内に取得されていること。

⑤　取得した家屋は，買換資産をその居住の用に供すべき期間（買換資産の取得の日から譲渡資産の譲渡の日の属する年の翌年12月31日（措置法第36条の2第2項に該当する場合，買換資産の取得の日の属する年の翌年12月31日）までの期間をいう。）内に，譲渡した家屋の所有者が敷地の所有者とともにその居住の用に供していること。

⑥　譲渡家屋及び譲渡敷地の所有者は，譲渡の時（家屋がその所有者の居住の用に供されなくなった日から同日以後3年を経過する日の属する年の12月31日までの間に譲渡されたときは，居住の用に供されなくなった時）から買換資産をその居住の用に供すべき期間を経過するまでの間，親族関係を有し，かつ，生計を一にしていること。

⑦　譲渡家屋の所有者が家屋（譲渡敷地のうちその者が有している部分を含む。）の譲渡について特定の居住用財産の買換えの特例の適用を受けない場合（その譲渡に係る長期譲渡所得がない場合を除く。）には，譲渡敷地の所有者について，特例を適用することはできない。

⑧　譲渡敷地の所有者が特定の居住用財産の買換えの特例の適用を受ける場合，譲渡家屋の譲渡について措置法第41条の5（居住用財産の買換譲渡損失の特例）又は第41条の5の2（特定居住用財産の譲渡損失の特例）の適用を受けることはできない。

(3) **具体的適用関係**

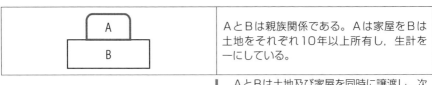

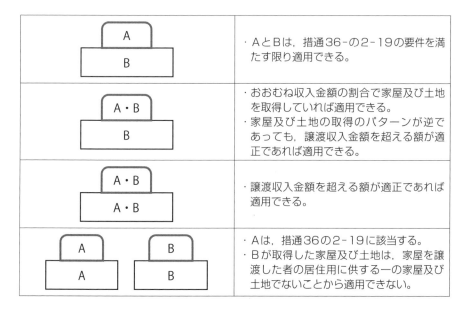

9 借地権等の設定されている土地の譲渡についての取扱い

譲渡家屋の所有者が，家屋の敷地である借地権等の設定されている土地でその譲渡の年の1月1日における所有期間が10年を超えているもの（以下「居住用底地」という。）の全部又は一部を所有している場合，居住用底地が家屋とともに譲渡されているときは，家屋及び居住用底地の譲渡について，特定の居住用財産の買換えの特例の適用ができる。その家屋を取り壊して居住用底地を譲渡したときの特例の適用については，措置法通達31の3-5（居住用土地のみの譲渡）に準じて取り扱う。

また，譲渡家屋の所有者以外の者が，居住用底地の全部又は一部を所有している場合の特例の適用については，措置法通達36の2-19（居住用家屋の所有者とその敷地の所有者が異なる場合の取扱い）に準じて取り扱う（措通36の2-20）。

10 相続人が買換資産を取得した場合

居住用財産を譲渡し，代わりの居住用財産を取得途中で死亡した場合，次のように取り扱う。

(1) 譲渡者が買換資産を取得した後死亡した場合

居住用財産の買換等の特例の適用を受けた譲渡者が，買換資産の取得をした後，取得の日（取得の日が2以上ある場合には，そのいずれか遅い日）の属する年の翌年12月31日までの間に死亡した場合，買換資産を相続により取得した者がその取

得をした後同日まで買換資産を居住の用に供しているときは，譲渡者が同日までその居住の用に供していたものとみなして特例を適用することができる（措令24の2⑬）。

(2) 譲渡者が買換資産を取得しないで死亡した場合

譲渡資産の譲渡をした者が買換資産を取得しないで死亡した場合であっても，次の事実がある場合は特例を適用することができる（措通36の2-21）。

① 死亡前に，買換資産の取得に関する売買契約又は請負契約を締結しているなど，買換資産が具体的に確定していること。
② 買換資産を，相続人が買換資産の取得期間内に取得していること。
③ 居住の用に供すべき期間内に，買換資産を相続人の居住の用に供したこと。

11 買換資産の取得期限

(1) 取得期限の原則

買換資産の取得は期限があり，取得した資産を居住の用に供する期限もある。期限を経過すると特例の適用ができないので十分注意する。

買換資産は譲渡の日の属する前年，譲渡の日の属する年，及び譲渡した年の翌年中の3年以内に取得することが要件である（措法36の2①②）。

買換資産の取得期限	譲渡の日の属する年の前年
	譲渡の日の属する年の12月31日
	譲渡した日の属する年の翌年の12月31日（見込み）

(2) 特定非常災害として指定があった場合の延長

特定非常災害として指定された非常災害に起因するやむを得ない事情で予定期間等内に買換え資産等の取得が困難となり，税務署長の承認等があった場合，取得期限をその取得期限の属する年の翌々年12月31日とすることができる（措法36の2②）。

延長するために，取得期限の属する年の翌年3月15日までに，この特例の適用を受けようとする旨その他一定の事項を記載した「買換資産等の取得期限等の延長承認申請書【特定非常災害用】」に，特定非常災害として指定された非常災害に基因するやむを得ない事情により買換資産の取得をすることが困難であると認められる事情を証する書類を添付する（措規18の4⑥）。

12 やむを得ない事情により買換資産の取得が遅れた場合

(1) 買換資産の取得が遅れた場合

特定の居住用財産の買換えの特例は，特定の事業用資産の買換えの特例と異なり，譲渡した年の前後合わせて3年の取得期間があることから取得期限の延長ができな

い。ただ資産の取得には，譲渡者の責めに帰せることができないような予期せぬ障碍が生じる場合がある。このような場合にまで取得期限を厳格に適用することは，実情に合わず極めて不合理な取扱いになることとなる。

　特定の居住用財産の買換えの特例の適用を受けた者が，買換資産に該当する家屋（いわゆる建売住宅のように，家屋とともにその敷地の用に供する土地等を含む。）を買換資産の取得期間内に取得できなかった場合であっても，次に掲げる要件のいずれをも満たすときは，その家屋は買換資産の取得期間内に取得されていたものとして取り扱われる（措通36の2-16）。

① 買換資産の取得期間内に，家屋を取得する契約を締結していたこと。
② 契約の締結後に生じた災害（その災害について措置法第36条の2第2項カッコ書の取得期限の延長の承認を受けている場合の，その災害を除く。），その他譲渡者の責めに帰せられないやむを得ない事情により家屋を期間内に取得できなかったこと。
③ 買換資産に該当する家屋を取得期限（措置法第36条の2第2項に規定する「取得期限」をいう。）の属する年の翌年12月31日までに取得し，かつ，同日までに譲渡者の居住の用に供していること。

(2) 買換資産の取得の日の判定

　買換資産の取得の日については，所得税基本通達33-9（資産の取得の日）により判定するが，次に掲げる資産は，それぞれ次に掲げる日以後に取得することになる（措通36の2-16注）。

① 他から取得する家屋で，その取得に関する契約時において建設が完了していないもの	・建設が完了した日
② 他から取得する家屋又は土地等で，その取得に関する契約時においてその契約に係る譲渡者がまだ取得していないもの（①の家屋を除く。）	・譲渡者が取得した日

13 買換資産を居住の用に供する期限

(1) 買換資産を居住の用に供する期限

　取得した資産は次に掲げる期限までに居住の用に供しなければならない（措法36の2①，②）。買換資産を居住の用に供しない場合，供しなくなった場合は居住用買換等の特例の適用が認められない（措法36の3）。

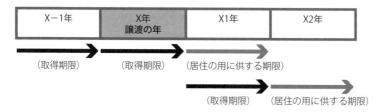

(2) 買換資産を居住の用に供したことの意義

買換資産を譲渡者の居住の用に供したかどうかについては，措置法通達31の3-2（居住用家屋の範囲）に準じて判定する。この場合，買換資産である土地等については，土地等の上にある家屋を譲渡者が居住の用に供したときに居住の用に供したことになる（措通36の2-17）。

買換資産が譲渡者の居住の用に供されていないときは，たとえ譲渡した資産が，措置法通達31の3-6（生計を一にする親族の居住の用に供している家屋）により，譲渡資産に該当することになる場合であっても，居住用財産の買換等の特例の適用はないことに注意する（措通36の2-17注）。

(3) 居住の用に供しないことについて特別の事情がある場合

買換資産を，居住の用に供しない場合や供しなくなった場合，特例の適用は認められないが，そのことがやむを得ないような事情による場合がある。

買換資産を取得した後，譲渡の日の属する年の翌年12月31日（措置法第36条の2第2項において準用する同条第1項の規定の適用を受けている場合，買換資産の取得の日の属する年の翌年12月31日。）までに買換資産を譲渡者の居住の用に供しない場合又は供しなくなった場合であっても，次の事情があるときは，措置法第36条の3第1項又は第2項に規定する「買換資産を当該個人の居住の用に供しない場合又は供しなくなった場合」には該当しないとして取り扱われる（措通36の3-2）。

① 買換資産を収用交換等（措法33の4①）により譲渡すること。
② 買換資産が災害により滅失又は損壊したこと。

> ③ 買換資産を取得した者が海外勤務その他これに類する事情が生じたこと。
>
> ④ 買換資産を取得した者が死亡したこと。
> ただし，買換資産を相続により取得した者がその取得後譲渡資産の譲渡の日の属する年の翌年12月31日までに買換資産をその居住の用に供しないことについてやむを得ない事情がある場合に限る。

(4) 仮換地の指定されている土地等の場合

　土地区画整理法による土地区画整理事業，新都市基盤整備法による土地整理若しくは大都市地域住宅等供給促進法による住宅街区整備事業の施行地区内にある土地等を買換資産として取得した場合，その土地等に仮換地の指定があったとき又はこれらの事業の施行地区内にある土地等で，仮換地の指定されているものを買換資産として取得した場合，取得した仮換地を居住の用に供したかどうかにより判定する（措通36の2-18）。

14 居住用財産を譲渡した場合の長期譲渡所得の課税の特例に関する取扱いの準用

　譲渡した家屋若しくは土地等が，居住用買換え等の特例の適用を受けることができる譲渡資産に該当するかどうかの判定等については，次の措置法通達の取扱いに準じる（措通36の2-23）。

> ・31の3-2（居住用家屋の範囲）
> ・31の3-4（敷地のうちに所有期間の異なる部分がある場合）
> ・31の3-5（居住用土地等のみの譲渡）
> ・31の3-6（生計を一にする親族の居住の用に供している家屋）
> ・31の3-7（店舗兼住宅等の居住部分の判定）
> ・31の3-8（店舗等部分の割合が低い家屋）
> ・31の3-9（「主としてその居住の用に供していると認められる一の家屋」の判定時期）
> ・31の3-10（居住用家屋の一部の譲渡）
> ・31の3-11（居住用家屋を共有とするための譲渡）
> ・31の3-12（居住用家屋の敷地の判定）
> ・31の3-13（「災害」の意義）
> ・31の3-14（災害滅失家屋の跡地等の用途）
> ・31の3-15（居住の用に供されなくなった家屋が災害により滅失した場合）
> ・31の3-16（土地区画整理事業等の施行地区内の土地等の譲渡）
> ・31の3-17（権利変換により取得した施設建築物等の一部を取得する権利等の譲渡）
> 　　　　　（注）「譲渡（措置法第33条の3第3項に規定する相続，遺贈又は贈与を含む。）した場合」とあるのは「譲渡した場合」と「譲渡（措置法第33条の3第5項に規定する相続，遺贈又は贈与を含む。）した場合」とあるのは「譲渡した場合」と「譲渡（措置法第33条の3第7項に規定する相続，遺贈又は贈与を含む。）した場合」とあるのは「譲渡し

た場合」とそれぞれ読み替えるものとする。
- 31の3-18（居住用家屋の敷地の一部の譲渡）
- 31の3-20（特殊関係者に対する譲渡の判定時期）
- 31の3-21（「生計を一にしているもの」の意義）
- 31の3-22（同居の親族）
- 31の3-23（「個人から受ける金銭その他の財産によって生計を維持しているもの」の意義）
- 31の3-24（名義株についての株主等の判定）
- 31の3-25（会社その他の法人）
- 35-1（固定資産の交換の特例等との関係）

4 買換金額の計算

1 特例の計算

特定の居住用財産の買換等の特例は、譲渡資産の価額と買換資産の価額の差額の有無により課税関係が異なる。

(1) 譲渡資産の譲渡価額≦買換資産の取得価額の場合

買換資産の取得価額が、譲渡価額と同額若しくは高い場合、譲渡差益は生じない。よって譲渡所得は課税されない。

収入金額＝譲渡資産の譲渡価額Ⓐ－買換資産の取得価額Ⓑ＝0

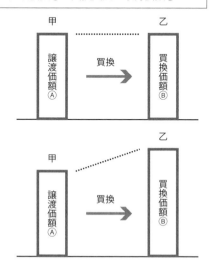

(2) 譲渡資産の譲渡価額＞買換資産の取得価額の場合

　譲渡価額より買換え資産の取得価額が低い場合，その差益に対して所得税が課税される。計算式は次のとおりである。

$$収入金額 = 譲渡資産の譲渡価額Ⓐ - 買換資産の取得価額Ⓑ = Ⓔ$$

$$必要経費 = (譲渡資産の取得費Ⓒ + 譲渡費用Ⓓ) \times \frac{Ⓐ - Ⓑ}{Ⓐ}$$

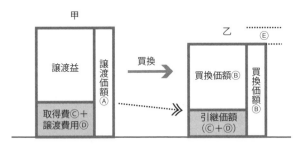

② 取得時期及び取得価額の引継ぎ

　居住用財産の買換等の特例は，買換え・交換が行われた時点で譲渡資産の取得費及び譲渡費用を買換又は交換により取得した資産に引き継ぐこととなる。将来買換資産を譲渡した場合，取得費は買換え価額ではないことに留意する（措法36の4）。

(1) 取得時期の引継ぎ

　買換資産は，譲渡資産の取得日は引継がない。買換資産を実際に取得した時となるので，買換え後5年以内に譲渡すれば短期譲渡所得として課税される。

(2) 取得価額の引継ぎ

　買換資産の取得価額は譲渡資産の取得費を引き継ぐ。買換資産を譲渡した場合，課税譲渡所得が大きくなる。特に，短期譲渡所得に該当する場合の税負担は高額になる。

③ 引継ぎ価額の計算

　居住用財産の買換等の特例は，譲渡した資産の譲渡所得に対する課税を繰り延べることにある。そのため，譲渡資産の取得価額を買換資産に引き継ぎ，その買換資産を譲渡した時に，まとめて課税されることに特徴がある。

　事例は次の前提で解説する。

		譲渡価額	10,000千円	
甲	譲渡した資産	取得費	500千円	
		譲渡費用	700千円	
乙	買換え・交換資産	買換え等価額	①	10,000千円
			②	11,000千円
			③	8,000千円

(1) 甲の譲渡価額 ＝ 乙の取得（買換）価額の場合

　譲渡価額Ⓐと買換えた額Ⓑが等しいので，譲渡資産の取得費及び譲渡費用を合計した金額（Ⓒ＋Ⓓ　1,200千円）が買換資産に引き継がれる。

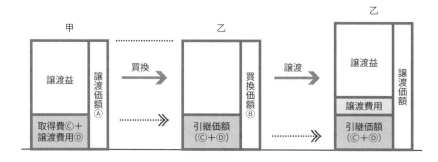

```
(計算例)
    譲渡価額Ⓐ              10,000千円
    Ⓐの取得費等（Ⓒ＋Ⓓ）     1,200千円
    買換価額Ⓑ              10,000千円
 ＊  引継価額＝（Ⓒ＋Ⓓ）＝    1,200千円
```

(2) 甲の譲渡価額 ＜ 乙の取得価額 の場合

　譲渡価額Ⓐより買換えた額Ⓑの方が大きいので，譲渡資産の取得費及び譲渡費用を合計した金額（Ⓒ＋Ⓓ），及び買換えのために譲渡価額より大きくなった部分（Ⓔ　いわゆる持出し額）の合計額が買換資産に引き継がれる。

　買換え金額が大きいため譲渡益はなかったものとみなされ，課税関係は発生しない。

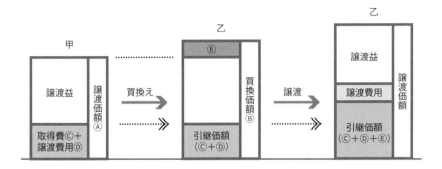

(計算例)
  譲渡価額Ⓐ   10,000千円
  Ⓐの取得費等（Ⓒ＋Ⓓ） 1,200千円
  買換価額Ⓑ   11,000千円
 ＊ 引継価額＝（Ⓒ＋Ⓓ）＋（Ⓑ－Ⓐ）＝1,200千円＋（11,000千円－10,000千円）＝2,200千円

(3) 甲の譲渡価額 ＞ 乙の取得価額 の場合

　譲渡価額Ⓐより買換えた額Ⓑの方が小さいので，譲渡資産の取得費及び譲渡費用を合計した金額（Ⓒ＋Ⓓ）は買換資産Ⓑ，及び譲渡益として課税される部分（Ⓔ＝Ⓐ－Ⓑ）に案分されて引き継がれる。

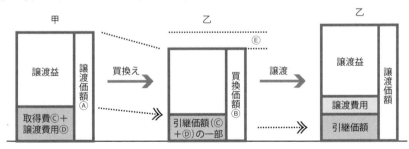

(計算例)
  譲渡価額Ⓐ   10,000千円
  Ⓐの取得費等（Ⓒ＋Ⓓ） 1,200千円
  買換価額Ⓑ   8,000千円
 ＊ 引継価額＝（Ⓒ＋Ⓓ）×$\dfrac{Ⓑ}{Ⓐ}$＝1,200千円×$\dfrac{8,000千円}{10,000千円}$＝960千円

5 特例の適用ができない譲渡の相手及び併用特例

1 譲渡の相手方の制限

譲渡の相手方の制限については本章1-3を参照のこと（措法36の2①，措令24の2①，措令20の3①）。

2 贈与等により譲渡した場合や取得した場合

① 贈与，交換，出資及び代物弁済（金銭債務の弁済に代えてされるものに限られる。）による譲渡をした場合（措法36の2①，措令24の2②）

固定資産の交換（所法58）の適用の有無にかかわらず交換によるものは特例の適用ができないことに留意する。

② 贈与，代物弁済（金銭債務の弁済に代えてされるものに限る。）で買換資産を取得した場合（措法36の2，措令24の2④，20の3①）

3 併用して適用が受けられない特例

次の特例の適用を受ける場合（措法36の2①）

① 収用代替の特例（措法33）
② 交換処分等に伴い資産を取得した場合の課税の特例（措法33の2）
③ 換地処分等の特例（措法33の3）
④ 収用交換等の5,000万円控除の特例（措法33の4）
⑤ 特定の事業用資産の買換えの特例（措法37）
⑥ 特定の事業用資産の交換の特例（措法37の4）
⑦ 特定普通財産と隣接土地等の交換の特例（措法37の8）

4 居住用の特例の連年適用の排除

この特例は，譲渡の年，譲渡の年の前年または前々年に次の特例の適用を受けている場合は，適用できない（措法36の2①）。

① 居住用財産の軽減税率の特例（措法31の3）
② 居住用財産の3,000万円控除の特例（措法35①）
③ 居住用財産の買換譲渡損失の特例（措法41の5）
④ 特定居住用財産の譲渡損失の特例（措法41の5の2）

6 申告にあたっての要点

1 申告要件

　居住用買換等の特例は，適用を受けようとする年分の確定申告書に，措置法第36条の2の適用を受ける旨を記載があり，かつ，同項の規定に該当するものとして，次の「確定申告の手続要領」に記載した書類の添付がある場合に限り適用がある（措法36の2⑤）。

2 確定申告の手続要領

> 1　譲渡した年分の確定申告書を提出する。
> 2　「確定申告書（分離課税用）第三表」の特例適用条文欄に「措法36条の2（第）1項」又は「措法36条の5（第）1項」と記入する。
> 3　「譲渡所得の内訳書（確定申告書付表兼計算明細書）」
> 4　譲渡資産に関する書類（措規18の4⑤）
> 　i　譲渡をした譲渡資産に係る登記事項証明書その他これに類する書類で，譲渡資産の所有期間が10年を超えるものであることを明らかにするもの
> 　ii　譲渡資産に係る売買契約書の写しその他の書類で，譲渡対価の額（譲渡年以前3年以内の譲渡がある場合には，その合計額）が1億円以下であることを明らかにするもの
> 5　買換資産に関する書類（措規18の4⑥，⑦）
> 　i　買換資産に係る登記事項証明書，売買契約書の写しその他の書類で次のことがわかるもの
> 　　イ　買換資産を取得したこと
> 　　ロ　家屋の床面積（居住の用に供する部分の床面積をいう。）が50㎡以上であることを明らかにする書類
> 　　ハ　土地の面積が500㎡以下であることを明らかにする書類
> 　　ニ　家屋が建築後使用されたことのある耐火建築物である場合，その取得の日以前25年以内に建築されたものであることを明らかにする書類若しくはその写し，又は国土交通大臣が財務大臣と協議して定める書類
> 　ii　家屋が，建築基準法施行規則に規定する高床式住宅である場合，家屋に係る建築基準法に規定する確認済証の写し又は特定行政庁の高床式住宅に該当するものである旨を証する書類で床面積の記載があるもの。
> 　iii　買換資産を取得する見込みで申告した場合は，上記i及びiiの書類を買換資産を取得した日から4か月以内に提出しなければならない。買換資産を，譲渡した年分の確定申告書の提出の日までに居住の用に供していない場合，その旨及びその居住の用に供する予定年月日その他の事項を記載した書類を提出する。
> 6　売買契約を締結した日の前日に譲渡をした者の住民票に記載されていた住所と譲渡をした譲渡資産の所在地とが異なる場合その他これに類する場合には，戸籍の附票の写し，消除された戸籍の附票の写しその他これらに類する書類など居住事実を明らかにする書類。
>
> 　　　　　（措法36の2⑤⑦，33⑥，措令24の2⑩，措規18の4②④⑤⑥⑦）

3 確定申告の提出がなかった場合

確定申告書の提出がなかった場合，又は必要事項の記載若しくは必要書類の添付がない確定申告書の提出があった場合，提出又は記載若しくは添付がなかったことについてやむを得ない事情があると税務署長が認めるときは，必要事項を記載した書類及び財務省令で定める書類の提出があった場合に限り，居住用買換等の特例を適用することができる（措法36の2⑥）。

> 【参考】
> 「買換特例の適用を受けるためには，当該年分の確定申告書に買換特例の適用を受けようとする旨を記載し，かつ，本件添付書類の添付がある場合に限り適用すると規定しているが，その趣旨は，原判決が判示するとおり，買換特例の制度は，譲渡所得に対する課税を免除するものではなく，課税の時期を原則どおり当該譲渡の時点とするか，買換資産の将来の譲渡時点まで繰り延べるかを納税者の選択に委ねるものであるから，その優遇措置の適用を選択した納税者のみに適用することとし，かつ，その旨を確定申告書に記載し，所定の書類を添付した場合にのみ適用を認めることで，大量の事務処理を旨とする税額確定手続における画一的かつ的確な処理の実現を図ったものであると解される。そうすると，その例外規定である措法36条の2第5項にいう「やむを得ない事情」とは，天災その他本人の責めに帰すことのできない客観的な事情があって，買換特例の制度趣旨に照らし，納税者に対してその適用を拒否することが不当又は酷になる場合をいうものと解するのが相当であり，納税者の主観的な意思あるいは個人的な事情はこれに該当しないと解される。　　　　　　　（平成18年9月13日：東京高裁）

4 特例の対象となる譲渡資産であることについての証明

特定の居住用財産の買換えの特例の対象となる資産に該当することについて，登記事項証明書，戸籍の附票の写し等（以下「公的書類」という。）では証明することができない場合（戸籍の附票の消除や家屋が未登記である等の事由により公的書類の交付を受けることができない場合を含む。）には，公的書類に類する書類で，特例が適用できる資産に該当するものであることを明らかにするものを，確定申告書に添付した場合に限り，特例の適用がある（措通36の2-22）。

公的書類に類する書類には，例えば，次のようなものが含まれる。

① 措置法第36条の2第1項に規定する家屋であることを証する書類	・固定資産課税台帳の写し，取得に関する契約書
② 譲渡した者の居住期間を証する書類	・学校の在籍証明書，郵便書簡，町内会等の居住者名簿

5 更正の請求や修正申告を提出する場合

(1) 更正の請求の提出と期限

買換資産を取得する見込みでこの特例の適用を受けた場合，見積額より実際の取得価額が多くなると，当初申告した所得金額が減少するため，所得税額が過大となる場合がある。この場合は買換資産を取得した日（取得をした日が2以上ある場合には，そのいずれか遅い日。）から4か月以内に「更正の請求」を行い，過大となった所得税の還付を受けることができる（措法36の3②）。

(2) 修正申告の提出と期限

買換資産を取得する見込みでこの特例の適用を受けた場合，見積額より実際の取得価額が少なくなった場合や期限までに買換え資産を居住の用に供さなくなり，特例の適用ができなくなった場合等所得金額が増加し所得税額が不足する場合がある。このような不足する税額を是正するため次に掲げる日から4か月を経過する日までに修正申告を提出する（措法36の3①②③，措通36の3-1）。

なお，譲渡した年の翌年又は翌々年に，譲渡資産と一体として居住用に供されていた家屋又は土地等を譲渡したことにより，譲渡価額の合計金額が1億円を超えた場合は，1億円を超える譲渡をした日から4か月を経過する日までに修正申告を提出する。

買換特例不適用等の事由	取得等の期限
① 取得期限までに買換資産を取得していない場合	・取得期限
② 取得期限までに買換資産を取得し，かつ，その取得価額が見積額に満たない場合	・取得期限
③ 譲渡の日の属する年の前年1月1日から取得期限までの間に取得した買換資産をその取得の日の属する年の翌年12月31日までにその者の居住の用に供しない場合又は供しなくなった場合	・取得の日の属する年の翌年12月31日

6 買換資産を取得できなかった場合の軽減税率の適用

特定の居住用財産の買換えの特例の適用をする者が，災害その他その者の責めに帰せられないやむを得ない事情により，譲渡の日の属する年の翌年12月31日までに買換資産を取得できなかったため，特例の適用を受けられないこととなった場合，譲渡の日の属する年の翌々年4月30日までに修正申告書を提出するときに限り，居住用財産の軽減税率の特例の適用をすることができる（措法31の3-27）。

事例　　　　　　　　　　　　　　　CASE STUDY
こんな場合は適用できない?!

Q 10年以上居住していない場合の特例の適用

父が住んでいた家屋を6年前に相続し，その家屋に転居した。今年譲渡したが，父はその家屋を20年前に購入していることから，特定の居住用財産の買換えの特例を受けたいと考えている。

A

特定の居住用財産の買換えの特例は，譲渡者が10年以上居住していないと適用できない（措法36の2）。

なお，土地家屋を相続により取得した場合は，被相続人の取得時期を引き継ぐため，所有期間が10年の判定は，父の取得時期を引き継いで計算することになる。

Q 空き家にしていた期間がある場合の特例の適用

X0年1月に居住用家屋を取得し住んでいたが，X7年3月からX9年3月までの2年間は転勤のため家族と一緒に転居して空家にしていた。X13年5月に譲渡したが特定の居住用財産の買換えの特例の適用を受けられるか。

A

譲渡した家屋に居住していなかった期間がある場合には，居住していなかった期間を除きその前後の居住していた期間を合計する（措通36の2-2）。X年1月からX7年2月まで7年2か月，X9年4月からX13年5月まで4年2か月合計11年5か月居住していたことになるので，特例の適用ができる。

なお，転勤，転地療養等の事情のため配偶者等と離れ単身で他に起居したときであっても，その事情が解消した時は配偶者等と起居を共にすると認められるときは，その家屋は譲渡者の居住用家屋に該当する（措通36の2-3，31の3-2）。

Q 造り付けの家具は買換資産となるか

買換資産である家屋に，タンスや本棚などを造り付けとして設置する予定である。これらの家具は買換えの対象となるか。

A

造り付けの家具は建物の一部を構成しており移動できるものではないので買換資産とすることができる。

措置法第41条の5

5 居住用財産の買換え等の場合の譲渡損失の損益通算及び繰越控除の特例

　地価が異常に高騰したバブル期に，住宅ローンを組んで居住用住宅を求めた多くの人が，バブル崩壊とともに高利のローンに苦しみ返済困難となった。自宅をやむを得なく手放す困窮者に対して税務上の救済を目途として平成10年に「特定の居住用財産の買換え等の場合の譲渡損失の繰越控除の特例」として，住宅を手放しても新たに買換えるという条件で譲渡損失及び繰越控除の適用ができるとして創設された制度である。平成16年に見直しを行い，次の二つのケースでそれぞれ特例を認めるように改正された。土地家屋等の譲渡損失は他の所得と損益通算ができないが，この二つの特例だけが損益通算ができる。
① 住宅を譲渡して損失が生じたが，新たに住宅ローン付で買換えをする場合（居住用財産の買換え等の場合の譲渡損失の損益通算及び繰越控除の特例）
② 住宅ローンが残っている資産を譲渡して損失が生じた場合（特定居住用財産の譲渡損失の損益通算及び繰越控除の特例）
　ここでは「居住用財産の買換え等の場合の譲渡損失の損益通算及び繰越控除の特例」（以下「居住用買換譲渡損失の特例」という。）について解説する。

1 特例の適用要件

1 特例の内容

　居住用買換譲渡損失の特例は，所有期間が5年以上の居住の用に供している家屋又は土地等を譲渡（以下「特定譲渡」という。）したことにより損失が生じ，新たに住宅ローン付きで居住用住宅を取得し，取得をした年の翌年12月31日までの間に居住の用に供したとき，又は居住の用に供する見込みであるときに，その損失の金額を損益通算及び繰越控除ができる特例である（措法41の5①⑦）。
① 譲渡した年分の損失について，土地家屋等の譲渡による所得以外の所得と損益通算をすることができる。

②　通算後譲渡損失の金額がある場合，譲渡の年の翌年以後3年以内の各年分の総所得金額等から繰越控除をすることができる。

② 譲渡損失の金額

居住用財産の譲渡損失の金額は，譲渡した日の属する年分の分離長期譲渡所得の金額の計算上生じた損失の金額（この金額のうちに，分離短期譲渡所得の金額の計算上控除する金額がある場合は，分離長期譲渡所得の金額の計算上生じた損失の金額から，その控除する金額に相当する金額を控除した金額）に達するまでの金額となる（措令26の7⑧）。

③ 特例の適用期間

1998年（平成10年）1月1日から2023年（令和5年）12月31日までの譲渡に適用される（措法41の5⑦）。

2　譲渡及び譲渡資産の要件

① 譲渡資産の要件

譲渡資産の要件は次のとおりである（以下「譲渡資産」という。）（措法41の5⑦1）。

> ①日本国内に所在する家屋及土地等であること。
> ②譲渡者が居住している家屋及び土地等であること。
> ③譲渡した年の1月1日において，所有期間が5年を超えていること。
> ④居住の用に供されなくなった日から3年を経過する日の属する年の12月31日までに譲渡したこと。

② 家屋に居住用部分以外の部分がある場合

家屋の一部に非居住用部分（居住用として使用されていない部分，店舗部分や貸付部分）がある場合は，居住の用に供している部分だけに適用できる（措法41の5⑦一イ，措令26の7⑨）。

③ 居住用家屋が2以上ある場合

居住用家屋が2以上ある場合は，譲渡者が主として居住の用に供していると認められる一の家屋に限る（措法41の5⑦イ，措令26の7⑨）。

④ 居住用家屋及び土地等とは

居住家屋及びその家屋の敷地の用に供されている土地又は土地の上に存する権利とは，譲渡した年の1月1日において，所有期間が5年を超えるものをいう（措通41の5-3）。

この場合，次の点に注意する。
① 家屋及び土地等の譲渡損失の金額の計算は，譲渡損益の合計額により行う。いずれか一方の資産の譲渡損失のみをもって，居住用財産の譲渡損失の金額の計算を行うことはできない。
② 家屋とともに土地等の譲渡があった場合，いずれか一方が譲渡した年の1月1日の所有期間が5年以下であるときは，家屋及び土地等は措置法第41条の5第7号第1号に規定する譲渡資産に該当しないので，その譲渡損失については，居住用買換譲渡損失の特例の適用ができない。

5 敷地のうちに所有期間の異なる部分がある場合
(1) 所有期間が異なる場合
　居住用家屋とともに土地等の譲渡があった場合，その土地等のうちにその年1月1日における所有期間が5年を超える部分とその他の部分があるときは，5年を超える部分のみが特例の対象となる土地等に該当する（措通41の5-4）。
(2) 借地権と底地とに分かれている場合
　家屋の敷地の用に供されている一の土地が，その取得の日を所得税基本通達33-10（借地権者等が取得した底地の取得時期等）の借地権等に相当する部分と底地に相当する部分とに区分して判定する場合，その年の1月1日における所有期間が5年を超えることとなる部分のみが，特例の対象となる土地等に該当する（措基通41の5-4注）。

6 居住用土地等のみの譲渡
(1) 土地等のみの譲渡
　居住用家屋を取り壊し，敷地の用に供されていた土地等を譲渡した場合，譲渡した土地等が次に掲げる要件の全てを満たすときは，その土地等は譲渡資産に該当する（措通41の5-5）。ただし，取壊し後，その土地等の上にその土地等の所有者が建物等を建設し，建物等とともに譲渡する場合を除く。
① 家屋及び土地等は，家屋が取り壊しのあった日の属する年の1月1日において，ともに所有期間が5年を超えること。
② 土地等は，譲渡に関する契約が家屋を取り壊した日から1年以内に締結され，かつ，その家屋を居住の用に供さなくなった日以後3年を経過する日の属する年の12月31日までに譲渡したこと。
③ 土地等は，家屋を取り壊した後，譲渡に関する契約を締結した日まで，貸付けその他の用に供していないこと。

(2) 引き家して土地等のみを譲渡した場合

　土地等のみの譲渡であっても，その家屋を引き家して土地等を譲渡する場合は，譲渡資産に該当しない（措通41の5-5）。

(3) 所有期間が5年を超えない家屋の敷地である土地等に，譲渡損失があった場合

　取壊しの日の属する年の1月1日において所有期間が5年を超えない家屋の敷地である土地等の譲渡損失については，居住用買換譲渡損失の特例の適用はできない（措通41の5-5注）。

7 居住用家屋が災害により滅失等した場合

　災害により滅失した居住用家屋の敷地である土地等の譲渡，居住用家屋で居住の用に供されなくなったものの譲渡，又は家屋の敷地である土地等の譲渡が次の要件を満たすことができれば居住用買換譲渡損失の特例を適用することができる（措法41の5⑦1ニ，措通41の5-6）。

　① 譲渡者がその家屋を引き続き所有していたとするならば，譲渡の年の1月1日における所有期間が5年を超えていること。

　② 災害があった日以後3年を経過する日の属する年の12月31日までに譲渡されていること。

　　なお，居住の用に供されなくなった日以後3年を経過する日の属する年の12月31日までの間に行われている場合には，居住の用に供されなくなった日以後，貸付け等どのような用途に供されている場合であっても，適用できる。

8 居住の用に供されなくなった家屋が災害により滅失した場合

　居住用家屋でその居住の用に供されなくなったものが災害により滅失した場合，居住の用に供されなくなった日以後3年を経過する日の属する年の12月31日までの間に，家屋の敷地の用に供されていた土地等を譲渡したときは，譲渡資産の譲渡に該当するものとして取り扱う。

　この場合，家屋の所有期間の判定に当たっては，譲渡の時までその家屋を引き続き所有していたものとする（措通41の5-7）。

9 土地区画整理事業等の施行地区内の土地等の譲渡

　土地区画整理法による土地区画整理事業，新都市基盤整備法による土地整理又は大都市地域住宅等供給促進法による住宅街区整備事業の施行地区内にある従前の宅地（宅地の上に存する建物の所有を目的とする借地権を含む。）を仮換地の指定又は使用収益の停止があった後に譲渡した場合並びに次に掲げる事業の施行地区内に，居住の用に供している家屋（居住の用に供されなくなったものを含む。）及び家屋

の敷地の用に供されている土地等（災害により滅失した家屋の敷地であった土地等を含む。）を有する者が，それぞれに掲げるところによる譲渡があった場合，又は譲渡があったものとみなされる場合には，措置法通達31の3-16（土地区画整理事業等の施行地区内の土地等の譲渡）及び同31の3-17（権利変換により取得した施設建築物等の一部を取得する権利等の譲渡）に準じて取り扱うことができる（措通41の5-8）。

① 都市再開発法による市街地再開発事業に係る権利変換又は収用，若しくは買取りに伴い取得した施設建築物の一部を取得する権利（その権利とともに取得した施設建築敷地若しくはその共有持分又は地上権の共有持分を含む。），又は建築施設の部分の給付を受ける権利を譲渡した場合，又は建築施設の部分につき同法第118条の5第1項《譲受け希望の申出等の撤回》に規定する譲受け希望の申出を撤回した場合（同法第118条の12第1項《仮登記等に係る権利の消滅について同意が得られない場合における譲受け希望の申出の撤回》又は同法第118条の19第1項《譲受け希望の申出を撤回したものとみなす場合》の規定により，譲受けの申出を撤回したものとみなされる場合を含む。）において，旧資産の譲渡があったものとみなされる場合

② 密集市街地における防災街区の整備の促進に関する法律による防災街区整備事業に係る権利変換に伴い取得した，防災施設建築物の一部を取得する権利（その権利とともに取得した防災施設建築敷地若しくはその共有持分又は地上権の共有持分を含む。）を譲渡した場合において，防災旧資産の譲渡があったものとみなされる場合

③ マンションの建替え等の円滑化に関する法律による，マンション建替事業に係る権利変換に伴い取得した施行再建マンションに関する権利を取得する権利（その権利とともに取得した施行再建マンションに係る敷地利用権を含む。）を譲渡した場合において，変換前資産の譲渡があったものとみなされる場合

10 居住用家屋の敷地の一部の譲渡

居住の用に供している家屋（その居住の用に供されなくなったものを含む。）の敷地である土地等，災害により滅失した家屋の敷地の用に供されていた土地等（以下「災害跡地」という。）又は措置法通達41の5-5（居住用土地等のみの譲渡）に定める取り壊した家屋の敷地の用に供されていた土地等（以下「取壊し跡地」という。）の一部を区分して譲渡した場合には，次の点に留意する（措通41の5-9）。

① 現に存する家屋の敷地の用に供されている土地等の一部の譲渡である場合	・譲渡が家屋の譲渡と同時に行われた場合，譲渡資産の譲渡に該当する。 ・家屋の譲渡と同時に行われたものでない場合は譲渡資産の譲渡には該当しない。
② 災害跡地の一部の譲渡である場合	・居住の用に供している家屋が災害により滅失した場合には災害があった日（居住の用に供されなくなった家屋が災害により滅失した場合，その家屋が居住の用に供されなくなった日）から，同日以後3年を経過する日の属する年の12月31日までに行われた譲渡は，全て譲渡資産の譲渡に該当する。
③ 取壊し跡地の一部の譲渡である場合	・譲渡は，措置法通達41の5-5（居住用土地等のみの譲渡）により判定する。6参照のこと。

11　災害跡地等を2以上に分けて譲渡した場合

　同一年に2以上の特定譲渡がある場合には，譲渡者が選択した一の特定譲渡の譲渡損失の金額をもって居住用財産の譲渡損失の金額を計算するが，同一年中に，居住の用に供している家屋（家屋でその居住の用に供されなくなったものを含む。）の敷地の用に供されている土地等の一部を区分して，その家屋の譲渡と同時に譲渡した場合，又は災害跡地若しくは取壊し跡地を2以上に区分して譲渡した場合（譲渡のいずれもが措置法通達41の5-9(2)若しくは(3)（居住用家屋の敷地の一部の譲渡）により譲渡資産の譲渡に該当する場合に限る。）には，これらを一の譲渡資産の譲渡として取り扱うことができる（措通41の5-10）。

12　居住用家屋の所有者とその敷地の所有者が異なる場合の取扱い

(1)　所有者が異なる場合

　措置法第41条の5第7項第1号イ又はロに掲げる家屋（以下「譲渡家屋」という。）の所有者以外の者が，譲渡家屋の敷地の用に供されている土地等で，譲渡の年の1月1日における所有期間が5年を超えているもの（以下「譲渡敷地」という。）の全部又は一部を有している場合，譲渡家屋及び譲渡敷地の所有者の行った譲渡等が次に掲げる要件の全てを満たすときは，これらの者がともに居住用買換譲渡損失の特例の適用を受ける旨の申告をしたときに限り，特例の適用ができる（措通41の5-11）。

　① 譲渡家屋及び譲渡敷地の所有者は，次のいずれにも該当する資産の特定譲渡をしていること。
　　イ 譲渡敷地は，譲渡家屋とともに特定譲渡していること。
　　ロ 譲渡家屋は，譲渡の時において家屋の所有者が譲渡敷地の所有者とともに

その居住している家屋（その家屋がその所有者が居住しなくなった日から，同日以後3年を経過する日の属する年の12月31日までの間に譲渡されたものであるときは，居住の用に供されなくなった時の直前に，これらの者が居住していた家屋）であること。
② 譲渡家屋及び譲渡敷地の所有者は，次のいずれにも該当する資産を取得していること。
　イ　取得した資産は，居住の用に供する一の家屋又は家屋とともに取得したその家屋の敷地の用に供する一の土地等で，国内にあること。
　ロ　イの家屋又は土地等は，これらの者のそれぞれが，おおむねその者の①に掲げる譲渡収入金額（家屋の取得価額又は家屋及び土地等の取得価額の合計額が，譲渡家屋及び譲渡敷地の譲渡収入金額を超える場合，それぞれの者の譲渡収入金額に超える金額のうちその者が支出した額を加算した金額）の割合に応じて，その全部又は一部を取得していること。
　ハ　取得した家屋又は土地等は，買換資産の取得期間内に取得されていること。
　ニ　取得した家屋は，買換資産をその居住の用に供すべき期間（買換資産の取得の日から取得の日の属する年の翌年12月31日までの期間をいう。）内に，譲渡家屋の所有者が，譲渡敷地の所有者とともに居住の用に供していること。
③ 譲渡家屋及び譲渡敷地の所有者は，譲渡の時（家屋がその所有者の居住の用に供されなくなった日から，同日以後3年を経過する日の属する年の12月31日までの間に譲渡されたものであるときは，その居住の用に供されなくなった時。）から買換資産をその居住の用に供するまでの間親族関係を有し，かつ，生計を一にしていること。
④ 譲渡家屋の所有者と譲渡敷地の所有者のそれぞれが，次に掲げる日において買換資産に係る住宅借入金等（措置法第41条の5第7項第4号に規定する住宅借入金等をいう。）の金額を有していること。

イ　措置法第41条の5第1項（損益通算）の適用を受ける場合	・買換資産を取得した日の属する年の12月31日
ロ　措置法第41条の5第4項（繰越控除）の適用を受ける場合	・繰越控除の適用を受ける年の12月31日

(2) 家屋の所有者が特例を適用しない場合
　譲渡家屋の所有者が家屋（譲渡敷地のうちその者が有している部分を含む。）の譲渡に居住用買換譲渡損失の特例を適用しない場合には，譲渡敷地の所有者につい

て居住用買換譲渡損失の特例を適用することはできない。

　ただし、家屋の所有者について居住用財産の譲渡損失の金額又は通算後譲渡損失の金額がない場合、措置法通達41の5-1の2(1)及び(2)（通算後譲渡損失の金額の繰越控除の順序）に掲げる控除後において控除すべきその年の総所得金額、土地等に係る事業所得等の金額、分離長期譲渡所得の金額、分離短期譲渡所得の金額、山林所得又は退職所得金額（以下「総所得金額等」という。）がないこととなる場合並びにその年の合計所得金額が3,000万円を超えるため同項の規定の適用を受けることができない場合は、適用できる。

(3) 敷地の所有者が特例の適用を受ける場合

　譲渡敷地の所有者が、敷地の譲渡に居住用買換譲渡損失の特例の適用を受ける場合には、譲渡家屋の所有者の家屋の譲渡については居住用財産の軽減税率の特例（措法31の3）、居住用財産の3,000万円控除の特例（措法35①）、特定の居住用財産の買換等の特例（措法36の2、36の5）の規定の適用を受けることはできない。

13　借地権等が設定されている土地の譲渡についての取扱い

　譲渡家屋の所有者が、家屋の敷地である借地権等の設定されている土地で、譲渡の年の1月1日における所有期間が5年を超えているもの（以下「居住用底地」という。）の全部又は一部を所有している場合、家屋を取り壊し、居住用底地を譲渡したときの居住用買換譲渡損失の特例の適用については措置法通達41の5-5（居住用土地等のみの譲渡）に準じて取り扱う。また、居住用底地が家屋とともに譲渡されているときは、家屋及び居住用底地の譲渡について居住用買換譲渡損失の特例の適用ができる。

　なお、譲渡家屋の所有者以外の者が、居住用底地の全部又は一部を所有している場合、措置法通達41の5-11（居住用家屋の所有者とその敷地の所有者が異なる場合の取扱い）に準じて取り扱う（措通41の5-12）。

14　居住用財産を譲渡した場合の長期譲渡所得の課税の特例に関する取扱いの準用

　家屋若しくは土地等が譲渡資産に該当するかどうか、これらの資産の譲渡が特定譲渡又は取得した家屋、若しくは土地等が、買換資産に該当するかどうかの判定等については、次の措置法通達の取扱いに準じる（措通41の5-18）。

- 31の3-2（居住用家屋の範囲）
- 31の3-6（生計を一にする親族の居住の用に供している家屋）
- 31の3-7（店舗兼住宅等の居住部分の判定）
- 31の3-8（店舗等部分の割合が低い家屋）
- 31の3-9（「主としてその居住の用に供していると認められる一の家屋」の判定時期）
- 31の3-10（居住用家屋の一部の譲渡）
- 31の3-11（居住用家屋を共有とするための譲渡）
- 31の3-12（居住用家屋の敷地の判定）
- 31の3-13（「災害」の意義）
- 31の3-20（特殊関係者に対する譲渡の判定時期）
- 31の3-21（「生計を一にしているもの」の意義）
- 31の3-22（同居の親族）
- 31の3-23（「個人から受ける金銭その他の財産によって生計を維持しているもの」の意義）
- 31の3-24（名義株についての株主等の判定）
- 31の3-25（会社その他の法人）
- 36の2-6の5（低額譲渡等）
- 36の2-10（立退料等を支払って貸地の返還を受けた場合）
- 36の2-11（宅地の造成）
- 36の2-17（買換資産を当該個人の居住の用に供したことの意義）
- 36の2-18（仮換地の指定されている土地等の判定）
- 36の3-2（居住の用に供しないことについて特別の事情がある場合）
- 41-12（店舗併用住宅等の場合の床面積基準の判定）
- 41-13（住宅の取得等に係る家屋の敷地の判定）
- 41-14（住宅資金の長期融資を業とする貸金業を営む法人）
- 41-15（共済会等からの借入金）
- 41-17（割賦償還の方法等）
- 41-18（返済等をすべき期日において返済等をすべき金額の明示がない場合）
- 41-20（新築等又は増改築等に係る住宅借入金等の金額等）

3　買換え及び買換資産の要件

1　買換資産の要件（措法41の5⑦1，措令26の7⑤）

① 日本国内に所在する家屋及び土地等であること。
② 譲渡者の居住の用に供する家屋及び土地等であること。
③ 譲渡した年の前年，譲渡した年中に取得したもの若しくは譲渡した年の翌年中に取得すると認められるものであること。
④ 居住用家屋が次の要件を満たすこと。
　　イ　1棟の家屋の床面積のうち，居住用部分の面積が50㎡以上であること。

ロ　1棟の家屋のうち独立部分を区分所有する場合，独立部分の床面積のうち居住の用に供する部分の床面積が50㎡以上であること。
⑤　買換資産を取得した年の12月31日において，償還期間10年以上の住宅借入金等の金額を有すること。

　住宅借入金等とは，国内に営業所を有する金融機関，独立行政法人住宅金融支援機構，地方公共団体その他一定の要件を満たす者から借り入れた借入金で，償還期間が10年以上の割賦償還の方法により返済するものをいう（措法41の5⑦4，措令26の7⑫）。

⑥　買換資産を取得の日の属する年の翌年の12月31日までに，譲渡者の居住の用に供したこと，又は供する見込みであること。

② 居住用家屋が2以上ある場合

居住用家屋が2以上ある場合は，譲渡者が主として居住の用に供すると認められる一の家屋に限る（措法41の5⑦1イ，措令26の7⑤）。

③ 買換家屋の床面積要件の判定

(1) 床面積要件

家屋の床面積要件の判定を行う場合には，次の点に留意する。なお，これにより家屋の居住の用に供する部分の床面積が，家屋の床面積のおおむね90％以上である場合，家屋の全体の床面積で判定して構わない（措通41の5-14）。

家屋の状況	判定
①　居住用床面積が50㎡以上であるかどうかを判定する場合	・家屋と一体として利用される離れ屋，物置等の附属家屋は，家屋に含む。
②　家屋が共有物である場合	・家屋の全体の床面積（区分所有家屋は，その独立部分の床面積）による。
③　家屋が店舗兼住宅等である場合	・措置法通達31の3-7に準じて計算した居住用部分の床面積による。

(2) 床面積の意義

家屋の「床面積」は，次による（措通41の5-15）。

①　家屋の床面積は，各階ごとに壁その他の区画の中心線で囲まれた部分の水平投影面積（登記簿上表示される面積）による。

②　独立部分を区分所有する場合の家屋の床面積は，建物の区分所有等に関する法律第2条第3項に規定する専有部分の床面積をいい，壁その他の区画の内側線で囲まれた部分の水平投影面積（登記簿上表示される面積）による。したがって，床面積には，数個の独立部分に通ずる階段，エレベーター室等共用部

分の面積は含まれない。

4 債務の返済

(1) 借入金又は債務の借換えをした場合

買換資産の取得のための借入金又は債務（以下「当初の借入金等」という。）の金額を消滅させるために，新たな借入金を有することとなる場合，新たな借入金が当初の借入金を消滅させるためのものであることが明らかであり，かつ，措置法令第26条の7第12項第1号又は第4号に規定する要件を満たしているときに限り，新たな借入金は，買換資産に係る住宅借入金等に該当する（措通41の5-16）。

(2) 繰上返済等をした場合

買換資産の住宅借入金等の契約で，その年の翌年以後に返済等をすべきこととされている住宅借入金等の金額で，その年に繰上返済等した場合であっても，その年の12月31日に住宅借入金等の残高があるときは，居住用買換譲渡損失の特例の適用がある。ただし，その繰上返済等により償還期間又は割賦期間が10年未満となる場合，その年については特例の適用はない。

借入金又は債務の借換えをした場合には，措置法通達41の5-16（借入金又は債務の借換えをした場合）の適用がある場合がある（措通41の5-17）。

5 買換資産の取得期限

(1) 取得期限の原則

買換資産は譲渡の日の属する前年，譲渡の日の属する年，及び譲渡した年の翌年中の3年以内に取得することが要件である（措法41の5⑦一）。

買換資産の取得期限	譲渡の日の属する年の前年
	譲渡の日の属する年の12月31日
	譲渡した日の属する年の翌年の12月31日（見込み）

(2) 特定非常災害として指定があった場合の延長

特定非常災害として指定された非常災害に起因するやむを得ない事情で，予定期間等内に買換え資産等の取得が困難となり，税務署長の承認等があった場合，取得期限を，その取得期限の属する年の翌々年12月31日とすることができる（措法41の5⑦1，措令26の7）。

延長するために，取得期限の属する年の翌年3月15日までに，この特例の適用を受けようとする旨その他一定の事項を記載した「買換資産等の取得期限等の延長承認申請書【特定非常災害用】」に，特定非常災害として指定された非常災害に基因するやむを得ない事情により買換資産の取得をすることが困難であると認められ

る事情を証する書類を添付する（措規18の25④）。

6 やむを得ない事情により買換資産の取得が遅れた場合
(1) 取得が遅れた場合
　居住用買換譲渡損失の特例の適用を受けようとする者が，取得期限（措置法第41条の5第7項第1号に規定する「取得期限」をいう。）までに，買換資産である家屋（いわゆる建売住宅のように家屋とともにその敷地の用に供する土地等の譲渡がある場合の土地等を含む。）を取得できなかった場合であっても，次に掲げる要件のいずれも満たすときは，取得期間内に取得されていたものとして取り扱う。この場合，取得期限において住宅借入金等の金額を有しているかどうかは，家屋の取得の日により判定する（措通41の5-13）。

　① 家屋を取得期間内に取得する契約を締結していたにもかかわらず，その契約の締結後に生じた災害（その災害について措置法第41条の5第7項第1号カッコ書の取得期限の延長の承認を受けている場合のその災害を除く。），その他その者の責めに帰せられないやむを得ない事情により，期間内に取得できなかったこと。

　② 家屋を取得期限の属する年の翌年12月31日までに取得し，かつ，同日までにその者の居住の用に供していること。

(2) 買換資産の取得の日
　買換資産の取得の日については，所得税基本通達33-9（資産の取得の日）に定めるところにより判定するのであるが，次に掲げる資産は，それぞれ次に掲げる日以後において取得することになる。

① 他から取得する家屋で，その取得に関する契約時において建設が完了していないもの	・建設が完了した日
② 他から取得する家屋又は土地等で，その取得に関する契約時において契約に係る譲渡者がまだ取得していないもの（①に掲げる家屋を除く。）	・譲渡者が取得した日

4 損益通算・繰越控除の内容

1 通算後譲渡損失の金額

通算後譲渡損失の金額とは，特定譲渡した年に生じた純損失の金額のうち，居住用財産の譲渡損失の金額に係るもの（居住用財産の譲渡損失の金額に係る譲渡資産のうちに，土地等で，政令で定める面積が500㎡を超える場合，500㎡を超える金額を除く。）として計算した一定の金額をいう（措法41の5⑦3）。

2 通算後譲渡損失の金額の計算

通算後譲渡損失の金額は，居住用財産の譲渡損失の金額のうち，次の区分に応じてそれぞれ次に掲げる金額までとする（措法41の5⑦3，措令26の7⑪）。

イ 青色申告書を提出する場合で，その年分の不動産所得の金額，事業所得の金額，山林所得の金額又は譲渡所得の金額（分離長期譲渡所得の金額及び分離短期譲渡所得の金額を除く）の計算上生じた損失の金額がある場合。	・その年において生じた純損失の金額から，左記イの所得の金額の計算上生じた損失の金額の合計額（合計額がその年において生じた純損失の金額を超えるときは，純損失の金額に相当する金額）を控除した金額。
ロ イ以外の場合で，変動所得の金額の計算上生じた損失の金額又は被災事業用資産の損失の金額がある場合。	・その年において生じた純損失の金額から，左記ロの損失の金額との合計額（合計額がその年において生じた純損失の金額を超えるときは，その純損失の金額に相当する金額）を控除した金額。
ハ イ，ロ以外の場合。	・その年において生じた純損失の金額。

3 損益通算と繰越控除

(1) 概要

居住用財産を譲渡し，譲渡損失が生じた年は譲渡損失について土地建物等の譲渡による所得以外の所得と損益通算ができる（措法41の5①）。損益通算後においてもなお引ききれない損失は翌年に繰り越すことができる。

翌年以降3年間は繰越された損失を総所得金額等から控除できる（措法41の5④）。譲渡があった場合の譲渡損失の金額が1,000万円，譲渡の年分以後4年間の毎年の総合課税の所得が300万円の場合の損益通算及び繰越控除の適用は次のように行う。

譲渡の年		1年目	2年目	3年目
他の所得 300万円		他の所得 300万円	他の所得 300万円	他の所得 300万円
譲渡損失 1,000万円	損益通算 300万円			
	繰越損失 700万円	繰越控除 300万円		
		繰越損失 400万円	繰越控除 300万円	
			繰越損失 100万円	繰越控除 100万円
特例適用後の 所得金額		0円	0円	0円	200万円
所得要件		なし	3,000万円 以下	3,000万円 以下	3,000万円 以下

(2) **総合譲渡所得の金額の計算と居住用財産の譲渡損失の金額との関係**

　総合短期譲渡所得（譲渡所得のうち所得税法第33条第3項第1号に掲げる所得で，措置法第32条第1項の規定の適用がない所得をいう。）の金額又は総合長期譲渡所得（譲渡所得のうち所得税法第33条第3項第2号に掲げる所得で，措置法第31条第1項及び措置法第32条第1項の規定の適用がない所得をいう。）の金額を計算する場合，これらの所得の基因となった資産のうちに譲渡損失の生じた資産があるときは，その年中に譲渡した資産を総合短期譲渡所得の基因となる資産及び総合長期譲渡所得の基因となる資産に区分して，これらの資産の区分ごとにそれぞれの総収入金額から当該資産の取得費及び譲渡費用の合計額を控除して譲渡損益を計算する。この場合，その区分ごとに計算した金額の一方に損失の金額が生じた場合又は居住用財産の譲渡損失の金額（措置法第41条の5第1項に規定する居住用財産の譲渡損失の金額をいう。）がある場合のその損失の金額の譲渡益からの控除は次による（措通41の5-1）。

① 総合長期譲渡所得の損失の金額は，総合短期譲渡所得の譲渡益から控除する。
② 総合短期譲渡所得の損失の金額は，総合長期譲渡所得の譲渡益から控除する。
③ 居住用財産の譲渡損失の金額は，①又は②の計算をした控除後の譲渡益について，総合短期譲渡所得の譲渡益，総合長期譲渡所得の譲渡益の順に控除する。ただし，この取扱いと異なる順序で控除して申告することができる。

(3) 通算後譲渡損失の金額の繰越控除の順序

前年以前3年内の年において生じた措置法第41条の5第4項に規定する通算後譲渡損失の金額（以下「通算後譲渡損失の金額」という。）に相当する金額をその年の総所得金額等の計算上控除する場合には，次の①から④の順序で控除する（措通41の5-1の2）。

① その年分の各種所得の金額の計算上生じた損失の金額がある場合には，所得税法第69条第1項《損益通算》の規定による控除を行う。

② 所得税法第70条第1項又は第2項《純損失の繰越控除》に規定する純損失の金額がある場合，同条第1項又は第2項の規定による控除を行う。

③ 通算後譲渡損失の金額に相当する金額について，措置法第41条の5第4項の規定による繰越控除を行う。この場合，その年分の分離長期譲渡所得の金額，分離短期譲渡所得の金額，総所得金額，土地等に係る事業所得等の金額，山林所得金額又は退職所得金額から順次控除する。

④ 所得税法第71条第1項《雑損失の繰越控除》に規定する雑損失がある場合，同項の規定による控除を行う。

4 所得制限

(1) 譲渡の年の所得が3,000万円を超える場合

所得限度額は繰越控除の特例の適用を受ける年の所得に適用されるため，譲渡があった年の所得が3,000万円を超える場合でも損益通算の適用はできる。

(2) 繰越控除を受ける年の所得が3,000万円を超える場合

繰越控除の特例の適用を受けようとする年の合計所得金額が3,000万円を超える場合はこの特例の適用を受けることはできない（措法41の5④ただし書）。所得制限は繰越控除を適用する年分ごとに判断する。

5 特例の適用ができない譲渡の相手及び併用特例

1 譲渡の相手方の制限

譲渡の相手方の制限については本章1-3を参照のこと（措法41の5⑦，措令26の7③）。

2 贈与等により譲渡した場合や取得した場合

譲渡や買換が次に該当する場合は居住用買換譲渡損失の特例の適用ができない（措法41の5⑦，措令26の7④，⑥）。

> ① 贈与,出資による譲渡をした場合
> ② 贈与,代物弁済（金銭債務の弁済に代えてされるものに限られる。）で買換資産を取得した場合

3 併用して適用が受けられない特例

(1) 譲渡の年の前年又は前々年に下記の特例の適用を受けている場合（措法41の5⑦）

> ① 居住用財産の軽減税率の特例（措法31の3①）
> ② 居住用財産の3,000万円控除の特例（措法35①）
> ③ 特定の居住用財産の買換えの特例（措法36の2）
> ④ 特定の居住用財産交換の特例（措法36の5）

(2) 居住用買換譲渡損失の特例の適用を受ける年の前年以前3年内に他の資産の譲渡についてこの居住用買換譲渡損失の特例の適用を受けている場合（措法41の5①ただし書き）

　この場合は損益通算の特例の適用を受けることはできない。その後の繰越控除の特例も適用できない。

(3) 居住用買換譲渡損失の特例の適用を受ける年又はその年の前年以前3年内の譲渡について特定居住用譲渡損失の特例（措法41の5の2）の適用を受けている場合（措法41の5⑦1）

6 申告にあたっての要点

1 申告要件

　居住用財産の買換譲渡損失の特例は，適用を受けようとする年分の確定申告書に，措置法第41条の5の適用を受ける旨の記載があり，かつ，次の「確定申告の手続要領」に記載した書類の添付がある場合に限り適用できる。

2 確定申告の手続要領

(1) 譲渡した年（損益通算の特例の適用を受ける場合）

　譲渡した年分の確定申告書には次の書類に必要事項を記入し，確定申告書に添付する。

> 【譲渡資産に関する書類】
> 1 「確定申告書（分離課税用）第三表」の特例適用条文欄に「措法41条の5（第）1項」と記入する。
> 2 「居住用資産の譲渡損失の金額の明細書（確定申告書付表）」
> 3 「居住用財産の譲渡損失の損益通算及び繰越控除の対象となる金額の計算書（措法41の5用）」
> 4 譲渡資産の登記事項証明書，売買契約書の写しその他の書類で，譲渡資産の所有期間が5年を超えるものであること及び譲渡資産のうち土地の面積を明らかにするもの。
> 5 特定譲渡をした時において特定譲渡をした者の住民票に記載されていた住所と特定譲渡をした譲渡資産の所在地とが異なる場合その他これに類する場合には，これらの書類及び戸籍の附票の写し，消除された戸籍の附票の写しその他これらに類する書類で譲渡資産が措置法第41条の5第7項第1号イからニまでのいずれかの資産に該当することを明らかにするもの
>
> （措法41の5⑦，措令26の7⑯，措規18の25①）
>
> 【買換資産に関する書類】
> 1 買換資産の登記事項証明書，売買契約書の写しその他の書類で次の事項を明らかにするもの
> ・買換資産を取得したこと及び取得した年月日のわかる書類
> ・買換家屋の床面積が50㎡以上であることがわかる書類
> 2 取得した買換資産に係る住宅借入金等の残高証明書
>
> （措法41の5②，措規18の25⑪）

(2) 繰越控除の特例の適用を受ける年

譲渡した年分の翌年以後3年間は繰越控除の適用を受けるために，各年分の確定申告書を連続して提出するとともに次の書類を添付する。

> 1 通算後譲渡損失の金額及びその金額の計算の基礎その他参考となるべき事項を記載した明細書
> 2 年末の住宅借入金等の残高証明書
>
> （措規18の25②）

③ 確定申告書の提出がなかった場合

確定申告書の提出がなかった場合，又は必要事項の記載若しくは必要書類の添付がない確定申告書の提出があった場合，提出又は記載若しくは添付がなかったことについてやむを得ない事情があると税務署長が認めるときは，必要事項を記載をした書類及び財務省令で定める必要書類の提出があった場合に限り，居住用買換譲渡損失の特例を適用することができる（措法41の5③）。

④ 特例の適用ができない場合

損益通算又は繰越控除の特例の適用を受けた者が，次の場合に該当するときはそれぞれ次に掲げる日から4か月を経過する日までに修正申告書を提出し，不足した

所得税を納付する。

(1) 損益通算の特例の適用を受けた者

居住用財産の譲渡損が生じた年に，この特例を適用して損益通算を行っていた者が，次の事由に該当する場合は修正申告書を提出して不足した所得税を納付しなければならない（措法41の5⑬）。

特例不適用事由	修正申告の対象となる期限
① 譲渡の日の属する年の翌年の12月31日までに買換資産を取得しない場合	譲渡の日の属する年の翌年12月31日
② 買換資産を取得した日の属する年の12月31日に住宅借入金等がない場合	買換資産を取得した日の属する年の翌年の12月31日
③ 買換資産を取得した日の属する年の翌年12月31日までに，居住の用に供しない場合	買換資産を取得した日の属する年の翌年12月31日

(2) 繰越控除の特例を受けた者

繰越控除を適用していた者が，下記の事由に該当する場合は修正申告書を提出して不足した所得税を納付しなければならない（措法41の5⑭）。

特例不適用事由	修正申告の対象となる期限
買換資産を取得した日の属する年の翌年の12月31日までに買換資産を居住の用に供しない場合	買換資産を取得した日の属する年の翌年12月31日

事例 ......CASE STUDY
こんな場合は適用できない?!

Q 譲渡資産に住宅ローンがなかった場合の特例の適用

譲渡した居住用資産は，繰上げ返済していたため住宅ローンがなく，買換えた居住用の家屋と土地は償還期間20年の住宅ローンを組んだ。この場合でも居住用買換え譲渡損失の特例が適用できるか。

A

譲渡資産に住宅ローンがなくても，買換資産が特例の要件を満たしていれば適用できる。

Q 確定申告をしていない年がある場合の特例の適用

X0年に居住用住宅を譲渡して，居住用財産の買換譲渡損失の特例を適用して申告した。X1年分は確定申告を提出しなかった。X2年分について繰越控除の特例を適用したいが，適用できるか。

A

　X0年分の譲渡損失を他の所得から損益通算の特例を適用して申告し，その後3年間繰越控除の特例の適用を受ける場合は，連続して確定申告書を提出しなければならない。X1年分の確定申告書を提出していないので，特例の適用は受けられない。ただし，X1年分の確定申告書（期限後申告書）を提出すれば，適用することができる。

措置法第41条の5の2

6 特定居住用財産の譲渡損失の損益通算及び繰越控除の特例

　特定居住用財産の譲渡損失の損益通算及び繰越控除の特例（以下「特定居住用財産の譲渡損失の特例」ともいう）は，居住用の土地建物を損失が生じる売却したときに，譲渡した建物の住宅のローンが残っている場合に，買換をしない場合でも，譲渡した年は損益通算及びその翌年から3年間の繰越控除が認められる。平成16年に「特定の居住用財産の買換え等の場合の譲渡損失の繰越控除の特例」の見直しが行われ，創設された特例である。

1 特例の適用要件

1 特例の内容

　特定居住用財産の譲渡損失の特例は所有期間が5年以上で住宅ローンがある居住用住宅を譲渡（以下「特定譲渡」という。）し，一定の損失がある場合，その損失の金額を損益通算及び繰越控除ができる（措法41の5の2①）。
① 譲渡した年分の損失について，土地建物等の譲渡による所得以外の所得と損益通算をすることができる。
② 通算後譲渡損失の金額がある場合，譲渡の年の翌年以後3年以内の各年分の総所得金額等から繰越控除をすることができる。

2 譲渡資産の要件

　特定居住用譲渡損失の特例の適用を受けるためには次の要件を満たす必要がある（以下「譲渡資産」という。）（措法41の5の2⑦1）。

① 日本国内に所在する家屋及び土地等であること。
② 譲渡者が居住している家屋及び土地等であること。
③ 譲渡した年の1月1日において，所有期間が5年を超えていること。
④ 居住の用に供されなくなった日から3年を経過する日の属する年の12月31日までに譲渡したこと。
⑤ 譲渡契約締結日の前日において，償還期間が10年以上の割賦償還の方法により返

| 済する契約となっている住宅借入金等の残高を有すること |

3 特例の適用期間

2004年（平成16年）1月1日から2023年（令和5年）12月31日までの譲渡に適用される（措法41の5の2⑦）。

4 債務の返済

(1) 借入金又は債務の借換えをした場合

譲渡資産に係る借入金又は債務（以下「当初の借入金等」という。）の金額を消滅させるために，新たな借入金を有することとなった場合，新たな借入金が当初の借入金を消滅させるためのものであることが明らかであり，かつ，措置法令第26条の7の2第9項第1号又は第4号に規定する要件を満たしているときに限り，新たな借入金は，譲渡資産に係る住宅借入金等に該当する（措通41の5の2-5）。

(2) 繰上返済等をした場合

住宅借入金等について，特定譲渡に係る契約を締結した日の前日前において繰り上げて返済等をしていた場合であっても，特定譲渡に係る契約を締結した日の前日に住宅借入金等の金額の残高があるときには，残高に基づいて特定居住用財産の譲渡損失の金額を計算できる。ただし，繰上返済等により償還期間又は割賦期間が10年未満となった場合には，特定居住用財産の譲渡損失の特例の適用はできない。

ただし，借入金又は債務の借換えをした場合には，措置法通達41の5の2-5（借入金又は債務の借換えをした場合）の適用がある場合があることに留意する（措通41の5の2-6）。

5 居住用家屋の所有者と敷地の所有者が異なる場合

(1) 所有者が異なる場合

措置法第41条の5の2第7項第1号イ又はロに掲げる家屋（以下「譲渡家屋」という。）の所有者以外の者が，譲渡家屋の敷地の用に供されている土地等で，譲渡の年の1月1日における所有期間が5年を超えているもの（以下「譲渡敷地」という。）の全部又は一部を有している場合，譲渡家屋及び譲渡敷地の所有者の行った譲渡等が次に掲げる要件の全てを満たすときは，これらの者がともに居住用買換譲渡損失の特例の適用を受ける旨の申告をしたときに限り，特例の適用ができる（措通41の5の2-4）。

① 譲渡家屋及び譲渡敷地の所有者は，次のいずれにも該当する資産の特定譲渡をしていること。

イ　譲渡敷地は，譲渡家屋とともに特定譲渡していること。
　　ロ　譲渡家屋は，譲渡の時において家屋の所有者が譲渡敷地の所有者とともにその居住している家屋（その家屋がその所有者が居住しなくなった日から，同日以後3年を経過する日の属する年の12月31日までの間に譲渡されたものであるときは，その居住の用に供されなくなった時の直前にこれらの者がその居住の用に供していた家屋）であること。
　② 譲渡家屋及び譲渡敷地の所有者の住宅借入金
　　譲渡家屋及び譲渡敷地の所有者のそれぞれが，特定譲渡に係る契約を締結した日の前日に譲渡家屋及び譲渡敷地に係る住宅借入金等（以下「譲渡資産に係る住宅借入金等」という。）の金額があること。

(2) **家屋の所有者が特例を適用しない場合**

　譲渡家屋の所有者が家屋（譲渡敷地のうちその者が有している部分を含む。）の譲渡に特定居住用財産の譲渡損失の特例を適用しない場合には，譲渡敷地の所有者について特定居住用財産の譲渡損失の特例を適用することはできない。

　ただし，家屋の所有者について居住用財産の譲渡損失の金額又は通算後譲渡損失の金額がない場合，措置法通達41の5-1の2(1)及び(2)《通算後譲渡損失の金額の繰越控除の順序》に掲げる控除後において控除すべきその年の総所得金額等がないこととなる場合並びにその年の合計所得金額が3,000万円を超えるため同項の規定の適用を受けることができない場合は，特例の適用ができる。

(3) **敷地の所有者が特例の適用を受ける場合**

　譲渡敷地の所有者が，敷地の譲渡に特定居住用財産の譲渡損失の特例の適用を受ける場合には，譲渡家屋の所有者の家屋の譲渡については，居住用財産の軽減税率の特例（措法31の3），居住用財産の3,000万円控除の特例（措法35①），特定の居住用財産の買換等の特例（措法36の2，36の5）の規定の適用を受けることはできない。

⑥ 居住用財産を譲渡した場合の長期譲渡所得の課税の特例に関する取扱いの準用

　家屋若しくは土地等が譲渡資産に該当するかどうか，これらの資産の譲渡が，特定譲渡に該当するかどうかの判定等については，次の措置法通達の取扱いに準じる（措通41の5の2-7）。

- 31の3-2（居住用家屋の範囲）
- 31の3-6（生計を一にする親族の居住の用に供している家屋）
- 31の3-7（店舗兼住宅等の居住部分の判定）
- 31の3-8（店舗等部分の割合が低い家屋）
- 31の3-9（「主としてその居住の用に供していると認められる一の家屋」の判定時期）
- 31の3-10（居住用家屋の一部の譲渡）
- 31の3-11（居住用家屋を共有とするための譲渡）
- 31の3-12（居住用家屋の敷地の判定）
- 31の3-13（「災害」の意義）
- 31の3-20（特殊関係者に対する譲渡の判定時期）
- 31の3-21（「生計を一にしているもの」の意義）
- 31の3-22（同居の親族）
- 31の3-23（「個人から受ける金銭その他の財産によって生計を維持しているもの」の意義）
- 31の3-24（名義株についての株主等の判定）
- 31の3-25（会社その他の法人）
- 41-12（店舗併用住宅等の場合の床面積基準の判定）
- 41-13（住宅の取得等に係る家屋の敷地の判定）
- 41-14（住宅資金の長期融資を業とする貸金業を営む法人）
- 41-15（共済会等からの借入金）
- 41-17（割賦償還の方法等）
- 41-18（返済等をすべき期日において返済等をすべき金額の明示がない場合）
- 41-20（新築等又は増改築等に係る住宅借入金等の金額等）
- 41の5-4（敷地のうちに所有期間の異なる部分がある場合）
- 41の5-5（居住用土地等のみの譲渡）
- 41の5-6（災害滅失家屋の跡地等の用途）
- 41の5-7（居住の用に供されなくなった家屋が災害により滅失した場合）
- 41の5-8（土地区画整理事業等の施行地区内の土地等の譲渡）
- 41の5-9（居住用家屋の敷地の一部の譲渡）
- 41の5-10（災害跡地等を2以上に分けて譲渡した場合）
- 41の5-12（借地権等の設定されている土地の譲渡についての取扱い）

2 損益通算・繰越控除の内容

1 通算後譲渡損失の金額

　通算後譲渡損失の金額とは，特定譲渡した年において生じた純損失の金額のうち，特定居住用財産の譲渡損失の金額に係るものとして計算した一定の金額をいう（措法41の5の2⑦3）。

2 通算後譲渡損失の金額の計算

　通算後譲渡損失の金額は，居住用財産の譲渡損失の金額のうち，次の区分に応じ

てそれぞれ次に掲げる金額までとする（措法41の5の2⑦3，措令26の7の2⑧）。

イ　青色申告書を提出する場合で，その年分の不動産所得の金額，事業所得の金額，山林所得の金額又は譲渡所得の金額（分離長期譲渡所得の金額及び分離短期譲渡所得の金額を除く）の計算上生じた損失の金額がある場合。	・その年において生じた純損失の金額から，左記イの所得の金額の計算上生じた損失の金額の合計額（合計額がその年において生じた純損失の金額を超えるときは，純損失の金額に相当する金額を控除した金額。
ロ　イ以外の場合で，変動所得の金額の計算上生じた損失の金額又は被災事業用資産の損失の金額がある場合。	・その年において生じた純損失の金額から，左記ロの損失の金額との合計額（合計額がその年において生じた純損失の金額を超えるときは，その純損失の金額に相当する金額）を控除した金額。
ハ　イ，ロ以外の場合。	・その年において生じた純損失の金額。

3　損益通算と繰越控除

(1)　概要

損益通算及び繰越控除の計算は居住用財産の買換譲渡損失の特例（措法41の5）に同じである。ローン残高が譲渡価額を上回っている場合に，取得費を限度として上回っている部分の金額を他の所得から控除する。

① 譲渡損失額と譲渡価額の合計がローン残高を上回る場合

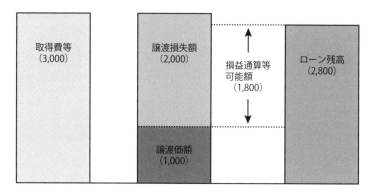

②　譲渡損失額と譲渡価額の合計がローン残高を下回る場合

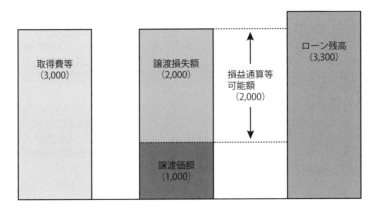

(2) **総合譲渡所得の金額の計算と特定居住用財産の譲渡損失の金額との関係**

　総合短期譲渡所得（譲渡所得のうち所得税法第33条第3項第1号に掲げる所得で，措置法第32条第1項の規定の適用がない所得をいう。）の金額又は総合長期譲渡所得（譲渡所得のうち所得税法第33条第3項第2号に掲げる所得で，措置法第31条第1項及び措置法第32条第1項の規定の適用がない所得をいう。）の金額を計算する場合において，これらの所得の基因となった資産のうちに譲渡損失の生じた資産があるときは，その年中に譲渡した資産を総合短期譲渡所得の基因となる資産及び総合長期譲渡所得の基因となる資産に区分して，これらの資産の区分ごとにそれぞれの総収入金額からその資産の取得費及び譲渡費用の合計額を控除して譲渡損益を計算する。この場合，その区分ごとに計算した金額の一方に損失の金額が生じた場合又は特定居住用財産の譲渡損失の金額（措置法第41条の5の2第1項に規定する特定居住用財産の譲渡損失の金額をいう。）がある場合のその損失の金額の譲渡益からの控除は次による（措通41の5の2-1）。

　　①　総合長期譲渡所得の損失の金額は，総合短期譲渡所得の譲渡益から控除する。
　　②　総合短期譲渡所得の損失の金額は，総合長期譲渡所得の譲渡益から控除する。
　　③　特定居住用財産の譲渡損失の金額は，①又は②の計算をした控除後の譲渡益について，総合短期譲渡所得の譲渡益，総合長期譲渡所得の譲渡益の順に控除する。ただし，この取扱いと異なる順序で控除して申告することができる。

(3) **通算後譲渡損失の金額の繰越控除の順序**

　前年以前3年内の年において生じた措置法第41条の5の2第4項に規定する通算後譲渡損失の金額に相当する金額をその年の総所得金額等の計算上控除する場合に

は，次の①から④の順序で控除する（措通41の5の2-2）。
① その年分の各種所得の金額の計算上生じた損失の金額がある場合には，所得税法第69条第1項《損益通算》の規定による控除を行う。
② 所得税法第70条第1項又は第2項《純損失の繰越控除》に規定する純損失の金額がある場合には，同条第1項又は第2項の規定による控除を行う。
③ 通算後譲渡損失の金額に相当する金額について，措置法第41条の5の2第4項の規定による繰越控除を行う。この場合，その年分の分離長期譲渡所得の金額，分離短期譲渡所得の金額，総所得金額，土地等に係る事業所得等の金額，山林所得金額又は退職所得金額から順次控除する。
④ 所得税法第71条第1項《雑損失の繰越控除》に規定する雑損失がある場合には，同項の規定による控除を行う。

3 特例の適用ができない譲渡の相手及び併用特例

1 譲渡の相手方の制限
譲渡の相手方の制限については本章1-3を参照のこと（措法41の5の2⑦，措令26の7の2③）。

2 贈与等により譲渡した場合や取得した場合
贈与，出資による譲渡をした場合は特定居住用譲渡損失の特例の適用ができない（措法41の5の2⑦，措令26の7の2④）。

3 併用して適用が受けられない特例
① 譲渡の年の前年または前々年に下記の特例の適用を受けている場合（措法41の5の2⑦）

```
①居住用財産の軽減税率の特例（措法31の3①）
②居住用財産の3,000万円控除の特例（措法35①）
③特定の居住用財産の買換えの特例（措法36の2）
④特定の居住用財産の交換の特例（措法36の5）
```

② 特定居住用譲渡損失の特例の適用を受ける年の前年以前3年内に他の資産の譲渡においてこの特定居住用譲渡損失の特例の適用を受けている場合（措法41の5の2①ただし書き）

この場合は損益通算の特例の適用を受けることはできない。その後の繰越控除の特例も適用できない。

③ 特定居住用譲渡損失の特例の適用を受ける年，又はその年の前年以前3年内の譲渡において居住用買換譲渡損失の特例（措法41の5）の適用を受けている場合（措法41の5の2⑦1）

4 申告にあたっての要点

1 申告要件

特定居住用譲渡損失の特例は，適用を受けようとする年分の確定申告書に，措置法第41条の5の2の適用を受ける旨の記載があり，かつ，次の「確定申告の手続要領」に記載した書類の添付がある場合に限り適用ができる。

2 確定申告の手続要領

(1) 譲渡した年（損益通算の特例の適用を受ける場合）

譲渡した年分の確定申告書には次の書類に必要事項を記入し，確定申告書に添付する。

> 【譲渡資産に関する書類】
> 1 「確定申告書（分離課税用）第三表」の特例適用条文欄に「措法41条の5の2（第1項」と記入する。
> 2 「特定居住用資産の譲渡損失の金額の明細書（確定申告書付表）」
> 3 「特定居住用財産の譲渡損失の損益通算及び繰越控除の対象となる金額の計算書（措法41の5の2用）」
> 4 譲渡資産の登記事項証明書，売買契約書の写しその他の書類で，譲渡資産の所有期間が5年を超えるものであることを明らかにするもの
> 5 譲渡に係る契約を締結した日の前日の，譲渡資産の住宅借入金等の残高証明書
> 6 特定譲渡をした時において特定譲渡をした者の住民票に記載されていた住所と特定譲渡をした譲渡資産の所在地とが異なる場合その他これに類する場合には，これらの書類及び戸籍の附票の写し，消除された戸籍の附票の写しその他これらに類する書類で譲渡資産が措置法第41条の5の2第7項第1号イからニまでのいずれかの資産に該当することを明らかにするもの
>
> （措法41の5の2②⑤⑦，措規18の26①②）

(2) 繰越控除の特例の適用を受ける年

譲渡した年分の翌年以後3年間は繰越控除の適用を受けるために，各年分の確定申告書を連続して提出するとともに次の書類を添付する。

> 1 通算後譲渡損失の金額及びその金額の計算の基礎その他参考となるべき事項を記載した明細書
> 2 年末の住宅借入金等の残高証明書
>
> （措規18の26③）

③ 確定申告書の提出がなかった場合

　確定申告書の提出がなかった場合又は必要事項の記載若しくは必要書類の添付がない確定申告書の提出があった場合，提出又は記載若しくは添付がなかったことについてやむを得ない事情があると税務署長が認めるときは，必要事項を記載をした書類及び財務省令で定める書類の提出があった場合に限り，特定居住用譲渡損失の特例を適用することができる（措法41の5の2③）。

措置法第35条第3項

7　被相続人の居住用財産に係る譲渡所得の特別控除の特例

　空き家の総数は約849万戸に達しており，増加の一途をたどる懸念がある（平成30年住宅・土地統計調査（総務省））。「空き家等対策の推進に関する特別措置法」の成立を踏まえ，さらなる空き家の発生を抑制することが求められている。空き家発生の契機は相続時であることが最も多いことから，その抑制の一環として平成28年度税制改正により創設された制度である。

　被相続人の居住用財産に係る譲渡所得の特別控除の特例（以下「相続財産の3,000万円控除の特例」という。）は，相続又は遺贈（贈与者の死亡による効力を生ずる贈与を含む。以下「相続等」という。）より取得した一定の要件を満たす，被相続人の居住用家屋及び被相続人居住用家屋の敷地等を譲渡（以下，特例の要件を満たした譲渡を「対象譲渡」という。）した場合，譲渡所得の金額について3,000万円の特別控除が適用できる。

1　特例の適用要件

① 特例の内容

　相続財産の3,000万円控除の特例は，被相続人の居住用家屋（以下「被相続人居住用家屋」という。）及び被相続人居住用家屋の敷地等（以下「被相続人居住用家屋の敷地等」という。被相続人居住用家屋と合わせて「被相続人居住用家屋及び敷地等」という。）を譲渡し，次の要件を満たすことである（措法35③，④，⑤，⑥）

①	譲渡者の要件	イ　被相続人居住用家屋及び敷地等を相続等により取得したこと ロ　被相続人居住用家屋及び敷地等の両方を取得したこと ハ　既に相続財産の3,000万円控除の特例を適用していないこと
②	譲渡価額の要件	譲渡の対価の額が1億円を超えないこと

② 特例の適用期間

　①　2016年（平成28年）4月1日から2023年（令和5年）12月31日までの譲

渡に適用される。
② 相続の開始があった日以後3年を経過する日の属する年の12月31日までの間にしたものに限ること。

3 被相続人居住用家屋

(1) 被相続人居住用家屋とは

被相続人居住用家屋とは，次の家屋をいう。なお，被相続人居住用家屋の敷地についても同様である（措法35④）。

① 相続の開始の直前において被相続人（包括遺贈者を含む。）の居住の用に供されていた家屋
② 居住の用に供することができないとして政令で定める事由（以下「特定事由」という。）により相続の開始の直前において被相続人の居住の用に供されていなかった場合（一定の要件を満たす場合に限る。）における特定事由により居住の用に供されなくなる直前の被相続人の居住の用に供されていた家屋（次に掲げる要件を満たすものに限る。）。

老人ホームなどに居住している場合のことをいう。

(2) 特定事由

特定事由とは，次の事由をいう（措令23⑥，措規18の2③）。

① 介護保険法に規定する要介護認定等を受けていた被相続人その他これに類する被相続人が，次の施設に入居又は入所をしていたこと。
　　イ　老人福祉法に規定する認知症対応型老人共同生活援助事業が行われる住居，養護老人ホーム，特別養護老人ホーム，軽費老人ホーム又は有料老人ホーム
　　ロ　介護保険法に規定する介護老人保健施設又は介護医療院
　　ハ　高齢者の居住の安定確保に関する法律に規定するサービス付き高齢者向け住宅（イの有料老人ホームを除く。）
② 障害者の日常生活及び社会生活を総合的に支援するための法律に規定する障害支援区分の認定を受けていた被相続人が，同法に規定する障害者支援施設（施設入所支援が行われるものに限る。）又は共同生活援助を行う住居に入所又は入居をしていたこと。

(3) 一定の要件とは（措令23⑦）

一定の要件とは，次の①ないし③を満たすことをいう。
① 特定事由により被相続人居住用家屋が被相続人の居住の用に供されなくなった時から相続の開始の直前まで，引き続きその被相続人居住用家屋が被相続人

の物品の保管その他の用に供されていたこと
　② 特定事由により被相続人居住用家屋が被相続人の居住の用に供されなくなった時から相続の開始の直前まで，被相続人居住用家屋が事業の用，貸付けの用又は被相続人以外の者の居住の用に供されていたことがないこと
　③ 上記(2)①又は②の住居又は施設（以下単に「老人ホーム等」という。）に入所をした時から相続の開始の直前までの間において，被相続人の居住の用に供する家屋が2以上ある場合には，これらの家屋のうち，住居又は施設が，被相続人が主としてその居住の用に供していた一の家屋に該当するものであること

(4) 要介護認定等の判定時期

　被相続人が，要介護認定若しくは要支援認定又は障害支援区分の認定を受けていたかどうかは，特定事由により被相続人居住用家屋が被相続人の居住の用に供されなくなる直前において，被相続人がこれらの認定を受けていたかにより判定する（措通35-9の2）。

(5) 特定事由により居住の用に供されなくなった時から相続の開始の直前までの利用制限

　措置法令第23条第7項第2号に規定する「事業の用，貸付けの用又は当該被相続人以外の者の居住の用に供されていたことがないこと」の要件の判定に当たっては，特定事由により被相続人居住用家屋が被相続人の居住の用に供されなくなった時から相続の開始の直前までの間に，被相続人居住用家屋が事業の用，貸付けの用又は被相続人以外の者の居住の用として一時的に利用されていた場合であっても，事業の用，貸付けの用又は被相続人以外の者の居住の用に供されていたこととなることに留意する。また，貸付けの用には，無償による貸付けも含まれる（措通35-9の3）。

4 特例を受けることができる譲渡の形態

　特例の適用ができる被相続人居住用家屋及び敷地等の譲渡は，家屋及び敷地を譲渡する場合（A），及び家屋を取り壊して敷地だけを譲渡する場合（B）の二つのパターンがある（措法35③）。

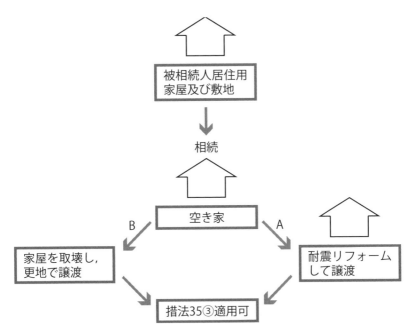

A　被相続人居住用家屋の譲渡，又は被相続人居住用家屋とともに敷地等を譲渡した場合

> イ　家屋の要件
> ①　相続の開始の直前において，被相続人の居住の用に供されていた家屋であること。
> ②　被相続人が主として居住の用に供していたと認められる一の建築物に限ること。
> ③　相続開始の直前に，被相続人以外に居住していた者がいなかったこと。
> ④　相続の時から譲渡の時まで，事業の用，貸付けの用又は居住の用に供されていたことがないこと。
> ⑤　1981年（昭和56年）5月31日以前に建築された家屋であること。
> 　　譲渡の時において地震に対する安全性に係る規定，又はこれに準ずる基準に適合するものであること。1981年（昭和56年）6月1日の建築基準法施行令改正（新耐震）により，同年5月31日以前に建築された家屋。現在の耐震基準を満たしていないことから対象となる。
> ⑥　建物の区分所有等に関する法律第1条に規定する建物，つまり，マンションのような区分所有建物でないこと。
> ⑦　相続開始後に増築，改築，修繕又は模様替えを行った部分についても認められるが，被相続人居住用家屋の全部の取壊し又は除却した場合や，被相続人居住用家屋の全部が滅失した場合は該当しない（措法35③一）。
> ロ　敷地の要件
> 　相続の開始の直前において，被相続人居住用家屋の敷地である土地等であること。

B 被相続人居住用家屋の全部の取壊し等した後，敷地等を譲渡した場合

イ 家屋の要件
① 相続の開始の直前において，被相続人の居住の用に供されていた家屋であること。
② 被相続人が主として居住の用に供していたと認められる一の建築物に限ること。
③ 相続開始の直前に，被相続人以外に居住していた者がいなかったこと。
④ 被相続人居住用家屋の全部の取壊し，除却，又は滅失（以下「取壊し等」という。）した後に譲渡したこと。
⑤ 相続の時から取壊し等の時まで，事業の用，貸付けの用又は居住の用に供されていたことがないこと。
⑥ 1981年（昭和56年）5月31日以前に建築された家屋であること。
⑦ 建物の区分所有等に関する法律第1条に規定する建物，つまり，マンションのような区分所有建物でないこと。
ロ 敷地の要件
① 相続の時から譲渡の時まで事業の用，貸付けの用又は居住の用に供されていたことがないこと。
② 取壊し等の時から譲渡の時まで，建物又は構築物の敷地の用途に供されていたことがないこと。

4 相続の時から譲渡の時までの利用制限

「事業の用，貸付けの用又は居住の用に供されていたことがないこと」の要件の判定に当たっては，相続の時から譲渡の時までの間に，被相続人居住用家屋又は被相続人居住用家屋の敷地等が事業の用，貸付けの用又は居住の用として一時的に利用されていた場合であっても，事業の用，貸付けの用又は居住の用に供されていたこととなる（措法35③1イ，2ロ，措通35-16）。また，貸付けの用には，無償による貸付けも含まれる。家屋を取り壊して，その一部にアパートを建築し，残りの部分を譲渡した場合の取扱いは，家屋の敷地全体のことをいう。貸付けの用に供したことになり，特例の適用は受けられない。

次図以下Aを被相続人，Bを相続人として解説する。

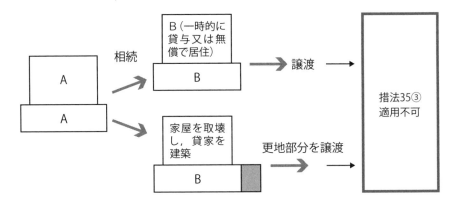

5 「被相続人居住用家屋及び被相続人居住用家屋の敷地等の取得をした個人」の範囲

相続又は遺贈による被相続人居住用家屋及びその敷地等の取得をした相続人とは，被相続人居住用家屋と被相続人居住用家屋の敷地等の両方を取得した相続人に限られる。被相続人居住用家屋のみ，又は被相続人居住用家屋の敷地等のみを取得した相続人は含まれない（措法35③，措通35-9）。

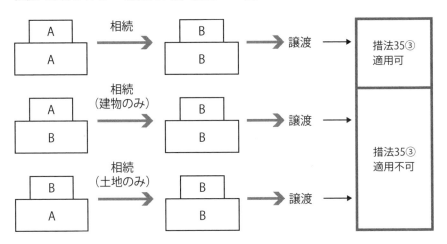

6 被相続人居住用家屋の範囲

被相続人から相続等により取得した家屋が、相続の開始の直前に被相続人の居住の用（対象従前居住の用を含む）に供されていた家屋に該当するかどうかの判定は、相続の開始の直前（家屋が対象従前居住の用に供されていた家屋である場合には、特定事由により家屋が被相続人の居住の用に供されなくなる直前）の現況に基づいて、措置法通達31の3-2（居住用家屋の範囲）に準じて取り扱う。

この場合、居住用家屋が複数の建築物からなる場合であっても、それらの建築物のうち、被相続人が主としてその居住の用に供していたと認められる一の建築物のみが被相続人居住用家屋に該当し、それ以外の建築物は該当しない（措法35④、措令23⑧、措通35-10）。これは、母屋、車庫、倉庫等が別棟となっている場合のことで、この場合は、母屋の敷地の部分しか特例の対象とならない。具体的な母屋の敷地の面積の算定は、建物の床面積の按分による。

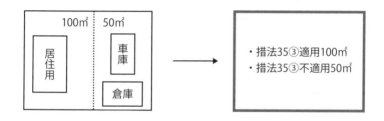

7 建物の区分所有等に関する法律第1条の規定に該当する建物

建物の区分所有等に関する法律第1条の規定に該当する建物とは、区分所有建物である旨の登記がされている建物をいう。

区分所有建物とは、被災区分所有建物の再建等に関する特別措置法第2条に規定する区分所有建物をいう（措法35④2、措通35-11）。

8 「被相続人以外に居住をしていた者」の範囲

被相続人以外に居住をしていた者が同居していた場合は、この特例を適用することができない。この場合の被相続人以外に居住をしていた者とは、相続の開始の直前（その家屋が対象従前居住の用に供されていた家屋である場合には、特定事由によりその家屋が被相続人の居住の用に供されなくなる直前。）に、被相続人の居住用家屋を生活の拠点として利用していたその被相続人以外の者のことをいい、被相続人の親族のほか、賃借等により被相続人の居住の用に供されていた家屋の一部に居住していた者も含まれる（措法35④3、措通35-12）。

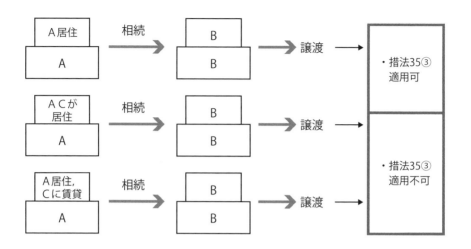

9 被相続人居住用家屋が店舗兼住宅等であった場合の居住用部分の判定

被相続人居住用家屋又は敷地等のうちに非居住用部分がある場合の被相続人の居住の用に供されていた部分の判定は，相続開始の直前の利用状況に基づいて，措置法通達31の3-7（店舗兼住宅等の居住部分の判定）に準じて判定する。したがって，譲渡した被相続人居住用家屋の床面積が，相続の時後に行われた増築等により増減した場合であっても，相続開始の直前の床面積を基に行う。

これにより計算した被相続人の居住用部分の面積が，被相続人居住用家屋又は敷地等の面積のおおむね90％以上となるときは，措置法通達31の3-8（店舗等部分の割合が低い家屋）に準じて取り扱ってよいこととなっている（措法35③1，措令23③，④，措通35-15）。

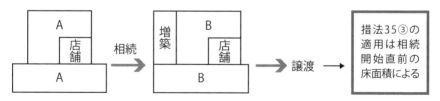

10 敷地の要件
(1) 特例の適用対象となる敷地の要件
① 相続開始の直前に被相続人居住用家屋の敷地の用に供されていた土地等であること。
② 相続開始の直前にその土地が用途上不可分の関係にある2以上の建築物（母

屋と離れなど）のある一団の土地であった場合，土地の面積にその2以上の建築物の床面積の合計のうちに，一の建築物である被相続人居住用家屋（母屋）の床面積に占める割合を乗じて計算した面積に係る土地の部分に限ること。

(2) 用途上不可分の関係にある2以上の建築物

　用途上不可分の関係にある2以上の建築物とは，例えば，母屋とこれに附属する離れ，倉庫，蔵，車庫のように，一定の共通の用途に供せられる複数の建築物であって，これを分離するとその用途の実現が困難となるような関係にあるものをいい，被相続人が主としてその居住の用に供していたと認められる一の建築物と他の建築物とが用途上不可分の関係にあるかどうかは，社会通念に従い，相続開始の直前（その一の建築物が対象従前居住の用に供されていた家屋である場合，特定事由によりその家屋が被相続人の居住の用に供されなくなる直前）の現況において判定する。この場合，これらの建築物の所有者が同一であるかどうかは問われない（措令23⑨，措通35－14）。

(3) 被相続人居住用家屋の敷地等の判定等

　譲渡した土地等が被相続人居住用家屋の敷地等の用に供されていた土地等に該当するかどうかは，社会通念に従い，その土地等が相続の開始直前（その土地が対象従前居住の用に供されていた被相続人居住用家屋の敷地の用に供されていた土地である場合，特定事由によりその家屋が被相続人の居住の用に供されなくなる直前。）に被相続人居住用家屋と一体として利用されていた土地等であったかどうかにより判定する。この場合，相続開始の直前に，土地等が用途上不可分の関係にある2以上の建築物のある一団の土地であった場合における土地等は，措置法令第23条第9項の規定により，次の算式により計算した面積に係る土地等の部分に限られる。

　なお，これらの建築物について，相続以後（その土地が対象従前居住の用に供されていた被相続人居住用家屋の敷地の用に供されていた土地である場合，特定事由によりその家屋が被相続人の居住の用に供されなくなった時後）に増築や取壊し等があった場合であっても，次の算式における床面積は，相続開始の直前における現況による（措法35④，措令23⑦，措通35－13）。

(算式)

$$\left[\text{一団の土地の価値}^{(注1)}\ A \times \frac{\text{相続の開始の直前における一団の土地にあった被相続人居住用家屋の床面積 }B}{B + \text{相続の開始の直前における一団の土地にあった被相続人居住用家屋以外の建築物}^{(注2)}\text{の床面積}} \right] \times \frac{\text{譲渡した土地等の面積}^{(注3)}}{A}$$

(注) 1　被相続人以外の者が相続の開始の直前において所有していた土地等の面積も含まれる。

　　 2　被相続人以外の者が所有していた建築物も含まれる。

　　 3　被相続人から相続等により取得した被相続人の居住用家屋の敷地である土地等の面積のうち，譲渡した土地等の面積による。

(4) 計算例

具体的な計算例を示すと次のとおりとなる。

イ　設例1

相続開始の直前に，被相続人が所有していた甲土地（1,000㎡）が，用途上不可分の関係にある2以上の建築物（被相続人が所有していた母屋：350㎡，離れ：100㎡，倉庫：50㎡）のある一団の土地であった場合（甲土地及びこれらの建築物について相続人Aが4分の3を，相続人Bが4分の1を相続し，相続人Aと相続人Bが共に譲渡したケース）

(イ)　相続人Aが譲渡した土地（1,000㎡×3/4＝750㎡）のうち，被相続人居住用家屋の敷地等に該当する部分の計算

$$\left[1{,}000㎡ \times \frac{350㎡}{350㎡ + (100㎡ + 50㎡)} \right] \times \frac{750㎡}{1{,}000㎡} = 525㎡$$

(ロ)　相続人Bが譲渡した土地（1,000㎡×1/4＝250㎡）のうち，被相続人居住用家屋の敷地等に該当する部分の計算

$$\left[1{,}000㎡ \times \frac{350㎡}{350㎡ + (100㎡ + 50㎡)} \right] \times \frac{250㎡}{1{,}000㎡} = 175㎡$$

ロ　設例2

相続開始の直前に，被相続人が所有していた甲土地（800㎡）と乙土地（200㎡）が，用途上不可分の関係にある2以上の建築物（被相続人が所有していた母屋：350㎡，離れ：100㎡，倉庫：50㎡）のある一団の土地であった場合（甲土地は相

続人Aが，乙土地は相続人Bが，これらの建築物は相続人Aのみが相続し，相続人Aと相続人Bが共にその全てを譲渡したケース）

　(イ)　相続人Aが譲渡した甲土地（800㎡）のうち，被相続人居住用家屋の敷地等に該当する部分の計算

$$\left[1,000㎡ \times \frac{350㎡}{350㎡+(100㎡+50㎡)}\right] \times \frac{800㎡}{1,000㎡} = 560㎡$$

　(ロ)　相続人Bは，被相続人からの相続により乙土地（200㎡）は取得したが，被相続人居住用家屋を取得していないため，相続財産の3,000万円控除の特例の適用を受けることはできない。

　ハ　設例3
　相続開始の直前に，被相続人が所有していた甲土地（400㎡）と相続人Aが所有していた乙土地（600㎡）が，用途上不可分の関係にある2以上の建築物（被相続人と相続人Aが共有（それぞれ2分の1）で所有していた母屋：350㎡，被相続人が単独で所有していた離れ：100㎡，倉庫：50㎡）のある一団の土地であった場合（相続人Aが全てを相続し，更地とした上，甲土地及び乙土地を譲渡したケース）

　(イ)　相続人Aが譲渡した甲土地（400㎡）及び乙土地（600㎡）のうち，被相続人居住用家屋の敷地等に該当する部分の計算

$$\left[1,000㎡ \times \frac{350㎡}{350㎡+(100㎡+50㎡)}\right] \times \frac{400㎡}{1,000㎡} = 280㎡$$

　(ロ)　相続人Aが譲渡した乙土地（600㎡）については，被相続人から相続又は遺贈により取得したものではないため，相続財産の3,000万円控除の特例の適用を受けることはできない。

11　同一年中に自己の居住用財産と被相続人の居住用財産の譲渡があった場合

　特例適用対象者が，同一年中に自己の居住用財産の譲渡及び被相続人の居住用財産の譲渡（対象譲渡）をし，そのいずれの譲渡についても措置法第35条第1項の規定の適用を受ける場合は，措置法通達36－1（譲渡所得の特別控除額の累積限度額）に定める順序により特別控除額の控除をするが，分離短期譲渡所得又は分離長期譲渡所得の区分が同一であるときは，対象譲渡に対応する金額から先に特別控除額の控除をする。

ただし，納税者が自己の居住用財産の譲渡金額から先に特別控除額の控除をして申告することができる。

なお，その年中にその該当することとなった全部の資産の譲渡に係る譲渡所得の金額から3,000万円を限度として控除する（措法35①，②，③，措通35-7）。措置法第35条第3項に規定する譲渡をした場合，第1項に規定する居住用財産を譲渡した場合に該当するとみなすとしている。措置法第35条第1項は「その年中にその該当することとなった全部の資産の譲渡」とあることから，第35条を適用する限度額が3,000万円となる。

実務的には，二つの特例を合わせて譲渡所得が3,000万円を超える場合，自己の居住用財産の譲渡所得に対して居住用財産の軽減税率の特例が適用できる場合は，相続財産の3,000万円控除の特例を先に適用する等の判断が必要となる。

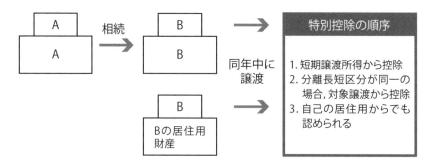

12 被相続人居住用家屋の敷地等の一部の譲渡

相続等により取得した被相続人居住用家屋の敷地等の一部を区分して譲渡をした場合，次の点に留意する（措通35-17）。

① その譲渡が措置法第35条第3項第2号に掲げる譲渡に該当するときであっても，譲渡者が被相続人居住用家屋の敷地等の一部の譲渡について既に同項の適用を受けているときは，特例の適用を受けることはできない。

② 被相続人居住用家屋の敷地等の一部の譲渡である場合

| イ　譲渡が被相続人居住用家屋の譲渡とともに行われた場合 | ・特例の適用ができる。 |
| ロ　譲渡が被相続人居住用家屋の譲渡とともに行われたものでない場合 | ・特例の適用ができない。 |

③ 被相続人居住用家屋の全部の取壊し，除却又は滅失をした後の敷地等の一部の譲渡である場合

イ 敷地等を単独で取得した相続人がその取得した敷地等の一部を譲渡した場合	措置法第35条第3項第2号に掲げる要件は，被相続人居住用家屋の敷地等の全部について満たしておく必要があることから，被相続人居住用家屋の敷地等のうち，譲渡していない部分についても，同号ロ及びハに掲げる要件を満たさない限り，特例の適用ができない。 　なお，敷地等のうち譲渡者以外の者が相続又は遺贈により単独で取得した部分があるときは，その部分の利用状況にかかわらず，敷地等の全部について同号ロ及びハに掲げる要件を満たしている限り，特例の適用ができる。	
ロ 敷地等を複数の相続人の共有で取得した相続人がその共有の一の敷地について，共有のまま分筆した上，その一部を譲渡した場合	措置法第35条第3項第2号に掲げる要件は，共有で取得した分筆前の被相続人居住用家屋の敷地等の全部について満たしておく必要があることから，敷地等のうち譲渡していない部分についても同号ロ及びハに掲げる要件を満たさない限り，特例の適用ができない。 　なお，譲渡した土地等が被相続人居住用家屋の敷地の用に供されていた土地等に該当するかどうかは，措置法通達35－13（被相続人居住用家屋の敷地等の判定等）により判定する。	

13 居住用財産を譲渡した場合の長期譲渡所得の課税の特例に関する取扱いの準用

　譲渡した家屋又は土地等が，特例に該当するかどうかの判定等については，次の取扱いに準じる（措通35－27）。

- ・31の3－11（居住用家屋を共有とするための譲渡）
- ・31の3－20（特殊関係者に対する譲渡の判定時期）
- ・31の3－21（「生計を一にしているもの」の意義）
- ・31の3－22（同居の親族）
- ・31の3－23（「個人から受ける金銭その他の財産によって生計を維持しているもの」の意義）
- ・31の3－24（名義株についての株主等の判定）
- ・31の3－25（会社その他の法人）

14 譲渡価額の要件

(1) 譲渡価額の制限

　この特例の適用要件の一つは，被相続人居住用家屋及びその敷地の譲渡価額が1億円以下である（措法35③）。特例対象財産を複数の相続人等が取得した場合，各人の譲渡所得の計算においてこの特例を適用することができる。その場合でも，譲渡価額の合計額が1億円以下でない場合は，適用できないことに注意する。

(2) 対象譲渡をする以前に譲渡があった場合

　被相続人居住用家屋又はその敷地等を取得した相続人（包括受遺者を含む。以下「居住用家屋取得相続人」という。）が，相続の時から，対象譲渡をした日の属する年の12月31日までの間に，対象譲渡した資産と相続開始の直前に一体として被相続人の居住用家屋（相続の時以後に行われた増築，改築（家屋の全部の取壊し又は除却をした後にするもの，及び全部が滅失をした後にするものを除く。），修繕又は模様替の部分を含む。）又は家屋の敷地の用に供されていた土地等（以下「対象譲渡資産一体家屋等」という。）の譲渡（譲渡所得の基因となる不動産等の貸付けを含み，収用交換等による譲渡を除く。以下「適用前譲渡」という。）をしている場合，適用前譲渡の対価の額と，対象譲渡の対価の額との合計額が1億円を超えるときは，相続財産の3,000万円控除の特例の適用ができない（措法35⑤）。

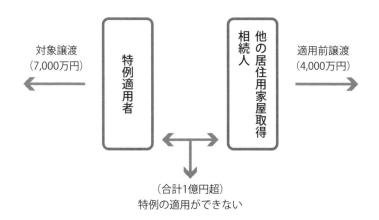

(3) 対象譲渡をした後に譲渡があった場合

　対象譲渡をした日の属する年の翌年1月1日から対象譲渡した日以後3年を経過する日の属する年の12月31日までの間に，対象譲渡資産一体家屋等の譲渡（譲渡所得の基因となる不動産等の貸付けを含み，収用交換等による譲渡を除く。以下「適用後譲渡」という。）をした場合，適用後譲渡の対価の額と対象譲渡の対価の額（適用前譲渡がある場合には，適用前譲渡の合計額）との合計額が1億円を超えることとなったときは，特例の適用ができない（措法35⑥）。

15　適用対象者の通知の要件

　相続財産の3,000万円控除の特例の適用を受けようとする者は，他の居住用家屋取得相続人に対し，①対象譲渡をした旨，②対象譲渡をした日，③その他参考とな

るべき事項の通知をしなければならない。

　この場合，通知を受けた居住用家屋取得相続人で適用前譲渡をしている者は，その通知を受けた後遅滞なく，通知を受けた居住用家屋取得相続人で適用後譲渡をした者は適用後譲渡をした後遅滞なく，それぞれ，通知をした者に対し，①その譲渡をした旨，②その譲渡をした日，③その譲渡の対価の額，④その他参考となるべき事項の通知をしなければならない（措法35⑦）。

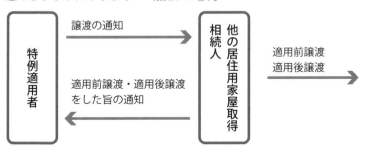

16　対象譲渡について相続財産の3,000万円控除の特例を適用しないで申告した場合

　被相続人居住用家屋又は敷地等の一部を対象譲渡（以下「当初対象譲渡」という。）した場合，譲渡者の選択により，当初対象譲渡について相続財産の3,000万円控除特例の適用をしないで確定申告書を提出したときは，例えば，その後に，被相続人居住用家屋又はその敷地等の一部の対象譲渡について特例の適用を受けないときであっても，更正の請求又は修正申告書を提出するときに，当初対象譲渡について特例の適用を受けることはできない（措通35-18）。

17　譲渡の対価の額

　譲渡の対価の額とは，例えば譲渡協力金，移転料等のような名義のいかんを問わず，その実質において被相続人居住用家屋又はその敷地等の譲渡の対価たる金額をいう（措通35-19）。

18　譲渡の対価の額が1億円を超えるかどうかの判定

　譲渡資産の譲渡対価の額が1億円を超えるかどうかの判定は，次により行うことに留意する。

　また，措置法第35条第5項に規定する居住用家屋取得相続人が対象譲渡資産一体家屋等の適用前譲渡又は適用後譲渡をしているときの1億円を超えるかどうかについては，譲渡対価の額と適用前譲渡に係る対価の額との合計額，又は適用後譲渡に係る対価の額と譲渡対価の額（適用前譲渡がある場合には，譲渡対価の額と適用

前譲渡に係る対価の額との合計額）との合計額で判定する（措通35－20）。
① 譲渡資産が共有である場合は，共有持分の譲渡対価の額により判定する。
　譲渡資産の共有持分のうち，居住用家屋取得相続人の共有持分については，適用前譲渡の対価の額となることに留意する。
② 譲渡資産が相続開始の直前（譲渡資産が対象従前居住の用に供されていた家屋又はその敷地の用に供されていた土地等である場合，特定事由により家屋が被相続人の居住の用に供されなくなる直前。）において店舗兼住宅等及びその敷地の用に供されていた土地等である場合は，居住の用に供されていた部分に対応する譲渡対価の額により判定し，この場合の譲渡対価の額の計算については，次の算式により行う。
　イ　家屋のうち，相続の開始の直前において被相続人の居住用部分の譲渡対価の額の計算

$$家屋の譲渡価額 \times \frac{措通31の3－7に準じて計算した被相続人の居住の用に供されていた部分の床面積}{相続の開始の直前における家屋の床面積}$$

　ロ　土地等のうち，相続の開始の直前において被相続人の居住用部分の譲渡対価の額の計算

$$土地等の譲渡価額 \times \frac{措通31の3－7に準じて計算した被相続人の居住の用に供されていた部分の面積}{相続の開始の直前における土地等の面積}$$

　ただし，これにより計算した被相続人の居住用部分がそれぞれ家屋又は土地等のおおむね90％以上である場合，措置法通達31の3-8（店舗等部分の割合が低い家屋）に準じて，家屋又は土地等の全部を居住の用に供している部分に該当するものとして取り扱うときは，家屋又は土地等の全体の譲渡価額によって判定する。
（注）譲渡した被相続人居住用家屋の敷地等が措置法令第23条第7項に規定する用途上不可分の関係にある2以上の建築物のある一団の土地であった場合は，被相続人居住用家屋の敷地等の譲渡対価の額は，措置法通達35-13（被相続人居住用家屋の敷地等の判定等）の算式により計算した面積部分となる。

19　居住用家屋取得相続人の範囲

「居住用家屋取得相続人」とは次のいずれかの資産を取得した相続人をいう（措法35③）。
　①　被相続人居住用家屋及びその敷地

②　被相続人居住用家屋

③　被相続人居住用家屋の敷地

「居住用家屋取得相続人」には、特例の適用を受ける個人を含むほか、被相続人居住用家屋のみ、又はその敷地等のみの取得をした相続人も含まれる。これは、居住用家屋の敷地ではない、庭の部分等を取得した場合が想定される。

したがって、例えば、被相続人居住用家屋の敷地等のみを相続等により取得した者が、相続の時から対象譲渡をした日以後3年を経過する日の属する年の12月31日までに行った被相続人居住用家屋の敷地等の譲渡は、適用前譲渡又は適用後譲渡に該当する（措通35-21）。

20　「対象譲渡資産一体家屋等」の判定

居住用家屋取得相続人が、相続の時から特例の適用を受ける者が対象譲渡した日以後3年を経過する日の属する年の12月31日までの間に譲渡した資産（以下「譲渡資産」という。）が、「対象譲渡資産一体家屋等」に該当するかどうかは、社会通念に従い、対象譲渡をした資産と一体として被相続人の居住の用（特定事由により被相続人居住用家屋が相続の開始の直前において被相続人の居住の用に供されていなかった場合（措置法令第23条第7項各号に掲げる要件を満たす場合に限る。）には同項第1号に規定する用途）に供されていたものであったかどうかを、相続開始の直前の利用状況により判定する（措通35-22）。

この判定に当たっては、次の点に留意する。

①　居住用家屋取得相続人が相続開始の直前に所有していた譲渡資産も、この判定の対象に含まれる。

　つまり、適用前譲渡及び適用後譲渡の対象となる対象譲渡資産一体家屋等は、相続等により取得した資産に限られていない。相続開始直前に、相続人等が所有し、対象譲渡した資産と一体利用されていた資産も判定の態様となることをいう。

②　相続の時以後の譲渡資産の利用状況はこの判定には影響がない。

　例えば、被相続人居住用家屋を取壊した後、一部を対象譲渡し、残りの部分を貸し付ける等したのちに譲渡した場合でも、その部分も判定の対象となる。

③　特例の適用を受けるためのみの目的で相続開始の直前に一時的に居住の用以外の用に供したと認められる部分については、「対象譲渡資産一体家屋等」に該当する。

　例えば、被相続人居住用家屋を譲渡すれば確実に1億円を超えるような場合、

相続開始直前に、その敷地等を一時的に賃貸する等が想定される。このような場合、特例の適用を受けるために居住用以外に利用したとしても、対象譲渡一体家屋等の判定の対象となる。

④　譲渡資産が対象譲渡をした資産と相続の開始の直前に一体として利用されていた家屋の敷地の用に供されていた土地等であっても、土地が用途上不可分の関係にある2以上の建築物のある一団の土地であった場合、措置法令第23条第11項の規定により計算した面積に係る土地等の部分のみが、「対象譲渡資産一体家屋等」に該当する。対象譲渡をした資産と相続の開始の直前において一体として利用されていた家屋（家屋が対象従前居住の用に供されていた家屋である場合には、特定事由により家屋が被相続人の居住の用に供されなくなる直前）は、被相続人が主として居住の用に供していた一の建築物に限られる。

つまり、用途上不可分の関係のある建築物の敷地に相当する部分は、被相続人居住用家屋等の敷地等に該当しないとともに、対象譲渡資産一体家屋との判定の対象とはならない。

⑤　譲渡資産が相続開始の直前に、被相続人の店舗兼住宅等又はその敷地の用に供されていた土地等であった場合の非居住用部分（相続の開始の直前に被相続人の居住の用以外の用に供されていた部分をいう。）に相当するものもこの判定に含まれる。

つまり、対象譲渡資産の判定とは異なり、相続開始直前の非居住用部分は、対象譲渡資産一体家屋等の判定の対象に含まれる。

21　「適用後譲渡」の判定

居住用家屋取得相続人が行った譲渡が適用後譲渡に該当するかどうかの判定をする場合、相続財産の3,000万円控除の特例の適用を受ける相続人が複数いるときは、各人の対象譲渡ごとに行う（措通35-23）。

22　被相続人の居住用財産の一部を贈与している場合

居住用家屋取得相続人が、適用前譲渡又は適用後譲渡をした場合、適用前譲渡又は適用後譲渡が贈与（著しく低い価額の対価による譲渡を含む。以下同じ。）の場合の特例の適用については、贈与の時における価額に相当する金額をもって適用前譲渡及び適用後譲渡の対価の額とする（措令23⑬、措通35-24）。

贈与の時における価額とは、贈与の時又は著しく低い価額の対価による譲渡の時の通常の取引価額をいう。

なお、著しく低い価額の対価による譲渡に該当するかどうかは、譲渡の時におけ

る通常の取引価額の2分の1に相当する金額に満たない金額による譲渡かどうかにより判定する（措通35-24）。

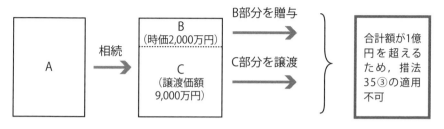

23　適用前譲渡又は適用後譲渡をした旨等の通知がなかった場合

相続財産の3,000万円控除の特例の適用を受けようとする者から通知を受けた居住用家屋取得相続人で、適用前譲渡をしている者、又は適用後譲渡をした者から、通知をした者に対する通知がない場合が想定される。その場合であっても、適用前譲渡の対価の額と対象譲渡の対価の額との合計額、又は適用後譲渡の対価の額と対象譲渡の対価の額（適用前譲渡がある場合には、その対象譲渡に係る対価の額と適用前譲渡に係る対価の額との合計額）との合計額が1億円を超えることとなったときは、特例の適用はない（措通35-25）。

24　相続税の取得費加算の特例との関係

(1)　相続税の取得費加算の特例との選択適用

相続税の取得費加算の特例（措法39）も相続財産を譲渡した場合の特例であるため、被相続人の居住用財産を譲渡した場合の特例とどちらも適用できることとなるが、実際の適用にあたっては、両特例の適用した計算を行い有利な方を選択適用する（措法39①）。

(2)　相続財産に係る譲渡所得の課税の特例等との関係

対象譲渡をしたときに、措置法第39条《相続財産に係る譲渡所得の課税の特例》の規定の適用を受ける場合には、特例の規定の適用はない。

ただし譲渡した資産が、居住用部分（相続の開始の直前（資産が措置法第35条第4項に規定する対象従前居住の用（対象従前居住の用）に供されていた資産である場合には、同項に規定する特定事由によりその資産が、被相続人の居住の用に供されなくなる直前。）において被相続人の居住の用に供されていた部分をいう。）と非居住用部分（相続開始の直前に被相続人の居住の用以外の用に供されていた部分をいう。）とからなる被相続人居住用家屋又はその敷地等である場合、非居住用部分の譲渡についてのみ措置法第39条の適用を受けるときは、要件を満たすもので

ある限り，相続財産の3,000万円控除の特例を適用することができる（措通35-8）。また，貸付用家屋及びその敷地のように，元より居住用資産でない資産については措置法第39条の適用はできる。

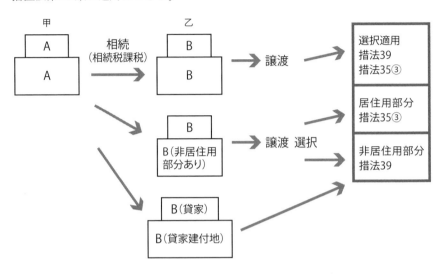

2 特例の適用ができない譲渡の相手方及び併用特例

1 譲渡の相手方の制限

譲渡の相手方の制限については，本章1-3を参照のこと（措令23②，20の3①，法人税法施行令4②，③）。

3 申告にあたっての要点

1 申告要件

相続財産の3,000万円控除の特例は，適用を受けようとする年分の確定申告書に，措置法第35条第3項の適用を受ける旨の記載があり，かつ，同項の規定に該当するものとして，次の「確定申告の手続要領」に記載した書類の添付がある場合に限り適用がある（措法35⑪）。

2 確定申告の手続要領

(1) 家屋及び敷地等を譲渡した場合

1 「申告書第3表（分離課税用）」の「特例適用条文」欄に「措法35条3項」と記入する。
2 「譲渡所得の内訳書（確定申告書付表兼計算明細書）」（5面）
3 被相続人居住用家屋及びその敷地の登記事項証明書その他の書類で次の事実を明らかにするもの。
　① 譲渡資産を相続により取得したこと
　② 家屋が昭和56年5月31日以前に建築されたものであること
　③ 家屋が区分所有建物でないこと
4 租税特別措置法第35条第3項に規定する被相続人の居住事実等対象譲渡に該当する書類。被相続人の居住用家屋の所在の市町村長から交付を受ける。詳細は，下記「被相続人居住用家屋等確認書を交付するために必要な書類」参照。
5 売買契約書の写しその他の書類で譲渡対価の額が1億円以下であることを明らかにする書類。
　適用前譲渡がある場合には，適用前譲渡をした居住用家屋取得相続人の氏名並びに適用前譲渡の年月日及び対価の額。
6 家屋の耐震基準に適合する次のいずれかの書類
　① 耐震基準適合証明書
　譲渡した家屋の譲渡の日前2年以内に当該証明のための家屋の調査が終了したものに限る。
　② 建設住宅性能評価書の写し
　譲渡した家屋の譲渡の日前2年以内に評価されたもので，耐震等級（構造躯体の倒壊等防止）に係る評価が等級1，等級2又は等級3であるものに限る。
7 その他参考となるべき事項

（措法35⑪，措規18の2②二）

(2) 家屋を取壊し等後の敷地等を譲渡した場合

1 上記(1)1から5及び7の書類

3 被相続人居住用家屋等確認書を交付するために必要な書類

被相続人居住用家屋等確認書は，(1)又は(2)に掲げる事項を以下の書類により，被相続人居住用家屋の所在市区町村にて確認・交付を受ける。被相続人が老人ホーム等に入所していた場合等は，戸籍の附表の写し等が必要になることがある。

(1) 家屋及び敷地等を譲渡した場合	(2) 家屋を取壊し等後の敷地等を譲渡した場合	書類（申請者が用意し，市区町村に提出）
① 相続の開始の直前において，被相続人が当該家屋を居住の用に供しており，かつ，当該家屋に被相続人以外に居住をしていた者がいなかったこと。		(A) 被相続人の除票住民票の写し (B) 被相続人居住用家屋の譲渡時の相続人の住民票の写し ※上記の書類については，市区町村が住民基本台帳法第12条の2第1項及び第20条第2項の規定に基づく公用請求により入手している場合には，提出は不要
② 家屋又は家屋及びその敷地等が相続の時から譲渡の時まで事業の用，貸付けの用又は居住の用に供されていたことがないこと。	② 家屋が相続の時からその全部の取壊し，除却又は滅失の時まで事業の用，貸付けの用又は居住の用に供されていたことがないこと。	(C) 家屋又はその敷地等の売買契約書の写し等 ※（2）の場合は以下を提出 ・被相続人居住用家屋の取壊し，除却又は滅失後の敷地等の売買契約書の写し等 ・被相続人居住用家屋の除却工事に係る請負契約書の写し (D) 以下のいずれか ・電気若しくはガスの閉栓証明書又は水道の使用廃止届出書 ・家屋の媒介契約を締結した宅地建物取引業者が，家屋の現況が空き家であり，かつ，その空き家は除却又は取壊しの予定があることを表示して広告していることを証する書面の写し ・家屋又はその敷地等が「相続の時から譲渡の時まで事業の用，貸付けの用又は居住の用に供されていたことがないこと」の要件を満たしていることを所在市区町村が容易に認めることができるような書類 例）所在市区町村が認める者（家屋の管理委託事業者，シルバー人材センター，地縁団体，所在市区町村と空き家対策について連携協定等を締結しているNPO法人，事業者団体の傘下企業等）が家屋の譲渡の時までに管理を行っていることの証明書
	③ 家屋の敷地等が相続の時から譲渡の時まで事業の用，貸付けの用又は居住の用に供されていたことがないこと。	
	④ 家屋の敷地等が取壊し，除却又は滅失の時から譲渡の時まで建物又は構築物の敷地の用に供されていたことがないこと。	(E) 家屋の取壊し，除却又は滅失の時から譲渡の時までの被相続人居住用家屋の敷地等の使用状況が分かる写真 (F) 家屋の取壊し，除却又は滅失の時から取壊し，除却又は滅失後の敷地等の譲渡の時までの間の敷地等における相続人の固定資産課税台帳の写し又は固定資産税の課税明細書の写し ・家屋の除却工事に係る請負契約書の写し

必要書類等は平成28年4月1日付「相続又は遺贈により取得した被相続人居住

用家屋及びその敷地等の譲渡に係る所得税及び個人住民税の特例措置の適用に当たっての要件の確認について」（国住政第101号）に詳しい。

4 登記事項証明書で居住用資産に該当する証明ができない場合

譲渡した資産が，相続登記前に家屋を取り壊した場合や未登記であった場合等，特例の適用対象となる被相続人居住用財産の要件（措置法規則第18条の2第2項第2号イ(2)（i）から（iii）までに掲げる事項に限る。）に該当することについて，登記事項証明書では証明することができない場合がある。この場合は例えば，次に掲げる書類を確定申告書に添付した場合に限り，特例の適用がある（措通35-26）。

措置法規則第18条の2第2項第2号の要件	代替え書類
① 被相続人の居住用家屋及びその敷地を被相続人より取得したことを証する書類	・遺産分割協議書
② 家屋が昭和56年5月31日以前に建築されたことを証する書類	・確認済証（昭和56年5月31日以前に交付されたもの） ・検査済証（当該検査済証に記載された確認済証交付年月日が昭和56年5月31日以前であるもの） ・建築に関する請負契約書
③ 家屋が建物の区分所有等に関する法律第1条（建物の区分所有）に該当しないことを証する書類	・固定資産課税台帳の写し

5 確定申告書の提出がなかった場合等

確定申告書の提出がなかった場合，又は必要事項の記載若しくは必要書類の添付がない確定申告書の提出があった場合，提出又は記載若しくは添付がなかったことについてやむを得ない事情があると認めるときは，必要事項を記載した書類及び財務省令で定める書類の提出があった場合に限り，相続財産の3,000万円控除の特例を適用することができる（措法35⑫）。

6 相続財産の3,000万円控除の特例に該当しなくなった場合

(1) 修正申告書の提出

相続財産の3,000万円控除の特例の適用を受けている者は，適用後譲渡に該当することとなった場合，居住用家屋取得相続人が適用後譲渡をした日から4か月を経過する日までに対象譲渡をした日の属する年分の所得税についての修正申告書を提出し，かつ，その期限内に申告書の提出により納付すべき税額を納付しなければならない（措法35⑧）。

修正申告書の提出がないときは，申告書に記載すべきであった所得金額，所得税

の額その他の事項について更正が行われる（措法35⑨）。

(2) 修正申告書の提出による加算税等

修正申告書が4か月を経過する日までに提出された場合は，期限内申告書とみなされ，加算税や延滞税は賦課されない（措法35⑩，措法33の5③）。

事例 ……………………………………………………… CASE STUDY
こんな場合は適用できない?!

Q 家屋を増築した場合

父から相続した家屋は，昭和56年5月31日以前に建築していたが，その後昭和60年前後に何度かリフォームや増築をしている。この場合でも，相続財産の3,000万円控除の特例は適用できるか。

A

家屋の本体が，昭和56年5月31日以前に建築していれば，その後増築等していても特例の適用ができる。

Q 中古家屋を昭和56年6月1日以後に買い取っている場合

父は，昭和60年に中古住宅を買い取り，居住していた。この家屋は昭和54年に新築していることが登記簿謄本で確認できた。家屋の取得が昭和56年6月1日以後でも特例の適用ができるか。

A

新築した時が，昭和56年5月31日以前であれば特例対象家屋である。同年6月1日以後に取得した場合であっても，特例の適用ができる。

Q 居住用財産を譲渡した場合の特例の適用

相続した土地家屋の譲渡により，2,000万円の譲渡所得が生じた。相続財産の3,000万円控除の特例を適用するつもりだが，同年中に自己の居住用財産も譲渡し，2,500万円の譲渡所得が出る。自己の譲渡した部分について，居住用財産の買換えの特例の適用を受けることができるか。

A

相続財産の3,000万円控除の特例は，居住用財産を譲渡した場合の特例の併用適用の制限はない。そのため，居住用財産を譲渡した場合の各特例の適用ができる。ただし，居住用財産の3,000円控除の特例を適用した場合の特別控除の限度額は，3,000万円である。

Q 家屋の取壊しを買受人が引き受けてもよいか

相続した家屋とその敷地を更地にして譲渡する予定だが，買受人が不動産業関係者であり，家屋の取壊しも依頼したい。特例の適用ができるか。

A

土地を更地にして特例の適用を受けるには，家屋は譲渡の時までに取壊していることが要件である。買受人が取壊しをしても構わないが，売買契約とは別の契約をするべきであり，取壊し費用の清算は売買代金とは別途行うべきである。売買契約と絡めると，家屋を含めて譲渡したと判断される可能性が高い。

8 配偶者居住権の消滅に伴う対価の授受があった場合の課税関係

　2018年（平成30年）7月6日に成立した改正民法（相続法）で創設され，2020年（令和2年）4月1日に施行された配偶者居住権は，配偶者が終身又は一定期間，被相続人の所有していた建物を無償で使用及び収益する権利である。民法では配偶者居住権は譲渡することができないと規定している。消滅期限に向かって価値が減少していく資産を買い取ることが想定できないことや第三者に対して譲渡して対価を得た場合，建物所有者と配偶者居住権を買い取った者とのトラブルが頻発することが想定されるためである。しかし，期間満了前に契約を解除することが十分考えられる。配偶者居住権は，一定の財産権として課税関係が構築されていることから，期間満了前に契約が解消された場合，対価の授受の有無により贈与税又は譲渡所得の課税関係が発生する。

1 配偶者居住権の消滅による課税関係

1 期間満了による配偶者居住権の消滅

　配偶者が死亡した場合や配偶者居住権の設定時に定めた期間満了の場合，配偶者居住権は消滅する。期間満了前であっても，次のような場合には配偶者居住権の残存価値には，相続税又は贈与税の課税関係は発生しない。期間満了等による場合，配偶者居住権に財産的価値を付さないとする取扱いである。

(1) 期間満了及び借主である配偶者の死亡により使用貸借が終了したこと（民法1036の準用による民法597①③）

(2) 居住建物の全部が，滅失その他の事由により使用及び収益をすることができなくなったこと（民法1036の準用による民法616の2）

2 合意等による配偶者居住権の消滅

(1) 合意等により配偶者居住権が消滅する場合

　配偶者居住権は当事者間で合意により解除又は放棄することができる。

配偶者及び建物所有者の任意の契約解除等合意又は放棄等により配偶者居住権又は配偶者居住権の目的となっている建物の敷地の用に供される土地を配偶者居住権に基づき使用する権利（以下「配偶者居住権等」という。）が消滅した場合，当初の契約による存続期間満了の場合や建物の滅失等による使用不能の場合と異なり，財産権が移転すると捉える。次のケースのことをいう（相基通9-13の2）。
　①　配偶者と建物の所有者との間の合意により，配偶者居住権を解消させたこと
　②　配偶者が配偶者居住権を放棄したこと
　③　建物所有者が消滅の意思表示をしたこと（民法1032④）

(2)　課税関係

　上記①～③のいずれかに該当して配偶者居住権が消滅し，建物所有者又はその敷地の所有者（以下「建物等所有者」という。）が次に該当する場合，建物等所有者が，その消滅直前に，配偶者居住権等の価額に相当する金額（対価の支払があった場合には，その価額を控除した金額）を，配偶者から贈与によって取得したものとして取り扱う。
　①　対価を支払わない場合
　②　著しく低い価額の対価を支払ったとき
　このことから，配偶者居住権の解消は対価の支払いがあることが原則との取扱いであることになる。対価の支払いがある場合，その効果は譲渡と変わらないため，譲渡所得課税の対象となる（所基通33-6の8）。

③　配偶者居住権等の消滅に伴う対価の課税区分

　配偶者居住権等の消滅に伴う対価が譲渡所得の課税対象となる。
　2020年（令和2年）7月に改正された措置法通達31・32共-1では，配偶者居住権等は，分離課税とされる譲渡所得の基因となる資産に含まれないとされたことから，総合課税対象資産となった。

▼配偶者居住権に係る課税関係

権利者	権利の区分	譲渡所得
配偶者	配偶者居住権	総合課税
	敷地利用権	
建物等所有者	建物	分離課税
	宅地	

2 配偶者居住権等を譲渡した場合の取得の日及び取得費

1 譲渡所得の計算における長期譲渡所得又は短期譲渡所得の判定

(1) 配偶者居住権等を譲渡した場合の長期短期の区分

　配偶者居住権等を譲渡した場合の取得の日を、配偶者居住権等を取得した日であると捉えると、配偶者居住権等の設定から5年以内に譲渡した場合、短期譲渡所得となる。

　そもそも配偶者居住権等は、被相続人が取得した建物及び土地に設定されたものであり、その権利を建物及び土地所有者と按分しているものである。建物及び土地所有者の所有する部分だけが相続又は遺贈により取得の日が引き継がれることは不合理である。配偶者居住権等の消滅時の取得費は、被相続人等から引き継いだ本来の居住建物の取得費をその建物所有権者である相続人と按分した額を基礎として計算する。それと平仄を合わせる必要から、長期譲渡所得又は短期譲渡所得の判定についても、被相続人等の取得時期を引き継ぐこととされた（所法60②、所基通31・32共-7）。

(2) 配偶者居住権を譲渡した場合の区分

　配偶者居住権を取得した時に配偶者居住権の目的となっている建物を譲渡したとしたならば、その建物を取得した日とされる日以後5年を経過する日後の消滅は長期譲渡所得とする（所令82①2）。配偶者居住権が、被相続人が居住建物を取得した日以後5年を経過する日以前に消滅した場合は短期譲渡所得である。

2 配偶者居住権等の取得費

(1) 配偶者居住権の消滅時の取得費

　相続、遺贈又は贈与により取得した資産は、引き続き所有していたものとみなして取得価額を計算する（所法60③1）。配偶者居住権の取得費は次の計算による。

　居住建物等についてその被相続人に係る居住建物等の取得費に配偶者居住権等割合を乗じて計算した金額から、その配偶者居住権の設定から消滅等までの期間に係

る減価の額を控除した金額である（所法60②1）。

居住建物の取得費$^{(注1)}$ × 配偶者居住権の割合$^{(注2)}$ − 配偶者居住権設定から消滅等までにかかる減価の額

（注1）建物の取得費については，その取得の日から配偶者居住権の設定の日までの期間に係る減価の額を控除する。

（注2）「配偶者居住権の割合」とは，配偶者居住権の設定の時における配偶者居住権又は配偶者敷地利用権の価額に相当する金額の居住建物等の価額に相当する金額に対する割合をいう。

$$配偶者居住権割合 = \frac{配偶者居住権の価額A}{A + 配偶者居住権が設定された建物の相続税評価額}$$

(2) 配偶者敷地利用権の消滅時の取得費

配偶者敷地利用権を取得した時に土地の取得費の額として計算される金額のうち，その時における配偶者敷地利用権の価額に相当する金額に対応する部分の金額として一定の計算をした金額により配偶者敷地利用権を取得したものとし，その金額から，配偶者居住権の存続期間を基礎として一定の計算をした金額を控除した金額が配偶者敷地利用権の取得費である（所法60③2）。

居住建物の敷地の用に供される土地等の取得費 × 敷地利用権の割合 − 敷地利用権設定から消滅等までにかかる減価の額

3 配偶者居住権付建物及び土地等の取得費

配偶者居住権付建物又はその敷地の用に供される土地（土地の上に存する権利を含む。）を譲渡した場合のその建物又は土地の取得費は次の計算による（所法60②）。

(1) 配偶者居住権付建物を譲渡した場合の取得費

その建物に配偶者居住権が設定されていないものと仮定した場合に，その建物を譲渡した時において被相続人の建物の取得費の額として計算される金額から，その建物を譲渡した時において配偶者居住権が消滅したものと仮定した場合に配偶者居住権の消滅時の取得費とされる金額を控除する。

具体的には次のとおりである。

被相続人の居住建物の取得費 − 配偶者居住権の取得費

(2) 配偶者居住権付建物の敷地の用に供される土地を譲渡した場合の土地の取得費

その建物に配偶者居住権が設定されていないものと仮定した場合にその土地を譲

渡した時において被相続人の土地の取得費の額として計算される金額から，その土地を譲渡した時において配偶者敷地利用権が消滅したものと仮定した場合に配偶者敷地利用権の消滅時の取得費とされる金額を控除する。

具体的には次のとおりである。

被相続人の土地等の取得費 － 敷地利用権の取得費

第4章
事業用資産の譲渡又は等価交換で使える特例

　第4章では，主に事業用として使われている資産を譲渡した場合の特例について解説する。措置法では第37条から第37条の9の5までである。
　適用事例として多いのは，第37条の特定の事業用資産の買換えの特例である。譲渡資産と買換資産の対になって規定されているため，適用条件を十分に検討する。また，この特例は毎年改正が行われているので，最新の情報をチェックする。

措置法第37条・第37条の4

1 特定の事業用資産の買換え・交換の場合の長期譲渡所得の課税の特例

　特定の事業用資産の買換えの場合の長期譲渡所得の特例(以下「特定の事業用資産の買換えの特例」という。)は1963年(昭和38年)に創設され、その後、その時々の社会経済情勢に合わせて改正が行われている。毎年のように細かい適用項目の変更が行われているので、実際適用する場合は該当年分の条文を十分に吟味する。

　この特例の基本は、課税の繰延べにある。事業として使用している資産を譲渡し、原則として譲渡の年もしくは翌年中に、譲渡価額に見合った買換資産を取得し、取得した日から1年以内に事業の用に供した場合にその譲渡所得について、譲渡資産の譲渡価額と買換資産の取得価額のいずれか少ない方の80%に相当する部分の課税が繰り延べられる。

　特定の事業用資産の買換えの特例を適用して取得した資産(以下「買換資産」という。)は、譲渡した事業用資産(以下「譲渡資産」という。)の取得価額を引き継ぐことになる(以下「引継価額」という。)。将来、買換資産を譲渡した時に、譲渡資産の取得価額等が引き継がれて譲渡所得の計算が行われるため買換えの事実及び引き継がれた価額を管理しておく必要がある。また、譲渡価額の20%が課税されるため、引継価額の計算が複雑である。

　なお、措置法第37条の4の特定の事業用資産の交換の特例(以下「特定の事業用資産の交換の特例」という。合わせて「特定の事業用資産の買換等の特例」という場合がある。)は基本的に、この特例と同様である(措法37の4)。

1 特例の適用要件

① 特例の内容

　特定の事業用資産の買換えの特例は、次の要件の全てを満たさなければならない(措法37①)。

①	事業又は事業に準ずるものの用に供していた資産を譲渡すること
②	事業の用に供する資産を買い換えること
③	措置法第37条第1項に規定する表（以下「買換適合表」という。）の「譲渡資産」欄に該当する資産を譲渡（譲渡所得の起因となる不動産等の貸付けを含む。）し、代わりに「買換資産」欄に該当する資産を取得すること。
④	買換資産は，譲渡した前年中，譲渡した年中及び譲渡した翌年中に取得すること。
⑤	買換資産を，取得の日から1年以内に事業の用に供すること，又は供する見込みであること。

2 特例の適用期間

特定の事業用資産の買換えの特例は1970年（昭和45年）1月1日から2023年（令和5年）12月31日までの譲渡に適用される。措置法第37条第1項表4号については，2023年（令和5年）3月31日までの譲渡について適用される。

3 特例の適用が受けられない場合

事業用資産を譲渡又は買換えをした場合でも，次に該当する場合は，特定の事業用資産の買換えの特例の適用が受けられない。

(1) 譲渡資産が棚卸資産又はそれに準ずる資産（雑所得の起因となる土地および土地の上に存する権利）である場合（措法37①，措令25①，所法2①16）。

不動産売買業を営む者の有する土地建物等ではあるが次のものは棚卸資産に該当しない（措通37-2）。

① その者が使用し若しくは他に貸し付けているもの（販売の目的で所有しているもので一時的に使用し又は他に貸し付けているものを除く。）。

② 具体的な使用計画に基づいて使用することを予定して相当の期間所有していることが明らかであるもの。ただし，相当期間所有しているだけではなく，事業の用に供していなければならないことに留意する。

(2) 譲渡が収用等（措法33～33の3），贈与，交換，出資，代物弁済（金銭債務の弁済に替えてするものに限る）で行われた場合（措法37①，措令25③）。

譲渡資産が措置法第33条から第33条の4《収用等の場合の課税の特例》までの適用を受けることができる場合，これらの規定の適用を受けないときでも，特定の事業用資産の買換えの特例の適用はない（措通37-1）。収用の場合，収用代替の特例が適用でき，課税の繰延べ割合が100％であることから有利である。そもそも収用があった場合は，代替又は5,000万円控除のどちらかしか

選択できない。
③ 買換資産を贈与・交換・現物分配（法法2 12の5の2）・所有権移転外リース取引・代物弁済（金銭債務の弁済に替えてするものに限る）により取得した場合（措法37①，措令25③）。

[4] **譲渡資産及び買換資産（買換適合表）**

特定の適用となる譲渡資産及び買換資産は，次の，措置法第37条第1項の表（以下「買換適合表」という。）による（措法37①）。この場合，各欄の対比する資産以外の資産の買換えは認められない。なお，買換の対象資産は毎年見直しが行われているので，適用にあたっては，譲渡した年分の買換適合表を必ず確認する。

譲渡資産	買換資産
一 次に掲げる区域（政令で定める区域を除く。以下この号及び第3号において「既成市街地等」という。）内にある事業所で政令で定めるものとして使用されている建物（その附属設備を含む。以下この表において同じ。）又はその敷地の用に供されている土地等（土地又は土地の上に存する権利をいう。以下この条において同じ。）で，当該個人により取得をされたこれらの資産のうちその譲渡の日の属する年の1月1日において所有期間（第31条第2項に規定する所有期間をいう。第4号及び第5項において同じ。）が10年を超えるもの 　イ 首都圏整備法（昭和31年法律第83号）第2条第3項に規定する既成市街地 　ロ 近畿圏整備法（昭和38年法律第129号）第2条第3項に規定する既成都市区域 　ハ イ又はロに掲げる区域に類するものとして政令で定める区域	既成市街地等以外の地域内（国内に限る。以下この号及び次号において同じ。）にある土地等，建物，構築物又は機械及び装置（農業及び林業以外の事業の用に供されるものにあっては次に掲げる区域（ロに掲げる区域にあっては，都市計画法第7条第1項の市街化調整区域と定められた区域を除く。）内にあるものに限るものとし，農業又は林業の用に供されるものにあっては同項の市街化区域と定められた区域（以下この号及び次号において「市街化区域」という。）以外の地域内にあるものに限るものとし，都市再生特別措置法第81条第1項の規定により同項に規定する立地適正化計画を作成した市町村の当該立地適正化計画に記載された同条第2項第3号に規定する都市機能誘導区域以外の地域内にある当該立地適正化計画に記載された同号に規定する誘導施設に係る土地等，建物及び構築物を除く。） 　イ 市街化区域のうち都市計画法第七条第1項ただし書の規定により区域区分（同項に規定する区域区分をいう。）を定めるものとされている区域 　ロ 首都圏整備法第2条第5項又は近畿圏整備法第2条第5項に規定する都市開発区域その他これに類するものとして政令で定める区域

二　次に掲げる区域（以下この号において「航空機騒音障害区域」という。）内にある土地等（平成26年4月1日又はその土地等のある区域が航空機騒音障害区域となった日のいずれか遅い日以後に取得（相続，遺贈又は贈与による取得を除く。）をされたものを除く。），建物又は構築物でそれぞれ次に定める場合に譲渡をされるもの 　イ　特定空港周辺航空機騒音対策特別措置法第4条第1項に規定する航空機騒音障害防止特別地区　同法第8条第1項若しくは第9条第2項の規定により買い取られ，又は同条第1項の規定により補償金を取得する場合 　ロ　公共用飛行場周辺における航空機騒音による障害の防止等に関する法律第9条第1項に規定する第2種区域　同条第2項の規定により買い取られ，又は同条第1項の規定により補償金を取得する場合 　ハ　防衛施設周辺の生活環境の整備等に関する法律第5条第1項に規定する第2種区域　同条第2項の規定により買い取られ，又は同条第1項の規定により補償金を取得する場合	航空機騒音障害区域以外の地域内にある土地等，建物，構築物又は機械及び装置（農業又は林業の用に供されるものにあっては，市街化区域以外の地域内にあるものに限る。）
三　既成市街地等及びこれに類する区域として政令で定める区域内にある土地等，建物又は構築物	上欄に規定する区域内にある土地等，建物，構築物又は機械及び装置で，土地の計画的かつ効率的な利用に資するものとして政令で定める施策の実施に伴い，当該施策に従って取得をされるもの（政令で定めるものを除く。）
四　国内にある土地等，建物又は構築物で，当該個人により取得をされたこれらの資産のうちその譲渡の日の属する年の1月1日において所有期間が10年を超えるもの	国内にある土地等（事務所，事業所その他の政令で定める施設（以下この号において「特定施設」という。）の敷地の用に供されるもの（当該特定施設に係る事業の遂行上必要な駐車場の用に供されるものを含む。）又は駐車場の用に供されるもの（建物又は構築物の敷地の用に供されていないことについて政令で定めるやむを得ない事情があるものに限る。）で，その面積が300平方メートル以上のものに限る。），建物又は構築物

五　船舶（船舶法第一条に規定する日本船舶に限るものとし，漁業（水産動植物の採捕又は養殖の事業をいう。）の用に供されるものを除く。以下この号において同じ。）のうちその進水の日からその譲渡の日までの期間が政令で定める期間に満たないもの	船舶（政令で定めるものに限る。）

2　事業用資産の要件

1　事業とは

　事業とは，農業，漁業，製造業，卸売業，小売業，サービス業その他の業務のことをいい，継続性反復性のある社会的，経済的行為である。事業用資産とは，事業を営むに必要な資産のことをいい，具体的には建物，設備，動産，土地等がある。原則として不動産等の貸付けは，事業として行っていても事業所得の範疇から外れるが，特定の事業用買換えの特例では，事業に準ずるものとして取り扱われる。

2　生計を一にする親族の事業の用に供している資産

　特例の対象となる事業用資産は，譲渡者が事業の用に供している資産のことをいう。しかし，譲渡資産がその所有者と生計を一にする親族の事業の用に供されていた場合には，その所有者にとっても事業の用に供されていたものとして，特例の適用が認められる（措通37-22，33-43）。

3　事業に準ずるものの範囲とは

　「事業に準ずるもの」とは，事業と称するに至らない不動産又は船舶の貸付け，その他これに類する行為で，相当の対価を得て継続的に行うものをいう（措令25②）。判定にあたって次の点に留意する（措通37-3）。

　① 「不動産又は船舶の貸付けその他これに類する行為」とは，買換適合表の各号に掲げる資産の賃貸，その他その使用に関する権利の設定（以下「貸付け等」という。）の行為をいう。

　② 「相当の対価を得て継続的に行う」とは，相当の所得を得る目的で継続的に対価を得て貸付け等の行為を行うことをいう。

　　この場合，次の点に留意する。

　　イ　相当の所得を得る目的で，継続的に対価を得ているかどうかについては，次による。

　　　（イ）　相当の対価については，貸付け等の用に供している資産の減価償却費

の額（その資産の取得の際にこの特例の適用を受けているときは，措置法第37条の3第1項により計算した取得価額を基として計算した減価償却費の額），固定資産税その他の必要経費を回収した後において，なお相当の利益が生ずるような対価を得ているかどうかにより判定する。
　　　（ロ）　貸付けた際に対価を一時に受け，その後一切対価を受けない場合，継続的に対価を得ていることに該当しない。
　　　（ハ）　貸付けた際に一時金を受け，かつ，継続的に対価を得ている場合，一時金の額と継続的に受けるべき対価の額とを総合して，（イ）の相当の対価であるかどうかを判定する。
　　ロ　継続的に貸付けを行っているかどうかについては，原則として，その貸付の契約の効力の発生した時の現況で，相当期間継続して行われることが予定されているかどうかによる。

④ 譲渡資産及び買換資産を事業の用に供したことの意義

⑴ 買換資産を事業の用に供したことの判定

　特定の事業用資産の買換えの特例の適用を受けることができるのは，買換資産を取得の日から1年以内に事業の用に供した場合，又は供する見込みである場合に限られる。次の場合は，原則として，事業の用に供したことにはならない（措通37－21）。
　　①　土地の上に建物，構築物等を建設等する場合，その建物，構築物等が事業の用に供されないときのその土地。
　　②　空閑地（運動場，物品置場，駐車場等として利用している土地であっても，特別の施設を設けていないものを含む。）である土地，空き屋である建物等。ただし，特別の施設は設けていないが，物品置場，駐車場等として常時使用している土地で，事業の遂行上通常必要なものとして，合理的であると認められる程度のものは，この限りでない。
　　③　工場等の用地としている土地であっても，工場等の生産方式，生産規模等の状況からみて必要なものとして合理的であると認められる部分以外の部分。
　　④　農場又は牧場等としている土地であっても，耕作，牧畜等の行為が社会通念上農業，牧畜業等に至らない程度のものであると認められる場合のその土地，又は耕作能力，牧畜能力等から推定して必要以上に保有されていると認められる土地。
　　⑤　植林されている山林を相当の面積にわたって取得し，社会通念上林業と認め

られる程度に到る場合における土地は，事業の用に供したものに該当するが，例えば，雑木林を取得して保有するに過ぎず，林業と認められるに至らない場合のその土地。

(2) 事業に関し貸し付ける次のものは，相当の対価を得ていない場合であっても，事業の用に供したものに該当する

① 工場，事業所等の作業員社宅，売店等として貸し付けているもの
② 自己の商品等の下請工場，販売特約店等に対し，商品等について加工，販売等をするために必要な施設として貸し付けているもの

(3) 譲渡資産が事業の用に供していたことの判定

譲渡資産が事業の用に供していた資産であるかどうかは，上記(1)又は(2)に準じて判定する。ただし，次に掲げるような資産は，事業の用に供していた資産に該当しない。

① 特定の事業用資産の買換えの特例の適用を受けるためのみの目的で，一時的に事業の用に供したと認められる資産
② たまたま運動場，物品置場，駐車場等として利用し，又はこれらの用のために，一時的に貸し付けていた空閑地

5 事業の用と事業以外の用とに併用されていた資産の買換えの場合

譲渡資産が事業の用と事業以外の用とに併せて供されている場合は，事業の用に供されていた部分を「事業の用に供しているもの」とする。ただし，事業の用に供されていた部分が，概ね90％以上である場合には，その資産の全部を「事業の用に供しているもの」として差し支えないこととなっている（措通37-4）。

この取扱いは，買換取得資産についても同様である。

なお，事業用部分と非事業用部分は，原則として，面積の比により判定する。

3 譲渡資産及び買換資産の要件

1 低額譲渡等

譲渡又は取得には，贈与によるものは含まれないが，贈与には，所得税法第59条第1項第2号（贈与等の場合の譲渡所得等の特例）に掲げる譲渡及び相続税法第7条本文（贈与又は遺贈に因り取得したものとみなす場合）の規定により贈与により取得したものとみなされる取得を含むこととなっている。この場合の贈与による譲渡，又は取得とする部分は，それぞれ次による（措通37-5）。

(1) 譲渡資産のうち，資産の譲渡の日の価額からその譲渡の対価の額を控除した金額に相当する部分は贈与による譲渡があったものとする。この場合，贈与による譲渡があったものとする部分の取得費は，資産の取得費に次の割合を乗じて計算した金額とする。

　　（資産の譲渡の日の価額－譲渡の対価の額）÷資産の譲渡の日の価額

(2) 取得資産のうち，資産の取得の日の価額からその取得の対価の額を控除した金額に相当する部分は贈与による取得があったものとする。この場合，贈与による取得があったものとする部分の金額は，買換資産の取得価額に含まれない。

2 借地権等の返還により支払を受けた借地権等の対価に対する特例の適用

他人の土地を使用している者が，借地権等を土地の所有者に返還し，立退料の支払を受けた場合，借地権等の価額に相当する金額は，土地の上に存する権利の譲渡による対価として，譲渡資産の譲渡に該当する（措通37－7）。

3 貸地の返還を受けた場合に支払った立退料等

土地を他人に使用させていた者が，借地人を立ち退かせるために立退料等を支払った場合，その土地の底地以外の部分の取得があったものとし，支払った金額（借地人から取得した建物，構築物等の対価に相当する金額を除く。）は，その土地の底地以外の部分の取得価額とする（措通37－14）。

4 土地等が譲渡資産又は買換資産に該当するかどうかの判定

譲渡又は取得した土地等が，買換適合表の各号の上欄に規定する譲渡資産又は下欄に規定する買換資産に該当するかどうかを判定する場合，土地等が各号に規定する地域又は区域にあるかどうかは，その土地等を譲渡した時又は取得した時の現況による（措通37－8）。

5 建物等が買換資産に該当するかどうかの判定

買換適合表の第1号及び第3号の下欄に規定する「建物，構築物又は機械及び装置」とは，これらの資産が下欄に規定する地域又は区域において取得されるものをいい，これに該当するかどうかは，その資産を取得した時の現況による（措通37－9）。

6 買換資産の面積制限の取扱い

(1) 買換資産の面積制限

買換資産のうちに土地等があり，かつ，土地等をそれぞれ買換適合表各号の下欄ごとに区分し計算した土地等の面積が，その年中に譲渡をした各号の上欄に掲げる土地等に係る面積を基礎として，政令で定める面積を超えるときは，超える部分の

面積は，買換資産に該当しない（以下「面積制限」という。）。

　この場合の政令で定める面積とは，買換資産である土地等の面積が譲渡資産の土地等の面積の5倍を超えるものをいう（措法37②，措令25⑭）。

(2) 買換資産が2以上ある場合の面積制限の適用

　買換適合表のいずれかの号の下欄に該当する土地等を2以上取得して買換資産とする場合，これらの買換資産として取得した土地等の合計面積が，譲渡資産である土地等の面積に，倍率（5倍）を乗じて計算した面積に相当する面積を超える場合には，買換資産となる土地等の面積は，買換資産として取得したそれぞれの土地等の面積に次の割合を乗じて計算した面積を限度とする。

　また，買換適合表のいずれかの号の下欄に該当する土地等を，譲渡の日の属する年の前年以前又は譲渡の日の属する年の翌年以後に取得して，買換資産とする場合の面積制限についても，同様である（措通37-10）。

（割合）

$$\frac{譲渡資産である土地等の面積に措置法令第25条第14項に規定する倍率を乗じて計算した面積に相当する面積}{買換資産として取得した土地等の合計面積}$$

（注）
1　「措置法第37条第1項の表のいずれかの号の下欄に該当する土地等を2以上取得して買換資産とする場合」は，次に掲げる場合には，それぞれ次に定めるときをいう。

　① 措置法第37条第1項の表の第2号の下欄に該当する土地等について，譲渡資産が同号の上欄に掲げる資産のうち令和2年4月1日前に同欄のイ若しくはロに掲げる区域となった区域内又は同欄のハに掲げる区域内（以下「対象区域内」という。）にあるものに該当し，同項の規定の適用を受ける場合

　　譲渡資産が同欄に掲げる資産のうち対象区域内にあるものに該当するときにおける同号の下欄に掲げる買換資産又は買換資産以外の買換資産ごとに区分をした場合において，区分ごとに土地等を2以上取得して買換資産とするとき

　② 措置法第37条第1項の表の第4号の下欄に該当する土地等について，同条第10項の規定により同条第1項の規定の適用を受ける場合

　　東京都の特別区，集中地域（東京都の特別区を除く。）（同条第10項第2号に規定する地域をいう。）又はこれらの地域以外の地域（以下「集中地域以外の地域」という。）にある買換資産ごとに区分をした場合において，区分ごとに土地等を2以上取得して買換資産とするとき

2 「集中地域」とは，地域再生法第5条第4項第5号イに規定する集中地域をいい，具体的には，平成30年4月1日における次に掲げる区域をいう。
　① 東京都の特別区の存する区域及び武蔵野市の区域並びに三鷹市，横浜市，川崎市及び川口市の区域のうち首都圏整備法施行令別表に掲げる区域を除く区域
　② 首都圏整備法第24条第1項の規定により指定された区域
　③ 大阪市の区域及び近畿圏整備法施行令別表に掲げる区域
　④ 首都圏，近畿圏及び中部圏の近郊整備地帯等の整備のための国の財政上の特別措置に関する法律施行令別表に掲げる区域

(3) **譲渡対価を区分した場合の面積制限の適用**

　買換適合表の2以上の号の上欄に該当する土地等を譲渡した場合，その譲渡対価により2以上の号の下欄に該当する資産を取得して，買換適合表の2以上の号の規定の適用を受けるときがある。その場合，買換資産となる土地等の面積は，納税者が，措置法令第25条第22項又は第23項の規定により譲渡資産又は買換資産の全部又は一部についてその2以上の号のいずれかの号の譲渡資産又は買換資産に該当するものとして選択したところに基づき，譲渡した土地等の面積にいずれかの号の譲渡資産の譲渡収入金額が土地等の譲渡収入金額の合計に占める割合を乗じ，さらに同条第14項に規定する倍率（5倍）を乗じて計算した面積に相当する面積を限度とする。

　また，買換適合表の第4号の上欄に該当する土地等を譲渡した場合で，その土地等の譲渡対価により，東京都の特別区，集中地域又は集中地域以外の地域のうち2以上の地域内に同号の下欄に該当する土地等を取得して，措置法第37条第10項の規定により同条第1項の規定の適用を受けるときにおける買換資産となる土地等の面積の計算についても，同様に計算する（措通37－11）。

(4) **土地造成費についての面積制限**

　譲渡者の有する土地について造成を行った場合，措置法通達37－16（土地造成費等）により，その造成を買換資産の取得として特定の事業用資産の買換えの特例の適用を受けようとするときは，土地が譲渡資産の譲渡の日前おおむね10年以内に取得されたものであるときを除き，面積制限の適用はない（措通37－11の3）。

(5) **共有地の面積制限**

　土地の共有持分（借地権の準共有持分を含む。）を譲渡し，又は取得した場合の特定の事業用資産の買換えの特例の適用については，土地の面積に，譲渡又は取得をした共有持分の割合を乗じて計算した面積を基礎として面積制限の規定を適用す

る（措通37-11の4）。

(6) 仮換地の面積制限

　土地区画整理法（新都市基盤整備法及び大都市地域住宅等供給促進法において準用する場合を含む。）又は土地改良法による仮換地の指定を受けた土地を譲渡し、又は取得した場合の特定の事業用資産の買換えの特例の適用は、仮換地の面積を基礎として面積制限の規定を適用する（措通37-11の5）。

(7) 借地権又は底地の面積制限

　借地権等又は借地権等の設定されている土地（底地）を譲渡し、又は取得した場合の特定の事業用資産の買換えの特例の適用については、借地権等の目的となっている土地又借地権等の設定されている土地の面積を基礎として面積制限の規定を適用する（措通37-11の6）。

7 「工場等として使用されている建物」の判定

(1) 工場等として使用されている建物の判定

　買換適合表の第1号の上欄の「建物」とは、工場、作業場、研究所、営業所、倉庫その他これらに類する施設（工場、作業場その他これらに類する施設が相当程度集積している区域として国土交通大臣が指定する区域内にあるもの及び福利厚生施設を除く。以下「工場等」という。）として使用されている建物（その付属設備を含む。）をいう。一の建物に工場等として使用されている部分とその他の部分とがある場合には、工場等として使用されている建物の部分は次の算式により計算した面積に相当する部分とする（措令25⑦、措通37-11の7）。

$$\text{建物のうち工場等として専ら使用されている部分の床面積 A} + \text{建物のうち工場等として使用されている部分とその他の部分とに併用されている部分の床面積} \times \frac{A}{A + \text{その他の部分として専ら使用されている部分の床面積}}$$

(2) 工場等として使用されている建物の敷地である土地等の判定

　買換適合表の第1号の上欄の「その敷地の用に供されている土地等」とは、工場等として使用されている建物の敷地の用に供されている建物を所有する者が有する土地等をいう。一の建物に工場等として使用されている部分とその他の部分とがある場合には、土地等のうち、工場等として使用されている建物の部分は、次の算式により計算した面積に相当する部分とする（措通37-11の8）。

$$\begin{pmatrix}\text{土地等のうち}\\\text{工場等の敷地}\\\text{として専ら供}\\\text{されている部}\\\text{分の面積}\end{pmatrix} + \begin{pmatrix}\text{土地等のうち工場等の}\\\text{敷地として使用されて}\\\text{いる部分とその他の部}\\\text{分とに併用されている}\\\text{部分の面積}\end{pmatrix} \times \frac{\text{建物の床面積のうち37-11の7の算式により計算した工場等として使用されている部分の床面積}}{\text{建物の床面積}}$$

なお，土地等が工場等として使用されている建物の「敷地」に該当するかどうかは，社会通念に従い，その土地等が建物と一体として利用されているものであったかどうかにより判定する。

8 土地等と建物の所有期間が異なる場合の買換えの適用

買換適合表の第1号の上欄に規定する譲渡資産は，同号の上欄に規定する建物又はその敷地の用に供されている土地等のうちその譲渡の日の属する年の1月1日において所有期間（措置法第31条第2項に規定する所有期間をいう。）が10年を超えるものに限ることとされている。個人がその譲渡の日の属する年の1月1日において所有期間が10年を超える土地等とともにその土地等の上に建築されたその譲渡の日の属する年の1月1日において所有期間が10年を超えない建物で工場等として使用されているものを譲渡する場合，その建物は同号の上欄に規定する譲渡資産に該当しない。土地等は譲渡資産に該当する（措通37-11の9）。

9 取得した資産の範囲

買換適合表の第1号の上欄の譲渡資産には，所得税法第58条第1項の規定の適用を受けて取得した取得資産，所得税法第60条第1項各号に規定する贈与，相続，遺贈又は譲渡により取得した資産，措置法第33条，第33条の2第1項若しくは第2項又は第33条の3の規定の適用を受けて取得した措置法第33条の6第1項に規定する代替資産等及び措置法第37条の6第1項の規定の適用を受けて取得した同条第4項に規定する交換取得資産（以下「交換取得資産等」という。）のうち，その譲渡の日の属する年の1月1日において所有期間が10年を超える資産が含まれるのであるが，交換取得資産等について，更に，これらの規定の適用を受けて取得された場合の交換取得資産等も含まれるものとする（措通37-11の10）。

譲渡資産の所有期間が10年を超えていることが要件となっている。譲渡資産を相続又は贈与等により取得した場合や，収用代替の特例等を適用して取得した場合は，その資産の取得の日を引き継ぐこととなっている。そのため，これらが原因で取得した資産については，前所有者や収用された土地等の取得の日を引き継いで所有期間の判定をする。また，相続した土地等を収用された場合等でも同様である。

⑩ 交換差金を支払って取得した交換取得資産等と特例の適用

　所得税法第58条第1項の規定の適用を受けて取得した取得資産，措置法第33条，第33条の2第1項若しくは第2項又は第33条の3の規定の適用を受けて取得した措置法第33条の6第1項に規定する代替資産等又は措置法第37条の6第1項の規定の適用を受けて取得した同条第4項に規定する交換取得資産の取得に要した金額が，それぞれこれらの規定の適用を受け譲渡した資産の譲渡価額を超える場合（措置法第33条の6第1項第3号に掲げる場合を含む。）であっても，取得された資産の全てが買換適合表の第1号の上欄に規定する譲渡資産に該当する（措通37－11の11）。

⑪ 所有期間が10年を超える土地等についての買換えの適用

　買換適合表の第4号の上欄の譲渡資産は，譲渡の日の属する年の1月1日において所有期間が10年を超えるものに限ることとされている。そのため，所有期間が10年を超える土地等とともに所有期間が10年以下の建物又は構築物を譲渡した場合，土地等のみが譲渡資産に該当し，建物又は構築物は譲渡資産には該当しない（措通37－11の13）。

⑫ 長期所有の土地等の買換面積の判定

　譲渡者が取得した土地等で買換適合表の第4号の下欄の「特定施設」の敷地の用に供されるものの面積が300㎡以上であるかどうかの判定を行う場合，次の点に留意する。なお，土地等が特定施設の「敷地」に該当するかどうかは，社会通念に従い，土地等が施設と一体として利用されるものであるかどうかにより判定する（措通37－11の14）。

(1) 土地等が，共有物である場合，全体の面積に共有持分の割合を乗じて計算した面積（その土地等が独立部分を区分所有する特定施設の敷地の用に供するものである場合，土地等の総面積に，特定施設の建物の独立部分の総床面積のうちに区分所有する独立部分の床面積の占める割合を乗じて計算した面積）を，取得した土地等の面積とする。

(2) 土地等が，特定施設として使用されている部分と，その他の部分からなる施設の敷地の用に供されるものである場合，特定施設の敷地である土地等の面積は，次の算式により計算した面積とする。

$$\text{その土地等のうち特定施設の敷地の用に専ら供される部分の面積} + \text{その土地等のうち特定施設の敷地として使用される部分とその他の部分とに併用される部分の面積} \times \frac{\text{施設のうち特定施設として専ら使用される部分の床面積}(A) + \text{施設のうち特定施設として使用される部分とその他の部分とに併用される部分の床面積}}{\text{施設の床面積}} \times \frac{A}{A + \text{施設のうちその他の部分として専ら使用される部分の床面積}}$$

13 航空機騒音障害区域内にある土地等の取得の日の判定

譲渡した土地等が措置法第33条,第33条の2,第33条の3又は第37条の6の規定の適用を受けて取得をした場合の買換適合表の第2号の上欄に規定する「平成26年4月1日又はその土地等のある区域が航空機騒音障害区域となった日のいずれか遅い日」以後に取得をしたものかどうかの判定は,その譲渡した土地等を実際に取得をした日による(措通37-12)。

14 海洋運輸業又は沿海運輸業の意義

措置法令第25条第12項第1号に規定する海洋運輸業又は沿海運輸業は,海洋又は沿海における運送営業に限られる。たとえ,海上運送法の規定により船舶運航事業を営もうとする旨の届出をしていても,専ら自家貨物の運送を行う場合には,その営む運送は,海洋運輸業又は沿海運輸業に該当しない。

なお,海洋運輸業又は沿海運輸業については,日本標準産業分類(総務省)の「小分類451外航海運業」又は「小分類452沿海海運業」に分類する事業が該当する(措通37-13)。

15 資本的支出

既に所有している資産の改良,改造等を行った場合,原則として,特例適用となる買換資産の取得に当たらない。ただし,次に掲げる改良,改造等が買換期間又は取得指定期間(措法37④)内に行われる場合には,買換資産の取得に当たる(措通37-15)。

① 新たに取得した買換資産について,事業の用に供するためにする改良,改造等(取得の日から1年以内に行われるものに限る。)

② ①のほか,建物の増改築又は構築物の拡張,若しくは延長等をする場合のように,実質的に新たな資産を取得すると認められる改良,改造等

16 土地造成費等

次に掲げるような宅地等の造成のための費用を支出した場合,その金額が相当の

額に上り，実質的に新たに土地を取得したことと同様の事情があるものと認められるときは，その造成については，完成の時に新たな土地の取得があったものとし，費用の額をその取得価額として特例を適用することができる（措通37-16）。
　①　自己の有する水田，池沼に土盛り等して，宅地等を造成するための費用
　②　自己の有するいわゆるがけ地を切土して，宅地等を造成するための費用
　③　公有水面を埋立てして，宅地等を造成するための費用

17　支払った交換差金についての買換えの適用

　資産を交換した場合（措置法第37条の4《特定の事業用資産の交換の特例》又は所得税法第58条《固定資産の交換の特例》の規定の適用を受ける場合を除く。），交換に伴い交換差金を支出したときは，交換により取得した資産（以下「交換取得資産」という。）のうち交換差金に対応する部分は，買換えにより取得した資産として取り扱うことができる。したがって，交換取得資産が買換適合表の各号下欄に掲げる買換資産のいずれかに該当する場合，その該当する号の上欄に該当の譲渡資産があるときは，譲渡資産の譲渡所得については，交換取得資産のうち，交換に伴って支出した交換差金に対応する部分を買換資産として，特例を適用することができる（措通37-17）。

18　固定資産である土地に区画形質の変更等を加えて譲渡した場合の事業用の判定

　事業（事業に準ずるものを含む。）の用に供されている土地に区画形質の変更を加え，若しくは水道その他の施設を設け，又は建物を建設して，速やかに譲渡した場合，その土地が所得税基本通達33-4（固定資産である土地に区画形質の変更等を加えて譲渡した場合の所得）の（注）により，固定資産に該当するものであるときは，事業の用に供している資産に該当するものとして，特例を適用することができる。
　所得税基本通達33-5（極めて長期間保有していた土地に区画形質の変更等を加えて譲渡した場合の所得）により譲渡所得とする部分がある場合の収入金額に相当する部分の土地についても，同様である（措通37-18）。

19　譲渡資産又は買換資産が2以上ある場合の買換え

　買換適合表の上欄に掲げる譲渡資産を2以上譲渡した場合，又は表の下欄に掲げる買換資産を2以上取得した場合，譲渡資産又は買換資産のうち納税者がこの特例の適用を受ける旨の申告をした譲渡資産又は買換資産について特例の適用ができる。
　なお，一の譲渡資産又は買換資産の一部分のみを譲渡資産又は買換資産として特

例を適用することはできない（措通37-19）。

20 譲渡がなかったものとされる部分の金額等の計算

買換適合表の2以上の号の規定の適用を受ける場合，「譲渡がなかったもの」とされる部分の金額又は「譲渡があったもの」とされる部分の金額の計算は，同表の各号ごとに行う。ただし，次に掲げる場合には，それぞれ次に定める方法により行うこととする（措通37-19の2）。

① 譲渡資産が措置法第37条第1項の表の第2号の上欄に掲げる資産のうち対象区域内にあるもの及びそれ以外の区域内にあるものについて，同項の適用を受ける場合

　　納税者が計算したところに基づき，同号の下欄に掲げる買換資産を，対象区域内にある譲渡資産に対応する部分又はそれ以外の区域内にある譲渡資産に対応する部分に区分をして，これらの部分ごとに計算する方法

② 措置法第37条第10項の規定により同条第1項の規定の適用を受けるときにおいて，東京都の特別区，集中地域（東京都の特別区を除く。）又は集中地域以外の地域のうち2以上の地域内に買換資産を取得した場合

　　納税者が計算したところに基づき，買換適合表の第4号の上欄に掲げる譲渡資産を，東京都の特別区にある買換資産に対応する部分，集中地域（東京都の特別区を除く。）にある買換資産に対応する部分又は集中地域以外の地域にある買換資産に対応する部分に区分をして，これらの部分ごとに計算する方法

なお，次の点に留意する。

イ　その年中に譲渡した資産又は取得した資産が措置法第37条第1項の表の2以上の号の上欄に掲げる譲渡資産又は2以上の号の下欄に掲げる買換資産に該当する場合，譲渡資産又は買換資産について2以上の号の規定の適用を受けるときは，「譲渡がなかったもの」とされる部分の金額又は「譲渡があったもの」とされる部分の金額の計算は，納税者が譲渡資産又は買換資産の全部又は一部について2以上の号のいずれかの号の上欄に掲げる譲渡資産又は下欄に掲げる買換資産に該当するものとして選択したところに基づきそれぞれの号ごとに行う。

ロ　同一年中に買換適合表の各号の一の号の規定の適用を受ける譲渡資産又は買換資産が2以上あるときは，譲渡資産の譲渡による収入金額の合計額又は買換資産の取得価額の合計額を基としてこれらの部分の金額を計算する。上記①の区域ごとに区分をして計算する場合又は上記②の地域ごとに区分をして計算する場合，その区分ごとに譲渡資産又は買換資産が2以上あるときも同様である。

21 2,000万円控除等の特例と特定の事業用資産の買換えの特例

同一年中に買換適合表の各号の上欄に掲げる資産を2以上譲渡した場合，譲渡した資産のうちに，次の特例の適用を受けることができる土地等（以下「特別控除対象土地等」という。）があり，特別控除対象土地等の全部又は一部について，特別控除の適用を受けるときは，特別控除対象土地等以外の資産についてのみ特定の事業用資産の買換えの適用を受けることができる（措通37-20）。

① 措置法第34条《特定土地区画整理事業等の2,000万円控除の特例》
② 措置法第34条の2《特定住宅地造成事業等の1,500万円控除の特例》
③ 措置法第34条の3《農地保有合理化等の800万円控除の特例》
④ 措置法第35条の2《特定の土地等の1,000万円控除の特例》
⑤ 措置法第35条の3《低未利用土地等の100万円控除の特例》

22 買換資産の取得期限等

(1) 買換資産の取得期限

買換資産は，譲渡の年の前年中（以下「先行取得」という。），譲渡した年中及び譲渡の年の翌年中に取得する。譲渡した年の前後3年以内に行わなければならないが，それぞれに一定の要件がある。

▼買換資産の取得期限

譲渡の年の前年中	・譲渡の日の属する年の前年中に取得し，譲渡の年の翌年3月15日までに税務署長に「先行取得資産に係る買換えの特例の適用に関する届出書」を提出しているもの。
譲渡した年中	・譲渡の日の属する年の12月31日。
譲渡の年の翌年中	・譲渡の日の属する年の翌年12月31日に取得する見込みで税務署長の承認を受けたもの（措法37④）。この場合には，確定申告書の提出の際に「買換（代替）資産の明細書」を提出する。

(2) 譲渡の年の前年中に買換資産を取得した場合

譲渡の年の前年中の取得の場合，譲渡の年の翌年3月15日までに税務署長に「先行取得資産に係る買換えの特例の適用に関する届出書」を提出することが要件となっている（措法37③，措令25⑯⑰）。

23 特定非常災害として指定があった場合の延長

(1) 期限の延長

特定非常災害として指定された非常災害に基因するやむを得ない事情により，取得指定期間内に取得をすることが困難となった場合，政令で定める日までの間に資産の取得をする見込みであり，かつ，税務署長の承認を受けたときは，取得指定期

間を，その取得指定期間の末日から2年以内の日で税務署長が認定した日まで延長することができる（措法37⑧，措令25㉑）。

(2) 取得指定期間を延長するための手続等

取得指定期間の末日の属する年の翌年3月15日（同日が，修正申告書の提出期限後である場合には，その提出期限）までに，この特例の適用を受けようとする旨その他一定の事項を記載した「買換資産等の取得期限等の延長承認申請書【特定非常災害用】」に，特定非常災害として指定された非常災害に基因するやむを得ない事情により買換資産の取得をすることが困難であると認められる事情を証する書類を添付する（措規18の5⑥⑦）。

なお，措置法第37条第8項の期限の延長の適用を受けた場合には，その後に措置法令第25条第15項に規定するやむを得ない事情による取得指定期間の延長を行うことはできない（措通37-30）。

24 やむを得ない事情により，譲渡及び買換資産の取得が遅れた場合

(1) やむを得ない事情とは

買換資産は事業の用に供する資産であるため，敷地の整備や工場等の建築に日数を要する場合がある。先行取得した資産について，次のようなやむを得ない事情がある場合には，取得期限の延長を申請することができる。延長ができるのは，譲渡の年の12月31日後2年以内で，税務署長が認定した日（以下「取得指定期間」という。）までである（措法37④，措令25⑮⑱）。

① 工場等の建設に要する期間が通常1年を超えること
② 工場，事務所その他の建物，構築物又は機械及び装置で事業の用に供するものの敷地の用に供するための宅地の造成並びに工場等の建設及び移転に要する期間が，通常1年を超えると認められる事情があること。
③ その他これに準ずるやむを得ない事情がある場合

(2) やむを得ない事情に準ずる事情

買換資産の取得で措置法第37条第3項（先行取得の場合。）の規定を適用する場合における措置法令第25条第15項に定める「その他これに準ずる事情がある場合」には，譲渡資産について，次に掲げるような事情があるため，やむを得ずその譲渡が遅延した場合が含まれる（措通37-26の2）。

① 借地人又は借家人が容易に立退きに応じないため譲渡ができなかったこと。
② 譲渡するために必要な広告その他の行為をしたにもかかわらず，容易に買手がつかなかったこと。

③　①又は②に準ずる特別な事情があったこと。

(3) やむを得ない事情により買換資産の取得が遅れた場合

　措置法第37条第4項かっこ書の買換資産の取得期間の延長の認定は，工場等を構成する買換資産の取得の事情に基づいて個々に行うこととなっている。例えば，工場の建設に3年を要する場合であっても，その敷地については，造成等の特別の事情がない限り取得期間の延長は認められない（措通37-27）。

(4) 取得期間の認定を行う場合のやむを得ない事情

　買換資産は譲渡した日の属する年の翌年中に取得しなければならない。しかし，やむを得ない事情がある場合は延長が認められる。これは(1)の場合に加えて，措置法令第25条第15項の「その他これに準ずる事情」があるためやむを得ずその取得が遅延する場合，買換資産に次に掲げるような事情がある場合は認められる（措法37④，措通37-27の2）。

　①　法令の規制等によりその取得に関する計画の変更を余儀なくされたこと。
　②　売主その他の関係者との交渉が長びき容易にその取得ができないこと。
　③　①又は②に準ずる特別な事情があること。

(5) 延長される取得期限と延長手続き

　譲渡した前年若しくは翌年中に買換え資産を取得することができないやむを得ない事情がある場合の，延長される期限及び延長のための手続きは，次のとおりである（措法37③，④，措令25⑯⑱）。

譲渡した日の属する年の前年中	延長期限	・譲渡した日の属する年の前年以前2年。
	手続き	・買換資産の取得（建設及び製作を含む。）をした日の属する年の翌年3月15日までに，その資産にやむを得ない事情がある場合の適用を受ける旨，及び次に掲げる事項を記載した届出書を提出する（措令25⑯）。 　1　届出者の氏名及び住所 　2　取得をした資産の種類，規模（土地等は，その面積），所在地，用途，取得年月日及び取得価額 　3　譲渡をする見込みである資産の種類 　4　その他参考となるべき事項
譲渡した日の属する年の翌年中	延長期限	・譲渡した日の属する年の翌年12月31日後2年以内で，税務署長が認定した日。
	手続き	・次に掲げる事項を記載した申請書を納税地の所轄税務署長に提出する（措令25⑱）。 　1　申請者の氏名及び住所 　2　やむを得ない事情の詳細 　3　買換資産の取得予定年月日及び認定を受けようとする日 　4　その他参考となるべき事項

25　土地区画整理事業等の施行地区内の土地等の事業用の判定

　土地区画整理法による土地区画整理事業，新都市基盤整備法による土地整理，大都市地域住宅等供給促進法による住宅街区整備事業又は土地改良法による土地改良事業の施行地区内にある従前の宅地又は従前の土地等（以下「従前の宅地等」という。）を譲渡した場合（換地処分により譲渡した場合を除く。），次のいずれかに該当するときは，従前の宅地等は，事業の用に供している資産に該当するものとして，特例の適用ができる（措通37-21の2）。

(1) 従前の宅地等の所有者が，仮換地又は一時利用地（以下「仮換地等」という。）を事業の用に供している場合

(2) (1)に掲げる場合のほか，事業の用に供していた従前の宅地等を，事業の用に供さなくなった日から1年以内に仮換地の指定があった場合（仮換地の指定後において事業の用に供さなくなった場合を含む。），事業の用に供さなくなった日から仮換地の指定の効力発生の日（効力発生の日と別に，仮換地について使用又は収益を開始することができる日が定められている場合には，その日）以後1年以内，又は一時利用地の指定の通知に係る使用開始の日以後1年以内に従前の宅地等を譲渡したとき（仮換地等を事業の用以外の用に供する建物又は堅固な構築物の敷地の用に供している場合を除く。）

26　仮換地等の指定後において取得した土地等の事業用の判定等

　土地区画整理法（新都市基盤整備法及び大都市地域住宅等供給促進法において準用する場合を含む。）又は土地改良法による仮換地等の指定があった後において取得した従前の宅地等が，買換資産に該当するかどうかの判定については，次により取り扱う（措通37-21の3）。

(1) 従前の宅地等を事業の用に供したかどうかは，従前の宅地等に係る仮換地等を事業の用に供したかどうかによる。

(2) 買換資産の面積が譲渡資産である土地等の面積に，倍率（5倍）を乗じた面積を超えるかどうかは，買換資産である従前の宅地等の仮換地等の面積による。この場合，譲渡資産である従前の宅地等につき措置法通達37-21の2（買換資産を事業の用に供したことの意義）の取扱いの適用を受けるときは，その譲渡資産についても，同様とする。

27　権利変換により取得した施設建築物等の一部を取得する権利等の譲渡

　次に掲げる事業の施行地区内にある資産で，措置法第33条の3の規定による旧資産，防災旧資産又は変換前資産（以下「旧資産等」という。）の譲渡があったも

のとみなされるときは、事業の用に供している資産に該当するものとして、特例を適用することができる（措通37-21の4）。なお、この場合において、旧資産等の所有期間は、旧資産等の譲渡があったものとみなされる日の属する年の1月1日における所有期間となる。

(1) 都市再開発法による市街地再開発事業に係る権利変換又は収用若しくは買取りに伴い取得した施設建築物の一部を取得する権利（その権利とともに取得した施設建築敷地若しくはその共有持分又は地上権の共有持分を含む。）又は建築施設の部分の給付を受ける権利を譲渡した場合又は建築施設の部分につき同法第118条の5第1項《譲受け希望の申出等の撤回》に規定する譲受け希望の申出を撤回した場合（同法第118条の12第1項《仮登記等に係る権利の消滅について同意が得られない場合における譲受け希望の申出の撤回》又は同法第118条の19第1項《譲受け希望の申出を撤回したものとみなす場合》の規定により、譲受けの申出を撤回したものとみなされる場合を含む。）、措置法第33条の3第3項の規定による旧資産の譲渡があったものとみなされる場合

(2) 密集市街地における防災街区の整備の促進に関する法律による防災街区整備事業に係る権利変換に伴い取得した防災施設建築物の一部を取得する権利（その権利とともに取得した防災施設建築敷地若しくはその共有持分又は地上権の共有持分を含む。）を譲渡した場合において、措置法第33条の3第5項の規定による防災旧資産の譲渡があったものとみなされる場合

(3) マンションの建替え等の円滑化に関する法律によるマンション建替事業に係る権利変換に伴い取得した施行再建マンションに関する権利を取得する権利（その権利とともに取得した施行再建マンションに係る敷地利用権を含む。）を譲渡した場合において、措置法第33条の3第7項の規定による変換前資産の譲渡があったものとみなされる場合

28 買換資産を事業の用に供すること

(1) 事業の用に供する期限

買換資産はその取得の日から1年以内に事業の用に供することが要件である（措法37①、37の2①）。取得の日から1年以内であり、買換資産の取得期限であるその年の12月31日から1年以内ではないことに留意する。

買換資産の取得と事業の用に供する期限の流れの概要は次のとおりである。

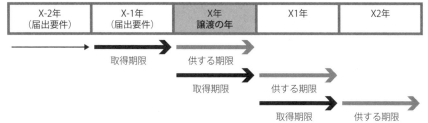

(2) 買換資産を事業の用に供した時期の判定

買換資産を事業の用に供した時期の判定は次による（措通37-23）。

買換資産	建物，構築物の有無	事業の用に供した日
土地等	① 新たに建物，構築物等（以下「建物等」という。）の敷地の用に供するもの	・建物等を事業の用に供した日
	② 建物等の建設等に着手した日から3年以内に建設等を完了して，事業の用に供することが確実であると認められるもの	・建設等に着手した日
	③ 建物等の建設等に着手した日から3年超5年以内に建設等を完了して，事業の用に供することが確実であると認められる場合（建物等の建設等に係る事業の継続が困難となるおそれがある場合に，国又は地方公共団体がその事業を代行することにより事業の継続が確実であるものに限る。）	
	④ 既に建物等の存するもの	・建物等を事業の用に供した日
	⑤ 建物等が土地等の取得の日前から譲渡者の事業の用に供されており，かつ，引き続き用に供されている場合	・土地等を取得した日
	⑥ 建物等の施設を要しないもの	・本来の目的のための使用を開始した日
	⑦ 建物等の施設を要しない土地が，取得の日前から譲渡者が使用しているもの	・土地等を取得した日
建物，構築物，機械及び装置	① 建物，構築物並びに機械及び装置	・本来の目的のための使用を開始した日
	② 取得の日前から譲渡者が使用しているもの	・そのものを取得した日

(3) 買換資産を事業の用に供しなくなったかどうかの判定

買換資産について事業の用に供しない場合，又は供しなくなった場合等の事情が生じた場合においても，それが収用，災害その他その者の責めに帰せられないやむ

を得ない事情に基づき生じたものであるときは，特例の適用が認められる（措法37の2①，措通37の2-1）。

(4) 建物，構築物等の建設等が遅れた場合の買換えの不適用

土地等の買換資産で，新たに建物等の建築をするものについて，(2)②又は③の建設等に着手した日からその期間内に事業の用に供されない場合には，その土地等は，取得の日から1年以内に事業の用に供しないこととなるため，特例の適用ができないこととなる（措通37の2-2）。

29 相続人が買換資産を取得して事業の用に供した場合

事業用資産を譲渡した者が，買換資産を取得しないで死亡した場合でも，次の①②の要件に適合すれば，その譲渡者に対して特定の事業用資産の買換えの特例が適用できる（措通37-24）。

① 死亡前に買換資産の取得に関する売買契約又は請負契約を締結しているなど，買換資産が具体的に確定していること。

② 相続人が法定期間内にその買換資産を取得し，事業の用に供していること。
　この場合，譲渡をした者と生計を一にしていた親族の事業の用に供した場合を含む。

30 短期保有資産と長期保有資産とがある場合等の買換差金の区分

譲渡した資産のうちに分離短期譲渡所得，分離長期譲渡所得，総合短期譲渡所得又は総合長期譲渡所得の基因となる資産のいずれか2以上があり，かつ，買換えに伴い生じた買換差金（譲渡資産の収入金額が買換資産の取得価額を超える場合のその超過額をいう。）があるときはその買換差金を各所得に振り分ける必要がある。この場合，買換差金の額を譲渡したそれぞれの資産の譲渡の時の価額（契約等によりそれぞれの資産の譲渡による収入金額が明らかであり，かつ，その額が適正であると認められる場合には，そのそれぞれの収入金額）の比により案分計算した金額を，それぞれの資産に係る買換差金とする（措通37-25）。

〔計算例〕
　　○　譲渡及び買換金額
　　　　①　甲土地の譲渡価額　6,000万円（分離長期譲渡所得）
　　　　②　乙土地の譲渡価額　4,000万円（分離短期譲渡所得）
　　　　③　買換資産の買換価額　　7,000万円
　　　　④　買換差金の額　　　　　4,400万円（①+②-③×0.8）
　　　この買換差金の額を，甲資産及び乙資産に振り分ける。

甲土地の買換差金の額＝　④×$\dfrac{①}{①+②}$＝2,640万円

　　乙土地の買換差金の額＝　④－2,640万円＝1,760万円

31　先行取得した資産の買換えの適用

(1)　先行取得資産への譲渡価額の充当

　譲渡の日の属する年の前年以前に取得した資産（取得の日の属する年の翌年3月15日までに，所轄税務署長に届出をしたものに限る。）を買換資産とすることができる場合，買換資産の取得価額が譲渡による収入金額を超えるときは，その超える金額に相当する部分の資産については，先行取得の譲渡の日の属する年の翌年3月15日までに所轄税務署長に同項の規定の適用を受ける旨の届出をしたものに限り，譲渡の日の属する年の翌年以後の買換資産とすることができる（措通37－26）。

(2)　特別償却等を実施した先行取得資産の取扱い

　譲渡した日の属する年の前年以前に取得した資産に措置法第19条各号の適用を受けている場合，その資産が先行取得資産に該当するものであっても，特例の適用はない（措通37－26の3）。本来，買換資産は特別償却ができないことによる。

32　買換資産の取得が計画と異なる場合の譲渡資産の再区分

　譲渡した資産が買換適合表の2以上の号の上欄に該当する場合，買換資産の取得をする見込みのときは，その見込みに応じて措置法令第25条第22項《譲渡資産と買換資産との対応》の規定により譲渡資産を区分して特定の事業用資産の買換えの特例を適用する（措令25㉓）。

　見込みと異なる買換資産を取得したときは，改めて措置法令第25条第22項の規定により譲渡資産を区分して特例を適用することができる（措通37－28）。

　譲渡した資産が特例適合表の第4号の上欄に該当し，買換資産の取得をする見込みで，特例の適用を受ける場合における同表の第4号の下欄に規定する買換資産の東京都の特別区，集中地域又は集中地域以外の地域の区分が，その見込みと異なる区分の地域に買換資産を取得したときも同様である。

33　同一の号に規定する買換資産が2以上ある場合に付すべき取得価額

　同一年中において措置法第37条第1項《特定の事業用資産の買換えの場合の譲渡所得の特例》買換適合表のいずれか一の号の規定の適用を受けた買換資産が2以上ある場合，措置法第37条の3第1項及び措置法令第25条の2第2項《買換資産の取得価額の計算》の規定により，個々の買換資産の取得価額とされる金額は，買換適合表の各号ごとに次の算式により計算した金額とする。ただし，同条第10項

の規定により同条第1項の規定の適用を受けた買換資産で，東京都の特別区，集中地域又は集中地域以外の地域にある買換資産ごとに区分をした場合の区分をしたそれぞれの買換資産が2以上ある場合には，措置法第37条の3第1項及び措置法令第25条の2第2項の規定により個々の買換資産の取得価額とされる金額は，買換適合表の各号ごとに次の算式により計算した金額とする（措通37の3-1）。

(1) 措置法第37条の3第1項第1号の場合

$$\left\{\left(\begin{array}{l}\text{譲渡資産}\\\text{の取得費}\\\text{の合計額}\end{array}+\begin{array}{l}\text{譲渡費用}\\\text{の額の合}\\\text{計額}\end{array}\right)\times\frac{\text{買換資産の取得}\text{価額の合計額}}{\text{譲渡資産の譲渡に係}\text{る収入金額の合計額}}\times 0.8+\begin{array}{l}\text{買換資産の}\\\text{取得価額の}\\\text{合計額}\end{array}\times 0.2\right\}$$

$$\times\frac{\text{個々の買換資産の価額}}{\text{買換資産の価額の合計額}}$$

(2) 同項第2号の場合

$$\left\{\left(\begin{array}{l}\text{譲渡資産}\\\text{の取得費}\\\text{の合計額}\end{array}+\begin{array}{l}\text{譲渡費用}\\\text{の額の合}\\\text{計額}\end{array}\right)\times 0.8+\begin{array}{l}\text{譲渡資産の譲}\\\text{渡に係る収入}\\\text{金額の合計額}\end{array}\times 0.2\right\}\times\frac{\text{個々の買換}\text{資産の価額}}{\text{買換資産の価}\text{額の合計額}}$$

(3) 同項第3号の場合

$$\left\{\left(\begin{array}{l}\text{譲渡資産の取}\\\text{得費の合計額}\end{array}+\begin{array}{l}\text{譲渡費用の}\\\text{額の合計額}\end{array}\right)\times 0.8+\begin{array}{l}\text{譲渡資産の譲渡に係}\\\text{る収入金額の合計額}\end{array}\times 0.2\right.$$

$$\left.+\left(\begin{array}{l}\text{買換資産の取得}\\\text{価額の合計額}\end{array}-\begin{array}{l}\text{譲渡資産の譲渡に係}\\\text{る収入金額の合計額}\end{array}\right)\right\}\times\frac{\text{個々の買換資産の価額}}{\text{買換資産の価額の合計額}}$$

(注)

1 次に掲げる場合における措置法第37条の3第1項及び措置法令第25条の2第2項の規定により個々の買換資産の取得価額とされる金額は，それぞれ次に定めるところによる。

　(1) 買換適合表の第2号の下欄に掲げる買換資産について，譲渡資産が同号の上欄に掲げる資産のうち対象区域内にあるものに該当し，同項の規定の適用を受けたときにおける同号の下欄に掲げる買換資産又はその買換資産以外の買換資産ごとに区分をした場合の区分をしたそれぞれの買換資産が2以上ある場合

　　　納税者が計算したところに基づき，同欄に掲げる買換資産を，対象区域内又はそれ以外の区域内にある譲渡資産に対応する部分ごとに区分をして，これらの区分ごとに上記の算式に準じて計算した金額とする。この場合において，算

式中の「買換資産」は「買換資産のうち対象区域内にある譲渡資産に対応する部分」又は「買換資産のうち対象区域内以外の区域内にある譲渡資産に対応する部分」と読み替えるものとする。なお，算式中の「0.2」及び「0.8」は，譲渡資産が対象区域内にあるものに該当する場合には「0.3」及び「0.7」とする。

(2)　措置法第37条第10項の規定により同条第1項の規定の適用を受けた買換資産で，東京都の特別区，集中地域（東京都の特別区を除く。）又は集中地域以外の地域にある買換資産ごとに区分をした場合の当該区分をしたそれぞれの買換資産が2以上ある場合

　　納税者が計算したところに基づき，同項の表の第4号の規定の適用を受けた譲渡資産を，東京都の特別区，集中地域（東京都の特別区を除く。）又は集中地域以外の地域にある買換資産に対応する部分ごとに区分をして，これらの部分ごとに上記の算式に準じて計算した金額とする。この場合において，算式中の「譲渡資産」は「譲渡資産のうち東京都の特別区内の買換資産に対応する部分」若しくは「譲渡資産のうち集中地域（東京都の特別区を除く。）内の買換資産に対応する部分」又は「譲渡資産のうち集中地域以外の地域内の買換資産に対応する部分」と読み替えるものとする。なお，算式中の「0.2」及び「0.8」は，東京都の特別区内にある買換資産に該当する場合には「0.3」及び「0.7」とし，集中地域（東京都の特別区を除く。）内にある買換資産に該当する場合には「0.25」及び「0.75」とする。

2　上記の算式中，買換資産の価額とは，買換資産の取得の日における価額をいうのであるが，買換資産の取得価額をもってその取得の日における価額として差し支えない。

34　5倍の面積制限を超えて取得した土地等に付すべき取得価額

　買換資産として取得した土地等の面積が，譲渡した土地等の面積の5倍を超えている場合の土地等に付すべき取得価額は，次に掲げる金額の合計額とする（措通37の3-2）。

①　土地等の取得に要した金額と改良費の額との合計額に，次に掲げる割合を乗じて計算した金額を買換資産の取得価額，又は買換資産の価額として措置法通達37の3-1（同一の号に規定する買換資産が2以上ある場合に付すべき取得価額）に準じて計算した金額

$$\frac{譲渡した土地等の面積 \times 5}{取得した土地等の面積}$$

② 土地等の取得に要した金額と改良費の額との合計額に次に掲げる割合を乗じて計算した金額

$$\frac{取得した土地等の面積－譲渡した土地等の面積 \times 5}{取得した土地等の面積}$$

35 買換えの特例の適用を受けた資産についての特別償却の不適用

　買換資産について、取得価額が譲渡資産の譲渡による収入金額を超える場合であっても、措置法第19条第1項各号に規定する特別償却をすることはできない（措通37の3-3）。

36 買換えの特例が適用されないこととなった買換資産に係る特別償却

　買換資産をその取得の日から1年以内に事業の用に供せず、又は供しなくなったため特例の適用がないこととなった場合、適用がないこととなった日以後は、買換資産について措置法第11条から第15条《特別償却》までに規定する要件を具備する限り、特別償却をすることができる。この場合、次の点に留意する（措通37の3-4）。

　① 取得の日は、その資産の措置法第37条第1項に規定する取得の日による。
　② 措置法第12条第4項及び第13条から第15条までの規定の適用を受けることができる期間は、その適用がないこととなった日から、これらの条に規定する期間の末日までの間に限られる。

(注)

1　例えば、措置法第11条第1項に規定する特定船舶につき、特定の事業用資産の買換えの特例の適用を受けた場合、それが一旦事業の用に供された後に、取得の日から1年以内に事業の用に供されなくなったため特例の適用がないこととなったときは、その後においてもその特定船舶について措置法第11条第1項の規定の適用を受けることはできない。ただし、特定船舶をその取得の日から1年を経過する日まで引き続き事業の用に供しなかったため特例の適用がないこととなった場合には、その後特定船舶を事業の用に供した日の属する年において措置法第11条第1項の規定の適用を受けることができる。

2　例えば、措置法第12条第4項に規定する産業振興機械等（以下「産業振興機

械等」という。）について，特例の適用を受けた場合，それが一旦事業の用に供された後に，その取得の日から1年以内に貸家の用に供されなくなったため，特例の適用がないこととなったときにおいても，その後，その産業振興機械等を事業の用に供したときは，当初に事業の用に供した日以後5年以内の期間のうち再び事業の用に供している期間については，措置法第12条第4項の規定の適用を受けることができる。ただし，産業振興機械等を，取得の日から1年を経過する日まで引き続き事業の用に供しなかったため，特例の適用がないこととなった場合，その後産業振興機械等を事業の用に供した日以後5年以内の期間のうち事業の用に供している期間については，措置法第12条第4項の適用を受けることができる。

37 買換資産の償却費の計算

措置法通達33-49（代替資産の償却費の計算）の取扱いは，買換資産に係る減価償却費の額を計算する場合について準用する（措通37の3-5）。

4 特例の計算

1 課税される部分

(1) 課税の繰延割合の原則

特定の事業用資産の買換等の特例は，特定の居住用財産の買換等の特例と異なり，譲渡による収入金額が買換資産の取得価額以下である場合は，譲渡収入金額の80％に相当する金額を超える金額に相当する部分の譲渡があったものとし，収入金額が取得価額を超える場合は取得価額の80％に相当する金額を超える金額に相当部分の譲渡があったものとして計算される。つまり，譲渡価額が買換価額と同額又は小さい場合は譲渡価額の20％，譲渡価額が買換価額より大きい場合は買換価額の20％が必ず課税されることに留意する（措法37①，措令25④⑤）。

(2) 課税の繰延割合の例外

買換適合表の4号に該当する場合，譲渡資産が地域再生法に規定する集中地域以外の地域内に所在し，買換資産が次の地域に所在する場合上記の20％，80％については次の取扱いとなる（措法37⑩）。平成27年度税制改正により繰延割合が変更された。

| ① 地域再生法第17条の2第1項第1号に規定する政令で定める地域内にある資産である場合（東京都の特別区（地域再生法施行令12））。 | ・20％は30％，80％は70％として計算する。 |

| ② 集中地域（①を除く地域）（注） | ・20%は25%，80%は75%として計算する。 |

（注）集中地域とは前記3⑥(2)を参照のこと。

2 課税される部分の具体例

(1) 譲渡資産の譲渡価額Ⓐ ≦ 買換資産の取得価額Ⓑ である場合

イ 収入金額

収入金額＝譲渡資産の譲渡価額Ⓐ×0.2

ロ 取得費及び譲渡費用

譲渡所得の計算上控除される取得費及び譲渡費用は，譲渡資産の取得費及び譲渡に要した費用の合計額の20%である。

必要経費＝（譲渡資産の取得費Ⓒ＋譲渡費用Ⓓ）×0.2

ハ 譲渡所得の計算

譲渡所得＝（Ⓐ×0.2）−（Ⓒ＋Ⓓ）×0.2

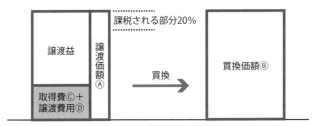

(2) 譲渡資産の譲渡価額Ⓐ ＞ 買換資産の取得価額Ⓑ である場合

イ 収入金額

収入金額は譲渡価額から買換取得資産の価額の80%を控除した金額である。

収入金額＝譲渡資産の譲渡価額Ⓐ−買換資産の取得価額Ⓑ×0.8

ロ 取得費及び譲渡費用

譲渡所得の計算上控除される取得費及び譲渡費用は，譲渡資産の取得費及び譲渡に要した費用の合計額のうち，収入金額として課税の対象となる部分である。

必要経費＝（譲渡資産の取得費Ⓒ＋譲渡費用Ⓓ）× $\dfrac{譲渡価額Ⓐ−買換資産の取得価額Ⓑ×0.8}{譲渡価額Ⓐ}$

ハ　譲渡所得の金額

$$譲渡所得 = (Ⓐ - Ⓑ \times 0.8) - (Ⓒ + Ⓓ) \times \frac{Ⓐ - Ⓑ \times 0.8}{Ⓐ}$$

5　買換資産の取得時期及び取得価額（引継価額）

1　買換資産の取得時期

　買換取得資産は譲渡資産の取得時期（取得日）は引き継がない（第1章7「3　交換・買換えによって取得した資産」を参照）。譲渡資産の取得日を引き継がないということは、買換資産を実際に取得した日が取得の日となる。そのため買換取得資産を買い換えた日から5年以内に譲渡すれば短期譲渡として課税される。

2　買換取得資産の取得価額（引継価額）

　この特例は譲渡資産の取得価額を引き継ぐことによって課税の繰延べを行う制度である。特定の事業用資産の買換等の特例を適用して買い換えた資産の取得費は、実際に取得に要した価額ではなく譲渡資産の取得費を引き継ぐ（措法37の3）。

　特定の居住用財産の買換え等の特例と異なり譲渡資産の譲渡価額と買換資産の取得価額のうち、いずれか少ない方の金額の80％に相当する部分について課税の繰延べの計算をするため、引継価額を確実に把握しておく（第1章13「交換・買換特例を適用した資産を譲渡した場合の取得費」を参照）。

3　具体的計算例

　譲渡した資産を甲、甲の譲渡による買換資産として取得し、今回譲渡する資産を乙とする。

(1)　甲の譲渡価額Ⓐ　＝　乙の買換価額Ⓑ　である場合

　譲渡価額Ⓐと買換価額Ⓑが等しい場合、譲渡価額の20％が課税対象となり、譲渡資産の取得費Ⓒ及び譲渡費用Ⓓの合計額の80％及び課税対象となった20％部分が買換資産に引き継がれる。

```
・甲の譲渡価額Ⓐ　　10,000千円
・乙の買換価額Ⓑ　　10,000千円
・甲の取得費Ⓒ　　　　600千円
・甲の譲渡費用Ⓓ　　　600千円
◎　引継価額の計算　（Ⓒ＋Ⓓ）×0.8＋Ⓐ×0.2＝2,960千円
```

(2) **甲の譲渡価額Ⓐ　＜　乙の買換価額Ⓑ　である場合**

　譲渡価額Ⓐより買換価額Ⓑの方が大きい場合，譲渡資産の取得費Ⓒ及び譲渡費用Ⓓの合計額の80％と譲渡価額のうち課税された20％相当部分と買換取得資産と譲渡価額との差額の合計額が買換資産に引き継がれる。

```
・甲の譲渡価額Ⓐ　　10,000千円
・乙の買換価額Ⓑ　　11,000千円
・甲の取得費Ⓒ　　　　600千円
・甲の譲渡費用Ⓓ　　　600千円
◎　引継価額の計算　（Ⓒ＋Ⓓ）×0.8＋Ⓐ×0.2＋（Ⓑ－Ⓐ）＝3,960千円
```

(3) **甲の譲渡価額Ⓐ　＞　乙の買換価額Ⓑ　の場合**

　譲渡価額Ⓐより買換価額Ⓑの方が少ない場合，Ⓑの20％が課税対象となる。譲渡資産の取得費及び譲渡費用の合計額（Ⓒ＋Ⓓ）は譲渡価額と買換価額との差額と課税された20％相当に対応する金額を除いて買換資産に引き継がれる。

```
・甲の譲渡価額Ⓐ　　10,000千円
・乙の買換価額Ⓑ　　 8,000千円
・甲の取得費Ⓒ　　　　600千円
・甲の譲渡費用Ⓓ　　　600千円
◎　引継価額の計算
```

$$（Ⓒ＋Ⓓ）\times \frac{Ⓑ \times 0.8}{Ⓐ} ＋（Ⓑ \times 0.2）＝2,368 千円$$

6　申告にあたっての要点

① 申告要件

　特定の事業用資産の買換等の特例は，適用を受けようとする年分の確定申告書に，措置法第37条第1項の規定の適用を受ける旨の記載があり，かつ，同項の規定に該当するものとして，次の「確定申告の手続要領」に記載した書類の添付がある場合に限り適用がある（措法37⑥）。

2　確定申告の手続要領

> 1　「確定申告書（分離課税用）第三表」の「特例適用欄」に「措法37条1項」及び適用条項を記入する。
> 2　「譲渡所得の内訳書（確定申告書付表兼計算明細書）」
> 3　買換資産の登記事項証明書，その他これらの資産の取得を証明する書類
> 4　売買契約書等譲渡価額や取得価額がわかる書類
> 5　賃貸借契約書等，買換資産を事業の用に供していることがわかる書類
> 6　買換取得予定で申告する場合は，見積額等を記載した「買換（代替）資産の明細書」
> 　　　　　　　　　　　　　　　　　　　　　　（措法37④⑥，措規18の5）

　特定の事業用資産の買換等の特例の適用を受けようとする場合の必要書類の添付は，措置法規則第18条の5第4項各号及び第5項各号《買換え証明書》に掲げる資産（同条第4項第7号に掲げる資産にあっては，駐車場の用に供される土地等で措置法第37条第1項の表の第4号の下欄に規定するやむを得ない事情があるものに限る。）について買換えの規定の適用を受けようとするときに限り必要とされる。これらの資産以外の資産について特定の事業用資産の買換等の特例の適用を受けようとするときにはその添付を要しない（措通37-29）。

3　確定申告書の提出がなかった場合

　確定申告書の提出がなかった場合，又は必要事項の記載若しくは必要書類の添付がない確定申告書の提出があった場合，提出又は記載若しくは添付がなかったことについてやむを得ない事情があると税務署長が認めるときは，必要事項を記載した書類及び財務省令で定める書類の提出があった場合に限り，特定の事業用資産の買換等の特例を適用することができる（措法37⑦）。

7　買換予定で申告した場合の修正申告と更正の請求

1　買換資産を取得した場合の修正申告書の提出期限等

　買換資産を取得したことや事業の用に供することについて，次に該当する場合は，これらの事情に該当することとなった日から4か月以内に譲渡の日の属する年分の所得税の修正申告書を提出し，不足する税額を納税しなければならない（措法37の2①，②）。

(1)　買換資産を実際に取得した場合の修正申告

　買換資産の取得を見積額で申告しており，買換資産の取得価額が見積額（以下「見積額」という。）に満たないとき，又は買換資産の地域が取得見込地域と異なる

こととなったこと若しくは買換資産（買換適合表の第4号に係るものに限る。）の東京都の特別区，集中地域若しくは集中地域以外の地域の区分が，事業の用に供する見込みであった資産のこれらの地域の区分と異なることとなったことにより「譲渡があったもの」とされる部分の金額に不足が生じたときは，買換資産を取得した日から4か月以内に修正申告書を提出しなければならない。この場合の買換資産を取得した日とは，買換資産の取得期間を経過する日をいうものとして取り扱う。つまり修正申告書の提出期限は，譲渡があった年又はその翌年の12月31日から4か月以内となる（措通37の3-1の2）。

(2) **買換資産を取得したが事業の用に供さなかった場合の修正申告**

取得した買換資産を取得した日から1年以内に事業の用に供しない場合又は供しなくなった場合には，これらの事情に該当することとなった日から4か月以内に修正申告書を提出する。この場合における買換資産を取得した日とは，買換資産を実際に取得した日をいう。買換えをした年の12月31日から1年以内でないことに留意する（措法37の2①,②，措通37の3-1の2注）。

(3) **更正の請求**

買換資産の取得価額が見積額を超えるとき，又は買換資産の地域が取得見込地域と異なることとなったこと若しくは買換資産（買換適合表の第4号に係るものに限る。）の東京都の特別区，集中地域若しくは集中地域以外の地域の区分が，事業の用に供する見込みであった資産のこれらの地域の区分と異なることとなったことにより「譲渡があったもの」とされる部分の金額が過大となったときは，買換資産を取得した日から4か月以内に更正の請求をすることができる（措通37の2②）。

(4) **買換資産を2以上取得した場合の取得の日**

買換資産を2以上取得する場合には，買換資産を取得した日とは，買換資産のうち最も遅く取得したものの取得の日をいう（措通37の3-1の2）。

事例　CASE STUDY
こんな場合は適用できない?!

Q　事業の用に供していない場合

X0年5月に業績の悪い工場を売却して，同年8月に工場用敷地と工場と作業場を買い換えたので，事業用資産の買換特例を適用して申告した。ちょうどそのころから売上が低迷したため，工場や作業場を稼動せずX1年12月を過ぎてしまった。

A

　特定事業用資産の買換えの特例は，事業用の資産を取得してから1年以内に事業の用に供することが要件である（措法37①）。この場合では，工場等を取得してから1年以内に事業の用に供していない。事業の用に供しなかった場合は，供しなくなった日から4か月以内にX0年分の修正申告書を提出して，不足する所得税を納税しなければならない。

Q 買換資産の使用を中止した場合

　X0年9月に業績の悪い店舗を譲渡し，同年10月に駅前の店舗を取得して特定の事業用資産の買換えの特例を適用して申告した。新しい店の業績は当初は順調だったが，売上が急落したのでX1年8月に閉店した。

A

　事業用資産を取得して1年以内に事業の用に供しているので，特例の要件に適合している。しかし，取得の日から1年以内に事業の用に供しなくなったため，この特例の適用は認められない（措法37①）。事業の用に供しなくなった日から4か月以内にX0年分の修正申告書を提出して不足する所得税を納税しなければならない。

Q 面積の小さい資産

　X0年5月に都区内に15年前から所有している貸家及びその敷地100㎡を譲渡し，郊外に貸家の敷地250㎡を取得した。措置法第37条第1項第4号を適用して事業用資産の買換えの特例を適用したい。

A

　措置法第37条第1項第4号を適用する場合，特例の対象となる買換資産の土地等の適用要件について，事務所，事業所その他一定の施設の敷地の用に供されるもの又は駐車場の用に供されることについてやむを得ない事情があるもので，面積が300㎡以上であるものに範囲が限定された。このケースでは，買換取得資産の面積が250㎡であるため，特例の適用はできない。

Q 買換資産の面積が譲渡資産よりはるかに大きい場合

　措置法第37条第1項第4号を適用して，所有期間20年の倉庫用敷地（200㎡）を売却し，工場用敷地（1,100㎡）に買い換えたいと考えている。

A

　平成24年1月1日以降措置法第37条第1項第4号の対象となる土地等の面積が300㎡以上に限定されたが，買換資産についての土地等の場合の5倍の面積制限の要件は変更されていない。5倍を超える部分（1,100㎡－200㎡×5＝100㎡）につ

いては特例の適用は受けられない。

Q 相続で取得した事業用資産の適用

会社員である甲は父が経営していた菓子製造の事業用家屋と土地を相続した。甲は菓子製造の技術も知識もないため、相続した土地建物を譲渡して賃貸アパートを買い換える予定である。特定事業用資産の買換えの特例を受けられるか。

A

特定の事業用資産の買換えの特例は、事業又は事業に準ずる者の用に供しているものに限り適用があり、例外的に生計を一にする親族の事業の用に供している場合が認められる（措通37-22，33-43）。甲においては自己の事業でもなく、生計を一にする親族として事業の用に供していないので特例の適用はできない。

措置法第37条の4

2 特定の事業用資産を交換した場合の譲渡所得の課税の特例

　特定の事業用資産を交換した場合の譲渡所得の課税の特例（以下「特定の事業用資産の交換の特例」という。）は，事業用資産を交換譲渡資産として交付し，その対価として交換取得資産を取得し事業の用に供することをいう。基本的に特定の事業用資産の買換えの特例と同様であることから，適用の詳細は特定の事業用資産の買換えの特例を参照されたい。

1 特例の適用要件

1 特例の内容

　措置法第37条第1項に規定する買換適合表の上欄に掲げるもののうち事業の用に供しているもの（以下「交換譲渡資産」という。）と各号の下欄に掲げる資産（以下「交換取得資産」という。）との交換をした場合，又は交換譲渡資産と交換取得資産以外の資産との交換をし，かつ，交換差金を取得した場合，特定の事業用資産の買換えの特例を適用する。次の点に留意する。
　① 交換譲渡資産（他資産との交換の場合にあっては，交換差金に対応するものとして政令で定める部分に限る。）は，その交換の日において，同日におけるその資産の価額に相当する金額をもって措置法第37条第1項の譲渡をしたものとみなす。
　② 交換取得資産は，その交換の日において，その資産の価額に相当する金額をもって措置法第37条第1項の取得をしたものとみなす。

2 特例の適用期限

　特定の事業用資産の交換の特例は，1970年（昭和45年）1月1日から2023年（令和5年）12月31日までの譲渡に適用される。措置法第37条第1項表4号については2023年（令和5年）3月31日までの譲渡について適用される。

③ 所得税法第58条の固定資産の交換の特例との選択適用

　資産の交換について所得税法第58条《固定資産の交換の場合の譲渡所得の特例》の規定の適用を受けた場合には，交換に伴って取得した交換差金については，措置法第37条の4及び措置法令第25条の3第1項《特定の事業用資産を交換した場合の課税の特例の適用がない交換》の規定により，措置法第37条第1項《特定の事業用資産の買換えの場合の譲渡所得の課税の特例》の規定の適用を受けることはできない（措通37の4-1）。

④ 交換の場合の買換資産

　買換適合表の上欄に掲げる資産と各号の下欄に掲げる資産を交換し，交換について特定の事業用資産の交換の特例を適用する場合には，交換取得資産をもって交換譲渡資産の買換資産とする。したがって，交換に伴い交換譲渡資産の価額と交換取得資産の価額との差額を補うために金銭を取得した場合における金銭の額に係る部分を除き，特例の適用はない（措通37の4-2）。

措置法第37条の5第1項・第4項

3 既成市街地等内にある土地等の中高層耐火建築物等の建設のための買換え・交換の場合の譲渡所得の課税の特例

「既成市街地等内にある土地等の中高層耐火建築物等の建設のための買換えの場合の譲渡所得の課税の特例」は，措置法第37条の5第1項表第1号又は第2号の譲渡資産に該当する資産（以下「譲渡資産」という。）を譲渡し，買換資産に該当する資産（以下「買換資産」という。）を取得し，その取得の日から1年以内に居住の用等に供する場合に適用できる（措法37の5①表）。譲渡資産の価額と買換資産の価額との差額に対して譲渡所得が課税される。

なお，措置法第37条の5第4項の「中高層耐火建築物等の建設のための交換の場合の譲渡所得の課税の特例（以下「中高層耐火建築物等の建設のための交換の特例」という。）は，譲渡が交換の方法で行われた場合であっても，買換えの場合と同様特例が適用できる。

1 中高層耐火建築物等の建設のための買換等の特例の区分

「既成市街地等内にある土地等の中高層耐火建築物等の建設のための買換えの場合の譲渡所得の課税の特例」は譲渡資産と買換資産の区分が二つに分かれているため，措置法第37条の5第1項表第1号の特例を「特定民間再開発事業の場合の買換えの特例」，表第2号の特例を「中高層耐火共同住宅の建設のための買換えの特例」という（以下「表第1号」又は「表第2号」という。）。表第1号は，更に二つに区分される。また，これらの特例を合わせて「中高層耐火建築物等の建設のための買換等の特例」ともいう。

特例が細かく規定されているので，次のように区分して解説する。

特例	区分	措置法 第37条の5	特例の区分	
中高層耐火建築物等の建設のための買換え・交換の特例	中高層耐火建築物等の建設のための買換えの特例	第1項 表第1号	特定民間再開発事業の場合の買換えの特例	中高層耐火建築物を取得した場合
				中高層の耐火建築物を取得した場合
		第1項 表第2号	中高層耐火共同住宅の建設のための買換えの特例	
	中高層耐火建築物等の建設のための交換特例	第4項	中高層耐火建築物等の建設のための交換の特例	

【中高層耐火建築物等の建設のための買換等の特例の区分】

譲渡資産	買換資産
【表1】 　次に掲げる区域又は地区内にある土地若しくは土地の上に存する権利（以下「土地等」という。），建物（その附属設備を含む。）又は構築物（以下「建物等」という。）で，土地等又は建物等の敷地の用に供されている土地等の上に地上階数4以上の中高層の耐火建築物（以下「中高層耐火建築物」という。）の建築をする政令で定める事業（以下「特定民間再開発事業」という。）の用に供するために譲渡をされるもの（特定民間再開発事業の施行される土地の区域内にあるものに限る。） 　イ　第37条第1項の表の第1号の上欄に規定する既成市街地等 　ロ　都市計画法第4条第1項に規定する都市計画に都市再開発法第2条の3第1項第2号に掲げる地区として定められた地区その他これに類する地区として政令で定める地区（イに掲げる区域内にある地区を除く。）	特定民間再開発事業の施行により土地等の上に建築された中高層耐火建築物若しくは特定民間再開発事業の施行される地区（都市計画法第4条第1項に規定する都市計画に都市再開発法第2条の3第1項第2号に掲げる地区として定められた地区その他これに類する地区として政令で定める地区に限る。）内で行われる他の特定民間再開発事業その他の政令で定める事業の施行によりその地区内に建築された政令で定める中高層の耐火建築物（これらの建築物の敷地の用に供されている土地等を含む。）又はこれらの建築物に係る構築物
【表2】 　次に掲げる区域内にある土地等，建物等で，その土地等又は建物等の敷地の用に供されている土地等の上に地上階数3以上の中高層の耐火共同住宅（主として住宅の用に供される建築物で政令で定めるものに限る。）の建築をする事業の用に供するために譲渡をされるもの（事業の施行される土地の区域内にあるものに限るものとし，前号に掲げる資産に該当するものを除く。） 　イ　前号の上欄のイに規定する既成市街地等	事業の施行によりその土地等の上に建築された耐火共同住宅（耐火共同住宅の敷地の用に供されている土地等を含む。）又は耐火共同住宅に係る構築物

ロ　首都圏整備法第2条第4項に規定する近郊整備地帯，近畿圏整備法第2条第4項に規定する近郊整備区域又は中部圏開発整備法第2条第3項に規定する都市整備区域（第37条第1項の表の第1号の上欄のハに掲げる区域を除く。）のうち，イに掲げる既成市街地等に準ずる区域として政令で定める区域 ハ　中心市街地の活性化に関する法律第12条第1項に規定する認定基本計画に基づいて行われる同法第7条第6項に規定する中心市街地共同住宅供給事業（同条第4項に規定する都市福利施設の整備を行う事業と一体的に行われるものに限る。）の区域	

2　特定民間再開発事業の場合の買換えの特例

1　譲渡資産の要件

譲渡資産は，次の要件を満たすものである。なお，譲渡には譲渡所得の起因となる不動産の貸付けを含む（措法37の5①表1）。

①	土地等，建物（附属設備を含む。）及び構築物であること。
②	譲渡者の事業の用に供しているものではないこと。
③	地上階数4以上の中高層耐火建築物で「特定民間再開発事業」の用に供するために譲渡すること。
④	次に掲げる特定民間再開発事業の施行地区内にあること。 　イ　既成市街地等 　　「特定の事業用資産の買換えの特例」に同じ。 　ロ　都市計画法第4条第1項に規定する都市計画に都市再開発法第2条の3第1項第2号に掲げる地区として定められた地区 　ハ　次に掲げる地区又は区域（措令25の4③，20の2⑭） 　　（イ）　都市計画法第8条第1項第3号に掲げる高度利用地区 　　（ロ）　都市計画法第12条の4第1項第2号に掲げる防災街区整備地区計画の区域及び同項第4号に掲げる沿道地区計画の区域のうち，次に掲げる要件のいずれにも該当するもの 　　　a　防災街区整備地区計画又は沿道地区計画の区域について定められた次に掲げる計画において，計画の区分に応じそれぞれ次に定める制限が定められていること。 　　　（i）防災街区整備地区計画の区域について定められた密集市街地における防災街区の整備の促進に関する法律第32条第2項第1号に規定する特定建築物地区整備計画又は同項第2号に規定する防災街区整備地区整備計画 　　　　同条第3項又は第4項第2号に規定する建築物等の高さの最低限度又は建築物

　　　　　の容積率の最低限度
　　　(ⅱ) 沿道地区計画の区域について定められた幹線道路の沿道の整備に関する法律第9条第2項第1号に規定する沿道地区整備計画
　　　　　同条第6項第2号に規定する建築物等の高さの最低限度又は建築物の容積率の最低限度
　　ｂ　ａ(ⅰ)又は(ⅱ)までに掲げる計画の区域において建築基準法第68条の2第1項の規定により、条例で、これらの計画の内容として定められたａ(ⅰ)又は(ⅱ)までに定める制限が同項の制限として定められていること。
　ニ　都市再生特別措置法第2条第3項に規定する都市再生緊急整備地域
　ホ　都市再生特別措置法第99条に規定する認定誘導事業計画の区域
　ヘ　都市の低炭素化の促進に関する法律第12条に規定する認定集約都市開発事業計画（認定集約都市開発事業計画に次に掲げる事項が定められているものに限る。）の区域
　　ａ　認定集約都市開発事業計画に係る都市の低炭素化の促進に関する法律第9条第1項に規定する集約都市開発事業（社会資本整備総合交付金（予算の目である社会資本整備総合交付金の経費の支出による給付金をいう。）の交付を受けて行われるものに限る。）の施行される土地の区域の面積が2,000㎡以上であること。
　　ｂ　認定集約都市開発事業計画に係る集約都市開発事業により都市の低炭素化の促進に関する法律第9条第1項に規定する特定公共施設の整備がされること。

⑤　次に掲げる要件を全て満たしていることについて、都道府県知事が認定したものであること（措令25の4②）。
　イ　事業の施行される土地の区域（以下「施行地区」という。）の面積が1,000㎡以上であること
　ロ　事業の施行地区内に都市施設（都市計画法第4条第6項の道路、公園等の都市計画施設又は地区施設）の用に供される土地（事業の施行地区が次に掲げる区域内である場合には、都市計画施設又はその区域の区分に応じ、それぞれ次に定める施設の用に供される土地）、空地等が確保されていること。
　　ａ　再開発等促進区又は開発整備促進区（都市計画法第12条の5第3項）
　　　・都市計画法第12条の5第2項第1号に規定する地区施設又は同条第5項第1号に規定する施設
　　ｂ　防災街区整備地区計画の区域（都市計画法第12条の4第1項第2号）
　　　・密集市街地における防災街区の整備の促進に関する法律第32条第2項第1号に規定する地区防災施設又は同項第2号に規定する地区施設
　　ｃ　沿道地区計画の区域（都市計画法第12条の4第1項第4号）
　　　・幹線道路の沿道の整備に関する法律第9条第2項第1号に規定する沿道地区施設（その事業の施行地区が沿道再開発等促進区内である場合には、沿道地区施設又は同条第4項第1号に規定する施設）
　ハ　施行地区内の利用の共同化に寄与するためのものとして、次の要件を満たしていること（措令25の4②3、措規18の6①）
　　ａ　中高層の耐火建築物の建築をすることを目的とする事業の施行地区内の土地（建物又は構築物の所有を目的とする地上権又は賃借権（以下「借地権」という。）の設定がされている土地を除く。）に所有権を有する者又は施行地区内の土地に借地権を有する者の数が2以上であること。この場合、区画された一の土地に係る所有権又は借地権が2以上の者により共有されている場合は、一人として数える。
　　ｂ　中高層の耐火建築物の建築の後における施行地区内の土地の所有権又は借地権がａの所有者若しくは借地権者の2以上のものに共有されるか、又はこれらの者

> と中高層の耐火建築物（中高層の耐火建築物に係る構築物を含む。）を所有することとなる者の2以上の者により共有されるものであること。

（注）既成市街地等とは次の地区をいう。
　① 既成市街地等
　　「特定の事業用資産の買換えの特例」の場合と同じ。
　② 都市計画法第4条第1項に規定する都市計画に，都市再開発法第2条の3第1項第2号に掲げる地区として定められた地区（①を除く。）

2 買換資産の要件

買換資産は次のいずれかの資産であること（措法37の5①表1）。

> ① 中高層耐火建築物の場合
> 　特定民間再開発事業の施行により，譲渡資産である土地等の上に建築された地上階数4以上の中高層耐火建築物，又はその中高層耐火建築物に係る構築物であること。
>
> ② 中高層の耐火建築物の場合
> 　次の事業の施行により建築された地上階数4以上の中高層の耐火建築物（建築後使用されたことのないものに限る。）及びその敷地の用に供されている土地等又はその中高層の耐火建築物に係る構築物であること。
>
> 　次の地区に所在する事業に係るもの。
> 　　イ　上記④ロからヘに掲げる地区のうち，いずれか一の地区に所在するもの。
> 　　ロ　措置法第31条の2第2項第11号に規定する事業
> 　　ハ　都市再開発法による第一種市街地再開発事業又は第二種市街地再開発事業

3 中高層耐火共同住宅の建設のための買換えの特例

1 譲渡資産の要件

譲渡資産は次の要件を満たすものである（措法37の5①表2）。

> ① 土地等又は建物等であること。
> ② 既成市街地等，既成市街地に準ずる区域及び中心市街地共同住宅供給事業の区域内にあること。
> ③ 地上階数3以上の中高層耐火共同住宅の建築するために譲渡したこと。

2 特例の対象となる譲渡資産

　表第2号の上欄に掲げる譲渡資産は，事業の用又は居住の用に供されていたものであるかどうかを問わない。

　例えば，表2号の上欄の譲渡資産で，個人が空閑地又は事業の用に供していた土地を譲渡し，下欄の買換資産を取得して居住の用に供したような場合のその土地の譲渡についても適用がある（措通37の5-1）。

3 買換資産の要件

　買換資産は次のいずれかの資産であること（措法37の5①表2，措令25の4④，⑤）。

① 譲渡資産である土地等の上に建築された地上階数3以上の中高層の耐火共同住宅の一部（土地等を含む）であること。
② 譲渡資産を取得した者又は譲渡資産を譲渡した者が建築したものであること。
③ 中高層の耐火共同住宅は，耐火建築物又は準耐火建築物であること。
④ 中高層の耐火共同住宅の床面積の2分の1以上に相当する部分が専ら居住の用に供されるものであること。 　居住の用の部分には，居住の用に供される部分に係る廊下，階段その他その共用に供されるべき部分を含む。

4 特例の適用要件

1 買換資産の取得期限

(1) 取得期限の原則

　買換資産は譲渡した年中に取得したこと又は翌年中に取得する見込みであること（措法37の5①，②）。特定民間開発事業の場合の買換えの特例は，特定の事業用資産の買換えの特例と異なり，譲渡した前年に取得した資産を買換資産とすることができないことに注意する（措法37の5①②）。

買換資産の取得期限	譲渡の日の属する年の12月31日
	譲渡の日の属する年の翌年12月31日

(2) 特定非常災害として指定があった場合の延長

　特定非常災害として指定された非常災害に起因するやむを得ない事情で，予定期間等内に買換え資産等の取得が困難となり，税務署長の承認等があった場合，取得

指定期間を，その取得指定期間の末日から2年以内の日で税務署長が認定した日まで延長することができる（措法37の5②，措令25の4⑩）。

延長するために，取得指定期間の末日の属する年の翌年3月15日（同日が，修正申告書の提出期限後である場合には，その提出期限）までに，この特例の適用を受けようとする旨その他一定の事項を記載した「買換資産等の取得期限等の延長承認申請書【特定非常災害用】」に，特定非常災害として指定された非常災害に基因するやむを得ない事情により買換資産の取得をすることが困難であると認められる事情を証する書類を添付する（措規18の6③）。

② 買換資産の取得の時期

譲渡資産を譲渡した日の属する年の1月1日以後に取得した中高層耐火建築物，若しくは中高層の耐火建築物又は中高層の耐火共同住宅は，譲渡した日前に取得したものであっても，同項に規定する買換資産とすることができる（措通37の5-4）。譲渡が年の途中で行われることが大半であることから，同年中に取得した場合でも特例の適用ができる。

③ やむを得ない事情により買換資産の取得が遅れた場合
(1) やむを得ない事情とは

買換資産を取得する期限は譲渡した年の翌年12月31日であるが，建築期間に日数を要する中高層の建築物であることから取得が遅れる場合がある。次に該当するやむを得ないような事情がある場合は，買換資産の取得期限を延長することができる（措法37の5②，措令25の4⑦，⑧，措通37の5-10，措通37-27の2）

① 中高層耐火建築物，中高層の耐火建築物又は耐火共同住宅（これらの建築物に係る構築物を含む。）の建築に要する期間が，通常一年を超えると認められる事情があること。
② 法令の規制等によりその取得に関する計画の変更を余儀なくされたこと。
③ 売主その他の関係者との交渉が長びき容易にその取得ができないこと。
④ 上記に準ずる特別な事情があること。

(2) 延長される取得期限

税務署長の承認を受けた時は，譲渡した日の属する年の翌年12月31日以後2年以内の延長ができる（措法37の5②，措令25の4⑦，⑧，措通37の5-10）。

(3) 延長手続き

買換資産取得の延長手続きは，次に掲げる事項を記載した申請書を納税地の所轄税務署長に提出する（措令25の4⑧）。

① 申請者の氏名及び住所
② やむを得ない事情の詳細
③ 買換資産の取得することができると見込まれる年月日及び認定を受けようとする年月日
④ その他参考となるべき事項

4 用に供する期限

買換資産は、取得の日から1年以内に居住の用等に供すること、又は供する見込みであることが要件となっている。ただし、取得の日から1年以内に居住の用に供さなくなった場合は、この特例の適用は認められない（措法37の5①）。

措法37の5第1項表区分	買換資産を用に供する期限
表第1号	・取得の日から1年以内に譲渡者の居住の用に供すること、又は供する見込みであること。
表第2号	・取得の日から1年以内に譲渡者の事業の用若しくは居住の用に供すること、又は供する見込みであること。 ・居住の用に供するのは譲渡者の親族の居住の用でもよい（措通37の5-5）。 ・事業の用に供するのは生計を一にする親族の事業でもよい。

5 地上階数の判定

中高層の耐火建築物に地上階数4以上の部分と地上階数4に満たない部分とがある場合、又は中高層の耐火共同住宅（措置法令第25条の4第5項に定める要件を満たすものに限る。）に地上階数3以上の部分と地上階数3に満たない部分とがある場合であっても、中高層耐火建築物又は中高層の耐火共同住宅に該当するものとして取り扱う。

この場合の地上階数は、建築基準法施行令第2条第1項第8号に規定するところにより判定する（措通37の5-2）。

6 「特定民間再開発事業の施行される地区」の範囲

措置法第37条の5第1項の表の第1号の下欄に規定する「特定民間再開発事業の施行される地区」とは、上欄に規定する特定民間再開発事業が施行される土地の区域が、都市計画に都市再開発法第2条の3第1項第2号に掲げる地区として定められた地区、又は措置法令第25条の4第3項に定める地区のいずれか一の地区内に所在する地区をいう（措通37の5-2の2）。

7 譲渡がなかったものとされる部分の金額等の計算

その年中に買換えが2以上行われた場合（2以上の買換えに係る措置法第37条の5第1項の表の第1号の上欄又は第2号に規定する事業の施行される土地の区域がそれぞれ異なる場合に限る。）に，その2以上の買換えについて，特例の適用を受けるときは，「譲渡がなかったもの」とされる部分の金額又は「譲渡があったもの」とされる部分の金額の計算は，それぞれの買換えごとに行う。

上記の場合，それぞれの買換えによる譲渡資産又は買換資産が2以上あるときは，譲渡資産の譲渡による収入金額の合計額，又は買換資産の取得価額の合計額を基として，これらの部分の金額を計算する（措通37の5-3）。

8 自己の建設に係る耐火建築物又は耐火共同住宅を分譲した場合

譲渡者がおおむね10年以上所有している土地等の上に自ら中高層耐火建築物又は中高層の耐火共同住宅を建設し，建設した日から同日の属する年の12月31日までの間に中高層耐火建築物又は耐火共同住宅の一部とともに，その土地等の一部を譲渡した場合には，譲渡をした土地等を譲渡資産とし，建設した中高層耐火建築物又は耐火共同住宅（譲渡された部分を除く。）を買換資産として特例の適用を受けることができる。この場合，譲渡による収入金額は，所得税基本通達33-5（極めて長期間保有していた土地に区画形質の変更等を加えて譲渡した場合の所得）により譲渡した土地等の建設に着手する直前の価額を基として算定することになる（措通37の5-4の2）。

9 生計を一にする親族の事業の用に供する資産

表第2号を適用するにあたって買換資産が譲渡した者と生計を一にする親族の事業の用に供される場合は，その買換資産は譲渡した者にとっても事業の用に供されたものとして特例の適用ができる（措通37の5-5）。

10 相続人が買換資産を取得した場合

譲渡者が買換資産を取得しないで死亡した場合であっても，その死亡前に買換資産の取得に関する売買契約又は請負契約を締結しているなど，買換資産が具体的に確定しており，かつ，その相続人が法定期間内にその買換資産を取得し，事業の用（譲渡をした者と生計を一にしていた親族の事業の用を含む。）又は居住の用（譲渡をした者の親族の居住の用を含む。）に供したときは，特例を適用することができる。

ただし表第1号の下欄に掲げる買換資産の場合，居住の用（譲渡をした者の親族の居住の用を含む。）に供したときのみに限られていることに留意する（措通37の

5-6)。

11 譲渡価額が定められていない場合の譲渡収入金額

譲渡に関する契約において，譲渡価額を定めず，買換資産を譲渡の対価として取得することを約した場合（措置法第37条の5第4項に該当する場合を除く。），「譲渡による収入金額」は買換資産の取得時の価額に相当する金額による。

ただし，契約時において買換資産が譲渡に係る契約の効力発生の日に属する年の翌年以後に取得されるものであるためその価額は確定していないが，譲渡資産が具体的に確定していることから，譲渡者が譲渡資産の契約時における価額に相当する金額を，その譲渡による収入金額とし，特例を適用して買換資産の価額の確定前に申告したときは，価額がその譲渡をするに至った事情等に照らし合理的に算定していると認められる限り，その申告が認められる。この場合の買換資産の取得価額は，契約時における譲渡資産の価額（買換資産の取得に伴って金銭その他の資産を給付し，又は取得するときは金銭の額及び金銭以外の資産の価額を譲渡資産の価額に加算し，又は価額から減算した価額）による（措通37の5-7）。

12 中高層耐火建築物の取得をすることが困難である特別の事情がある場合の適用関係

(1) 取得することが困難な場合の特別な事情がある場合

特定民間開発事業の場合の買換えの特例の譲渡資産は事業の用に供している資産は除かれることから，居住用資産を適用することが多くあると想定される。居住用資産を提供して買換えをする予定であっても，譲渡者が高齢等の事情があり買換資産を取得できないことも予想される。買換資産を取得できない場合は，居住用財産を譲渡した場合の各特例は適用できない。しかし高齢である等特別な事情があるものにまで課税の対象となるのは納税者に酷である。このような一定の事情がある場合は，居住用財産を譲渡した場合の特例が認められる。

(2) 特別な事情

表第1号の中高層耐火建築物の取得をすることが困難である特別な事情があるものとして政令で定める場合に該当するときは，譲渡資産の所有期間が10年以下の場合でも「居住用財産の軽減税率の特例」の軽減税率の適用が受けられる。「特別な事情」は下記の場合に限り建築主の申請に基づき，都道府県知事が認定した場合をいう（措令25の4⑰，措規18の6③，⑤）。

① 譲渡した者又はその者と同居を常況とする者の老齢，身体上の障害があること。

② その中高層耐火建築物の用途が専ら業務の用に供する目的で設計されたものであること。
　③ その建物が住宅の用に供するのに不適当な構造，配置及び利用状況にあると認められること。

(3) **適用関係**

措置法第37条の5第5項の規定により居住用財産の軽減税率の適用を受ける場合には，次の点に留意する（措通37の5-8）。
　① 措置法第37条の5第5項の規定は，資産の譲渡の一部につき同条第1項の規定の適用を受けないときに限り，適用がある。
　② 居住用財産の3,000万円控除の適用は受けられない。

(4) **適用を受ける場合の確定申告**

特別な事情があり軽減税率の特例の適用を受ける場合，次の書類を添付する（措法37の5⑤，⑥，措令25の4⑰，措規18の6④）。
　① 確定申告書に，措置法第37条の5第5項の規定の適用により同法第31条の3の規定の適用を受ける旨を記載する。
　② 都道府県知事が認定をした旨を証する書類その他一定の書類を添付する。
　　イ 中高層の耐火建築物の建築をする事業につき措置法施行令第25条の4第2項に規定する認定をした旨を証する書類（中高層の耐火建築物の建築に係る同条第19項に規定する交付のあった年月日の記載のあるものに限る。）（特定民間再開発事業認定証明書）
　　ロ 譲渡をした資産に係る同条第16項に規定する認定をした旨を証する書類（地区外転出事情認定済証）

(5) **確定申告書の提出がなかった場合**

確定申告書の提出がなかった場合又は必要事項の記載若しくは必要書類の添付がない確定申告書の提出があった場合は適用できない。ただし，税務署長がその提出又は記載若しくは添付がなかったことについてやむを得ない事情があると認めるときは，記載をした書類及び措置法第37条の5第5項に規定する書類の提出があった場合に限り適用することができる（措令24の5⑲）。

13 特定の事業用資産の買換えの場合の譲渡所得の課税の特例に関する取扱いの準用

特定民間開発事業の場合の買換えの特例は，次の特定の事業用資産の買換えの特例関係通達を準用している（措通37の5-10）。

> 措通33-49，37-2，37-5，37-7，37-18，37-19，37-25，37-27の2，37-30，37の2-1，37の3-1の2，37の3-3，37の3-4

5　中高層耐火建築物等の建設のための交換の特例

1　交換の特例

特定民間再開発事業の場合の買換え等の特例の譲渡及び取得が交換の方法により行われた場合，特定民間再開発事業の場合の買換えの特例（表第1号）に該当するものまたは中高層耐火共同住宅の建設のための特例（表第2号）に該当する要件を満たした場合，特例の適用ができる（措法37の5④）。次のケースがある。

① 譲渡者が譲渡資産に該当するもの（以下「交換譲渡資産」という。）と買換資産に該当する資産（以下「交換取得資産」という。）との交換をした場合。

交換差金を取得し，又は支払った場合でも適用できる。

② 交換譲渡資産と交換取得資産以外の資産との交換をし，かつ，交換差金を取得した場合（以下「他資産との交換の場合」という。）。

この場合は交換差金についてのみ特例対象の譲渡があったものとみなし，その金額で交換取得資産を取得する場合，特例の対象となる。

2　交換譲渡資産及び交換取得資産の価額

交換譲渡資産及び交換取得資産の価額は，それぞれ次の通り交換があった日の時価で計算する（措法37の5④）。交換差金の授受がない場合は譲渡がなかったものとし，交換差金を受けた場合は譲渡所得の課税対象となる。

① 交換譲渡資産は，その交換の日の資産の価額に相当する金額をもって譲渡をしたものとみなす。

他資産との交換の場合，交換差金に対応する部分は，交換譲渡資産のうち，交換差金の額が交換差金の額とその交換により取得した交換取得資産以外の資産の価額との合計額のうちに占める割合を，交換譲渡資産の価額に乗じて計算した金額に相当する部分とする（措令25の4⑯）。

② 交換取得資産は，その交換の日の資産の価額に相当する金額をもつて取得をしたものとみなす。

3 適用できない交換

　交換をした場合でも，所得税法第58条《固定資産の交換の特例》又は措置法第37条の4《特定事業用資産の交換の特例》の特例の適用を受ける交換は除かれる（措法37の5④，措令25の4⑮）。

6 特例の適用が受けられない場合

1 併用適用できない特例

　資産を譲渡又は買換をした場合でも，次の特例を適用する場合は特定民間開発事業の場合の買換等の特例の適用が受けられない（措法37の5①）。

---
① 収用代替の特例（措法33）
② 交換処分等の特例（措法33の2）
③ 換地処分等の特例（措法33の3）
④ 収用交換等の5,000万円控除の特例（措法33の4）
⑤ 特定土地区画整理事業等の2,000万円控除の特例（措法34）
⑥ 特定住宅地造成事業等の1,500万円控除の特例（措法34の2）
⑦ 農地保有合理化等の800万円控除の特例（措法34の3）
⑧ 居住用財産の3,000万円控除の特例（措法35①）
⑨ 相続財産の3,000万円控除の特例（措法35③）
⑩ 特定の土地等の1,000万円控除の特例（措法35の2）
⑪ 低未利用土地等の100万円控除の特例（措法35の3）
⑫ 特定の居住用財産の買換えの特例（措法36の2）
⑬ 特定の事業用資産の買換えの特例（措法37）
---

2 譲渡が次の理由で行われた場合

　贈与，交換，出資で行われた場合

3 買換資産を次の理由で取得した場合

　贈与・交換・所有権移転外リース取引により取得した場合

7 特例の計算

1 特例の計算

　特定民間開発事業の場合の買換えの特例の所得の計算は，譲渡価額と買換価額に

より異なる（措法37の5①）。

(1) 譲渡資産の譲渡価額 ≦ 買換資産の取得価額である場合

買換差益がないため譲渡所得は生じない。

(2) 譲渡資産の譲渡価額 ＞ 買換資産の取得価額である場合

買換資産の取得価額が少ないため，差益が生じ，その差額に対して譲渡所得の計算を行う。

① 収入金額＝譲渡資産の譲渡価額Ⓐ－買換資産の取得価額Ⓑ

② 必要経費＝（譲渡資産の取得費＋譲渡費用）× $\dfrac{Ⓐ－Ⓑ}{Ⓐ}$

2 同一の号に規定する買換資産が2以上ある場合に付すべき取得価額

同一年中に措置法第37条の5第1項の表のいずれかの一の号の規定の適用を受けた買換資産が2以上ある場合，同条第3項及び措置法令第25条の4第12項から第14項の規定により個々の買換資産の取得価額とされる金額は，同法第37条の5第1項の表の各号ごとに次の算式により計算した金額とする（措通37の5-9）。

(1) 措置法第37条の5第3項第1号の場合

$$\left(\begin{array}{l}譲渡資産の取\\得費の合計額\end{array} + \begin{array}{l}譲渡費用の\\額の合計額\end{array}\right) \times \dfrac{買換資産の取得価額の合計額}{譲渡資産の譲渡に係る収入金額の合計額} \times \dfrac{個々の買換資産の価額}{買換資産の価額の合計額}$$

(2) 同項第2号の場合

$$\left(\begin{array}{l}譲渡資産の取\\得費の合計額\end{array} + \begin{array}{l}譲渡費用の\\額の合計額\end{array}\right) \times \dfrac{個々の買換資産の価額}{買換資産の価額の合計額}$$

(3) 同項第3号の場合

$$\left\{\left(\begin{array}{l}譲渡資産\\の取得費\\の合計額\end{array} + \begin{array}{l}譲渡費用\\の額の合\\計額\end{array}\right) + \left(\begin{array}{l}買換資産の\\取得価額の\\合計額\end{array} - \begin{array}{l}譲渡資産の譲\\渡に係る収入\\金額の合計額\end{array}\right)\right\}$$

$$\times \dfrac{個々の買換資産の価額}{買換資産の価額の合計額}$$

3 買換資産の取得時期及び取得費

この特例は，譲渡資産の取得日及び取得費については次のとおり取り扱う（措法37の5④，措令25の4⑬，⑭）。

(1) 買換取得資産の取得日

買換取得資産は譲渡資産の取得日は引き継がない。買換資産を取得した日が取得

日となり，譲渡資産の取得時期は引き継がない。買換資産を取得した日以後5年以内に譲渡すれば短期譲渡所得となる。

(2) **買換取得資産の取得価額**

買換取得資産の取得価額は譲渡資産の取得費を引き継ぐ。買換資産を譲渡した場合，譲渡所得金額が大きくなる。特に短期譲渡所得に該当するときは税負担が高額になる。

8 申告にあたっての要点

1 申告要件

特定民間開発事業の場合の買換等の特例は，適用を受けようとする年分の確定申告書に，措置法第37条の5の規定の適用を受ける旨の記載があり，かつ，同項の規定に該当するものとして，次の「確定申告の手続要領」に記載した書類の添付がある場合に限り適用がある（措法37の5②，措法37④他）。

2 確定申告の手続要領

1 「確定申告書（分離課税用）第三表」の「特例適用欄」に「措法37条の5（第）1項表1」と記入する。
2 「譲渡所得の内訳書（確定申告書付表兼計算明細書）」に必要事項を記入して添付する。
3 買換資産の登記事項証明書その他これらの資産の取得を証明する書類。
4 売買契約書等，譲渡価額や取得価額がわかる書類
5 買換資産が表第1号に該当する場合
《中高層耐火建築物又はその構築物である場合》
　都道府県知事（同号の上欄に規定する中高層耐火建築物の建築をする事業が都市再生特別措置法第25条に規定する認定計画に係る都市再生事業又は同法第99条に規定する認定誘導事業計画に係る誘導施設等整備事業に該当する場合には，国土交通大臣。）の買換資産（同条第1項に規定する買換資産をいう。）に該当する同号の上欄に規定する中高層耐火建築物の建築をする事業に係る措置法令第25条の4第2項に規定する認定をした旨を証する書類
《中高層の耐火建築物又はその構築物である場合》
　都道府県知事の，中高層耐火建築物の建築をする事業につき措置法令第25条の4第2項に規定する認定をした旨，並びに中高層の耐火建築物が事業の施行される地区内にある旨及び中高層の耐火建築物を建築する次に掲げる事業の区分に応じそれぞれ次に定める旨を証する書類
　イ　措置法令第25条の4第4項第1号に掲げる特定民間再開発事業
　　その事業につき同条第2項に規定する認定をした旨
　ロ　措置法令第25条の4第4項第2号に掲げる事業
　　その事業につき措置法令第20条の2第13項に規定する認定をした旨

```
　　ハ　措置法令第25条の４第４項第３号に掲げる第一種市街地再開発事業又は第二種
　　　市街地再開発事業
　　　中高層の耐火建築物がこれらの事業の施行により建築されたものである旨
　６　買換資産が表第２号に該当する場合
　　イ　検査済証の写し
　　ロ　事業概要書又は各階平面図その他の書類で中高層の耐火共同住宅が措置法令第
　　　25条の４第５項各号に掲げる要件に該当するものであることを明らかにする書類
　　ハ　次に掲げる場合の区分に応じた書類
　　　a　資産の所在地が表第２号の上欄のイ又はロに掲げる区域内である場合
　　　　資産の所在地を管轄する市町村長の，資産の所在地が区域内である旨を証する書
　　　類（東京都の特別区の存する区域，武蔵野市の区域又は大阪市の区域内にあるもの
　　　を除く。）
　　　b　資産の所在地が表第２号の上欄のハに掲げる区域内である場合
　　　　資産の所在地を管轄する市町村長の，資産の所在地が区域内である旨並びに中心
　　　市街地の活性化に関する法律第23条の計画の認定をした旨及び認定をした計画に
　　　係る中心市街地共同住宅供給事業が都市福利施設の整備を行う事業と一体的に行わ
　　　れるものである旨を証する書類
　７　買換取得予定で申告する場合は，見積額等を記載した「買換（代替）資産の明細書」
　　（措法37の５②，措令25の４⑨，措規18の６②）
```

③　確定申告書の提出がなかった場合

　確定申告書の提出がなかった場合，又は必要事項の記載若しくは必要書類の添付がない確定申告書の提出があった場合，提出又は記載若しくは添付がなかったことについてやむを得ない事情があると税務署長が認めるときは，必要事項を記載した書類及び財務省令で定める必要書類の提出があった場合に限り，中高層耐火建築物等の建設のための買換等の特例を適用することができる（措法37の５②，37⑦）。

9　買換予定で申告した場合の修正申告と更正の請求

①　買換資産を取得した場合の修正申告書の提出期限等

　買換資産を取得したことや事業の用に供することについて，次に該当する場合は，これらの事情に該当することとなった日から４か月以内に譲渡の日の属する年分の所得税の修正申告書を提出し，不足する税額を納税しなければならない（措法37の５②，37の２，措通37の５-10，37の３-１の２）。

(1)　買換資産を実際に取得した場合の修正申告
　買換資産の取得を見積額で申告しており，買換資産の取得価額が見積額（以下「見積額」という。）に満たないとき，買換資産を取得した日から４か月以内に修正申告書を提出しなければならない。この場合の買換資産を取得した日とは，買換資

産の取得期間を経過する日をいうものとして取り扱う。つまり修正申告書の提出期限は，譲渡があった年又はその翌年の12月31日から4か月以内となる。

(2) **買換資産を取得したが事業の用に供さなかった場合の修正申告**

取得した買換資産をその取得の日から1年以内に事業の用に供しない場合又は供しなくなった場合には，これらの事情に該当することとなった日から4か月以内に修正申告書を提出する。この場合における買換資産の取得をした日とは，買換資産を実際に取得した日をいう。買換えをした年の12月31日から1年以内でないことに留意する。

(3) **更正の請求**

買換資産の取得価額が見積額を超えるときは，買換資産を取得した日から4か月以内に更正の請求をすることができる。

買換資産を2以上取得する場合には，買換資産を取得した日とは，買換資産のうち最も遅く取得したものの取得の日をいう（措通37の3-1の2）。

措置法第37条の6

4 特定の交換分合により土地等を取得した場合の特例

　特定の交換分合により土地等を取得した場合の課税の特例（以下「特定の交換分合の特例」という。）は、「住宅の需要の著しい地域における市街化区域内農地の所有者等が協同して、必要に応じ当面の営農の継続を図りつつ当該市街化区域内農地を円滑かつ速やかに住宅地等へ転換するための事業を行うために必要な組織を設ける（農住組合法第1条）」ことを目的として創設された農住組合法による、農地の合理的かつ有効的に活用するために権利者間の調整を行う交換分合に対する税務上の特例として、昭和56年に創設されたものである。その後、農業振興地域の整備に関する法律（以下「農業振興地域整備法」という。）の改正等により現在の取扱いとなっている。

　日本の農地の特徴は細分化、分散化されていることで、相続等によりさらに顕著になっている。これらを放置しておくことは農業経営の弱体化に他ならないことから、集約する事業に対する税制上の特例である。

　交換分合とは、細分・分散している農用地を、区画、形状、地番を変更することなく、地域ぐるみの交換によって広く使いやすい農用地にまとめる（集団化する）土地改良事業である。

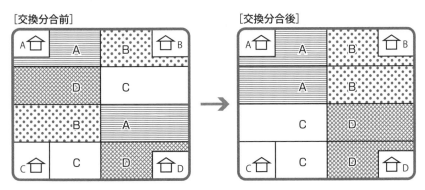

1 特例の適用要件

1 特例の内容

　特定の交換分合の特例は，農業振興地域の整備法，集落地域整備法，農住組合法の規定による交換分合によって土地等を譲渡した場合，譲渡がなかったものとし，土地等と共に清算金を取得した場合，その清算金の部分について課税される特例である。

　特定の交換分合の特例は次の3パターンがある。なお，借地権や地役権を設定して受け取る権利金等が，譲渡所得として課税される場合を含むが，棚卸資産その他雑所得の基因となる土地等は除かれる（措法37の6①，措令25の5①）。

(1) 農業振興地域整備法による交換分合の場合

　農業振興地域整備法第13条の2第2項の交換分合により土地等を譲渡し，かつ，その交換分合により土地等又は土地等とともに清算金を取得した場合。

　ただし，特定土地区画整理事業等の2,000万円控除の特例（措法34），特定住宅地造成事業等の1,500万円控除の特例（措法34の2），農地保有合理化等の800万円控除の特例（措法34の3），特定の土地等の1,000万円控除の特例（措法35の2），低未利用土地等の100万円控除の特例（措法35の3），特定の事業用資産の買換えの特例（措法37），特定の事業用資産の交換の特例（措法37の4）の適用を受ける場合は除く。

(2) 農住組合法による交換分合の場合

　① 農住組合法第7条第2項第3号の交換分合のうち，平成3年1月1日において次の④の区域内の土地等を譲渡し，かつ，交換分合により土地等又は土地等とともに清算金を取得した場合。

　② 譲渡する土地等は，農住組合の組合員である個人，又は農住組合の組合員以外の個人で，農住組合法第9条第1項の規定による認可があった交換分合計画に定める土地の所有権（土地の上に存する権利を含む。）を有する者の土地等に限る（措令25の5④）。

　③ 上記(1)に記載した特例の他，次の特例の適用を受けるものは除く。

　　収用代替の特例（措法33），収用交換等の5,000万円控除の特例（措法33の4），居住用財産の3,000万円控除の特例（措法35①），相続財産の3,000万円控除の特例（措法35③），特定の居住用財産の買換えの特例（措法36の2），

特定の居住用財産の交換の特例（措法36の5），特定民間再開発事業の場合の買換えの特例（措法37の5①），中高層耐火建築物等の建設のための交換の特例（措法37の5④）

④　農住組合法の規定による交換分合のうち特例の対象となるものの範囲

　　特例の対象となるものは，平成3年1月1日において，次表に掲げる東京都の特別区及び市の区域に該当する区域内で，農住組合法第2章第3節に定めるところにより行われた交換分合に限られる（措通37の6-1）。

区分	都府県名	都市名
首都圏	茨城県	龍ヶ崎市，水海道市，取手市，岩井市，牛久市
	埼玉県	川口市，川越市，浦和市，大宮市，行田市，所沢市，飯能市，加須市，東松山市，岩槻市，春日部市，狭山市，羽生市，鴻巣市，上尾市，与野市，草加市，越谷市，蕨市，戸田市，志木市，和光市，桶川市，新座市，朝霞市，鳩ヶ谷市，入間市，久喜市，北本市，上福岡市，富士見市，八潮市，蓮田市，三郷市，坂戸市，幸手市
	東京都	特別区，武蔵野市，三鷹市，八王子市，立川市，青梅市，府中市，昭島市，調布市，町田市，小金井市，小平市，日野市，東村山市，国分寺市，国立市，福生市，多摩市，稲城市，狛江市，武蔵村山市，東大和市，清瀬市，東久留米市，保谷市，田無市，秋川市
	千葉県	千葉市，市川市，船橋市，木更津市，松戸市，野田市，成田市，佐倉市，習志野市，柏市，市原市，君津市，富津市，八千代市，浦安市，鎌ヶ谷市，流山市，我孫子市，四街道市
	神奈川県	横浜市，川崎市，横須賀市，平塚市，鎌倉市，藤沢市，小田原市，茅ヶ崎市，逗子市，相模原市，三浦市，秦野市，厚木市，大和市，海老名市，座間市，伊勢原市，南足柄市，綾瀬市
中部圏	愛知県	名古屋市，岡崎市，一宮市，瀬戸市，半田市，春日井市，津島市，碧南市，刈谷市，豊田市，安城市，西尾市，犬山市，常滑市，江南市，尾西市，小牧市，稲沢市，東海市，尾張旭市，知立市，高浜市，大府市，知多市，岩倉市，豊明市
	三重県	四日市市，桑名市
近畿圏	京都府	京都市，宇治市，亀岡市，向日市，長岡京市，城陽市，八幡市
	大阪府	大阪市，守口市，東大阪市，堺市，岸和田市，豊中市，池田市，吹田市，泉大津市，高槻市，貝塚市，枚方市，茨木市，八尾市，泉佐野市，富田林市，寝屋川市，河内長野市，松原市，大東市，和泉市，箕面市，柏原市，羽曳野市，門真市，摂津市，泉南市，藤井寺市，交野市，四条畷市，高石市，大阪狭山市
	兵庫県	神戸市，尼崎市，西宮市，芦屋市，伊丹市，宝塚市，川西市，三田市
	奈良県	奈良市，大和高田市，大和郡山市，天理市，橿原市，桜井市，五条市，御所市，生駒市

2 譲渡所得の計算

1 特例を適用した場合の譲渡所得の計算
(1) 交換分合により土地等のみを取得した場合

譲渡がなかったものとして，譲渡所得は課税されない。

(2) 交換分合により土地等と共に清算金を取得した場合

イ　収入金額

　　清算金の額

ロ　必要経費

$$(譲渡した土地等の取得費＋譲渡費用) \times \frac{清算金の額}{取得した土地等の価額＋清算金の額}$$

2 清算金を取得した場合の800万円特別控除

譲渡する土地等（農業振興地域整備法律第3条の農用地等及び同法第8条第2項第3号の農用地等とすることが適当な土地等に限る。）が上記1(1)又は(2)による交換分合が行われ，清算金のみを取得するときは，措置法第34条の3《農地保有合理化の800万円控除の特例》の規定の適用がある（措通37の6-2）。

3 交換取得資産の取得価額及び取得時期

交換取得資産の取得価額及び取得時期は次の点に注意する（措法37の6④）。

(1) 交換取得資産の取得価額

交換取得資産は交換譲渡資産の取得費等次の合計額をその取得価額とする。

① 交換譲渡資産の取得価額及び譲渡費用の合計額

清算金を取得した場合には取得価額等及び譲渡に要した費用の額のうち，清算金の額に対応する部分以外の部分の額として次の計算した金額（措令25の5⑤）

$$(交換譲渡資産の取得費＋譲渡費用) \times \frac{交換取得資産の価額}{交換取得資産の価額＋清算金の額}$$

② 交換譲渡資産とともに清算金を支出して交換取得資産を取得した場合には，その清算金の額

③ 交換取得資産を取得するために要した経費の額がある場合には，その経費の

額

(2) 交換取得資産の取得時期

　交換取得資産は交換譲渡資産の取得時期を引き継ぐ（措法37の6④）。

3　申告にあたっての要点

1　申告要件

　特定の交換分合の特例は，適用を受けようとする年分の確定申告書に，措置法第37条の6第1項の規定の適用を受ける旨の記載があり，かつ同項各号に規定する交換分合計画の写しとして，次の「確定申告の手続要領」に記載した書類の添付がある場合に限り適用がある（措法37の6②）。

2　確定申告の手続要領

> 1　「確定申告書（分離課税用）第三表」の「特例適用欄」に「措法37条の6（第）1項」及び適用条項を記入する。
> 2　交換分合により譲渡した土地等，及び取得した土地等の登記事項証明書
> 3　交換分合計画の写し
> 　交換分合計画の写しは次の記載のあるものに限られる。
> 　イ　農業振興地域整備法による交換分合の場合：農業振興地域の整備に関する法律第13条の2第3項の規定による認可をした者の交換分合計画の写しである旨の記載のあるもの。
> 　ロ　集落地域整備法による交換分合の場合：集落地域整備法第11条第2項の規定による認可をした者の交換分合計画の写しである旨の記載のあるもの。
> 　ハ　農住組合法による交換分合の場合：農住組合法第11条において準用する土地改良法第99条第12項の規定による公告をした者の交換分合計画の写しである旨の記載のあるもの及び交換分合が1(3)④の区域内で行われたことを証する書類。
> 　　　　　　　　　　　　　　　　　　　　　（措法37の6②，措規18の7）

4　確定申告書の提出がなかった場合

　確定申告書の提出がなかった場合又は必要事項の記載若しくは必要書類の添付がない確定申告書の提出があった場合，提出又は記載若しくは添付がなかったことについてやむを得ない事情があると税務署長が認めるときは，必要事項を記載した書類及び財務省令で定める書類の提出があった場合に限り，特定の交換分合の特例を適用することができる（措法37の6③）。

措置法第37条の8

5 特定普通財産とその隣接する土地等の交換の場合の譲渡所得の課税の特例

　売却困難又は権利付きの国有財産の円滑な売却を促進するための交換を可能とすること等を内容とする「国有財産の効率的な活用を推進するための国有財産法等の一部を改正する法律」が平成18年に成立し，国有財産特別措置法が改正され国有財産の処分を目的とした交換及び借地権を対象とした交換が認められることとなった。平成18年度税制改正において，物納財産の円滑な処分に資する等の観点から創設された特例である。

　特定普通財産とその隣接する土地等の交換の場合の譲渡所得の課税の特例（以下「特定普通財産と隣接土地等との交換の特例」という。）は，国有財産特別措置法の普通財産のうち財務局長等により証明がされたもの（以下「特定普通財産」という。）に隣接する土地（以下「所有隣接土地等」いう。）の交換をしたときは，取得した交換差金に対応する部分を除き，交換がなかったものとされる。

1 特例の適用要件

1 特例の内容

(1) 特例の適用要件

　特例対象財産は，次のとおりである（措法37の8）。

① 国有財産特別措置法第9条第2項の規定による特定普通財産であること。
② ①の財産は財務局長等により証明がされていること。
③ 個人がその所有隣接土地等を①の財産と交換すること。

(2) 特定普通財産とは

　特例の対象となる特定普通財産とは，国有財産特別措置法第9条第2項に規定する，円滑に売り払うため必要があると認められるものとして財務局長等により証明された次のものをいう（措規18の8①）。

①	建築物の敷地の用に供する場合，建築基準法第43条の規定に適合しないこととなる土地等。
②	財務局長等が著しく不整形と認める土地等。
③	建物又は構築物の所有を目的とする地上権又は賃借権の目的となつている土地等。

(3) **所有隣接土地等**

　特例の対象となる所有隣接土地等に該当するものは，特定普通財産に隣接する土地又は特定普通財産の上に存する権利をいう（措法37の⑧①）。

(4) **棚卸資産等の取扱い**

　棚卸資産及び雑所得の起因となる土地等の上に存する権利は除かれる（措法37の8①，措令25の6①）。

　ただし，不動産売買業を営む者の有する土地建物等で，その者が使用し若しくは他に貸し付けているもの（販売の目的で所有しているもので一時的に使用し又は他に貸し付けているものを除く。）又はその者が具体的な使用計画に基づいて使用することを予定して相当の期間所有していることが明らかであるものは，棚卸資産に該当しない（措通37の8-2，37-2）。

2 **特例の適用ができない交換**

　特定普通財産と隣接土地との交換の特例は，等価交換又は交換差金の授受を伴う交換でも適用できるが，特定の事業用資産の交換の特例（措法37の4）の適用を受ける場合は適用できない（措法37の8①，措令25の6②）。

　また，次の特例とは選択適用となっているため，これらの適用を受けた場合，この特例を受けることはできない。

　　イ　優良住宅地の造成等の税率の課税の特例（措法31の2）
　　ロ　居住用財産の軽減税率の特例（措法31の3）
　　ハ　収用交換等の特例（措法33，33の2，33の3）
　　ニ　居住用財産の3,000万円控除の特例（措法35①）
　　ホ　相続財産の3,000万円控除の特例（措35③）
　　ヘ　特定土地等の1,000万円控除の特例（措法35の2）
　　ト　特定の居住用財産の買換えの特例（措法36の2）
　　チ　低未利用土地等の1,000万円控除の特例（措法35の3）

③ 短期保有の所有隣接土地等と長期保有の所有隣接土地等がある場合の交換差金の区分

交換をした土地等のうちに短期譲渡所得の基因となるものと長期譲渡所得の基因となるものとがあり、かつ、交換差金があるときは、交換差金の額を交換したそれぞれの資産の交換の時の価額（契約等によりそれぞれの資産の交換による収入金額が明らかであり、かつ、その額が適正であると認められる場合には、そのそれぞれの収入金額）の比によりあん分して計算した金額をそれぞれの資産の交換差金とする（措通37の8-1）。

2 譲渡所得の計算

特定普通財産と所有隣接土地との交換が行われた場合、交換差金がなかった場合は所有隣接土地等の交換がなかったものとされ、交換差金を取得した場合に譲渡所得の課税が行われる（措法37の8①）。収入金額及び必要経費の計算は次のとおりである。

(1) **交換差金を取得しなかった場合**

譲渡がなかったものとして、譲渡所得は課税されない。

(2) **交換差金を取得した場合（措令25の6③）**

イ　収入金額

$$交換譲渡した所有隣接地等の価額 \times \frac{交換差金の額}{交換取得特定普通財産の価額＋交換差金の額}$$

ロ　必要経費

$$（交換譲渡した所有隣接地等の取得費＋交換に伴う費用）\times \frac{交換差金の額}{交換取得特定普通財産の価額＋交換差金の額}$$

3 交換により取得した特定普通財産の取得時期及び取得価額

① 交換により取得した特定普通財産の取得時期

交換により取得した特定普通財産は譲渡した所有隣接土地等の取得時期は引き継がない。特定普通財産を実際に取得した日が取得の日となる。そのため、取得した日の属する年から5年を経過した年の12月31日までに譲渡等した場合は短期譲渡

所得となる。

2 特定普通財産の取得価額

　交換により取得した特定普通財産は所有隣接土地等の取得価額及び譲渡費用等を次の算式によった金額を引き継ぐ（措法37の8②，措令25の6⑥）。

　なお，特定普通財産が2以上ある場合，各特定普通財産の取得価額は下記各場合に応じ，特定普通財産の全体の価額を個々の特定普通財産の価額の比で按分する（措令25の6⑤）。

(1) 特定普通資産とともに交換差金を取得した場合

$$(交換により譲渡した所有隣接土地等の取得費＋交換に要した費用) \times \frac{特定普通財産の価額}{特定普通財産の価額＋取得した交換差金の額}$$

(2) 交換により取得した所有隣接地等の価額が特定普通財産の価額と同額である場合

　交換により譲渡した所有隣接土地等の取得費＋交換に要した費用

(3) 交換差金を支払って特定普通財産を取得した場合

　交換により譲渡した所有隣接土地等の取得費＋交換に要した費用＋支払った交換差金の額

4　申告にあたっての要点

1 申告要件

　特定普通財産と隣接土地等との交換の特例は，適用を受けようとする年分の確定申告書に，措置法第37条の8の適用を受ける旨を記載し，かつ，同項の規定に該当するものとして，次の「確定申告の手続要領」に記載した書類の添付がある場合に限り適用がある。基本的に，特定の事業用資産の買換えの特例と同様の手続きである（措法37の8②，措法37の7⑤）。

2 確定申告の手続要領

> 1　「確定申告書（分離課税用）第三表」の「特例適用欄」に「措法37条の8（第）1項」と記入する。
> 2　「譲渡所得の内訳書（確定申告書付表兼計算明細書）に必要事項を記入する。
> 3　交換の契約書の写し

4　特定普通財産の帰属に応じた次の書類
イ　特定普通財産が国の一般会計に属する場合
　　特定普通財産の所在地を管轄する財務局長等から交付を受けた国有財産特別措置法第9条第2項の規定に基づき交換をした旨及び特定普通財産が措置法規則第18条の8第1号各号のいずれかの土地等に該当する旨を証する書類
ロ　特定普通財産が国有財産法施行令第4条各号に掲げる特別会計に属する場合
　　特定普通財産を所管する各省各庁の長から交付を受けた次に掲げる書類
　　（イ）　特定普通財産の所在地を管轄する財務局長等の各省各庁の長から協議された特定普通財産の国有財産特別措置法第9条第項に規定する交換について同意する旨及び特定普通財産が措置法規則第18条の8第1号各号のいずれかの土地等にする旨を証する書類の写し
　　（ロ）　各省各庁の長の国有財産特別措置法第9条第項の規定に基づき交換をした旨を証する書類
5　交換により取得した特定普通財産に関する登記事項証明書、その他特定普通財産を取得した旨を証する書類の写し

(措法37の8②，37⑥，措規18の8②，③)

③　確定申告書の提出がなかった場合

　確定申告書の提出がなかった場合又は必要事項の記載若しくは必要書類の添付がない確定申告書の提出があった場合であっても、提出又は記載若しくは添付がなかったことについてやむを得ない事情があると税務署長が認めるときは、記載をした書類及び財務省令で定める書類の提出があった場合に限り、特定普通財産と隣接土地等との交換の特例を適用することができる（措法37の8②，37⑦）。

第5章
収用等があった場合に使える特例

　第5章では，収用等があった場合の課税の特例を解説する。収用等の特例は，収用代替の特例，収用交換等の5,000万円控除の特例が代表的なものである。まず初めに，収用等があった場合の課税の取扱いの共通事項を解説し，各特例（措置法第33条から第34条の4）の内容を説明する。収用等の補償は様々な名目で交付されるが，収用等の特例の対象となるのは「対価補償」に限られる。

1 収用等の場合の課税の特例の原則

　公共事業施行者（以下「起業者」という。）が，個人の資産を収用法等に基づいて収用等した場合，その所得に対して次の理由から税負担が軽減される措置が講じられている。
・資産の所有者の意思にかかわらず資産が買い取られること。
・公益事業の協力に対する税務上の負担軽減の措置であること。
・収用された資産が居住用・事業用の場合，同等同質の資産が速やかに金銭負担がなく求められること。

　収用事業は広範囲で行われ，対象となる資産が土地等であることが多いため，補償金が高額となること，事業が完遂するまでには長期にわたることがある。様々な名目で補償金が支払われることから，所得区分が多岐になり，譲渡所得の特例も代替の特例及び特別控除があり，特例の適用にあたって検討しなければならないことも多くある。

1 収用等

① 収用等とは

　収用等とは，公共の利益となる事業の用に供するため土地を必要とする場合，その土地の所有者又は権利者の意思にかかわらず，国又は地方公共団体等一定の起業者が収用，又は使用することができる極めて強い公権力の行使のことをいう。

② 特例が適用できる収用等

　譲渡所得は資産の譲渡益に対して課税される。ただし，土地収用法等法律の規定に基づいて資産が買い取られ，又は買取りの申出を拒むときは土地収用法等に基づいて収用されることとなる場合がある。買い取り等による補償金等が一定の要件を満たした場合，買換えや特別控除等の課税の特例を適用して税負担を緩和することができる。

起業者が公共の用に供するために資産を買い取った場合，すべて収用となるわけではなく，収用等の特例が適用できるわけではない。特例の対象となる譲渡は次のものをいう（措法33①③）。なお詳細な規定は，措置法第33条及び措置法施行令第22条を参照されたい。実務的には，起業者から交付される「収用証明書」で特例の適否が判断できる。

① 　土地収用法等の規定に基づいて収用され，補償金を取得する場合（措法33①1）。
② 　買取りの申出を拒むときは土地収用法等の規定に基づいて収用されることとなる場合に，資産が買い取られ，対価を取得するとき（措法33①2）。
③ 　土地等が土地区画整理法による清算金を取得するとき（措法33①3）。
④ 　都市再開発法による第一種市街地再開発事業が施行された場合，資産に係る権利変換により補償金を取得するとき（措法33①3の2）。
⑤ 　密集市街地における防災街区の整備の促進に関する法律（以下「防災街区整備促進法」という。）による防災街区整備事業が施行された場合，資産に係る権利変換による補償金を取得するとき（措法33①3の3）。
⑥ 　土地等が都市計画法第52条の4第1項又は都市計画法第56条第1項の規定に基づいて買い取られ，対価を取得する場合（措法33①3の4）。
⑦ 　土地区画整理法による土地区画整理事業で減価補償金を交付すべきこととなるものが施行される場合，公共施設の用地に充てるべきものとして事業の施行区域内の土地等が買い取られ，対価を取得するとき（措法33①3の5）。
⑧ 　地方公共団体又は独立行政法人都市再生機構が被災市街地復興推進地域において施行する減価補償金を交付すべきこととなる被災市街地復興土地区画整理事業の施行区域内にある土地等が買い取られ，対価を取得する場合（措法33①3の6）。
⑨ 　地方公共団体又は独立行政法人都市再生機構が住宅被災市町村の区域において施行する第二種市街地再開発事業の施行区域内にある土地等が買い取られ，対価を取得する場合（措法33①3の7）。
⑩ 　国，地方公共団体，独立行政法人都市再生機構又は地方住宅供給公社が，自ら居住するため住宅を必要とする者に対し賃貸し，又は譲渡する目的で行う50戸以上の一団地の住宅経営に係る事業の用に供するため土地等が買い取られ，対価を取得する場合（措法33①4）。
⑪ 　土地収用法等の規定により収用された場合，資産に関して有する所有権以外の権利が消滅し，補償金又は対価を取得するとき（措法33①5）。
⑫ 　資産に関して有する権利で都市再開発法に規定する権利変換により新たな権利に変換をすることのないものが消滅し，補償金を取得する場合（措法33①6）。
⑬ 　資産に関して有する権利で密集市街地における防災街区の整備の促進に関する法律に規定する権利変換により新たな権利に変換をすることのないものが，補償金を取得する場合（措法33①6の2）。
⑭ 　国若しくは地方公共団体，若しくは土地収用法第3条に規定する事業の施行者がその事業の用に供するために行う公有水面埋立法の規定に基づく公有水面の埋立て又は施行者が行う事業の施行に伴う漁業権，入漁権その他水の利用に関する権利又は鉱業権の消滅により，補償金又は対価を取得する場合（措法33①7）。
⑮ 　前各号に掲げる場合のほか，国又は地方公共団体が，建築基準法若しくは漁業法その他政令で定めるその他の法令の規定に基づき行う処分に伴う資産の買取り若しくは消滅により，又はこれらの規定に基づき行う買収の処分により，補償金又は対価を取

得する場合（措法33①8）。
⑯　土地等が土地収用法等の規定に基づいて使用され，補償金を取得する場合（土地等について使用の申出を拒むときは土地収用法等の規定に基づいて使用されることとなる場合に，その土地等が契約により使用され，対価を取得するときを含む。）に，その土地等を使用させることが譲渡所得の基因となる不動産等の貸付けに該当するとき（政令で定める場合に該当する場合を除く。）（措法33③1）。
⑰　土地等が①から⑤，⑯，土地改良事業（措法33の2①2），区画整理事業（措法33の3①）に該当し，収用，取壊し又は除去をしなければならなくなった場合又は⑧，大深度地下の公共的使用に関する特別措置法第11条の規定に基づく資産の取壊し若しくは除去をしなければならなくなった場合，これらの資産若しくはその土地の上にある建物に係る配偶者居住権及び配偶者居住権の目的となっている建物の敷地の用に供される土地等を当該配偶者居住権に基づき使用する権利（以下「配偶者居住権」という。）の対価又はこれらの資産若しくはその土地の上にある建物に係る配偶者居住権の損失に対する補償金を取得するとき（措法33③2）。
⑱　土地等が被災市街地復興土地区画整理事業によりその土地の上にある資産が除却される場合，その資産又はその土地の上にある建物に係る配偶者居住権の損失に対して補償金を取得するとき（措法33③3）。
⑲　配偶者居住権の目的となっている建物の敷地の用に供される土地等が，次のイ又はロに該当して補償金を取得する時（措法33③4）。
　　イ　①②④⑤⑯に該当して土地等を配偶者居住権に基づき使用する権利の価値が減少した場合
　　ロ　①②⑪に該当して配偶者居住権の目的となっている建物の敷地利用権が消滅した場合

2　収用等又は換地処分等があった日

1　収入すべき時期の原則

　山林所得又は譲渡所得の総収入金額の収入すべき時期の原則は，資産の引渡しがあった日である。納税者の選択により，資産の譲渡に関する契約の効力発生の日により総収入金額に算入して申告した場合でも認められる（所基通36-12）。

2　収用等があった日

　収用等があった日とは，上記1（収入すべき時期の原則）によるのであるが，次に掲げる場合にはそれぞれ次による（措通33-7）。

①　土地収用法第48条第1項《権利取得裁決》若しくは第49条第1項《明渡裁決》に規定する裁決又は第50条第1項《和解》に規定する和解があった場合	・裁決書又は和解調書に記載された権利取得の時期又は明渡しの期限として定められている日 ・その日前に引渡し又は明渡しがあった場合には，その引渡し又は明渡しがあった日

② 土地区画整理法第103条第1項《換地処分》（新都市基盤整備法第41条《換地処分等》及び大都市地域住宅等供給促進法第83条《土地区画整理法の準用》において準用する場合を含む.），新都市基盤整備法第40条《一括換地》又は土地改良法第54条第1項《換地処分》の規定による換地処分があった場合	・土地区画整理法第103条第4項（新都市基盤整備法第41条及び大都市地域住宅等供給促進法第83条において準用する場合を含む.）又は土地改良法第54条第4項の規定による換地処分の公告のあった日の翌日
③ 土地改良法，農業振興地域の整備に関する法律又は農住組合法による交換分合が行われた場合	・土地改良法第98条第10項又は第99条第12項《土地改良区の交換分合計画の決定手続》（同法第100条第2項《農業協同組合等の交換分合計画の決定手続》及び第100条の2第2項《市町村の交換分合計画の決定手続》，農業振興地域の整備に関する法律第13条の5《土地改良法の準用》並びに農住組合法第11条《土地改良法の準用》において準用する場合を含む.）の規定により公告があった交換分合計画において所有権等が移転等をする日として定められている日
④ 都市再開発法第86条第2項《権利変換の処分》又は密集市街地における防災街区の整備の促進に関する法律第219条第2項《権利変換の処分》の規定による権利変換処分があった場合	・権利変換計画に定められている権利変換期日

3 収用又は使用の範囲

　措置法第33条又は第33条の2に規定する「収用」又は「使用」には，土地収用法第16条《事業の認定》に規定する事業（以下「本体事業」という.）の施行による関連事業のための収用又は使用が含まれる（措通33-1）.

4 関連事業

(1) 関連事業に該当する場合

　本体事業の施行により必要となった事業が，関連事業としての土地収用法第3章《事業の認定等》の規定による事業の認定（以下「関連事業としての事業認定」という.）を受けていない場合においても，その事業が次の要件の全てに該当するときは，収用交換等の特例の適用上は，関連事業に該当するものとする. なお，措置法規則第14条第5項《収用等の証明書》の規定は，本体事業と関連事業とについてそれぞれ別個に適用されるのであるから留意する（措通33-2）.

① 土地収用法第3条各号《土地を収用し又は使用することができる事業》の一に該当するものに関する事業であること。
② 本体事業の施行によって撤去変改を被る既存の同法第3条各号の一に掲げる施設（以下「既存の公的施設」という。）の機能復旧のため，本体事業と併せて施行する必要がある事業であること。
③ 本体事業の施行者が自ら施行することが，収用経済等の公益上の要請に合致すると認められる事業であること。
④ その他四囲の状況から，関連事業としての事業認定を受け得る条件を具備していると認められる事業であること。

(2) 既存の公的施設の機能復旧に該当するための要件

本体事業の施行により必要を生じた事業が，上記(1)②（措置法通達33-2(2)）の既存の公的施設の機能復旧のために施行されるものに該当するための要件については，次の点に留意する（措通33-3）。

① その事業は，既存の公的施設の機能復旧の限度で行われるものであることを要し，従来その施設がその地域において果たしてきた機能がその事業の施行によって改良されることとなるものは，これに該当しない。ただし，施設の設置に関する最低基準が法令上具体的に規制されている場合における基準に達するまでの改良は，この限りでない。

　　ただし書に該当する事例としては，車線の幅員を道路構造令第5条《車線等》に規定する幅員まで拡張する場合がある。

② その事業は，本体事業の起業地内に所在して撤去変改を被る既存の公的施設の移転（道路等にあっては，そのかさ上げを含む。）のために行われるものであることを要し，本体事業の施行に伴う地域の環境の変化に起因して行う移転，新設等の事業は，これに該当しない。ただし，既存の公的施設が起業地の内外にわたって所在する場合において，施設の全部を移転しなければ従来利用していた目的に供することが著しく困難となるときにおけるその起業地以外に所在する部分の移転は，この限りでない。

③ 既存の公的施設の移転先として関連事業のための収用又は使用の対象となる場所は，その施設の従来の機能を維持するために必要欠くべからざる場所であることを要し，他の場所をもって代替することができるような場所はこれに該当しないから，起業地と即地的一帯性を欠く場所は，その対象に含まれない。

　　ただし，起業地の地形及び施設の立地条件に特殊な制約があって，起業地と

即地的に一帯を成す場所から移転先を選定することが著しく困難な場合には、特殊な制約が解消することとなる至近の場所については、この限りでない。

(3) 関連事業の関連事業

関連事業に関連して施行する事業については、関連事業を本体事業とみなした場合に、その関連して施行する事業が上記(1)の要件に適合する限り、関連事業に該当する（措通33-4）。

(4) 関連事業に係る収用証明書の記載事項

収用等の場合の課税の特例は、収用等のあった日の属する年分の確定申告書に、収用等が、収用等を行うことについて正当な権限を有する者（以下「収用権者」という。）によって行われたものであることを一覧的に示した収用証明書（措置法規則第14条第5項に規定する書類をいう。）を添付することを要件として適用されるのであるから、収用等の基因となった事業が収用権者とその事業に係る施設の管理者とを異にする場合、すなわち、関連事業に該当する場合には、関連事業に係る収用証明書には、その事業が関連事業であることを表示されていることが要件となる（措通33-53）。

3 収用等の場合の特例の種類と適用関係

1 収用等の場合の特例

収用等により譲渡した場合、4つの特例がある。これらはそれぞれ譲渡益・譲渡損が出た場合、特別控除を適用して所得を軽減する場合、高額な譲渡所得のため特別控除の範囲では収まらず買換え等を適用する場合等、譲渡者の意向や都合に合わせて選択できるようになっている。

特例	条文
① 収用等に伴い代替資産を取得した場合の課税の特例	措法33
収用補償金等で、新たに同種の資産を代替した場合に課税の繰延べが適用できる。	
② 交換処分等に伴い資産を取得した場合の課税の特例	措法33の2
収用補償金等の代わりに収用された資産と同種の資産を取得した場合に、収用がなかったものとして課税の繰延べが適用できる。	
③ 換地処分等に伴い資産を取得した場合の課税の特例	措法33の3
換地処分等があった場合に、従前の資産について譲渡がなかったものとみなして課税の繰延べが適用できる。	

④ 収用交換等の場合の譲渡所得等の特別控除	措法33の4
収用補償金等による譲渡所得に対して5,000万円の特別控除が適用できる。	

2 同一年中の特例の適用関係

　最初に買取り等の申出のあった日から6か月を経過した日までに譲渡した資産と同日後に譲渡した資産とがあるなど、収用交換等の5,000万円控除の特例が受けられる資産と受けられない資産とがある場合、その受けられる資産に収用交換等の5,000万円控除の特例の適用を受けたときは、特例が受けられない資産については、措置法第33条《収用等に伴い代替資産を取得した場合の課税の特例》及び第33条の2《交換処分等に伴い資産を取得した場合の課税の特例》の規定は適用されない（措通33の4-1）。

　概要は次のとおりである。

特例	特例の適用関係
① 収用代替の特例	・④と併用適用できない。 ・②と併用適用できる。
② 収用交換等の特例	・④と併用適用できない。 ・①と併用適用できる。
③ 換地処分等の特例	・①②③と併用適用できない。 ・清算金がある場合はその清算金で、①②又は④のいずれか一方を適用できる。
④ 収用交換等の5,000万円控除の特例	・①②と併用適用できない。

3 複数回にわたって収用があった場合

　一の収用等の事業について、2以上の資産を年をまたがって2回以上に分けて譲渡したときは、最初の年の譲渡資産に限りこの特例が適用できる（措法33の4③2）。特別控除額5,000万円は買取り等の申出があって6か月以内に譲渡した場合、常に適用できるわけではないことに注意する。

　・1年目に収用交換等の5,000万円控除の特例を適用した場合、2年目以降はこの特例は適用できない。ただし、2年目以降は収用代替の特例が適用できる。
　・1年目に収用代替の特例を適用した場合、2年目以降は5,000万円控除の特例は適用できない。ただし、2年目以降は収用交換等の特例が適用できる。

　上記の適用関係を表示すれば次のとおりである。

▼A事業のみの場合

適用年	選択適用	
第1年目	5,000万円控除	収用代替
	(選択適用) ⟷	
第2年目	収用代替	収用代替

▼A事業及びB事業が同一年中にある場合（ABの合計額について）

適用年	選択適用	
第1年目	5,000万円控除	収用代替
	(選択適用) ⟷	
第2年目	収用代替	収用代替

▼A事業が第1年目，B事業が第2年目にある場合

適用年		選択適用	
第1年目		A事業 5,000万円控除	A事業 収用代替
		(選択適用) ⟷	
第2年目	選択①	A，B事業 収用代替	
	選択②	B事業 5,000万円控除	

4 収用補償金の課税区分

1 収用補償金の区分

　公共事業等により土地等の収用があった場合，土地，借家権等に対して支払われる買取り補償，残地補償のほか，事業の休廃業の補償，店舗等の移転の補償等様々な名目の補償金がある。

2 棚卸資産等の収用交換等の取扱い

　棚卸資産等について収用等又は交換処分等があった場合，補償金，対価又は清算金に対応する部分については，収用代替の特例（措法33）又は収用交換等の特例

（措法33の2）の規定の適用はないが、交換処分等により取得した資産に対応する部分については、措置法第33条の2第1項の規定の適用がある（措通33-5）。

なお、不動産売買業を営む個人の有する土地又は建物であっても、その個人が使用し、若しくは他に貸し付けているもの（販売の目的で所有しているもので、一時的に使用し、又は他に貸し付けているものを除く。）又はその個人が使用することを予定して長期間にわたり所有していることが明らかなものは、棚卸資産等には該当しない。

「棚卸資産等」とは、次に掲げる資産をいう。

① 所得税法第2条第1項第16号《定義》に規定する棚卸資産（所得税法施行令第81条各号《棚卸資産に準ずる資産》に掲げる資産を含む。）

② ①に該当するもののほか、収用等のあった日以前5年以内に取得した山林

③ 対価補償金

起業者から交付される金員は「補償金」「対価」又は「清算金」等の様々な名目となっていることがあるが、特例の対象となるのは名目のいかんを問わず、収用等による譲渡の目的となった資産の収用等の対価たる金額（以下「対価補償金」という。）をいう。これらの補償金等のうち譲渡所得の課税の特例の対象となるのは対価補償金に限られる（措法33⑤）。

④ 対価補償金以外の補償金等

次の①から④までに掲げる補償金等は、別に定める場合を除き、対価補償金に該当しない（措通33-8）。

補償金	補償金の内容
①収益補償金	事業（事業と称するに至らない不動産又は船舶の貸付け、その他これに類する行為で相当の対価を得て継続的に行うものを含む）について減少することとなる収益、又は生ずることとなる損失の補てんに充てるものとして交付を受ける補償金
②経費補償金	休廃業等により生ずる事業上の費用の補てん、又は収用等による譲渡の目的となった資産以外の資産（棚卸資産等を除く。）について実現した損失の補填に充てるものとして交付を受ける補償金
③移転補償金	資産（棚卸資産等を含む。）の移転に要する費用の補てんに充てるものとして交付を受ける補償金
④その他の補償金	その他対価補償金たる実質を有しない補償金

5 収用補償金の種類と課税区分

収用補償金の具体的な種類と課税区分は次のとおりである（措通33-9）。

補償金	補償対象財産	課税区分	課税の内容
対価補償金	分離課税対象 ○土地の買取り ○土地上の権利の消滅 ○建物の取壊し ○残地補償	譲渡所得 （分離課税）	・譲渡所得又は山林所得の計算上，収用等の課税の特例の適用ができる。 ・収益補償金や移転補償金からの振替もある。
	総合課税対象 ○漁業権等の消滅 ○立木（山林所得） ○工作物の除去 ○借家人補償 ○移設困難な機械等の取壊し	譲渡所得 （総合課税）	
収益補償金	○建物等の使用料 ○事業の休廃業 ○家賃減収 ○借地権の設定（時価の50％以下） ○漁業権等の制限	不動産所得 事業所得等 雑所得	・補償金の交付の基因となった事業の態様に応じ，不動産所得の金額，事業所得の金額又は雑所得の金額の計算上，総収入金額に算入する。 ・収益補償金でも対価補償として取り扱うことができる場合がある（措通33-11）。
経費補償金	○店舗移転等補償 ○仮店舗設置 ○休業・解雇手当 ○農業・漁業休廃止補償	不動産所得 事業所得等 雑所得	イ　休廃業等により生ずる事業上の費用の補填に充てるものとして交付を受ける補償金は，補償金の交付の基因となった事業の態様に応じ，不動産所得の金額，事業所得の金額又は雑所得の総収入金額に算入する。 ロ　収用等による譲渡の目的となった資産以外の資産（棚卸資産等を除く。）について実現した損失の補填に充てるものとして交付を受ける補償金は，山林所得の金額又は譲渡所得の総収入金額に算入する。 　経費補償金として交付を受ける補償金を対価補償金として取り扱うことができる場合がある（措通33-13）。

移転補償金	○建物移転補償 ○動産移転補償 ○仮住居費用 ○立木等移転費用 ○墳墓移転	一時所得	・補償金をその交付の目的に従って支出した場合，所得税法第44条《移転等の支出に充てるための交付金の総収入金額不算入》の規定が適用され，各種所得の総収入金額に算入されない。（注） ・交付の目的に沿って支出されなかった場合，又は支出後残額がある場合一時所得の計算上総所得金額に算入される。 ・引き家補償の名義で交付を受ける補償金又は移設困難な機械装置の補償金を対価補償金として取り扱うことができる場合がある（措通33-14，33-15）。
その他の補償金	○改葬料等精神補償 ○立木等の伐採	その実態に応じた所得	・収用の対象となった事業の態様に応じた所得区分となる。 ・精神補償金等，所得税法上の非課税所得に該当するものについては非課税となる。

（注）移転補償金を交付の目的に従って支出したか否かの判定は次による（措通33-9（注））
　①　移転補償金を交付の基因となった資産の移転若しくは移築又は除却若しくは取壊しのための支出に充てた場合
　　　交付の目的に従って支出したこととなる。
　②　移転補償金を資産の取得のための支出又は改良その他の資本的支出に充てた場合
　　　交付の目的に従って支出したことにならない。

6 権利変換差額等についての収用等の課税の特例

　第一種市街地再開発事業若しくは第二種市街地再開発事業の施行に伴い取得した変換取得資産（措置法令第22条の3第3項第1号《換地処分等に伴い資産を取得した場合の課税の特例》に規定する変換取得資産をいう。）若しくは対償取得資産（同条第2項に規定する対償取得資産をいう。）又は防災街区整備事業の施行に伴い取得した防災変換取得資産（同条第6項に規定する防災変換取得資産をいう。）を有する個人から変換取得資産若しくは対償取得資産又は防災変換取得資産を所得税法第60条第1項第1号《贈与等により取得した資産の取得費等》に掲げる贈与，相続又は遺贈により取得した場合，変換取得資産若しくは対償取得資産又は防災変換取得資産を取得した個人が都市再開発法第104条《清算》若しくは第118条の24《清算》又は密集市街地における防災街区の整備の促進に関する法律第248条《清算》に規定する差額に相当する金額の交付を受けることとなったときは，その日に

おいて措置法第33条の3第2項に規定する旧資産又は同条第4項に規定する防災旧資産のうち措置法令第22条の3第4項又は第6項に規定する部分につき収用等による譲渡があったものとして収用代替の特例の適用がある（措通33-6）。

7 2以上の資産について収用等が行われた場合の補償金

2以上の資産が同時に収用等をされた場合，個々の資産ごとの対価補償金の額が明らかでないときは，収用等があった日の価額の比，又は起業者が補償金等の算定の基礎とした資産の評価額の比その他適正な基準により区分する。

譲渡資産が同種のものである場合又は代替資産が措置法令第22条第5項若しくは第6項《代替資産の特例》の規定の適用を受ける場合は，譲渡所得の金額又は代替資産の取得価額は，その対価補償金の額の合計額を基礎として計算すればよいことから，強いて上記の区分をする必要はない（措通33-10）。

8 事業廃止の場合の機械装置等の売却損の補償金

土地，建物，漁業権その他の資産の収用等に伴い，機械装置等の売却を要することとなった場合，その売却による損失の補償として交付を受ける補償金は，経費補償金に該当する（措置法通達33-8（2）参照）。収用等に伴い事業の全てを廃止した場合又は従来営んできた業種の事業を廃止し，かつ，機械装置等を他に転用することができない場合に交付を受ける機械装置等の売却損の補償金は，対価補償金として取り扱う。この場合，機械装置等の帳簿価額（譲渡所得の金額の計算上控除する取得費をいう。）のうち対価補償金に対応する部分の金額は，次の算式により計算した金額によるものとする。ただし，機械装置等の帳簿価額のうち，その処分価額又は処分見込価額を超える部分の金額を対価補償金に対応する部分の帳簿価額として申告し又は経理している場合は認められる（措通33-13）。

〔事業廃止の場合の機械装置等の売却損の補償金の算式〕

$$機械装置等の帳簿価額 \times \frac{(A)}{対価補償金の額(A)＋機械装置等の処分価額又は処分見込価額}$$

(注) 機械装置等の売却損の補償金は，一般に，次のイからロを控除して計算される。

　イ　機械装置と同種の機械装置等の再取得価額から，再取得価額を基として計算した償却費の額の累積額に相当する金額を控除した残額
　ロ　機械装置等を現実に売却する価額

⑨ 引き家補償等の名義で交付を受ける補償金

　土地等の収用等に伴い，建物又は構築物を引き家し又は移築するために要する費用として交付を受ける補償金であっても，実際に建物又は構築物を取り壊したときは，補償金（建物又は構築物の一部を構成していた資産で，そのまま又は修繕若しくは改良を加えた上，他の建物又は構築物の一部を構成することができると認められるものに係る部分を除く。）は，建物又は構築物の対価補償金に当たるものとして取り扱うことができる（措通33-14）。

⑩ 移設困難な機械装置の補償金

　土地等又は建物等の収用等に伴い，機械又は装置の移設を要することとなった場合，移設に要する経費の補償として交付を受ける補償金は，対価補償金には該当しない。しかし，機械装置の移設補償名義のものであっても，例えば，製錬設備の溶鉱炉，公衆浴場設備の浴槽のように，その物自体を移設することが著しく困難であると認められる資産について交付を受ける取壊し等の補償金は，対価補償金として取り扱う。

　なお，これに該当しない場合であっても，機械装置の移設のための補償金の額が機械装置の新設のための補償金の額を超えること等の事情により，移設経費の補償に代えて機械装置の新設費の補償を受けた場合には，その事情が起業者の算定基礎等に照らして実質的に対価補償金の交付に代えてされたものであることが明確であるとともに，現にその補償の目的に適合した資産を取得し，かつ，旧資産の全部又は大部分を廃棄又はスクラップ化しているものであるときに限り，その補償金は対価補償金に該当するものとして取り扱うことができる（措通33-15）。

⑪ 残地補償金

　土地等の一部について収用等があった場合，土地収用法第74条《残地補償》の規定によりその残地の損失について補償金の交付を受けたときは，補償金を収用等があった日の属する年分の収用等をされた土地等の対価補償金とみなして取り扱うことができる。この場合，収用等をされた部分の土地等の取得価額は，次の算式により計算した金額による（措通33-16）。

【残地補償金の算式】

$$土地の取得価額 \times \frac{(A) - 収用等された後の残地の価額}{収用直前の土地の価額(A)}$$

12 残地買収の対価

　残地が従来利用されていた目的に供することが著しく困難となり，その残地について収用の請求をすれば収用されることとなる事情があるため（土地収用法第76条第1項《残地収用の請求権》参照），残地を起業者に買い取られた場合には，その残地の買取りの対価は，収用等があった日の属する年分の対価補償金として取り扱うことができる（措通33-17）。

13 残地保全経費の補償金

　土地等の一部又はその土地等の隣接地について収用等があったことにより，残地に通路，溝，垣，柵その他の工作物の新築，改築，増築若しくは修繕又は盛土若しくは切土（以下「工作物の新築等」という。）をするためのものとして交付を受ける補償金は対価補償金には該当しないから，その補償金については収用等の場合の課税の特例は適用されない。しかし，工作物の新築等が残地の従来の機能を保全するために必要なものであると認められる場合に限り，工作物の新築等に要した金額のうち，補償金の額に相当する金額までの金額については，所得税法第44条《移転等の支出に充てるための交付金の総収入金額不算入》に規定する移転等の費用に充てるための金額の交付を受けた場合に準じて取り扱って差し支えない（措通33-18）。

14 特別措置等の名義で交付を受ける補償金

　交付を受けた補償金等のうち，特別措置等の名義のもので，その交付の目的が明らかでないものがある場合，交付を受ける他の補償金等の内容及びその算定の内訳，同一事業の起業者が他の収用等をされた者に対する補償の内容等を勘案して，それぞれ対価補償金，収益補償金，経費補償金，移転補償金又はその他の補償金のいずれかに属するかを判定する。その判定が困難なときは，課税上弊害がない限り，起業者が証明するところによることができる。

　収用等の補償実施状況によれば，建物の所有者に対して特別措置の名義で建物の対価補償金たる実質を有する補償金が交付され，借家人に対して同じ名義で借家人補償金たる実質を有する補償金が交付される実例がある（措通33-19）。

15 減価補償金

　措置法第33条第1項第3号及び第33条の3第1項に規定する「清算金」には，土地区画整理法第109条《減価補償金》に規定する減価補償金を含む（措通33-20）。

16 　権利変換による補償金の範囲

　措置法第33条第1項第3号の2又は第3号の3に規定する補償金には，都市再開発法第91条第1項《補償金等》又は防災街区整備促進法第226条第1項《補償金等》の規定により補償として支払われる利息相当額は含まれるが，都市再開発法第91条第2項又は防災街区整備促進法第226条第2項の規定により支払われる過怠金の額及び都市再開発法第118条の15第1項《譲受け希望の申出の撤回に伴う対償の支払等》の規定により支払われる利息相当額は含まれない。

　都市再開発法第91条第2項又は防災街区整備促進法第226条第2項の規定により支払われる過怠金の額及び都市再開発法第118条の15第1項の規定により支払われる利息相当額は雑所得の総収入金額に算入される（措通33-21）。

17 　収用等に伴う課税の特例を受ける権利の範囲

　措置法第33条第1項第5号の「資産に関して有する所有権以外の権利が消滅し，補償金又は対価を取得するとき」とは，例えば，土地等の収用等に伴い，土地にある鉱区について設定されていた租鉱権，その土地について設定されていた借地権，採石権等が消滅した場合や建物の収用に伴い，その建物について設定されていた配偶者居住権が消滅した場合において，補償金の交付を受けるとき等をいう（措通33-22）。

18 　権利変換により新たな権利に変換することがないものの意義

　措置法第33条第1項第6号に規定する「都市再開発法に規定する権利変換により新たな権利に変換をすることのないもの」又は第6号の2に規定する「防災街区整備促進法に規定する権利変換により新たな権利に変換することのないもの」とは，例えば，地役権，工作物所有のための地上権又は賃借権をいう（措通33-23）。

19 　公有水面の埋立又は土地収用事業の施行に伴う漁業権等の消滅

　措置法第33条第1項第7号の規定は，次に掲げるような場合，漁業権，入漁権その他水の利用に関する権利が消滅（価値の減少を含む。）し，補償金又は対価を取得するときに適用がある。この場合，権利には，漁業法第105条《組合員行使権》に規定する組合員行使権を含む（措通33-24）。

　① 　国又は地方公共団体（出資金額又は拠出された金額の全額が地方公共団体により出資又は拠出をされている法人を含む。）が公有水面埋立法第2条《免許》に規定する免許を受けて公有水面の埋立を行う場合

　　　例えば，国又は地方公共団体が，農地又は工業地の造成のため公有水面埋立法の規定に基づき海面の埋立又は水面の干拓を行う場合等である。

②　土地収用法第3条《土地を収用し又は使用することができる事業》に規定する事業（都市計画法第4条第15項《定義》に規定する都市計画事業を含む。以下「土地収用事業」という。）の施行者（国又は地方公共団体を除く。）がその事業の用に供するため公有水面埋立法に規定する免許を受けて，公有水面の埋立を行う場合

　　例えば，電力会社が火力発電施設用地の取得のため，公有水面埋立法の規定に基づいて海面の埋立を行う場合等である。

③　土地収用事業の施行者がその収用事業を施行する場合（②に該当する場合を除く。）

　　例えば，国が水力発電施設としてダムを建設するため河川をせき止めたことにより，その下流にある漁業権等の全部又は一部が制限される場合等である。

20　公有水面の埋立に伴う権利の消滅の意義

措置法第33条第1項第7号に規定する「公有水面の埋立又は当該施行者が行う当該事業の施行に伴う……権利の消滅」とは，公有水面の埋立によりその埋立に係る区域に存する漁業権等が消滅すること又は土地収用事業に係る施設ができることによりその施設の存する区域（河川につき施設されたものである場合には，その施設により流水の状況その他の影響を受ける当該河川の流域を含む。）に存する漁業権等が消滅することをいう（措通33－25）。

21　土地等の使用に伴う損失の補償金を対価補償金とみなす場合

土地等が土地収用法等の規定により使用されたこと（土地等について使用の申出を拒むときは土地収用法等の規定に基づいて使用されることとなる場合を含む。）に伴い，土地の上にある資産について，土地収用法等の規定により収用又は取壊し若しくは除去をしなければならなくなった場合において交付を受ける資産の対価又は損失に対する補償金（措置法令第22条第22項に規定するものに限る。）は，土地等を使用させることが措置法第33条第4項第1号に規定する要件を満たさないときにおいても，対価補償金とみなして取り扱うことができる（措通33－26）。

22　逆収用の請求ができる場合に買い取られた資産の対価

措置法第33条第3項第2号の収用等をされた土地の上にある資産について土地収用法等の規定に基づく収用をしなければならなくなった場合，その資産又は土地の上にある建物に係る配偶者居住権（配偶者居住権の目的となっている建物の敷地の用に供される土地等を配偶者居住権に基づき使用する権利を含む。）の対価で政令で定めるものを取得するときとは，収用等をされた土地の上にある資産が次の①又は

②に掲げるようなものであるため，その所有者が収用の請求をすれば収用されることとなる場合（いわゆる逆収用の請求ができる場合）において，現実に収用の請求又は収用の裁決の手続を経ないで資産が買い取られ，又は土地の上にある建物が買い取られ建物に係る配偶者居住権が消滅し，その対価を取得するときをいう（措通33-27）。

① 移転が著しく困難であるか，又は移転によって従来利用していた目的に供することが著しく困難となる資産（土地収用法第78条参照）

② 公共用地の取得に関する特別措置法第2条各号《特定公共事業》に掲げる事業の用に供するために収用等をされた土地の上にある資産（同法第22条参照）

これらの資産の存する土地等の収用等につき事業認定又は特定公共事業の認定があったかどうか，特定公共事業の起業者が緊急裁決の申立てをしたかどうかにかかわらないのであるから留意する。

23 取壊し又は除去をしなければならない資産の損失に対する補償金

措置法第33条第4項第2号の収用等をされた土地の上にある資産につき取壊し又は除去をしなければならなくなった場合，その資産又は土地の上にある建物に係る配偶者居住権の損失に対する補償金で政令で定めるものを取得するときとは，その資産を取壊し又は除去をしなければならなくなった場合において，その資産又は土地の上にある建物に係る配偶者居住権自体について生ずる損失に対する補償金で措置法令第22条第22項第2号に掲げるものの交付を受けるときに限られる（措通33-28）。

24 取壊し等による損失補償金の取扱い

土地等が措置法第33条の2第1項第1号《交換処分等に伴い資産を取得した場合の課税の特例》の規定に該当することとなったことに伴い，土地の上にある資産につき，土地収用法等の規定に基づく収用をし，又は取壊し若しくは除去をしなければならなくなった場合，その資産もしくはその土地の上にある建物に係る配偶者居住権の対価又は損失に対する補償金（措置法令第22条第20項に規定するものに限る。）を取得するときは，措置法第33条第4項第2号の規定に準じ，同項の規定の適用がある（措通33-28の2）。

25 発生資材等の売却代金

土地の上にある建物，構築物，立竹木等を取壊し又は除去をしなければならないことになった場合に生じた発生資材（資産の取壊し又は除去に伴って生ずる資材をいう。）又は伐採立竹木の売却代金の額は，措置法令第22条第22項第2号に規定

する補償金の額には該当しない（措通33-29）。

26 伐採立竹木の損失補償金と売却代金とがある場合の必要経費等の控除

　措置法第33条第4項第2号に規定する補償金を取得して伐採した立竹木を他に売却した場合，立竹木の譲渡に係る山林所得の金額又は譲渡所得の金額の計算上控除すべき必要経費又は取得費及び譲渡費用は，まず，立竹木の売却代金の所得の金額の計算上控除し，なお控除しきれない金額があるときは，補償金の所得の金額の計算上控除する（措通33-29の2）。

27 借家人補償金

　他人の建物を使用している個人が，建物が収用等をされたことに伴いその使用を継続することが困難となったため，転居先の建物の賃借に要する権利金に充てられるものとして交付を受ける補償金（従来の家賃と転居先の家賃との差額に充てられるものとして交付を受ける補償金を含む。以下「借家人補償金」という。）については，対価補償金とみなして取り扱う。この場合，個人が借家人補償金に相当する金額をもって転居先の建物の賃借に要する権利金に充てたときは，権利金に充てた金額は，代替資産の取得に充てた金額とみなして取り扱うことができる。

　借家人補償金をもって事業用固定資産の取得に充てた場合には，措置法令第22条第6項の規定による代替資産の特例の適用があるものについてはこれにより，また，その建物と同じ用途に供する土地又は建物を取得した場合には，土地又は建物を借家人補償金に係る代替資産に該当するものとして取り扱う（措通33-30）。

　借家人補償金は，転居先の権利金等の支払いに充当するための支払いであるが，収用という使用者の都合を考慮しない強制的な立ち退きであることや新たな転居先が必然であること等から，対価補償金として取り扱うものである。

28 借家権の範囲

　措置法第33条第1項第3号の2及び第3号の3に規定する借家権には，配偶者居住権が含まれることに留意する。

　なお，配偶者居住権に係る補償金がこれらの号に該当する場合における配偶者居住権の目的となっている建物の敷地の用に供される土地等を配偶者居住権に基づき使用する権利に係る補償金については，同条第4項第2号の補償金に該当するものとして取り扱う（措通33-31）。

29 除却される資産の損失に対する補償金

　措置法第33条第4項第3号に規定する「資産が土地区画整理法第77条の規定により除却される場合において，その資産又はその土地の上にある建物に係る配偶者

居住権の損失に対して，同法第78条第1項の規定による補償金を取得するとき」における，その補償金とは，同法第78条第1項《移転等に伴う損失補償》の規定に基づき施行者が支払う補償金のうち，除却される資産又は配偶者居住権自体について生ずる損失に対する補償金に限られる（措通33-31の2）。

30　配偶者居住権の目的となっている建物の敷地の用に供される土地等を配偶者居住権に基づき使用する権利の価値の減少による損失補償金の取扱い

配偶者居住権の目的となっている建物の敷地の用に供される土地等が措置法第33条の2第1項第1号の規定に該当することとなったことに伴い土地等を配偶者居住権に基づき使用する権利の価値が減少した場合，権利の対価又は損失に対する補償金（措置法令第22条第24項に規定するものに限る。）を取得するときは，措置法第33条第4項第4号の規定に準じ，同項の規定の適用があるものとして取り扱うことができる（措通33-31の3）。

31　借地人が交付を受けるべき借地権の対価補償金の代理受領とみなす場合

借地権その他土地の上に存する権利（以下「借地権等」という。）の設定されている土地について収用等があった場合，土地の対価補償金と借地権等の対価補償金とが一括して土地の所有者に交付され，その交付された金額の一部が土地の所有者から借地権等を有する者に借地権等に係る対価補償金に対応する金額として支払われたときは，その支払が立退料等の名義でされたものであっても，支払を受けた金額は，借地権等を有する者に交付されるべき借地権等の対価補償金が代理受領されたものとみなして，借地権等を有する者について収用等の特例を適用することができる。この場合，借地権等を有する者が確定申告書等に添付する措置法規則第15条第2項に規定する書類は，土地の所有者から支払を受けた金額の計算に関する明細書及び収用等をされた土地の書類で土地の所有者が交付を受けるものの写しとする（措通33-31の4）。

32　清算金等の相殺が行われた場合

土地区画整理法第111条《清算金等の相殺》（新都市基盤整備法第42条《清算》又は大都市地域住宅等供給促進法第83条《土地区画整理法の準用》において準用する場合を含む。）の規定により清算金の相殺が行われた場合であっても，措置法第33条の規定の適用については，それぞれの換地処分の目的となった土地ごとに計算を行う。交付されるべき清算金（その一部が相殺されたときは，その相殺前の金額）に相当する金額は，その交付されるべき清算金に係る土地等の換地処分によ

る清算金の額に該当し，徴収されるべき清算金（その一部が相殺されたときは，その相殺前の金額）に相当する金額は，その徴収されるべき清算金に係る土地等の取得価額に算入される（措通33－46）。

33　仮換地の指定により交付を受ける仮清算金

土地区画整理法第102条《仮清算金》の規定により交付を受ける仮清算金の額は，換地処分があるまではその年において収入すべき金額に該当しない（措通33－46の2）。

34　代行買収の要件

措置法規則第14条第5項第2号から第4号の2まで又は第4号の5から第5号まで《収用証明書》の規定により，事業の施行者に代わり事業の施行者以外の者でこれらの規定に規定するものの買い取った資産がこれらの規定に規定する資産に該当するかどうかは，次に掲げる要件の全てを満たしているかどうかにより判定する（措通33－51）。

① 買取りをした資産は，最終的に事業の施行者に帰属すること。施行者への帰属は，それが有償で行われるかどうかを問わない。
② 買取りをする者の買取りの申出を拒む者がある場合には，事業の施行者が収用すること。
③ 資産の買取り契約書には，資産の買取りをする者が事業の施行者が施行する○○事業のために買取りをするものである旨が明記されていること。
④ 上記①及び②の事項について，事業の施行者と資産の買取りをする者との間の契約書又は覚書により相互に明確に確認されていること。

35　事業施行者以外の者が支払う漁業補償等

措置法第33条第1項第7号に規定する事業の施行者でない地方公共団体又は地方公共団体が財産を提供して設立した団体の支払った補償金又は対価が措置法規則第14条第5項第8号に規定する補償金又は対価に該当するかどうかは，次に掲げる要件の全てを満たしているかどうかにより判定する（措通33－51の2）。

① 権利の消滅（価値の減少を含む。）に関する契約書には，補償金又は対価の支払いをする者が事業の施行者が施行する事業のために消滅する権利に関して支払うものである旨が明記されていること。
② 上記①の事項について，事業の施行者と補償金又は対価の支払いをする者との間の契約書又は覚書により，相互に明確に確認されていること。

36 証明の対象となる資産の範囲

措置法規則第14条第5項第3号の規定を適用する場合において，買取りの対象となった資産が，同号イに規定する事業に必要なものとして収用又は使用することができる資産に該当するかどうかは，買取りの時において，事業の施行場所，施行内容等が具体的に確定し，その資産について事業認定が行われ得る状況にあるかどうかによって判定する。

また，同項第5号の規定を適用するに当たり，買取りの対象となった資産が土地収用法第3条各号の一に該当するものに関する事業に必要な資産であり，かつ，買取りについて措置法第33条第1項第2号に規定する事由があるかどうかを判定する場合も同様である（措通33-52）。

37 収益補償金の課税延期

収益補償金のうち次の部分ついて，収用等があった日の属する年分の事業所得等の総収入金額に算入しないで，収用等をされた土地又は建物から立ち退くべき日として定められている日（その日前に立ち退いたときは，立ち退いた日）の属する年分の事業所得等の総収入金額に算入したい旨を書面をもって申し出たときは認められる（措通33-32）。

① 措置法通達33-11（収益補償金名義で交付を受ける補償金を対価補償金として取り扱うことができる場合）によらない部分の金額
② 収用等があった日の属する年の末日までに支払われない金額

38 経費補償金等の課税延期

経費補償金若しくは移転補償金（対価補償金として取り扱うものを除く。）又は措置法通達33-18に定める残地保全経費の補償金のうち，収用等のあった日の属する年の翌年1月1日から収用等のあった日以後2年を経過する日までに交付の目的に従って支出することが確実と認められる部分の金額について，同日とその交付の目的に従って支出する日とのいずれか早い日の属する年分の各種所得の金額の計算上総収入金額に算入したい旨を収用等のあった日の属する年分の確定申告書を提出する際に，書面をもって申し出たときは認められる（措通33-33）。

39 配偶者居住権等を有していた者の居住の用に供する建物

配偶者居住権又は配偶者居住権の目的となっている建物の敷地の用に供される土地等を配偶者居住権に基づき使用する権利の代替資産を取得する場合における措置法令第22条第4項第1号ロ若しくはハ又は第3号イ若しくはロに規定する「居住の用に供する建物」については，その建物を居住の用と居住の用以外の用とに併せて

供する場合においても，これらの号に規定する「居住の用に供する建物」に該当するものとして取り扱うことができる（措通33-38の2）。

40　配偶者居住権等を有していた者の居住の用に供する建物の判定

措置法令第22条第4項第1号ロ若しくはハ又は第3号イ若しくはロに規定する「居住の用に供する建物」であるかどうかは，配偶者居住権又は配偶者居住権の目的となっている建物の敷地の用に供される土地等を配偶者居住権に基づき使用する権利を有していた者が，取得資産を取得してから相当の期間内にその者の居住の用に供したかどうかによって判定するが，その取得の日以後1年を経過した日（取得の日の属する年分の確定申告期限がこれより後に到来する場合には，その期限）までにその居住の用に供しているときは，相当の期間内に居住の用に供したものとして取り扱う（措通33-38の3）。

41　収用証明書の区分一覧表

措置法規則第14条第5項（収用証明書）に規定する書類の内容の一覧表は，国税庁ホームページ（税法・通達等・質疑応答事例＞法令解釈通達＞所得税＞措置法通達＞租税特別措置法（山林所得・譲渡所得関係）の取扱いについて＞別表2）で確認できる（措通33-50）。

5　収益補償金の対価補償への振替え

1　収益補償金を対価補償金として取り扱うことができる場合

建物の収用等に伴い収益補償金名義で補償金の交付を受けた場合，その建物の対価補償金として交付を受けた金額が収用等をされた建物の再取得価額に満たないときは，収益補償金の名義で交付を受けた補償金のうち満たない金額に相当する金額（その金額が補償金の額を超えるときは，その補償金の額）を，譲渡所得の計算上建物の対価補償金として計算することができる。この場合の建物の再取得価額は次による。再取得価額とは，収用等をされた建物と同一の建物を新築するものと仮定した場合の取得価額をいう（措通33-11）。

(1) 建物の買取り契約の場合

起業者が買取り対価の算定基礎としたその建物の再取得価額によるものとし，その額が明らかでないときは適正に算定した再取得価額による。

(2) 建物の取壊し契約の場合

イ　起業者が補償金の算定基礎とした建物の再取得価額が明らかであるときは，

その再取得価額による。

ロ　イ以外のときは、その建物の対価補償金として交付を受けた金額（建物の譲渡に要した費用の額を控除する前の額とし、特別措置等の名義で交付を受けた補償金の額を含めない額とする）に建物の構造が木造又は木骨モルタル造りであるときは65分の100を、その他の構造のものであるときは95分の100を、それぞれ乗じた金額による。

2　収益補償金の借家人補償金への振替え

収益補償金名義で交付を受ける補償金を対価補償として取り扱うことができるが、建物の再取得を想定しているため借家人補償金に振り替えて計算することはできない（措通33-11注2）。

3　収益補償金を2以上の建物の対価補償金とする場合の計算

収用等をされた建物が2以上あり、かつ、収益補償金及び建物の対価補償金の合計額が建物の再取得価額の合計額に満たないときは、対価補償金と判定する金額をその個々の建物のいずれの対価補償金として計算するかは、個々の建物の再取得価額を限度として、納税者が計算したところによる（措通33-12）。

4　振替計算例

土地及び建物が収用され、資産及び所得について次の補償金の交付を受けた場合の収益補償金の対価補償金への振替えの具体的な計算は次のとおりである。なお定形の様式はないが、一般的に次の様式を用いている。

【計算例】

補償金	補償金の額
土地補償金	30,000千円
建物補償金 （建物は木造であるので100/65を適用する。）	10,000千円
営業補償金	2,000千円
家賃減収補償金	1,000千円

公共事業用資産の買取り等の証明書から転記してください。

公共事業用資産の買取り等の申出証明書	㊲・無			公共事業用資産の買取り等の証明書	㊲・無		
補償区分	補償名	補償金額	所得区分	補償区分	補償名	補償金額	所得区分
対価補償	土地等補償	土　　地	30,000,000円	分離譲渡所得	収益補償	営　　業	2,000,000円	事業・不動産・雑所得
		借 地 権 等				家賃減収	1,000,000円	
		残　　地				建物対価補償への振替額 $\frac{100}{65}$又は$\frac{100}{95}$	△ 3,000,000円	
		計 (A)				差 引 額	0円	
	建物等補償	建　　物	10,000,000円		経費補償			
		工　作　物						
						計		
		収益補償からの振替額	3,000,000円		移転補償	仮 住 居		一時所得
						動産移転		
		計 (B)	13,000,000円			移転雑費		
	借家人補償	借 家 権		総合譲渡所得		計		
					精神補償			非課税
		計				計		

【収益補償金のうち対価補償金に繰り入れることができる金額の計算】

建物の対価補償金(注)1　　×　　$\frac{100}{\text{㊹}又は95}$　　=　　建物の再取得価額
（10,000,000円）　　　　　　　　　　(注)3　　　　　　　　　　　（15,384,615円）

建物の再取得価額　　−　　建物の対価補償金(注)2　　=　　対価補償金としての繰入限度額
（15,384,615円）　　　　　　（10,000,000円）　　　　　　　　　（5,384,615円）

収益補償金　　−　　対価補償金としての繰入限度額　　=　　事業所得等の収入金額
（3,000,000円）　　　　　　（5,384,615円）　　　　　　　　　　　（0円）

(注) 1　建物の譲渡費用控除前の額で，特別措置等の名義で交付を受けた補償金の額を含まない。
　　 2　建物の譲渡費用控除前の額で，特別措置等の名義で交付を受けた補償金のうち対価補償金として判定される金額を含む。
　　 3　建物の構造が木造又は木骨モルタル造りであるときは65，その他の構造であるときは95とする。

6 事前協議

(1) 事前協議とは

　収用等事業を行うにあたって、起業者はその事業が租税特別措置法に規定する収用特例の適合性について買収前に法律で定められた手続きではないが、国税局又は税務署（以下「税務署等」という。）と協議することになっている。収用等事業は買収金額が高額となり、収用事業に協力する納税者の税負担が緩和される特例が設けられている。売買契約を了した後に収用特例が不適用である場合、地権者は不測の負担を負うことになる。事前協議を行うことにより企業者が適正な証明書を発行することができる。

(2) 事前協議の概要

　納税者、起業者（事業施行者）及び税務署との収用事業の概要は次図のとおりである。

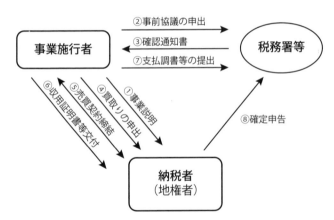

(3) 収用証明書等の発行

　事業施行者は納税者に対して「公共事業用資産の買取り等の申出証明書（買取り等の申出証明書）」「公共事業用資産の買取り等の証明書」「収用証明書」を交付する。これらの証明書は収用の特例を受けるために必要である。収用の5,000万円控除の特例は、買取り等の申出があった日から6か月以内に譲渡しないと適用できないため「買取り等の申出証明書」に記載されている「買取り等の申出年月日」は重要である。

措置法第33条～第33条の2

2 収用等に伴い代替資産を取得した場合の課税の特例

　収用等により土地建物等を譲渡して補償金を受け取った場合，収用交換等の場合の譲渡所得等の特別控除（以下「収用交換等の5,000万円控除の特例」という。）と代替資産を取得した場合の特例（以下「収用代替の特例」という。措法33の2を合わせて「収用交換等の特例」ともいう。）を選択適用ができる。この収用交換等の特例は代替資産を補償金の全額で取得した場合若しくは補償金の代わりに収用された資産と同種の資産を受け取った場合には課税されない。受け取った補償金と代替資産を取得した価額に差がある場合，その差額に対して課税される。収用補償金が5,000万円を超え，税負担が生じる場合に，収用交換等の5,000万円控除の特例に代えて適用する等，選択の幅が広がる特例である。

1 特例の適用要件

1 収用交換等の課税の繰延べの特例

　収用交換等の補償金等で代わりの資産を買い換えた場合や，同種の資産の交付を受けた場合，収用された資産の取得費を買い換えた資産に引き継ぐことにより課税の繰延べを行う制度である。この特例の適用ができるのは次に該当するものである。
① 収用等に伴い代替資産を取得した場合の課税の特例（措法33：以下「収用代替の特例」という。）
② 交換処分等に伴い資産を取得した場合の課税の特例（措法33の2：以下「交換処分等の特例」という。）
③ 換地処分等に伴い資産を取得した場合の課税の特例（措法33の3：以下「換地処分等の特例」という。））
　この項では収用代替の特例（措法33）を中心に解説する。

2 特例の内容

　この特例の適用が受けられるのは，次の(1)から(3)のいずれかの要件に該当する場

合である（措法33，33の2，33の3）。

(1) **土地収用法等の規定による収用等があった場合**

① 土地収用法等の規定に基づき，もしくは土地収用法等を背景とした売買契約等で土地や建物等（以下「収用等対象資産」という。）が公共事業等のために収用，買取り，換地処分，権利変換，買収又は消滅（以下「収用等」という。）があったことにより補償金，対価又は清算金（以下「補償金等」という。）を取得したこと（措法33①）。

② 補償金等の全部又は一部で，収用等のあった日の属する年の12月31日まで，もしくは収用等のあった日の属する年の翌年1月1日から収用等のあった日以後2年を経過した日までに代替資産を取得する，もしくは取得する見込みであること（措法33①，③）。

③ 代替資産は，1（収用等の場合の課税の特例の原則）1② （336ページ）の区分に応じた次の資産をいう（措令22④）。

区分	収用等の区分	代替資産の範囲
a	①②④⑤	・次の譲渡資産に応じた，同じ区分の資産 　イ　土地又は土地の上に存する権利 　ロ　建物（附属設備を含む）又は建物に附属する構築物（門，へい，庭園（庭園に附属する亭や庭内神し等の附属設備を含む），煙突，貯水槽，その他これらに類するもの） 　ハ　ロ以外の構築物 　ニ　その他の資産（譲渡資産と種類及び用途を同じくする資産） 　　その他の資産の区分に属するものである場合には，次に掲げる譲渡資産の区分に応じそれぞれ次に定める資産（措令22④1） 　　①　②に掲げる資産以外の資産 　　　その資産と種類及び用途を同じくする資産 　　②　配偶者居住権等 | イ　配偶者居住権 | 配偶者居住権を有していた者の居住の用に供する建物又は建物の賃借権 | |---|---| | ロ　配偶者居住権の目的となっている建物の敷地の用に供される土地又は土地の上に存する権利を配偶者居住権に基づき使用する権利 | 権利を有していた者の居住の用に供する建物の敷地の用に供される土地又は土地の上に存する権利 | ・譲渡資産がイ〜ハに規定する区分の異なる2以上の資産で一の効用を有する一組の資産となっているものである場合（代替資産の組み合わせ（個別法，一組法，事業継続法）については，3で解説する。）

b	③⑥〜⑩	・譲渡資産と同種の資産又は権利
c	⑪	・譲渡資産と同種の権利 ・譲渡資産が配偶者居住権等である場合はa二②に同じ（措令22④3カッコ書き）
d	⑫〜⑭	・譲渡資産と同種の権利
e	⑮	・譲渡資産がa，c及びdの区分と同種の資産
f	⑯〜⑱	・譲渡資産と同種の資産 ・譲渡資産が配偶者居住権等である場合はa二②に同じ（措令22④5）

(2) 収用されたものと同種の資産を受け取った場合

(1)の収用等により，補償金の代わりに収用等された資産と同種の資産を受け取った場合（措法33の2①）

(3) 土地区画整理事業，土地改良事業又は住宅街区整備事業による権利変換により代わりの土地や建物の一部を取得する権利等を取得した場合（措法33の3①）

2 代替資産の取得

1 代替資産の取得時期の原則

代替資産は，収用等のあった日の属する年の12月31日までに取得することが原則である（措法33①，代替資産をあらかじめ取得した場合の取扱いについては4で解説する（措法33③））。

2 取得時期の例外（取得指定期間）

(1) 取得指定期間

収用事業は大規模に行われることが多く，事業の完遂まで数年を要することがあり，また代替資産が建物等の場合，建築に相応の日数を必要とすることがある。このような場合，それぞれ次に掲げる日まで取得期限の例外が設けられている（措法33②，措令22⑰）。これを「取得指定期間」といい，収用等があった日の属する年の翌年1月1日から(2)以下の状況に応じて延長される。

(2) 一般的な延長の場合

延長区分	条文
収用等のあった日の属する年の翌年1月1日から収用等のあった日以後2年を経過した日	措法33③ 措規14⑥

(3) 収用事業が未了の場合

　収用事業の全部又は一部が完了しないため，収用等のあつた日以後2年を経過した日までに，次のイ又はロに掲げる資産を代替資産として取得をすることが困難であり，かつ，事業の全部又は一部の完了後において取得をすることが確実であると認められる場合，イ又はロに定める日が取得期限となる

　イ　収用事業の施行された地区内にある土地等を取得する場合

　　事業の施行者の指導又はあっせんにより取得するものに限る。

　　取得期限は，次に掲げる日から6月を経過した日である。

延長区分	条文
①　収用等があった日から4年を経過した日	措令22⑲1イ 措規14⑥
②　収用等があった日から4年を経過した日前に土地等を取得することができると認められる場合，取得をすることができると認められる日	措令22⑲1イ 措規14⑥
③　事業の全部又は一部が完了しないことにより，4年を経過した日までに取得をすることが困難であると認められる場合で税務署長の承認を受けた場合，同日から4年を経過する日までに取得をすることができる日として税務署長が認定した日 　この場合，収用のあった日から最長8年6か月となる。	措令22⑲1イ 措規14④

　ロ　収用等に係る事業の施行された地区内にある土地等を所有しており，にその土地等の上に建設する建物又は構築物を取得する場合。

　　取得期限は，次に掲げる日から6月を経過した日である。

延長区分	条文
①　収用等があった日から4年を経過した日	措令22⑲1ロ 措規14⑥
②　収用等があった日から4年を経過した日前に土地等を建物又は構築物の敷地の用に供することができると認められる場合 ・敷地の用に供することができると認められる日	措令22⑲1ロ 措規14⑥
③　収用事業の全部又は一部が完了しないことにより，4年を経過した日までに敷地の用に供することが困難であると認められる場合で税務署長の承認を受けた場合 ・同日から4年を経過する日までに敷地の用に供することができる日として税務署長が認定した日 　この場合，収用のあった日から最長8年6か月となる。	措令22⑲1ロ 措規14④

(4) 工場，事務所その他の建物，構築物又は機械及び装置で事業の用に供するもの（以下「工場等」という。）の，その工場等の敷地の用に供するための宅地の造

成並びに工場等の建設及び移転に要する期間が通常2年を超えるため，収用等のあつた日以後2年を経過した日までに工場等又は工場等の敷地の用に供する土地その他の工場等に係る資産を代替資産として取得をすることが困難であり，かつ，収用等のあつた日から3年を経過した日までに資産の取得をすることが確実である場合

取得期限は，資産の取得をすることができることとなると認められる日である。

(5) 工場等の建築期間を要する場合

工場，事務所その他の建物，構築物又は機械及び装置で事業の用に供するもの（以下「工場等」という。）の，その工場等の敷地の用に供するための宅地の造成並びに工場等の建設及び移転に要する期間が通常2年を超えるため，収用等のあつた日以後2年を経過した日までに工場等又は工場等の敷地の用に供する土地その他の工場等に係る資産を代替資産として取得をすることが困難であり，かつ，収用等のあつた日から3年を経過した日までに資産の取得をすることが確実である場合，取得期限は，資産の取得をすることができることとなると認められる日である（措令22⑲2，措規14⑥）。

3 特定非常災害として指定があった場合の延長

(1) 取得指定期間の延長

特定非常災害として指定された非常災害に基因するやむを得ない事情で予定期間等内に買換資産等の取得が困難となり，税務署長の承認等があった場合，取得指定期間の末日から2年の範囲内で延長ができる（措法33⑧，33の2⑤，措令22㉗，措規14⑧⑨）。

(2) 取得指定期間を延長するための手続等

所轄税務署長の承認を受けようとする場合，この特例の適用を受けようとする旨その他一定の事項を記載した「買換資産等の取得期限等の延長承認申請書【特定非常災害用】」に，特定非常災害として指定された非常災害に基因するやむを得ない事情により買換資産の取得をすることが困難であると認められる事情を証する書類を非常災害が生じた日の翌日から取得指定期間の末日の属する年の翌年3月15日（同日が措置法第33条の5第1項に規定する提出期限後である場合は，当該提出期限）までの間に当該所轄税務署長に提出しなければならない。

なお，延長の適用を受けた場合には，その後に措置法第33条第3項に規定する政令で定める場合に該当するとして取得指定期間の延長を行うことはできない（措通33-49の2）。

4 代替資産をあらかじめ取得した場合

(1) 措置法通達による取り扱い

収用特例は原則として収用があった後の対価に対して適用される。しかし、事業認定又は起業者から買取り等の申出があったこと等で収用等をされることが明らかな場合、収用される資産に代わる資産をあらかじめ取得（以下「先行取得」という。）することが想定される。このような場合の取扱いは措置法通達33－47において次のように定められていた。

① 事業認定又は買取り等の申出等があった日以後に取得したものであること。

② 土地等については、収用等があった日の属する年の1月1日前1年以内に取得したものであること。

　　工場等の建設又は移転を要する場合、工場等の敷地の用に供するための宅地の造成並びに工場等の建設及び移転に要する期間が通常1年を超えると認められること、その他これに類する事情があるときは、収用等があった日の属する年の1月1日前3年以内に取得したものであること。

③ 建物、構築物並びに機械及び装置については、収用等があった日の属する年の1月1日前1年以内に取得したものであること。

(2) 代替資産の先行取得についての規定の創設

2022年（令和4年）の税制改正において、先行取得の取扱いが次のように法定化された（措法33②）。

① 収用代替の規定は、収用等のあつた日の属する年の前年中に代替資産となるべき資産の取得をしたときについても適用できる。

② 収用等により個人の有する資産の譲渡をすることとなることが明らかとなった日以後の期間に限る。

(3) やむを得ない事情がある場合及び取得期間

代替資産となるべき資産が土地等である場合、工場等の建設に期間を要するような次の事情がある場合、収用等のあつた日の属する年の前年以前3年の期間内に取得した場合でも適用できる。ただし、収用等により資産を譲渡することとなることが明らかとなった日以後の期間に限る（措法33②、措令22⑰）。

① 工場、事務所その他の建物、構築物又は機械及び装置で事業の用に供するもの（以下「工場等」という。）の敷地の用に供するための宅地の造成並びに工場等の建設及び移転に要する期間が通常1年を超えると認められるやむを得ない事情がある場合

②　①に準ずる事情がある場合
③　譲渡資産について次の事情がある場合
　譲渡資産について次に掲げるような事情があるためやむを得ずその譲渡が遅延した場合が含まれる。
　　イ　借地人又は借家人が容易に立退きに応じないため譲渡ができなかったこと。
　　ロ　災害等によりその譲渡に関する計画の変更を余儀なくされたこと。
　　ハ　イ又はロに準ずる特別な事情があったこと。

(4)　「資産を譲渡することとなることが明らかとなった日」

　措置法第33条第2項に規定する「資産の譲渡をすることとなることが明らかとなった日」とは，土地収用法第16条《事業の認定》の規定による事業認定又は起業者から買取り等の申出があったこと等によりその有する資産について収用等をされることが明らかとなった日をいう。措置法令第22条第17項に規定する「資産の譲渡をすることとなることが明らかとなった日」についても，また同様である（措通33-47）。

(5)　特別償却等を実施した先行取得資産の取扱い

　譲渡資産の譲渡をした日の属する年の前年以前に取得した資産に措置法第19条第1項各号《特別償却等》に掲げる規定の適用を受けている場合，その資産が措置法第33条第2項の規定に該当するものであっても，同項の規定の適用はできない（措通33-47の3）。

(6)　先行取得した資産の価額が高い場合の取扱い

　先行取得した資産を代替資産とすることができる場合，代替資産の取得価額が譲渡による収入金額を超えるときは，超える金額に相当する部分の資産について，譲渡の日の属する年の翌年以後における代替資産とすることができる（措通-47の4）。

5　資本的支出

　資産の収用等に伴い，その代替資産となるべき資産の改良，改造等をした場合には，その改良，改造等のための費用の支出は，代替資産の取得に当たるものとして取り扱う（措通33-44の2）。

6　相続人が代替資産を取得した場合

　譲渡者が，代替資産を取得しないで死亡した場合であっても，死亡前に代替資産の取得に関する売買契約又は請負契約を締結しているなど代替資産が具体的に確定しており，かつ，その相続人が法定期間内にその代替資産を取得したときは，譲渡者に収用代替えの特例を適用することができる（措通33-45）。

3 代替資産の組合せ及び代替資産

1 代替資産の組合せの種類

代替資産は，収用された資産と同種の資産であることが原則である。これを個別法という。しかし，同種の資産を適切に取得することができない場合が想定されるため，個別法の他に1組法，事業継続法の組合せが用意されており，適用の便を図っている（措令22④）。収用された資産が1つであっても，要件が合致していれば，複数の組合せで代替資産を取得することができる。

2 個別法

収用等された資産と次の区分による同種の資産を取得できる。土地は土地，建物は建物だけとして次の区分での取得ができる（措令22④，措規14②）。詳細は1②③を参照のこと。

> ① 土地又は土地の上に存する権利（借地権等）
> ② 建物（附属設備を含む）又は建物に附属する構築物（門，へい，庭園（庭園に附属する亭や庭内神し等の附属設備を含む），煙突，貯水槽，その他これらに類するもの）
> ③ ②以外の構築物
> ④ その他の資産
>   イ 次のロ及びハ以外の資産
>   譲渡資産と種類及び用途を同じくする資産
>   ロ 配偶者居住権
>   配偶者居住権者の居住の用に供する建物又は建物の賃借権
>   ハ 配偶者居住権に基づく敷地利用権
>   敷地利用権者の居住の用に供する建物の敷地である土地等

〔例〕居住用建物とその敷地である土地を収用された場合，個別法を適用して居住用建物の補償金で貸付用建物を，土地の補償金でその貸付用建物の敷地の借地権を取得することができる。

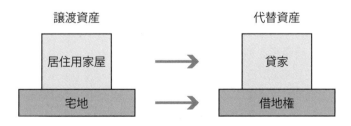

③ 1組法

(1) 1組法

収用等された資産が，区分の異なる2以上の資産で「一の効用を有する，1組の資産」となっている場合には，その効用と同じ効用を有する次の区分による他の資産を取得できる（措令22⑤，措規14③）。

> ① 居住の用
> ② 店舗又は事務所の用
> ③ 工場，発電所又は変電所の用
> ④ 倉庫の用
> ⑤ ①から④の他，劇場，運動場，遊技場の用その他これらの用の区分に類する用

〔例〕居住用建物とその敷地を収用された場合，1組法を適用して同一の効用を有する居住用の建物のみの取得ができる。

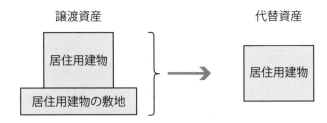

(2) 1組の資産を譲渡した場合の代替資産

1組法は，一の効用を有する1組の資産について収用等があった場合，その収用等をされた資産と効用を同じくする他の資産を取得したときに適用がある。1組の資産の対価補償金で代替する他の資産が1組の資産となっていることを要せず，(1)の事例のように居住用家屋のみの取得でも適用できる（措通33-39）。

(3) 2以上の用に供されている資産

収用された資産が2以上の用途に供されていたとき，例えば，居住の用と店舗又は事務所の用に併せて供されていたときは，そのいずれの用にも供されていたものとして取り扱う。取得した代替資産が2以上の資産で1組となって一の効用を有している場合でも，同様に，いずれの用に供されているものとして取り扱う（措通33-40）。

④ 事業継続法

(1) 事業継続法

収用等された資産が，譲渡者の営む事業又は事業に準ずるものの用（以下「事業

の用」という。）に供されていた資産である場合，その事業の用に供する資産を代替資産として取得（制作及び建築が含まれる。）できる（措令22⑥）。

　事業の継続という要件を満たしていればよく，上記個別法，1組法の組合せには影響されない。

〔例〕貸地が収用された場合，事業継続法を適用して貸付用の土地建物を取得できる。

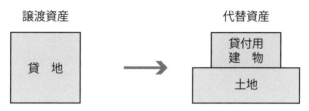

(2)　**事業の用に供されていたもの**

　事業の用に供されていたものの判定は，原則として，譲渡契約締結時の現況により行う。ただし，譲渡契約締結時には事業の用に供されていない場合であっても，事業の認定があったことや，買取り等の申出があったことなどにより，譲渡を余儀なくされることが明らかである等である場合は，その資産は事業の用に供されていたものに該当するものとして取り扱う（措通33-41）。

(3)　**事業の用と事業以外の用とに併用されていた資産の取扱い**

　譲渡資産が事業の用と事業以外の用とに併用されていた場合，原則として，事業の用に供されていた部分を事業の用として取り扱う。ただし，事業の用に供されていた部分がその資産全体の概ね90％以上である場合，その資産の全部を事業の用に供されていたものとみる。なお，代替資産についても同様に取り扱う。

　また，事業用部分と非事業用部分は，原則として，面積の比により判定する（措通33-42）。

(4)　**生計を一にする親族の事業の用に供している資産**

　事業継続法は，資産の所有者が事業用資産を譲渡し，事業用資産を代替する場合に適用がある。しかし，譲渡資産が生計を一にする親族の事業の用に供されていた場合，その所有者にとっても事業の用に供されていたものとして事業継続法が適用できる。なお，代替資産についても同様に取り扱う（措通33-43）。

(5)　**代替資産とすることができる事業用固定資産の判定**

　代替資産が事業の用に供する資産であるかどうかは，取得資産の改修その他の手入れの要否等の具体的事情に応じ，相当の期間内に事業の用に供したかどうかに

よって判定する。ただし、取得資産をその取得の日以後1年を経過した日（取得の日の属する年分の確定申告期限がこれより後に到来する場合には、その期限）までにその事業の用に供しているときは、相当の期間内に事業の用に供したものとして取り扱う（措通33-44）。

5 短期保有資産と長期保有資産とがある場合等の買換差金の区分

一の収用交換等により譲渡した資産のうちに、分離短期譲渡所得の基因となる資産、分離長期譲渡所得の基因となる資産、総合短期譲渡所得の基因となる資産又は総合長期譲渡所得の基因となる資産のいずれか2以上があり、かつ、譲渡した資産（以下「譲渡資産」という。）の代替資産の取得に伴い買換差金（譲渡資産の収入金額が代替資産の取得価額を超える場合のその超過額をいう。）が生じたときは、買換差金の額をそれぞれの譲渡資産の譲渡の時の価額（それぞれの譲渡資産の譲渡による収入金額が明らかであり、かつ、その額が適正であると認められる場合には、そのそれぞれの収入金額。）の比で按分して計算した金額をそれぞれの譲渡資産の買換差金とする。

2以上の収用交換等により資産を譲渡した場合、その取得した資産をいずれの収用交換等の譲渡資産の代替資産とするかは、納税者の選択による（措通33-47の5）。

4 譲渡所得の計算

1 収入金額及び必要経費

対価補償金等で代替資産を取得した場合の収入金額及び必要経費等の計算は次のとおりである（措法33①、③、33の2①、33の3①）。なお、下記算式の譲渡費用とは、譲渡費用として補てんされた金額を充当した後の残額のことをいう（措法33①）。

(1) （対価補償金等の額－譲渡費用）≦ 代替資産の取得価額　の場合

対価補償金等で代替資産を取得するか取得する見込みである場合、又は対価補償金等の代わりに同種の資産を受け取った場合、譲渡益が算出されないため、譲渡所得は生じない。

(2) （対価補償金等の額－譲渡費用）＞ 代替資産の取得価額　の場合

対価補償金等の一部で代替資産を取得するか取得する見込みであり、代替資産の価額が対価補償金等の額低い場合は次の計算を行う。

イ　収入金額＝（対価補償金等の額Ⓐ－譲渡費用Ⓑ）－代替資産の取得価額Ⓒ

ロ　必要経費＝収用等対象資産の取得費×$\dfrac{(Ⓐ-Ⓑ)-Ⓒ}{Ⓐ-Ⓑ}$

(3) **対価補償金等の他に収用された資産と同種の資産を受け取った場合**

　収用交換や土地区画整理事業等の換地処分等の場合に適用する。なお，補償金等で代替資産を取得する場合や取得する見込みである場合は，上記(1)，(2)の特例の適用ができる。

イ　収入金額＝対価補償等の額Ⓐ

ロ　必要経費＝$\left(\begin{array}{c}\text{収用等対象}\\ \text{資産の取得費}\end{array}+譲渡費用\right)\times\dfrac{Ⓐ}{Ⓐ+受け取った資産の時価}$

2　収用等対象資産の譲渡に要した費用の範囲

　収用等対象資産の譲渡に要した費用がある場合，費用に充てるべきものとして交付を受けた金額（交付を受けた金額が明らかでないときは，その費用の額）を，費用に充当し，その残額を譲渡した資産に係る対価補償金の額から控除する。この場合の譲渡に要した費用とは，例えば，次のようなものをいう（措通33-34）。

① 　譲渡に要したあっせん手数料，謝礼

② 　譲渡資産の借地人又は借家人等に対して支払った立退料（土地の取得価額とされる場合又は借地人が受けるべき借地権の対価補償金を代理受領し，これを支払ったものと認められる場合の立退料を除く。）

③ 　資産の取壊し又は除去の費用（発生資材の評価額又は処分価額に相当する金額を控除した金額とし，控除しきれない場合には，その費用はないものとする。）

④ 　資産の譲渡に伴って支出する次に掲げる費用

　　イ　建物等の移転費用

　　ロ　動産の移転費用

　　ハ　仮住居の使用に要する費用

　　ニ　立木の伐採又は移植に要する費用

⑤ 　その他①から④までに掲げる費用に準ずるもの

3　譲渡費用の額の計算

　対価補償金の額から控除すべき譲渡費用の額を計算する場合，同時に収用等対象資産が2以上ある場合には，措置法通達33-34（収用等をされた資産の譲渡に要し

た費用の範囲）の超える金額を個々の譲渡資産の譲渡費用の金額の比であん分する。その計算が困難である場合，収用等があった日の譲渡資産の価額又は対価補償金の額の比その他適正な基準により区分する。

　ただし，この場合においても，個々の譲渡資産に係る金額の区分については，措置法通達33-10（2以上の資産について収用等が行われた場合の補償金）の（注）と同様に，強いて区分する必要がないときがある（措通33-35）。

5　代替資産の取得価額の計算

①　取得価額
　収用交換等の特例は，譲渡がなかったものと取り扱われることから，代替資産は譲渡資産の取得価額を引き継ぐことにより課税の繰延べが行われる（措法33の6①）。

　なお，長期譲渡所得の概算取得費控除（措法31の4）の規定は，昭和27年12月31日以前から引き続き所有していた土地建物等の譲渡所得の計算に適用されるが，措置法第33条の6第1項に規定する「譲渡資産の取得価額並びに設備費及び改良費の額の合計額」についても，概算取得費控除の規定に準じて計算して差し支えないこととなっている（措通33の6-1）。下記Ⓒは譲渡収入金額の5％で計算しても構わない。

②　代替資産の取得価額の計算
(1)　（対価補償金等の額Ⓐ－譲渡費用）＜　代替資産の取得価額Ⓑ　の場合
　　収用等対象資産の取得費Ⓒ＋（Ⓑ－Ⓐ）
(2)　（対価補償金等の額Ⓐ－譲渡費用）≧　代替資産の取得価額Ⓑ　の場合

$$Ⓒ \times \frac{Ⓑ}{Ⓐ}$$

　なお，対価補償金の額は，譲渡費用を控除した金額をいう。

③　代替資産が2以上ある場合
　代替資産等が2以上あるときは，上記②で計算した取得価額とされる金額をこれらの代替資産の価額にあん分して計算した金額とする（措規16）。

④　取得時期の引継ぎ
　収用補償金により代替資産を購入もしくは交換により取得等した場合は，譲渡がなかったものと取り扱われることから，代替資産は譲渡資産の取得日を引き継ぐこ

ととなる（措法33①）。収用交換等の特例は，特定事業用資産の買換えの特例や特定の居住用財産の買換えの特例等とは取扱いが異なることに注意する。

5 代替資産の償却

(1) 特別償却の不適用

収用交換等の特例の適用を受けて取得した資産については，措置法第10条の2《エネルギー環境負荷低減推進設備等を取得した場合の特別償却又は所得税額の特別控除》，第14条《サービス付き高齢者向け賃貸住宅の割増償却》等の適用はできない（措法33の6②，19）。

また，代替資産については，たとえ代替資産の取得価額の一部が対価補償金以外の資金から成るときであっても，特別償却をすることができない（措通33-48）。

(2) 代替資産の償却費の計算

代替資産等について減価償却費の額又は減価の額を計算する場合は，代替資産等につき措置法第33条の6及び措置法令第22条の6の規定により計算した金額を基とし，代替資産等について固定資産の耐用年数等に関する省令による耐用年数で計算する（措通33-49）。

6 発生資材

(1) 発生資材を自己使用した場合の取扱い

取壊し又は除去した資産について生じた発生資材がある場合，その全部又は一部を代替資産の製作，建築等に使用し又は使用する見込みであるときは，その発生資材の評価額は，措置法通達33-34（収用等をされた資産の譲渡に要した費用の範囲）の「発生資材の評価額」に含まれない。この場合，代替資産の取得価額の計算上，使用し又は使用する見込みの発生資材の価額はないものとする（措通33-36）。

(2) 発生資材を譲渡した場合の取扱い

取壊し又は除去した資産について生じた発生資材がある場合，その全部又は一部を譲渡したときは，譲渡所得の金額の計算上控除する取得費は，発生資材の処分価額のうち，措置法通達33-34(3)により，資産の取壊し又は除去の費用から控除した金額に相当する金額となる（措通33-37）。

7 取壊し等が遅れる場合の計算の調整

収用等された資産の全部又は一部を，収用等があった日の属する年の翌年以後において取壊し等をすることとしている場合の特例の適用については，収用等があった日の属する年の12月31日における現況により，資産の譲渡に要する費用の額で対価補償金の額から控除すべき金額等の適正な見積額を基礎として計算する。この

場合，その確定額が見積額と異なることとなったときは，措置法第33条の5《代替資産を取得した場合の更正の請求，修正申告》の規定に準じて取り扱う（措通33-38）。

6 申告にあたっての要点

1 申告要件

収用交換等の特例は，適用を受けようとする年分の確定申告書に，措置法第33条等の規定の適用を受けようとする旨の記載があり，同項の規定に該当するものとして次の「確定申告の手続要領」に記載した書類の添付がある場合に限り適用がある（措法33⑤）。

2 確定申告の手続要領

> 1 「確定申告書（分離課税用）第三表」の「特例適用欄」に「措法33条1項」（収用代替の特例の場合），「措法33条の2（第）1項」（収用交換の特例の場合）又は「措法33の3（第）1項」（換地処分の特例の場合）と記入する。
> 2 「譲渡所得の内訳書（確定申告書付表兼計算明細書）」
> 3 公共事業施行者から交付を受けた「収用等の証明書」
> 4 代替資産に関する登記事項証明書等，代替資産の取得を証明する書類
> 5 代替資産取得予定で申告する場合は，「代替資産明細書」に必要事項を記載し，添付する。
>
> （措法33⑥，措令22㉖，措規14⑥⑦，14の2）

3 確定申告書の提出がなかった場合

確定申告書の提出がなかった場合又は必要事項の記載若しくは必要書類の添付がない確定申告書の提出があった場合，提出又は記載若しくは添付がなかったことについてやむを得ない事情があると税務署長が認めるときは，必要事項を記載した書類及び財務省令で定める書類の提出があった場合に限りこの特例を適用することができる（措法33⑥）。

7 代替予定で申告した場合の修正申告と更正の請求

1 修正申告書の提出と納税

次の①又は②に該当する場合は該当することとなった日から4か月以内に譲渡の日の属する年分の所得税の修正申告書を提出し，納税しなければならない（措法

33の5①)。

　なお，代替資産の取得を見込みで申告している場合，代替資産を取得した日から4か月以内に修正申告書を提出するが，取得した日とは，代替資産の取得指定期間を経過する日と取り扱うこととなっている。そのため修正申告書の提出期限は，租税特別措置法第33条第3項に規定する期間（収用のあった日以後2年を経過した日）から4か月以内となる（措通33の5-1）。

① 代替資産の取得を見積額で申告しており，実際の取得価額が見積額より低くなった場合（措法33の5①1）。
② 代替資産の取得を見積額で申告していたが，代替資産を取得しなかった場合（措法33の5①2）。

② 更正の請求書の提出

　代替資産の取得を見積額で申告しており，実際の取得価額が見積額より過大となった場合，代替資産を取得した日から4か月以内に「更正の請求書」を提出して，納め過ぎた所得税の還付を受けることができる（措法33の5④）。

　代替資産を2以上取得する場合の取得の日は，最も遅く取得したものの取得の日をいう（措通33の5-1）。

事例　　　　　　　　　　　　　　　　　CASE STUDY
こんな場合は適用できない?!

Q 年をまたいで複数の資産譲渡を行った場合

　市の小学校建設用地としてA土地とB土地の収用を受けることとなった。A土地については昨年10月に収用があり，代替資産を取得して課税の繰延べを行った。またB土地については今年7月に収用があり，今回も代替資産を取得して課税の繰延べを受けたいと考えているが，課税上の問題はないか。

A

　一つの収用等の事業について，年をまたがって2回以上にわたって資産の譲渡が行われている場合でも，収用代替の特例は各年で適用することができる。
　一方，5,000万円の特別控除の規定については，最初に譲渡があった年の資産にしか適用できないため，注意が必要である。

Q 農地の代替資産として賃貸用アパートを取得した場合

　道路用地として農地が収用され補償金を受け取った。この補償金で，賃貸用ア

パートとその敷地を取得したいと考えているが，収用代替の特例の適用は可能か。

A
　賃貸用アパートの敷地は収用された農地と同種の資産，すなわち土地（個別法により判定）であり，賃貸用アパートは収用された農地と同様，事業用資産（事業継続法により判定）である。いずれの資産も収用された資産の代替資産とすることができるため，特例の適用は可能である。

Q 居住用の共有資産の収用と代替資産
　両親と子が同居する自宅の土地・建物が収用された。土地は，父と子の共有，建物は子の単独名義であった。受け取った補償金で，父は居住用の一戸建家屋とその敷地を，子は居住用のマンションをそれぞれ取得した場合，いずれも代替資産とすることができるか。

A
　代替資産の組合せの一つである「1組法」は，区分の異なる2以上の資産で一の効用を有する一組の資産が譲渡資産である場合に適用される。このケースでは，子は居住用の土地建物を譲渡しているため，「1組法」により取得した居住用マンションを代替資産とすることができる。しかし，父については土地のみの譲渡であるため，「1組法」の適用はできない。「個別法」により，家屋の敷地は代替資産とすることはできるが，家屋は代替資産とすることができない。

Q 移転補償金を代替資産に充当できるか
　道路拡幅のために事務所の土地建物が収用された。建物は取り壊して新たに事務所を代替する予定である。補償金の中に事務所内の動産移転補償金，仮事務所の賃借料があるが，これらの金額を新しく取得する建物の取得価額に含めてよいか。

A
　資産の移転に要する補てんに充てるものは，その交付の目的に従った支払が求められる。移転補償金の額から移転費用を控除した残額がある場合は一時所得の対象となる。資産の取得のために支出した移転補償金は交付の目的に従って支出した場合に該当しない（措通33-9注）。

措置法第33条の3

3 換地処分等に伴い資産を取得した場合の課税の特例

　換地処分等に伴い資産を取得した場合の課税の特例（以下「換地処分等の特例」という。）とは、個人が所有する土地等を、土地区画整理事業等で換地処分が行われた場合、譲渡がなかったものとみなすことで課税が繰り延べられる特例である（措法33の3）。

1 特例の適用要件

[1] 特例の内容

　個人の所有する資産に対して次の換地処分があった場合、課税が繰り延べられる。なお代表的な適用対象となる法律をのみを記載している。

> ① 土地区画整理法による土地区画整理事業等が施行された場合、土地等に係る換地処分により土地等又は施設住宅の一部等を取得したとき（措法33の3①）
> 　換地処分により土地等とともに清算金を取得又は保留地が定められた場合、譲渡した土地等のうち清算金又は保留地の対価の額に対応する部分は譲渡所得課税の対象であるが、収用代替等の特例又は収用の5,000万円控除の特例が適用できる（措法33の4①、措令22の3①）。
> ② 都市再開発法による第1種市街地再開発事業が施行された場合、権利変換により施設建築物の一部を取得する権利若しくは施設建築物の一部についての借家権を取得する権利及び施設建築敷地若しくはその共有持分若しくは地上権の共有持分若しくは個別利用区内の宅地若しくはその使用収益権を取得したとき、又はその有する資産が同法による第二種市街地再開発事業の施行に伴い買い取られ、若しくは収用された場合において建築施設の部分の給付を受ける権利を取得したとき（措法33の3②）
> 　給付を受ける権利とともに補償金等を取得した場合、収用代替等の特例又は収用の5,000万円控除の特例が適用できる（措法33の4①、措令22の3②）。
> ③ 密集市街地における防災街区の整備の促進に関する法律による防災街区整備事業が施行された場合、権利変換により防災施設建築物の一部を取得する権利若しくは防災施設建築物の一部についての借家権を取得する権利及び防災施設建築敷地若しくはその共有持分若しくは地上権の共有持分又は個別利用区内の宅地若しくはその使用収益権を取得したとき（措法33の3④）
> ④ マンションの建替え等の円滑化に関する法律によるマンション建替事業が施行され

た場合，の権利変換により施行再建マンションに関する権利を取得する権利又は施行再建マンションに係る敷地利用権を取得したとき（措法33の3⑥）
⑤　マンションの建替え等の円滑化に関する法律による敷地分割事業が実施された場合，敷地権利変換により除却敷地持分，非除却敷地持分等又は敷地分割後の団地共用部分の共有持分を取得したとき（措法33の3⑧）
⑥　被災市街地復興土地区画整理事業が施行された場合，換地処分により，土地等及びその土地等の上に建設された住宅等を取得したとき（措法33の3⑨）
⑦　被災市街地復興推進地域内にあるものに被災市街地復興土地区画整理事業が施行された場合，その土地等に係る換地処分により土地等及びその土地等の上に建設された被災市街地復興特別措置法第15条第1項に規定する住宅又は同条第2項に規定する住宅等を取得したときは，上記⑥の適用を受ける場合を除き，換地処分により取得した住宅又は住宅等は第1項に規定する清算金に，住宅又は住宅等の価額は同項に規定する清算金の額にそれぞれ該当するものとみなす（措法33の3⑬）

2　借家権の範囲

　措置法第33条の3第2項及び第4項に規定する借家権には，配偶者居住権及び配偶者居住権の目的となっている建物の敷地の用に供される土地等を配偶者居住権に基づき使用する権利が含まれる（措通33の3-1）。

3　代替住宅等とともに取得する清算金

　措置法第33条の3第9項に規定する代替住宅等とともに清算金を取得する場合，清算金は土地区画整理法第90条《所有者の同意により換地を定めない場合》の規定によりその宅地の全部又は一部について換地を定められなかったことにより支払われるものに該当するので，同項に規定する換地処分により譲渡した土地等のうち清算金の額に対応する部分については，措置法第33条第1項又は第33条の4第1項の規定の適用はない（措通33の3-2）。

4　換地処分により譲渡した土地等に固定資産以外のものがある場合

　措置法第33条の3第9項に規定する換地処分により譲渡した土地等の全部又は一部に棚卸資産である土地等又は雑所得の基因となる資産である土地等がある場合，換地処分により，土地等及びその土地等の上に建設された被災市街地復興特別措置法第15条第1項《清算金に代わる住宅等の給付》に規定する住宅又は同条第2項に規定する住宅等を取得したときは，措置法第33条の3第13項の規定により，その住宅又は住宅等（以下「清算金に代えて取得をする住宅等」という。）のうち棚卸資産である土地等又は雑所得の基因となる資産である土地等に対応する部分は同条第1項に規定する清算金に，対応する部分の価額は同項に規定する清算金の額にそれぞれ該当するものとみなされて，対応する部分の価額は，事業所得又は雑所得の金額の計算上，総収入金額に算入することとなる。

なお、この場合における対応する部分の価額は、清算金に代えて取得をする住宅等の価額に、換地処分により譲渡した土地等の価額に占める棚卸資産である土地等又は雑所得の基因となる資産である土地等の価額の割合を乗じて計算した金額とする（措通33の3-3）。

2 申告手続

　措置法第33条の3第1項、第2項、第4項、第6項又は第8項の規定は、これらの項の規定の適用を受けるための確定申告書及び証明書類の提出をすることなく、適用できる。

　同条第9項の規定は、適用を受けようとする年分の確定申告書に、同項の規定の適用を受けようとする旨の記載があり、かつ、被災市街地復興土地区画整理事業の施行者から交付を受けた措置法規則第14条の3に規定する書類の添付がある場合に限り、適用がある（措法33の3-4）。

措置法第33条の4

収用交換等の場合の譲渡所得等の特別控除

　収用交換等の場合の譲渡所得等の特別控除（以下「収用交換等の5,000万円控除の特例」という。）は，収用事業等により譲渡所得の基因となる資産を譲渡した場合，公共事業施行者から最初にその資産の買取り等の申出があった日から6か月を経過した日までに譲渡されているときは，譲渡所得の金額から最大5,000万円が控除できる特例である。公共事業用地の取得を効率的に進めるためには，地権者の協力は欠かせないところであるが，買取りに協力しても税負担が重くなることに対する地権者の感情等を考慮した特例である。譲渡所得が5,000万円未満の場合に活用する。

1 特例の適用要件

1 特例の内容

　収用交換等の5,000万円控除の特例は，収用事業により資産を譲渡したこと等次の要件を満たした場合に限り適用できる（措法33①，④，33の4①，③）。

① 　土地収用法などの特定の法律の規定，もしくは収用を背景とした売買契約などにより土地や建物等が公共事業のために収用，買取り，消滅，交換，取壊し，除去又は使用（以下「買取り等」という。）されたこと。具体的な収用事業は本章1（336ページ）を参照のこと。

② 　資産の譲渡が，収用等の事業者から最初に買取り等の申出のあった日から6か月を経過した日までに行われていること。

③ 　その年中に，買取り等をされた資産のいずれについても，収用交換等の特例（措法33，33の2）の適用を受けないこと。

④ 　資産の譲渡が，公共事業施行者から買取り等の申出を最初に受けた者によって行われていること（措法33の4③3）。

　　公共事業施行者から最初に買取り等の申出を受けた者以外の者が収用交換によ

る譲渡を行った場合，特例の適用はできない。ただし，最初に買取り等の申出を受けた者が死亡したことにより，その財産を相続又は遺贈（死因贈与を含む）で取得した者は特例の適用ができる（措法33の4③，措通33の4-6）。

2 買取り等の申出の日とは

収用交換等の5,000万円控除の特例は最初に買取り等の申出のあった日から6か月以内に譲渡しない場合は適用を受けることができない。この，買取り等の申出の日とは法令上特に規定が設けられていない。そのため，買取り等の申出のあった日を，個々に判定しなければならないことになる。通常の用地買収では，公共事業施行者が，資産の所有者に対して「買取り資産を特定し」「資産の対価を明示して」「買取り等の意思表示を初めてした日」のことをいう（2006年12月22日東京地裁）。

実務的には，公共事業施行者との買取り交渉の中で明示されることと，申告にあたっては，公共事業施行者から交付される「公共事業用資産の買取り等の申出証明書」に買取り等の申出年月日が記載されているため，あまり問題とならない。

3 5,000万円控除の特例と課税繰延べの特例の適用関係

本章1の3 ② （同一年中の特例の適用関係）を参照のこと。

4 受益者等課税信託の信託財産に属する資産について収用交換等があった場合の「買取り等の申出のあった日」等

受益者等課税信託の信託財産に属する資産について収用交換等があった場合，収用交換等の5,000万円控除の特例の適用は次の点に留意する（措通33の4-1の2）。

① 「最初に当該申出のあった日」とは，受益者等課税信託の受託者が，公共事業施行者から受益者等課税信託の信託財産に属する資産に対して最初に買取り等の申出を受けた日をいう。

② 「一の収用交換等に係る事業（以下「一の収用交換等事業」という。）につき第1項に規定する資産の収用交換等による譲渡が2以上あった場合」に該当するかどうかは，受益者等が有する受益者等課税信託の信託財産に属する資産の譲渡とそれ以外の資産の譲渡とを通じて判定する。

③ 収用交換等による譲渡の時における受益者等課税信託の信託財産に属する資産の譲渡をした受益者等が，最初に買取り等の申出を受けた時の受益者等課税信託の受益者等以外の者（申出を受けた時における受益者等の死亡によりその者から受益者等課税信託の受益者等としての権利を取得した者を除く。）である場合には，収用交換等の5,000万円控除の特例の適用はない。

5 仲裁の申請等があった場合の留意事項

収用交換等の5,000万円控除の特例は，最初に買取り等の申出のあった日から6か月を経過した日までに譲渡しなかった場合は適用がないが，最初に買取り等の申出があった日から6か月を経過した日までに次に掲げる申請等が行われている場合，譲渡が最初に買取り等の申出があった日から6か月を経過した日後に行われた場合であっても，収用交換等の5,000万円控除の特例の適用がある（措通33の4-2）。

① 土地収用法第15条の7第1項の規定による仲裁の申請（同法第15条の11第1項に規定する仲裁判断があった場合に限る。）
② 土地収用法第46条の2第1項《補償金の支払請求》の規定による補償金の支払の請求
③ 農地法第3条第1項《農地等の権利移動の制限》又は第5条第1項《農地等の転用のための権利移動の制限》の規定による許可の申請
④ 農地法第5条第1項第7号の規定による届出。ただし，同法第18条第1項《農地等の賃貸借の解約等の制限》の規定による許可を受けた後同法第5条第1項第7号の規定による届出をする場合には，その許可の申請

6 「許可を要しないこととなった場合」等の意義

措置法令第22条の4第2項第3号に規定する「当該申請をした日後に当該許可を要しないこととなった場合」とは，農地又は採草放牧地（以下「農地等」という。）の譲渡に農地法第5条第1項の規定による許可の申請をした日後，次に掲げるような事由が生じたため，許可を要しないこととなった場合をいい，「その要しないこととなった日」とは，それぞれ次に掲げる日をいう（措通33の4-2の2）。

(1) 許可前に農地等の所在する地域が，都市計画法第7条第1項《区域区分》に規定する市街化区域に該当することとなったことに伴い，農地法第5条第1項第7号の規定による届出をし，届出が受理されたこと

　　受理の日

(2) 農地法施行規則第53条第12号《許可の例外》に掲げる都道府県以外の地方公共団体，独立行政法人都市再生機構，地方住宅供給公社，土地開発公社，独立行政法人中小企業基盤整備機構又は農林水産大臣が指定する法人（以下「指定法人」という。）が農地等を買い取る場合，許可前に農地等の所在する地域が市街化区域（指定法人にあっては指定計画に係る市街化区域）に該当することとなったこと

　　市街化区域に関する都市計画の決定に係る告示があった日

7 許可申請の取下げがあった場合

農地法第5条第1項の規定による許可の申請をした日後に、許可を要しないこととなったため又は申請に代えて同項第7号の規定による届出をするため、申請を取り下げた場合、措置法令第22条の4第2項第3号の規定の適用については、「許可の申請をした日」は、取下げの申請をした日として取り扱う（措通33の4-2の3）。

8 仲裁判断等があった場合の証明書類

措置法施行規則第15条第2項第2号に規定する「当該買取り等につき施行令第22条の4第2項各号に掲げる場合のいずれかに該当する場合には、その旨を証する書類」とは、次の書類をいう。同規則「公共事業施行者の買取り等の年月日及び当該買取り等に係る資産の明細を記載した買取り等があったことを証する書類」に公共事業施行者が①から④に掲げる日を記載している場合、書類の提出を省略しても差し支えない（措通33の4-2の4）。

① 仲裁判断があった場合	・仲裁の申請した日及び仲裁判断のあった日の記載のある仲裁判断書の写し
② 補償金の支払請求があった場合	・補償金の支払の請求した日の記載のある収用裁決書の写し
③ 農地法の許可を受ける場合	・申請した日及び許可があった日の記載のある許可申請書の写し
④ 農地法の届出をする場合	・届出書を提出した日及び受理した日の記載のある受理通知書の写し

9 補償金の支払請求があった土地の上にある建物等の譲渡期間の取扱い

土地収用法の規定により補償金の支払の請求ができる資産は、土地及び土地に関する所有権以外の権利に限られている。これらの資産に最初に買取り等の申出があった日から6か月を経過した日までに補償金の支払の請求があった場合、これらの資産の上にある建物等の資産の譲渡についても法第33条の4第3項第1号かっこ内に規定する「土地収用法第46条の2第1項の規定による補償金の支払の請求があった場合」に準じて取り扱う（措通33の4-3）。

10 漁業権等の消滅により取得する補償金等の譲渡期間の取扱い

漁業権又は入漁権（以下「漁業権等」という。）の消滅（価値の減少を含む。）により漁業協同組合等の組合員が補償金又は対価を取得する場合における措置法第33条の4第3項第1号の規定の適用については次のとおり取り扱う。公共事業施行者から漁業協同組合等に対して最初に買取り等の申出があった日から6か月を経過した日後において組合員の漁業法第105条に規定する組合員行使権（買取り等の申

出の対象となった漁業権等に係るものに限る。）の消滅に伴う補償金等の額が確定した場合であっても，公共事業施行者と漁業協同組合等の間で締結された漁業権等の消滅に関する契約の効力が最初に買取り等の申出があった日から6か月を経過した日までに生じているときは，最初に買取り等の申出のあった日から6か月を経過した日までにされているものとして取り扱う。

　また，漁業協同組合等が有する漁業権等の消滅により，漁業協同組合等の組合員が取得する補償金等を譲渡所得の総収入金額に算入すべき時期は，組合員ごとの補償金等の額が確定した日により判定する（措通33の4-3の2）。

11　関連事業

　土地収用法第16条《事業の認定》に規定する関連事業は，本体事業から独立した別個の事業ではなく，本体事業に付随する事業として，本体事業とともに，一の収用交換等事業に該当する（措通33の4-3の3）。

12　事業計画の変更等があった場合の一の収用交換等事業

　一の収用交換等事業が次に掲げる場合に該当することとなった場合，その事業の施行に合理的と認められる事情があるときは，次に掲げる地域ごとにそれぞれ別個の事業として取り扱い，収用交換等の5,000万円控除の特例を適用する（措通33の4-4）。

① 事業の施行地について計画変更があり，変更に伴って拡張された部分の地域について事業を施行する場合は，変更前の地域と変更に伴い拡張された部分の地域

　この取扱いは，一の収用交換等事業の施行地の変更前において変更前の地域にある資産を事業のために譲渡した者が，変更後において変更に伴い拡張された部分の地域にある資産を事業のために譲渡する場合に限って適用がある。

② 事業を施行する営業所，事務所その他の事業場が2以上あり，事業場ごとに地域を区分して事業を施行する場合は，その区分された地域

③ 事業が1期工事，2期工事等と地域を区分して計画されており，計画に従って地域ごとに時期を異にして事業を施行する場合は，その区分された地域

13　一の収用交換等事業につき譲渡した資産のうちに権利取得裁決による譲渡資産と明渡裁決による譲渡資産とがある場合

　一の収用交換等で譲渡した資産のうちに土地等とその土地等の上にある建物等があり，その土地等の譲渡は権利取得裁決により，建物等の譲渡は明渡裁決により行われたため，これらの譲渡が2以上の年にわたった場合，その建物等に権利取得裁

決前に明渡裁決の申立てをしており，かつ，その土地等の譲渡があった年にその建物等の譲渡があったものとして申告したときは，建物等はその年において収用等による譲渡があったものとして取り扱う（措通33の4-5）。

　土地収用法には権利取得裁決及び明渡裁決がある。権利取得裁決とは，収用又は使用する土地等の区域並びに使用する方法や期間，土地等に対する損失の補償，権利の取得の時期等についての裁決をいい，明渡裁決とは土地等以外の損失の補償，明渡しの期限などについての裁決をいう（土地収用法48,49）。土地等と建物の譲渡が2年以上になった場合に収用交換等の5,000万円控除の特例が適用できないこととなる場合に，上記の要件を具備しているときは特例の適用が認められる。

14 買取り等の申出証明書の発行者

　公共事業施行者の買取り等の申出に関する事務に従事した者が，その公共事業施行者の本店又は主たる事務所以外の営業所，事務所その他の事業場に勤務する者であるときは，確定申告書等に添付する「買取り等の申出があったことを証する書類」は，その事業場の長が発行したものによることができる（措通33の4-7）。

15 代行買収における証明書の発行者

　措置法規則第14条第5項第2号から第4号の2まで，第4号の5から第5号まで，第5号の12，第5号の13，第8号，第11号又は第12号《収用証明書》の規定により，事業の施行者に代わり，事業の施行者以外の者（以下「代行買収者」という。）が資産の買取り等をする場合には，「買取り等の申出があったことを証する書類」又は「買取り等があったことを証する書類」は，資産の買取り等の申出又は買取り等をした代行買収者が発行する。ただし，措置法規則第14条第5項第2号から第4号の2まで，第4号の5から第5号まで，第5号の12，第5号の13，第8号，第11号又は第12号に掲げる証明書は，これらの規定に規定する者で代行買収者以外の者が発行することに留意する（措通33の4-8）。

2 譲渡所得の計算

1 控除額の限度額

　特別控除は収用等を受けた資産の譲渡所得から5,000万円を限度として控除できる。譲渡所得が5,000万円に満たない場合は，その金額が限度である。

　所得税の特別控除の限度額は5,000万円である。同一年中に収用が2以上あった場合でも，特別控除は5,000万円が限度額となる。居住用財産の3,000万円控除の

特例（措法35①），特定土地区画整理事業等の2,000万円控除の特例（措法34），特定住宅地造成事業等の1,500万円控除の特例（措法34の2），特定の土地等の1,000万円控除の特例（措法35の2）及び農地保有合理化等の800万円控除の特例（措法34の3），低未利用土地等の100万円控除の特例（措法35の3）の対象となるものが重複する場合，その年分の特別控除額は5,000万円が限度となる（措法36）。

2 優良住宅地の造成等の税率の特例との併用適用

長期保有の土地等の収用により譲渡所得の金額から5,000万円控除をしてもなお所得が生じている場合，その所得に対して，優良住宅地の造成等の税率の特例の適用ができないことに注意する（措法31の2②）。

優良住宅地の造成等の税率の特例は国や地方公共団体に対する譲渡に適用できるため，収用による譲渡にも適用できると誤解しやすいので注意する。また，収用交換等の5,000万円控除の特例と優良住宅地の造成等の税率の特例とは平成15年分まで併用適用できたのでとりわけ注意する。

3 確定申告にあたっての要点

1 申告要件

収用交換等の5,000万円控除の特例を適用した場合でもなお確定申告書を提出しなければならない場合，確定申告書を提出する（措法33の4④）。つまり，確定申告が要件となっていない。

2 確定申告の手続要領

1　「確定申告書（分離課税用）第三表」の特例適用欄に「措法33条の4（第）1項」と記入する。
2　「譲渡所得の内訳書（確定申告書付表兼計算明細書）」
3　「公共事業用資産の買取り等の申出証明書」「公共事業用資産の買取り等の証明書」「収用等の証明書」

（措法33の4④，措規15②）

3 確定申告書の提出がなかった場合

確定申告書若しくは修正申告書の提出がなかった場合，又は必要事項の記載若しくは必要書類の添付がない確定申告書若しくは修正申告書の提出があった場合でも，提出又は記載若しくは添付がなかったことについてやむを得ない事情があると税務署長が認めるときは，記載をした書類及び財務省令で定める書類の提出があった場

合に限り，収用交換等の5,000万円控除の特例を適用することができる（措法33の4⑤）。

事例　CASE STUDY
こんな場合は適用できない?!

Q　収用による場合の譲渡の日

昨年7月に，利用していない宅地の半分を，学校用地として買い取りたいと市から申出があった。同年12月に契約を行い，手付金を受け取った。引渡しと残金は今年2月末になる予定である。本年分譲渡として申告できるか。

A

譲渡所得における譲渡の日は，引渡しの日である。収用による譲渡についても引渡しが原則であるので，本年分の譲渡所得として申告できる。また，買取りの申出の日から6か月を経過した日までに譲渡契約を結んでいるので，収用交換等の5,000万円控除の特例の適用ができる。

Q　複数の特別控除対象物件を譲渡

地方に所有する土地が7,000万円で収用された。たまたま，同年に自宅を譲渡して譲渡益が3,500万円算出された。収用交換等の特別控除の特例5,000万円と居住用財産を譲渡した場合の3,000万円の特別控除の特例を適用したい。

A

特別控除の限度額は5,000万円である。特別控除対象物件を複数譲渡した場合でも，限度額は5,000万円となる。居住用財産を収用されて，譲渡益が5,000万円を超える場合でも特別控除の限度額は5,000万円である。

Q　買取りの申出があった後に贈与した場合

父親が所有する土地が，空港周辺を含めた大規模な公共事業用土地として開発するために収用されることとなった。買取りの申出が今年6月にあったが，父は広大な土地を所有しているため，収用交換等の場合の5,000万円控除の特例の適用を受けるために，申出のあった土地を今年9月に子に贈与した。

A

収用交換等の場合の特別控除の特例の適用を受けることができるのは，最初に買取りの申出があった者のみである。収用対象物件の所有者が贈与や譲渡により異動した場合は，その新たな所有者について特例の適用はない（措法33の4③3）。

ただし，最初に買取りの申出を受けた者が，譲渡契約をする前に死亡した場合，その者から相続又は遺贈により，その財産を取得した者については特例を適用することができる（措法33の4③3，措通33の4-6）。

Q 収用補償金の名目

自宅の一部が収用されたが，様々な名目で補償金が振り込まれた。これらは所有していた土地建物に対する対価であるため全額を5,000万円控除の対象として申告した。

A

収用の場合の対価は，収用された資産の損失補償又は経費補償等として支払われるものである。支払名目は様々であるため混乱するが，第一義的には支払名目に応じた課税区分で申告する。支払名目と支払実質が伴わない場合は，実質課税の原則によりその実質的内容に区分して申告する。

Q 同一年中に2つの資産が収用された場合

A土地の収用が2年にわたって行われたため，最初の年は5,000万円控除の特別控除を適用し，2年目の補償金は代替資産の特例を適用する予定である。2年目にA土地の収用とは別のB土地が収用され補償金を3,000万円受け取った。この補償金はAとは別事業なので，5,000万円の特別控除を適用する予定である。

A

同一年中に5,000万円の特別控除の特例と収用代替えの特例を受けることはできない。B土地は収用代替えの特例を適用できる。

第5章　収用等があった場合に使える特例

措置法第34条

5 特定土地区画整理事業等のために土地等を譲渡した場合の譲渡所得の特別控除

　国や地方公共団体等が施行する土地区画整理事業等は大規模になることが多く，地権者の数も多くなると考えられる。速やかに土地区画整理事業等を完遂させるためには地権者の協力が欠かせない。特定土地区画整理事業等のために土地等を譲渡した場合の譲渡所得の特別控除（以下「特定土地区画整理事業等の2,000万円控除の特例」という。）は，このような事業のために土地等を譲渡した場合の特例である。

1 特例の適用要件

1 特例の内容

　この特例の内容は次のとおりである（措法34①）。

(1) **特定土地区画整理事業等のために土地等を買い取られたこと**

　ただし，借地権の設定の対価については，所得税法施行令第79条《資産の譲渡とみなされる行為》の規定により資産の譲渡とみなされる場合であっても，適用がない（措通34-3）。

(2) **譲渡所得金額から2,000万円が控除される**

　長期譲渡所得と短期譲渡所得がある場合，この特別控除2,000万円は短期譲渡所得から控除する（措法34①1）。

2 特定土地区画整理事業とは

　特定土地区画整理事業とは次に該当する事業のことをいう（措法34②）。

① 国や地方公共団体，独立行政法人都市再生機構又は地方住宅供給公社が土地区画整理法による土地区画整理事業，大都市地域住宅等供給促進法による住宅街区整備事業，都市再生開発法による第1種市街地再開発事業等として行う公共施設の整備改善，宅地の造成又は共同住宅の建設等事業の用に供するためにこれらの者（地方公共団体に設立された特定の団体を含む。）に土地等が買い取られる場合（措法34②1）

② 都市再開発法による第1種市街地再開発事業の都市計画法第56条第1項に規定す

る事業予定地内の土地等が第1種市街地再開発事業を行う都市再開発法第11条第2項の認可を受けて設立された市街地再開発組合に買い取られる場合（措法34②2）
③ 密集市街地における防災街区の整備の促進に関する法律による防災街区整備事業の都市計画法第56条第1項に規定する事業予定地内の土地等が防災街区整備事業を行う防災街区整備事業組合に買い取られる場合（措法34②2の2）
④ 古都における歴史的風土の保存に関する特別措置法，都市緑地法，特定空港周辺航空機騒音対策特別措置法，航空法，防衛施設周辺の生活環境の整備等に関する法律又は公共用飛行場周辺における航空機騒音による障害の防止等に関する法律に基づき買い取られる場合（措法34②3）
⑤ 文化財保護法により重要文化財，史跡，名勝若しくは天然記念物として指定された土地，自然公園法の規定により特別地区として指定された区域内の土地が，国，地方公共団体，独立行政法人国立文化財機構，独立行政法人国立科学博物館，地方独立行政法人（地方独立行政法人法施行令第4条第3号に掲げる博物館又は植物園のうち博物館法の規定により博物館又は植物園の設置及び管理の業務を行うことを主として設立されたものに限る。）又は文化財保存支援団体に買い取られる場合（措法34②4）
⑥ 森林法の規定により保安林として指定された区域内の土地又は保安施設地区内の土地が保安施設事業のために国又は地方公共団体に買い取られる場合（措法34②5）
⑦ 防災のための集団移転促進事業に係る国の財政上の特別措置等に関する法律に規定する集団移転促進事業計画に定められた移転促進区域内の農地等が同事業計画に基づき地方公共団体に買い取られる場合（措法34②6）
⑧ 農業経営基盤強化促進法に規定する農用地で農用地利用規程（同法第23条第1項の認定に係るもの（同法第24条第1項の規定による変更の認定があった場合には，その変更後のもの）に限る。）に係る農用地利用改善事業の実施区域内にあるものが，申出に基づき農地中間管理機構（政令で定めるものに限る。）に買い取られる場合（措法34②7）

3 特例適用が受けられない場合

(1) 2年以上にわたって買い取られた場合は最初の年に限る

　一の事業で土地区画整理事業等の買取りの用に供するために，買取りが2以上の年にわたって行われたときは，最初に買取りが行われた年以外の買取りについてはこの特例の適用ができない（措法34③）。

　「一の事業」に該当するかどうかの判定等については，措置法通達33の4-4（事業計画の変更等があった場合の一の収用交換等に係る事業）に準じて取り扱う（措法34-4）。

　受益者等課税信託の信託財産に属する土地等が特定土地区画整理事業等のために買い取られた場合，「一の事業で前項各号の買取りに係るものの用に供するために，これらの規定の買取りが2以上行われた場合」に該当するかどうかは，受益者等が有する受益者等課税信託の信託財産に属する土地等の譲渡とそれ以外の土地等の譲渡とを通じて判定する（措通34-4の2）。

(2) 重複適用している場合

次の特例の適用を受ける場合はこの特例を受けることができない（措法34①）。

> ① 特定の居住用財産の買換えの特例（措法36の2）
> ② 特定の居住用財産の交換の特例（措法36の5）
> ③ 特定の事業用資産の買換えの特例（措法37）
> ④ 特定の事業用資産の交換の特例（措法37の4）

4 特定土地区画整理事業の施行者と買取りをする者の関係

特定土地区画整理事業の施行者と，買取りをする者の関係については，次の点に留意する（措通34-1）。

(1) 事業の施行者は，国，地方公共団体，独立行政法人都市再生機構又は地方住宅供給公社に限られ，地方公共団体の設立に係る団体（地方住宅供給公社を除く。）は含まれない。

(2) 事業の用に供される土地等の買取りをする者には，国，地方公共団体，独立行政法人都市再生機構又は地方住宅供給公社のほか，地方公共団体の設立に係る団体（地方住宅供給公社を除く。）で措置法令第22条の7《地方公共団体の設立に係る団体の範囲》に規定するものが含まれる。

(3) 事業の施行者が(1)に掲げる者に該当し，かつ，事業の用に供される土地等の買取りをする者が(2)に掲げる者に該当する場合，事業の施行者と買取りをする者が異なっても特例の適用がある。

5 宅地の造成を主たる目的とするものかどうかの判定

措置法令第22条の7に規定する地方公共団体が財産を提供して設立した団体（その地方公共団体とともに国，地方公共団体及び独立行政法人都市再生機構以外の者が財産を提供して設立した団体を除く。）で，都市計画その他市街地の整備の計画に従って宅地の造成を行うことを主たる目的とするものに該当するかどうかは，宅地の造成を行うことがその団体の定款に定められている目的及び業務の範囲内であるかどうかにより判定する。

この場合，宅地の造成を行うことがその団体の主たる業務に附帯する業務にすぎないときは，その団体は同条に規定する団体に該当しない（措通34-1の2）。

6 代行買収の要件

事業の施行者と土地等の買取りをする者が異なる場合，事業の用に供するため買い取った土地等に該当するかどうかは，次に掲げる要件の全てを満たしているかどうかにより判定する（措通34-2）。

① 買い取った土地等に相当する換地処分又は権利変換後の換地取得資産（措置法令第22条の3第1項《換地処分等に伴い資産を取得した場合の課税の特例》に規定する換地取得資産をいう。）又は変換取得資産若しくは防災変換取得資産は，最終的に事業の施行者に帰属すること。
② 土地等の買取り契約書には，土地等の買取りをする者が，事業の施行者が行う事業の用に供するために買取りをするものである旨が明記されていること。
③ 上記①に掲げる事項については，事業の施行者と土地等の買取りをする者との間の契約書又は覚書により相互に明確に確認されていること。

7 特定土地区画整理事業等の証明書の区分一覧表

措置法規則第17条第1項（特定土地区画整理事業等の証明書）に規定する書類の内容の一覧表は，国税庁ホームページ「租税特別措置法（山林所得・譲渡所得関係）の取扱いについて（別表3）」で確認できる（措規17①，措通34－5別表3）。

2 申告にあたっての要点

1 申告要件

特定土地区画整理事業等の2,000万円控除の特例を適用した場合でも，なお確定申告書を提出しなければならない場合，適用を受けようとする年分の確定申告書に，措置法第34条第1項の適用を受ける旨の記載があり，かつ同項の規定に該当するものとして，次の「確定申告の手続要領」に記載した書類の添付がある場合に限り適用がある（措法34④）。

2 確定申告の手続要領

> 1 「確定申告書第三表（分離課税用）」の「特例適用欄」に「措法34条1項」と記入する。
> 2 買取業者等から交付を受けた「土地等の買取りがあったことを証する書類」
>
> （措法34④，措規17①）

3 確定申告書の提出がなかった場合

確定申告書提出がなかった場合又は必要事項の記載若しくは必要書類の添付がない確定申告書の提出があった場合，提出又は記載若しくは添付がなかったことについてやむを得ない事情があると税務署長が認めるときは，必要事項を記載をした書類及び財務省令で定める書類の提出があった場合に限り，特定土地区画整理事業等の2,000万円控除の特例を適用することができる（措法34⑤）。

措置法第34条の2

6 特定住宅地造成事業等のために土地等を譲渡した場合の1,500万円控除の特例

　特定住宅地造成事業等のために土地等を譲渡した場合の1,500万円控除の特例（以下「特定住宅地造成事業等の1,500万円控除の特例」という。）は，特定住宅地造成事業等のために土地等を譲渡し，一定の要件を満たす場合，譲渡所得の金額から1,500万円を控除することができる特例である。

　特例の対象となるケースは多岐にわたるが，土地収用法による収用の対償地に充てられる買取りや公有地の拡大のための買取りが多いようである。また，同一事業で複数年にわたって買取りが行われた場合，連年で特例が適用できる場合とできない場合があるので，複数年の譲渡があったときは十分に注意する。

1 特例の適用要件

① 特例の内容

　この特例の内容は次のとおりである（措法34の2①，②）。

(1) 特定住宅地造成事業等のために土地等を買い取られたこと

　借地権の設定の対価については，所得税法施行令第79条《資産の譲渡とみなされる行為》の規定により資産の譲渡とみなされる場合であっても，適用がない（措通34-3）。

(2) 譲渡所得金額から1,500万円を控除される

　譲渡所得金額が1,500万円に満たない場合は，その金額が限度である。長期譲渡所得と短期譲渡所得がある場合，特別控除は短期譲渡所得から控除する（措法34の2①一）。

② 特定住宅地造成事業等とは

　特定住宅地造成事業等とは次に該当する事業のことをいう（措法34の2②）。

① 地方公共団体(地方公共団体が設立した一定の団体を含む),独立行政法人中小企業基盤整備機構,独立行政法人都市再生機構,成田国際空港株式会社,地方住宅供給公社又は日本勤労者住宅協会が行う住宅の建設又は宅地の造成を目的とする事業(土地開発公社が行う土地の取得に係る事業のうち特定のものを除く)の用に供するためにこれらの者に買い取られる場合(措法34の2②1)。
② 土地収用法等に基づく収用を行う者,若しくはその者に代わるべき者によって収用の対償に充てるため買い取られる場合,住宅地区改良法に規定する改良住宅を改良地区の区域外に建設するため買い取られる場合,又は公営住宅法に規定する公営住宅の買取りにより地方公共団体に買い取られる場合(措法34の2②2)
③ 一団の宅地の造成に関する事業(次に掲げる要件を満たすもので政令で定めるものに限る。)の用に供するために,1992年(平成6年1月1日)から2023年(令和5年)12月31日までの間に,買い取られる場合(措法34の2②3,措令22の8④〜⑥,措規17の2②3)
　イ 一団の宅地の造成が土地区画整理法による土地区画整理事業(土地区画整理事業の同法第2条第4項に規定する施行地区(ロにおいて「施行地区」という。)の全部が都市計画法第7条第1項の市街化区域と定められた区域に含まれるものに限る。)として行われるものであること。
　ロ 一団の宅地の造成に係る一団の土地(イの土地区画整理事業の施行地区内において土地等の買取りをする個人又は法人の有する施行地区内にある一団の土地に限る。)の面積が5ヘクタール以上のものであることその他政令で定める要件を満たすものであること。
　ハ 事業により造成される宅地の分譲が公募の方法により行われるものであること。
　ニ 住宅用土地の面積が170㎡以上(地形の形状等特別の事情がある場合150㎡以上)であること。
④ 公有地の拡大の推進に関する法律の協議に基づき地方公共団体,土地開発公社等に買い取られる場合(措法34の2②4)
⑤ 特定空港周辺航空機騒音対策特別措置法に規定する航空機騒音障害防止特別地区内にある土地が,その土地の所有者からの買入れの申出により買い取られる場合(措法34の2②5)
⑥ 地方公共団体又は幹線道路の沿道の整備に関する法律に規定する沿道整備推進機構が沿道整備道路の沿道の整備のために行う公共施設若しくは公用施設の整備,宅地の造成又は建築物及び建築敷地の整備に関する事業の用に供するために,沿道地区計画の区域内にある土地等が買い取られる場合(措法34の2②6)
⑦ 地方公共団体又は密集市街地における防災街区の整備の促進に関する法律に規定する防災街区整備推進機構が防災街区としての整備のために行う公共施設若しくは公用施設の整備,宅地の造成又は建築物及び建築敷地の整備に関する事業の用に供するために防災街区整備地区計画の区域内にある土地等が買い取られる場合(措法34の2②7)
⑧ 地方公共団体又は中心市街地の活性化に関する法律に規定する中心市街地整備推進機構が,認定中心市街地の整備のために認定基本計画の内容に即して行う公共施設若しくは公用施設の整備,宅地の造成又は建築物及び建築敷地の整備に関する事業の用に供するために,認定中心市街地の区域内にある土地等が買い取られる場合(措法34の2②8)
⑨ 地方公共団体又は景観法に規定する景観整備機構が景観重要公共施設の整備に関する事業(その事業が景観整備機構により行われるものである場合には,地方公共団体

の管理の下に行われるものに限る。）の用に供するために，景観計画の区域内にある土地等が買い取られる場合（措法34の2②9）
⑩　地方公共団体又は都市再生特別措置法に規定する都市再生推進法人が都市再生整備計画又は立地適正化計画に記載された公共施設の整備に関する事業（その事業が都市再生推進法人により行われるものである場合には，地方公共団体の管理の下に行われるものに限る。）の用に供するために，都市再生整備計画又は立地適正化計画の区域内にある土地等が買い取られる場合（措法34の2②10）
⑪　地方公共団体又は地域における歴史的風致の維持及び向上に関する法律に規定する歴史的風致維持向上支援法人が認定歴史的風致維持向上計画に記載された公共施設又は公用施設の整備に関する事業（その事業が歴史的風致維持向上支援法人により行われるものである場合には，地方公共団体の管理の下に行われるものに限る。）の用に供するために，その認定重点区域内にある土地等が買い取られる場合（措法34の2②11）
⑫　国又は都道府県が作成した総合的な地域開発に関する計画（苫小牧地区，石狩新港地区及びむつ小川原地区をいう。）により，主として工場，住宅又は流通業務施設の用に供する目的で行われる一団の土地の造成に関する事業で，次に掲げる要件に該当するものとして都道府県知事が指定したものの用に供するために地方公共団体又は国若しくは地方公共団体が設立した法人（発行済み株式又は出資の総数又は総額の2分の1以上が国または地方公共団体により出資されているもの。）に買い取られる場合（措法34の2②12）
　イ　その計画に係る区域の面積が300ha以上であり，かつ，事業の施行区域の面積が30ha以上であること。
　ロ　事業の施行区域内の道路，公園，緑地その他の公共の用に供する空地の面積が施行区域内に造成される土地の用途区分に応じて適正に確保されるものであること。
⑬　土地等が次に掲げる事業の用に供するために，地方公共団体の出資に係る法人その他特定の法人に買い取られる場合（措法34の2②13）
　イ　商店街の活性化のための地域住民の需要に応じた事業活動の促進に関する法律に規定する認定商店街活性化事業計画に基づく商店街活性化事業又は認定商店街活性化支援事業計画に基づく商店街活性化支援事業
　ロ　中心市街地の活性化に関する法律に規定する認定特定民間中心市街地活性化事業計画に基づく中小小売商業高度化事業
　ハ　食品流通構造改善促進法の規定による認定を受けた計画に基づく食品商業集積施設整備事業
⑭　農業協同組合法に規定する宅地等供給事業又は独立行政法人中小企業基盤整備機構法に規定する他の事業者との事業の共同化，若しくは中小企業の集積の活性化に寄与する事業の用に供する土地の造成に関する事業で，都市計画その他の土地利用に関する国又は地方公共団体の計画に適合した計画に従って行われるものであること，その他都道府県知事が指定したものの用に供するために買い取られる場合（措法34の2②14）
⑭の2　総合特別区域法に規定する共同して又は一の団地，若しくは主として一の建物に集合して行う事業の用に供する土地の造成に関する事業で，都市計画その他の土地利用に関する国又は地方公共団体の計画に適合した計画に従って行われるものであること，その他一定の要件に該当するものとして市町村長又は特別区の区長が指定したものの用に供するために買い取られる場合（措法34の2②14の2）
⑮　産業廃棄物の処理に係る特定施設の整備の促進に関する法律に規定する特定施設の整備の事業の用に供するために，地方公共団体又はその特定の法人に買い取られる場

合（措法34の2②15）
⑯ 広域臨海環境整備センター法の規定による認可を受けた廃棄物の搬入施設の整備の事業の用に供するために，広域臨海環境整備センターに買い取られる場合（措法34の2②16）
⑰ 生産緑地法に規定する生産緑地地区内にある土地が，地方公共団体，土地開発公社その他特定の法人に買い取られる場合（措法34の2②17）
⑱ 国土利用計画法の規定により規制区域として指定された区域内の土地等が買い取られる場合（措法34の2②18）
⑲ 国，地方公共団体その他特定の法人が作成した地域の開発，保全又は整備に関する事業に係る計画で，国土利用計画法第9条第3項に規定する土地利用の調整等に関する事項として土地利用基本計画に定められたもののうちその事業の用に供するために土地等が国又は地方公共団体（地方公共団体が設立した一定の団体を含む）に買い取られる場合（措法34の2②19）
⑳ 都市再開発法，大都市地域住宅等供給促進法，地方拠点都市地域の整備及び産業業務施設の再配置の促進に関する法律又は被災被害地復興特別措置法の規定により土地等が買い取られる場合（措法34の2②20）
㉑ 土地区画整理法による土地区画整理事業が施行された場合，土地等の上に存する建物又は構築物（以下「建物等」という。）が建築基準法に規定する不適格建物等に該当していることにより換地を定めることが困難であるため財務省令で定めるところにより証明がされたその土地等について換地が定められなかったことに伴い清算金を取得するとき（措法34の2②21）
㉑の2 被災市街地復興土地区画整理事業に係る換地処分によりその事業の換地計画に定められた公営住宅等の用地に供するための保留地の対価の額に対応する土地等の部分の譲渡があった場合（措法34の2②21の2）
㉒ マンションの建替えの円滑化等に関する法律に規定するマンション建替事業が施行された場合において，その土地等に係る同法の権利変換により補償金を取得するとき又はその土地等買い取られたとき（措法34の2②22）
㉒の2 建築物の耐震改修の促進に関する法律に規定する通行障害既存耐震不適格建築物に該当する決議特定要除却認定マンションの敷地の用に供されている土地等について，分配金取得計画に基づき分配金を取得する時又は売渡し請求により買い取られるとき（措法34の2②22の2）
㉓ 絶滅のおそれのある野生動植物の種の保存に関する法律の規定により管理地区として指定された区域内の土地が国若しくは地方公共団体に買い取られる場合，又は鳥獣の保護及び狩猟の適正化に関する法律の規定により環境大臣が特別保護地区として指定した区域内の土地のうち，文化財保護法の規定により天然記念物として指定された鳥獣の生息地で国若しくは地方公共団体においてその保存をすべきものとして政令で定めるものが国若しくは地方公共団体に買い取られる場合（措法34の2②23）
㉔ 自然公園法に規定する都道府県立自然公園の区域内のうち特別地域として指定された地域で，環境大臣が認定した地域内の土地が地方公共団体に買い取られる場合（措法34の2②24）
㉕ 農業経営基盤強化促進法に規定する農用地で農業振興地域の整備に関する法律に規定する農用地区域として定められている区域内にあるものが，農地中間管理機構（一般社団法人，一般財団法人又は農地中間管理機構である場合の一定の法人）に買い取られる場合（措法34の2②25）

3 特例適用が受けられない場合

(1) 2年以上にわたって買い取られた場合は最初の年に限ること

一の事業で土地区画整理事業等の買取りの用に供するために，買取りが2以上で，2以上の年にわたって行われたときは，最初に買取りが行われた年以外の買取りについてはこの特例の適用ができない（措法34の2③）。

ただし，連年適用排除から除かれている規定もあるため，適用に当たって注意する（措法34の2④）。具体的には上記2①②③⑥～⑯⑲㉒㉒の2に該当するものは連年適用できない。

「一の事業」に該当するかどうかの判定等については，措置法通達33の4-4に準じて取り扱う（措通34の2-22）がなお次の点に留意する。

① 受益者等課税信託の信託財産に属する土地等が特定住宅地造成事業等のために買い取られた場合，「一の事業で第2項第1号から第3号まで，第6号から第16号まで，第19号，第22号又は第22号の2の買取りに係るものの用に供するために，これらの規定の買取りが2以上行われた場合」に該当するかどうかは，受益者等課税信託の信託財産に属する土地等の譲渡とそれ以外の土地等の譲渡とを通じて判定する（措通34の2-22の2）。

② 収用対償地の事業概念

代替地の買取りそのものは，事業には当たらないので，公共事業施行者が買取りに係る代替地について区画形質の変更を加え，若しくは水道その他の施設を設け又は建物を建設した上で事業用地の所有者に譲渡するような場合を除き，特定住宅地造成事業等の1,500万円控除の特例の規定の適用はない。

代替地の買取りについて措置法第34条の2第4項の規定が適用される場合であっても，同項に規定する一の事業の用に供するための買取りに該当するかどうかは，代替地の買取りのみに基づいて判定するのであって，買取りの起因となった収用等の事業が同一事業であるかどうかとは関係がないことに留意する（措通34の2-23）。

(2) 重複適用している場合

特例の適用要件に該当している場合でも，次の特例の適用を受ける場合はこの特例を受けることができない（措法34の2①）。

```
①　特定の居住用財産の買換えの特例（措法36の2）
②　特定の居住用財産の交換の特例（措法36の5）
③　特定の事業用資産の買換えの特例（措法37）
```

④ 特定の事業用資産の交換の特例（措法37の4）

4 「宅地」の範囲

　措置法第34条の2第2項第1号に規定する「宅地」とは，建物の敷地及びその維持又は効用を果すために必要な土地をいうが，ガスタンク又は石油タンクの敷地である土地もこれに含まれる（措通34の2-1）。

5 地方公共団体等が行う宅地造成事業の施行者と買取りをする者の関係

　措置法第34条の2第2項第1号に規定する住宅の建設又は宅地の造成を行う者が同号に掲げる者であり，かつ，土地等の買取りをする者が同号に掲げる者である場合には，住宅の建設又は宅地の造成の事業施行者と買取りをする者とが異なっていても，同号の適用がある（措通34の2-2）。

6 代行買収の要件

　措置法第34条の2第2項第1号に規定する住宅の建設又は宅地の造成の事業施行者と土地等の買取りをする者が異なる場合の買い取った土地等が，住宅の建設又は宅地の造成のため買い取った土地等に該当するかどうかは，次に掲げる要件の全てを満たしているかどうかにより判定する（措通34の2-3）。

　① 買取りをした土地等は，最終的に同号に掲げる事業の施行者に帰属すること。
　② 土地等の買取り契約書には，土地等の買取りをする者が事業の施行者が行う住宅の建設又は宅地の造成のために買取りをするものである旨が明記されていること。
　③ 事業の施行者と土地等の買取りをする者との間の契約書又は覚書により相互に明確に確認されていること。

7 収用対償用地が農地等である場合

　農地法の規定により，措置法第34条の2第2項第2号に規定する収用を行う者（措置法令第22条の8第2項に規定する者を含む。以下「公共事業施行者」という。）が収用の対償に充てるための農地又は採草放牧地（以下「農地等」という。）を直接取得することができないため，公共事業施行者，収用により資産を譲渡した者及び農地等の所有者の三者が，次に掲げる事項を内容とする契約を締結し，農地等を譲渡した場合には，その譲渡は，「収用の対償に充てるため買い取られる場合」に該当する。

　① 農地等の所有者は，収用により資産を譲渡した者に対し農地等を譲渡すること。

②　公共事業施行者は，農地等の所有者に対し譲渡の対価を直接支払うこと。

なお，上記契約方式における農地等の譲渡について「収用の対償に充てるため買い取られる場合」に該当するのは，農地等のうち事業用地の所有者に支払われるべき事業用地の譲渡に係る補償金又は対価のうち，農地等の譲渡の対価として公共事業施行者から農地等の所有者に直接支払われる金額に相当する部分に限られることに注意する（措通34の2-4）。

⑧　収用対償地の買取りの契約方式

次に掲げる方式による契約に基づき，収用の対償に充てられることとなる土地等（以下「代替地」という。）が公共事業施行者に買い取られる場合は，「収用の対償に充てるため買い取られる場合」に該当する（措通34の2-5）。

(1)　公共事業施行者，収用により譲渡する土地等（以下「事業用地」という。）の所有者及び代替地の所有者の三者が次に掲げる事項を約して契約を締結する方式

　イ　代替地の所有者は公共事業施行者に代替地を譲渡すること。
　ロ　事業用地の所有者は公共事業施行者に事業用地を譲渡すること。
　ハ　公共事業施行者は代替地の所有者に対価を支払い，事業用地の所有者には代替地を譲渡するとともに事業用地の所有者に支払うべき補償金等（事業用地の譲渡に係る補償金又は対価に限る。）の額から代替地の所有者に支払う対価の額を控除した残額を支払うこと。

上記契約方式における代替地の譲渡について「収用の対償に充てるため買い取られる場合」に該当するのは，代替地のうち事業用地の所有者に支払われるべき補償金又は対価に相当する部分に限られる。例えば，上記契約方式に基づいて公共事業施行者が取得する代替地であっても事業用地の上にある建物に対して支払われるべき移転補償金に相当する部分には，特例の適用がない。

(2)　公共事業施行者と事業用地の所有者が次に掲げる事項を約して契約を締結する方式

　イ　事業用地の所有者は公共事業施行者に事業用地を譲渡し，代替地取得を希望する旨の申出をすること。
　ロ　公共事業施行者は事業用地の所有者に代替地の譲渡を約すとともに，事業用地の所有者に補償金等を支払うこと。ただし，補償金等の額のうち代替地の価額に相当する金額については公共事業施行者に留保し，代替地の譲渡の際にその対価に充てること。

⑨ 一団地の公営住宅の買取りが行われた場合の措置法第33条等との適用関係

　公営住宅法第2条第4号に規定する「公営住宅の買取り」が、一団地の住宅経営に係る事業として行われる場合、一団地の住宅経営に係る事業が50戸未満の事業であるときは、措置法第34条の2第2項第2号に該当するが、一団地の住宅経営に係る事業が50戸以上の事業であるときは、措置法第33条《収用等に伴い代替資産を取得した場合の課税の特例》、第33条の2《交換処分等に伴い資産を取得した場合の特例》又は第33条の4《収用交換等の場合の譲渡所得等の特別控除》の規定の適用がある場合がある（措通34の2-6）。

⑩ 公営住宅の買取りが行われた場合における特例の適用対象となる土地等の範囲

　土地等が措置法第34条の2第2項第2号に規定する公営住宅の買取りにより地方公共団体に買い取られる場合における同条第1項の規定の適用については、次の点に留意する（措通34の2-7）。

(1) 措置法第34条の2第1項の規定の適用対象となる土地等は、固定資産である土地等に限られる。したがって、例えば、土地所有者が建物を建設し、その建物と敷地である土地が買い取られる場合、その土地の譲渡による所得が所基通33-5《極めて長期間保有していた土地に区画形質の変更等を加えて譲渡した場合の所得》の取扱いにより事業所得、雑所得又は譲渡所得に区分されるときには、譲渡所得となる部分のみに特例の適用がある。

(2) 措置法第34条の2第2項第2号に規定する公営住宅の買取りにおける土地等の買取りとは、地方公共団体が公営住宅として建物（同号に規定する附帯施設を含む。）を買い取るために必要な土地の所有権、地上権又は賃借権を取得することをいい、建物の買取りに付随しない土地等の買取りは、これには該当しない。例えば、地方公共団体が公営住宅として建物とその敷地である借地権等を買い取り、借地権等の設定されていた土地の所有者と土地等に係る賃貸借契約を締結した場合、その後に土地の所有者から底地を買い取った場合には、底地の譲渡については特例の適用はない。

　(注) 1　公営住宅法第2条第4号に規定する「附帯施設」とは、給水施設、排水施設、電気施設等のほか自転車置場、物置等の施設をいい、公営住宅法第2条第9号に規定する児童遊園、共同浴場、集会場等の「共同施設」は、同条第4号の公営住宅の買取りには含まれていない。

2　公営住宅の買取りに伴い借地権等が設定される場合の特例の適用関係については，措置法通達34-3（借地権の設定の対価についての不適用）による。

(3)　借地権等を有する者が，底地を取得した後，公営住宅として買い取られる建物に付随して旧借地権等部分と旧底地部分が買い取られる場合には，そのいずれの部分についても，特例の適用がある。

11　土地区画整理事業として行われる宅地造成事業

　一団の宅地の造成に関する事業（以下「宅地造成事業」という。）が措置法第34条の2第2項第3号ロに規定する要件に該当するかどうかの判定については，次の点に留意する（措通34の2-9）。

(1)　土地区画整理事業の施行地区内において土地等の買取りをする個人又は法人が2以上あるときは，面積要件は全体として判定するのではなく，それぞれ土地等の買取りをする個人又は法人ごとに判定する。

(2)　措置法第34条の2第2項第3号ロに規定する「土地等の買取りをする個人又は法人の有する……一団の土地」とは，同号ロに規定する土地等の買取りをする個人又は法人が土地区画整理事業の施行地区内において既に有する土地と買取りに係る土地とを併せて，これらの土地が一団の土地となっているものをいう。

(3)　造成した一の住宅の建設の用に供される宅地は，優先分譲宅地及び建物の区分所有等に関する法律第2条第1項の区分所有権の目的となる建物の建設の用に供される土地を除き，その全部が措置法令第22条の8第6項に規定する面積要件に該当するものでなければならない。

12　土地区画整理事業として行う宅地造成事業のための土地等の買取り時期

　一団の宅地の造成が措置法第34条の2第2項第3号イに規定する土地区画整理事業として行われるものである場合，土地区画整理法第4条第1項《施行の認可》，第14条第1項若しくは第3項《設立の認可》又は第51条の2第1項《施行の認可》に規定する認可の申請があった日の属する年の1月1日以後（事業の同法第2条第4項《定義》に規定する施行地区内の土地等につき措置法令第22条の8第5項に規定する仮換地の指定が行われた場合，同日以後その最初に行われた指定の効力発生の日の前日までの間）に土地等が買い取られる場合に限り特定住宅地造成事業の1,500万円控除の特例の適用がある。ただし，事業の施行地区内の土地等が仮換地

の指定が行われないで土地区画整理法第103条《換地処分》の規定による換地処分が行われる場合には，同条第4項の規定による換地処分の公告があった日以後に行われた土地等の買取りについては措置法第34条の2第2項第3号の規定に該当しない（措通34の2-13）。

13 公募の場合

(1) 公募要件

措置法第34条の2第2項第3号ハに規定する「公募の方法により行われるもの」とは，宅地造成事業により造成された宅地（公共施設（道路，公園，下水道，緑地，広場，河川，運河，水路及び消防の用に供する貯水施設をいう。）又は公益的施設（教育施設，医療施設，官公庁施設，購買施設その他の施設で，居住者の共同の福祉又は利便のために必要なものをいう。）の敷地の用に供される部分の土地を除く。）の全部が公募の方法により分譲される事業をいうことに留意する。したがって，宅地造成事業であっても，次に掲げるようなものはこれに該当しない（措通34の2-14）。

① 造成された宅地の全部又は一部の賃貸を目的とする事業
② 造成された宅地の全部又は一部を，従業員，子会社その他特定の者に譲渡することを約して行う事業

(2) 公募手続開始前の譲渡

造成された宅地を公募手続開始前に譲渡するときは，たとえその譲渡が一般需要者に対するものであり，かつ，公募後の譲渡と同一条件により行われたものであっても，公募の方法による譲渡には該当しない（措通34の2-15）。

(3) 会員を対象とする土地等の譲渡

いわゆるハウジングメイト等会員を対象として造成された宅地の譲受人を募集するものであっても，その会員の募集が公募の方法により行われるときは，公募の方法に該当する（措通34の2-16）。

また，「会員の募集が公募により行われるとき」には，一団の宅地の造成分譲を目的として，その分譲を希望する組合員，出資者等を募集する場合を含むものとするが，会員等となるに当たって縁故関係を必要とすること，入会資格に強い制約のある社交団体の会員資格を必要とすること等の場合は，これに含まれない。

14 措置法第31条の2との適用関係

その年中に措置法第34条の2第2項に規定する特定住宅地造成事業等のために買い取られる場合に該当することとなった土地等の譲渡が，同条第1項の規定を適

用する場合、措置法第31条の2第1項《優良住宅地の造成等の税率の特例》（同条第3項において準用する場合を含む。）の規定の適用はない（措通34の2-17）。

⑮ 2以上の年に譲渡している場合の措置法第34条との適用関係

措置法第34条の2第2項第1号、第6号から第11号までの規定に該当する買取りが行われた場合において買取りが同法第34条第2項第1号に掲げる場合にも該当する場合、同法第34条の2第2項第4号の規定に該当する買取りが行われた場合において買取りが同法第34条第2項各号に掲げる場合にも該当する場合及び同法第34条の2第2項第23号の規定に該当する買取りが行われた場合において買取りが同法第34条第2項第4号に掲げる場合にも該当する場合には、これらの買取りについては同条第1項の規定が適用され、同法第34条の2第1項の規定の適用はないこととされていることから、これらに該当する買取りが一の事業のために2以上の年にわたって行われた場合、最初の年の譲渡以外の譲渡については、同法第34条第1項のみならず同法第34条の2第1項の規定の適用もない（措通34の2-19）。

⑯ 「公共用施設」の範囲

措置法規則第17条の2第6項に規定する「公共用施設」とは、休憩所、集会場、駐車場、小公園、カラー舗装、街路灯などのように顧客その他の地域住民の利便の増進を図るための施設をいう。商店街振興組合等の組合事務所及び組合員が共同で使用する店舗、倉庫などのような施設は公共用施設には含まれない（措通34の2-20）。

⑰ 事業の区域の面積判定

措置法規則第17条の2第7項又は第10項に定める事業の区域の面積が1,000㎡又は300㎡以上であるかどうかは、例えば、店舗併用住宅などのように、事業の用と事業の用以外の用に供される部分とからなる建物の用に供される土地がある場合、その土地の全部が事業の区域の面積に該当するものとして判定する（措通34の2-21）。

⑱ 特定住宅地造成事業等の証明書の区分一覧表

措置法規則第17条の2第1項《特定住宅地造成事業等の証明書》に規定する書類の内容の一覧表は国税庁ホームページ（税法・通達等・質疑応答事例＞法令解釈通達＞所得税＞措置法通達＞租税特別措置法（山林所得・譲渡所得関係）の取扱いについて＞別表3）で確認できる（措通34の2-24別表3）。

2 申告にあたっての要点

1 申告要件

特定住宅地造成事業の1,500万円控除の特例を適用した場合でもなお確定申告書を提出しなければならない場合、適用を受けようとする年分の確定申告書に、措置法第34条の2第1項の適用を受ける旨を記載があり、かつ、同項の規定に該当するものとして、次の「確定申告の手続要領」に記載の書類の添付がある場合に限り適用がある（措法34の2⑤）。

2 確定申告の手続要領

> 1 「確定申告書第三表（分離課税用）」の「特例適用欄」に「措法34条の2（第）1項」と記入する。
> 2 買取業者等から交付を受けた「土地等の買取りがあったことを証する書類」
> （措法34の2⑤、34④、措規17の2）

3 確定申告書の提出がなかった場合

確定申告書若しくは第一項の修正申告書の提出がなかった場合又は必要事項の記載若しくは必要書類の添付がない確定申告書若しくは修正申告書の提出があった場合でも、提出又は記載若しくは添付がなかったことについてやむを得ない事情があると税務署長が認めるときは、必要事項を記載した書類及び財務省令で定める書類の提出があった場合に限り、特定住宅地造成事業の1,500万円控除の特例を適用することができる（措法34の2⑤、34⑤）。

事例 ……………………………………………………………… CASE STUDY
こんな場合は適用できない?!

Q 2年連続の特例適用

所有する雑種地及び宅地が「公有地の拡大の推進に関する法律」に基づいて2年にわたって市に買い取られた。1,500万円の特別控除を2年続けて適用できるか。

A

公有地の拡大の推進に関する法律に基づいて土地等を買い取られた場合には、連年適用が排除されていない（措法34の2③）。したがって、1,500万円の特別控除の連年適用ができる。

なお，1,500万円控除の特例は原則として連年適用できない。適用に当たっては十分検討する。

措置法第34条の3

7 農地保有合理化等のために農地等を譲渡した場合の譲渡所得の特別控除

　日本の農業は小規模農地の耕作を行っている零細経営が大半である。農業経営の合理化や農地保有の集約化が求められている。農地保有合理化等のために農地等を譲渡した場合の譲渡所得の特別控除（以下「農地保有合理化等の800万円控除の特例」という。）とは，農地保有の合理化等のために農地保有合理化法人等に対して農地を譲渡した場合，一定の要件の下，譲渡所得の金額から800万円の特別控除を適用することにより，税負担を緩和する特例である。

　なお，農用地区域内の農地等を農業経営基盤強化促進法の買入協議により農地保有合理化法人又は農地利用集積円滑化団体に譲渡した場合は，特定住宅地造成事業等の1,500万円控除の適用ができる（措法34の2②25）。

1 特例の適用要件

1 特例の内容

　この特例の内容は次のとおりである（措法34の3①）。

(1) 農地保有の合理化等のために農地等を譲渡したこと

　借地権の設定の対価については，所得税法施行令第79条《資産の譲渡とみなされる行為》の規定により資産の譲渡とみなされる場合であっても，適用がない（措通34-3）。

(2) 譲渡所得金額から800万円を控除される

　譲渡所得が800万円に満たない場合は，その金額が限度である。長期譲渡所得と短期譲渡所得がある場合，特別控除は短期譲渡所得から控除する（措法34の3①一）。

2 農地保有合理化等のために農地等を譲渡した場合とは

　農地保有合理化等のために農地等を譲渡した場合とは次に掲げる場合のことをいう（措法34の3②，措令22の9①）。

> ① 次のイ又はロに該当する場合（措法34の3②1，措令22の9①）
>   イ 農業振興地域の整備に関する法律（以下「農業振興地域整備法」という。）第23条に規定する勧告に係る協議，調停又はあっせんにより譲渡した場合
>   ロ 農地保有の合理化のために農地中間管理機構に農地等を譲渡した場合
> ② 農業振興地域整備法に規定する農用地区域内にある土地等を農地中間管理事業の推進に関する法律の定めるところにより譲渡した場合（措法34の3②2）
> ③ 農村地域への産業の導入の促進等に関する法律による実施計画において定められた産業導入地区内の土地等（農業振興地域の整備に関する法律に規定する農用地等及び農用地等の上に存する権利に限る。）を施設用地の用に供するため譲渡した場合（措法34の3②3）
> ④ 土地改良事業が施行された場合，土地等に係る換地処分により農用地以外の用途に供することを予定する土地に充てるための不換地等について清算金を取得するとき（措法34の3②4）
> ⑤ 林業経営の規模の拡大，林地の集団化その他林地保有の合理化に資するため，森林組合法の事業を行う森林組合又は森林組合連合会に委託して森林法の規定による地域森林計画の対象とされた山林に係る土地を譲渡した場合（措法34の3②5）
> ⑥ 農業振興地域整備法に規定する農用地等及び農用地等とすることが適当な土地等について，交換分合による清算金を取得するとき（措法34の3②6）

③ 農地保有の合理化等の証明書の区分一覧表

措置法規則第18条第2項（農地保有の合理化等の証明書）に規定する書類の内容の一覧表は国税庁ホームページ（税法・通達等・質疑応答事例＞法令解釈通達＞所得税＞措置法通達＞租税特別措置法（山林所得・譲渡所得関係）の取扱いについて＞別表5）で確認できる（措通34の3-1）。

④ 特例の適用が受けられない場合

特例の適用要件に該当している場合でも，次の特例の適用を受ける場合はこの特例を受けることができない（措法34の3①）。

> ① 特定の事業用資産の買換えの特例（措法37）
> ② 特定の事業用資産の交換の特例（措法37の4）

2 申告にあたっての要点

① 申告要件

農地保有合理化の800万円控除の特例は，適用を受けようとする年分の確定申告書に，措置法第34条の3第1項の適用を受ける旨の記載があり，かつ同項の規定に該当するものとして，次の「確定申告の手続要領」に記載した書類の添付がある

場合に限り適用がある（措法34の3③）。

2 確定申告の手続要領

> 1　「確定申告書第三表（分離課税用）」の「特例適用欄」に「措法34条の3（第）1項」と記入する。
> 2　「農地保有の合理化のために譲渡したことを証する証明書」等譲渡の態様に応じた証明書
>
> （措法34の3③，措規18）

3 確定申告書の提出がなかった場合

　確定申告書の提出がなかった場合又は必要事項の記載若しくは必要書類の添付がない確定申告書の提出があった場合，提出又は記載若しくは添付がなかったことについてやむを得ない事情があると税務署長が認めるときは，必要事項を記載した書類及び財務省令で定める書類の提出があった場合に限り，農地保有合理化の800万円控除の特例を適用することができる（措法34の3④）。

第6章
その他の特例

　この章では「居住用財産を譲渡した場合」「事業用財産を譲渡した場合」「収用により譲渡した場合」に該当しない特例をまとめた。適用事例は多くないが，国等に譲渡した場合の優良住宅地等の税率の特例は適用誤りが多くあるため注意する。

措置法第31条の2

1 優良住宅地の造成等のために土地等を譲渡した場合の長期譲渡所得の税率の特例

　優良住宅地の造成等のために土地等を譲渡した場合の長期譲渡所得の税率の特例（以下「優良住宅地の造成等の税率の特例」という。）は住宅用地放出の促進のために，一定の要件に該当する土地等の譲渡所得に対し税率を軽減するものである。分離長期譲渡所得の税率は国税15％（住民税5％）であるが，この軽減税率の特例では，2,000万円以下の部分が国税10％（住民税4％）に緩和される。

　この特例は，国又は地方公共団体等に譲渡した場合でも適用できるが，収用交換等の特例を適用した場合，併用適用できないので注意する。また，建物の譲渡益に対しても適用できない。この特例は，毎年のように改廃が行われているので適用には十分注意する。

　この特例が適用される資産を「分離長期特定資産」という。

1 特例の適用要件

1 特例の内容

　この特例は次の要件に該当する場合に適用できる（措法31の2①）。
(1) 優良住宅地の造成等や確定優良住宅地予定地のために譲渡したこと
(2) 譲渡した年の1月1日において所有期間が5年を超える土地等を譲渡したこと

2 税率

　優良住宅地の造成等の税率の特例に該当する場合の税率は，次のとおりである（措法31の2①）。

① 課税長期譲渡所得金額が2,000万円以下の場合	・課税長期譲渡所得金額×10％（住民税4％）
② 課税長期譲渡所得金額が2,000万円を超える場合	・（課税長期譲渡所得金額－2,000万円）×15％（住民税5％）＋200万円（住民税80万円）

3 特例の適用期間

1987年（昭和62年）10月1日から2022年（令和4年）12月31日までの譲渡に適用される。

4 特例の適用が受けられない場合

特例の適用要件に該当している場合でも，次の特例の適用を受ける場合はこの特例を受けることができない（措法31の2①，④）。

① 収用交換等の特例（措法33，33の2，33の3）
② 収用交換等の5,000万円控除の特例（措法33の4）
③ 特定土地区画整理事業等の2,000万円控除の特例（措法34）
④ 特定住宅地造成事業等の1,500万円控除の特例（措法34の2）
⑤ 農地保有合理化等の800万円控除の特例（措法34の3）
⑥ 居住用財産の3,000万円控除の特例（措法35①）
⑦ 相続財産の3,000万円控除の特例（措法35③）
⑧ 特定の土地等の1,000万円控除の特例（措法35の2）
⑨ 低未利用土地の100万円控除の特例（措法35の3）
⑩ 特定の居住用財産の買換えの特例（措法36の2）
⑪ 特定の居住用財産の交換の特例（措法36の5）
⑫ 特定の事業用資産の買換えの特例（措法37）
⑬ 特定の事業用資産の交換の特例（措法37の4）
⑭ 特定民間再開発事業の場合の買換等の特例（措法37の5）
⑮ 特定の交換分合の特例（措法37の6）
⑯ 特定普通財産と隣接土地等の交換の特例（措法37の8）

5 優良住宅地の造成等のための譲渡とは

優良住宅地の造成等のための譲渡とは次のことをいう。なお申告に必要な証明書については措置法規則条文のみを記した。

(1) 国，地方公共団体等に対する土地等の譲渡

　イ　国，地方公共団体に対する土地等の譲渡（措法31の2②1，措令20の2①1，措規13の3①1イ）

　ロ　地方道路公社，独立行政法人鉄道建設・運輸施設整備支援機構，独立行政法人水資源機構，成田国際空港株式会社，東日本高速道路株式会社，首都高速道路株式会社，中日本高速道路株式会社，西日本高速道路株式会社，阪神高速道路株式会社又は本州四国連絡高速道路株式会社に対する土地等の譲渡で，これらの法人の行う土地収用法等に基づく収用の対償に充てられるもの（措法31の2②1，措令20の2①2，措規13の3①1ロ）

(2) 宅地等の供給又は土地の先行取得業務のための譲渡

　次に掲げる法人で，宅地若しくは住宅の供給又は土地の先行取得の業務を行うことを目的とする土地等の譲渡で，業務を行うために直接必要であると認められるもの（措法31の2②2，措令20の2②1）。

　　イ　独立行政法人都市再生機構，土地開発公社（特定の土地等の譲渡に該当するものを除く。），成田国際空港株式会社，独立行政法人中小企業基盤整備機構，地方住宅供給公社及び日本勤労者住宅協会（措令20の2②1，措規13の3①2イ）

　　ロ　公益社団法人（社員総会における議決権の全部が地方公共団体により保有されているものに限る。）又は公益財団法人（拠出をされた金額の全額が地方公共団体により拠出をされているものに限る。）のうち次の要件を満たすもの（措令20の2②2，措規13の3①2ロ）。

　　　a　宅地若しくは住宅の供給又は土地の先行取得の業務を主たる目的とすること。

　　　b　地方公共団体の管理の下に上記aの業務を行っていること。

　　ハ　幹線道路の沿道の整備に関する法律に掲げる業務を行う沿道整備推進機構（公益社団法人（社員総会における議決権の総数の2分の1以上の数が地方公共団体により保有されているものに限る。）又は公益財団法人（設立当初において拠出をされた金額の2分の1以上の金額が地方公共団体により拠出をされているものに限る。）であつて，その定款に，法人が解散した場合に残余財産が地方公共団体又は類似の目的をもつ他の公益を目的とする事業を行う法人に帰属する旨の定めがあるものに限る。）（措令20の2②3，措規13の3①2ハ）

　　ニ　密集市街地における防災街区の整備の促進に関する法律に規定する防災街区整備推進機構（公益社団法人又は公益財団法人で，その法人が解散した場合にその残余財産が地方公共団体又は法人と類似の目的をもつ他の公益を目的とする事業を行う法人に帰属する旨の定めがあるものに限る。）（措令20の2②4，措規13の3①2ニ）

　　ホ　中心市街地の活性化に関する法律に規定する中心市街地整備推進機構（公益社団法人又は公益財団法人で，その法人が解散した場合に残余財産が地方公共団体又は法人と類似の目的をもつ他の公益を目的とする事業を行う法人に帰属する旨の定めがあるものに限る。）（措令20の2②5，措規13の3①2ホ）

　　ヘ　都市再生特別措置法規定する都市再生推進法人（公益社団法人又は公益財団

法人で，法人が解散した場合にその残余財産が地方公共団体又は法人と類似の目的をもつ他の公益を目的とする事業を行う法人に帰属する旨の定めがあるものに限る。）（措令20の2②6，措規13の3①2ヘ）

(3) **土地開発公社に対する譲渡**

　土地開発公社に対する次に掲げる土地等の譲渡で，土地等が，独立行政法人都市再生機構が施行するそれぞれ次に定める事業の用に供されるもの（措法31の2②2の2，措規13の3①2の2）

　　イ　被災市街地復興特別措置法第5条第1項の規定により都市計画に定められた被災市街地復興推進地域内にある土地等

　　　同法による被災市街地復興土地区画整理事業

　　ロ　被災市街地復興特別措置法第21条に規定する住宅被災市町村の区域内にある土地等

　　　都市再開発法による第二種市街地再開発事業

(4) **収用交換等による譲渡**

　土地等の譲渡で租税特別措置法第33条の4第1項に規定する収用交換等によるもの（(1)～(3)又は都市再開発法による市街地再開発事業の施行者である再開発会社に対するその再開発会社の株主又は社員である個人の有する土地等の譲渡は除く）（措法31の2②3，措令20の2③，措規13の3①3）。

(5) **第一種市街地再開発事業の施行者に対する譲渡**

　都市再開発法による第一種市街地再開発事業の施行者に対する土地等の譲渡で，事業の用に供されるもの（(1)～(4)又は都市再開発法による市街地再開発事業の施行者である再開発会社に対するその再開発会社の株主又は社員である個人の有する土地等の譲渡に該当するものは除く）（措法31の2②4，措令20の2③，措規13の3①4）。

(6) **防災街区整備事業の施行者に対する譲渡**

　密集市街地における防災街区の整備の促進に関する法律による防災街区整備事業の施行者に対する土地等の譲渡で，事業の用に供されるもの（(1)～(4)又は防災街区整備事業の施行者である事業会社に対する事業会社の株主又は社員である個人の有する土地等の譲渡に該当するものは除く。）（措法31の2②5，措令20の2④，措規13の3①5）。

(7) **認定建替計画事業の認定事業者に対する譲渡**

　密集市街地における防災街区の整備の促進に関する法律に規定する防災再開発促

進地区の区域内における認定建替計画に係る建築物の建替えを行う事業の認定事業者に対する土地等の譲渡で，事業の用に供されるもの（(2)～(6)又は政令で定める譲渡に該当するものは除く）（措法31の2②6，措令20の2⑥，措規13の3①6）。

(8) 都市再生事業の認定事業者に対する譲渡

都市再生特別措置法第25条に規定する認定計画に係る都市再生事業（認定計画に定められた建築物の建築がされること，その事業の施行される土地の区域の面積が1ヘクタール（ha）以上であることその他次の要件を満たすものに限る。）の認定事業者（認定計画に定めるところにより認定事業者と区域内の土地等の取得に関する協定を締結した独立行政法人都市再生機構を含む。）に対する土地等の譲渡で，都市再生事業の用に供されるもの（(2)～(7)に掲げる譲渡を除く。）（措法31の2②7，措令20の2⑦，措規13の3③）。

イ その事業の認定計画において建築物（建築面積が1,500㎡以上のものに限る。）の建築をすることが定められていること。

ロ その事業の施行される土地の区域の面積が1ha（事業が都市再生特別措置法施行令第7条第1項ただし書に規定する場合に該当する場合は，0.5ha）以上であること。

ハ 都市再生特別措置法第2条第2項に規定する公共施設の整備がされること。

(9) 特定事業等を行う者に対する譲渡

国家戦略特別区域法第11条第1項に規定する認定区域計画に定められている特定事業又は特定事業の実施に伴い必要となる施設を整備する事業（産業の国際競争力の強化又は国際的な経済活動の拠点の形成に特に資するものに限る。）を行う者に対する土地等の譲渡で，譲渡された土地等がこれらの事業の用に供されるもの（(2)から(8)までに掲げる譲渡に該当するものを除く。）（措法31の2②8，措規13の3④）。

(10) 所有者不明土地利用の地域福利増進事業者に対する譲渡

所有者不明土地の利用の円滑化等に関する特別措置法の裁定に係る事業者に対する次に掲げる土地等の譲渡（裁定後に行われるものに限る。）（(1)から(3)又は(5)から(9)までに掲げる譲渡を除く。）（措法31の2②8の2，措令20の2⑧，措規13の3①8の2）。

イ 特定所有者不明土地又は特定所有者不明土地の上に存する権利

ロ 裁定申請書に添付された事業計画書の特定所有者不明土地以外の土地又は土地の上に存する権利

⑾　マンションの建替事業の施行者に対する譲渡

　マンションの建替事業として次に該当するもの（措法31の2②9，措令20の2⑨）。

　　イ　マンションの建替え等の円滑化に関する法律（以下「マンション建替法」という。）第15条第1項若しくは第64条第1項若しくは第3項の請求若しくは同法第56条第1項の申出に基づくマンション建替事業（同法第2条第1項第4号に規定するマンション建替事業をいい，良好な居住環境の確保に資するものとして施行再建マンションの住戸の規模及び構造が国土交通大臣が財務大臣と協議して定める基準に適合するものに限る。）の施行者に対する土地等の譲渡（⑺から⑽までに掲げる譲渡に該当するものを除く。）（措規13の3①9イ）

　　ロ　マンション建替法第2条第1項第6号に規定する施行マンションが政令で定める建築物に該当し，かつ，同項第7号に規定する施行再建マンションの延べ面積が施行マンションの延べ面積以上であるマンション建替事業の施行者に対する土地等（同法第11条第1項に規定する隣接施行敷地に限る。）の譲渡で，土地等がこれらのマンション建替事業の用に供されるもの（⑺から⑽までに掲げる譲渡に該当するものを除く。）（措規13の3①9ロ）

⑿　マンション敷地売却事業者に対する譲渡

　マンション建替法に基づき土地等を譲渡する場合で次の要件に該当するもの（措法31の2②10，措規13の3⑤，措規13の3①10）。

　　イ　マンション建替法第124条第1項の請求に基づく同法第2条第1項第9号に規定するマンション敷地売却事業（同法第113条に規定する認定買受計画に，同法第109条第1項に規定する決議特定要除却認定マンションを除却した後の土地に新たに建築されるマンション（良好な居住環境を備えたものとしてマンションのその住戸の規模及び構造について国土交通大臣が財務大臣と協議して定める基準に適合するものに限る。）に関する事項，その土地において整備される道路，公園，広場その他の公共の用に供する施設に関する事項その他の財務省令で定める事項の記載があるものに限る。）を実施する者に対する土地等の譲渡。

　　ロ　マンション敷地売却事業に係る同法第141条第1項の認可を受けた分配金取得計画（同法第145条において準用する分配金取得計画の変更に係る認可を受けた場合には，その変更後のもの）に基づくマンション敷地売却事業を実施する者に対する土地等の譲渡で，これらの譲渡に係る土地等がこれらのマンショ

ン敷地売却事業の用に供されるもの。

(13) **優良建築物の建築をする事業を行う者に対する譲渡**

　建築面積が150㎡以上である建築物の建築をする事業を行う者に対する土地等の譲渡で、次の要件を満たし事業の用に供されるもの（(7)から(11)又は(15)から(18)に掲げる譲渡に該当するものを除く）（措法31の2②11、措令20の2⑫、措規13の3⑥）。

　イ　建築物の建築をする事業の施行される土地の区域（以下「施行地区」という。）の面積が500㎡以上であること。
　ロ　事業の施行地区内に都市施設が確保されていること。
　ハ　次の算式の空地率以上の空地が確保されていること。
　　　（1－建ぺい率）＋1/10
　ニ　事業の施行地区内の土地の高度利用に寄与するものとして土地の所有者または借地権者の数が2以上であること。
　ホ　都市計画法第7条第1項の市街化区域と定められた区域又は区域区分に関する都市計画が定められていない同法第4条第2項に規定する都市計画区域のうち、同法第8条第1項第1号に規定する用途地域が定められている区域内の土地等であること。

(14) **中高層の耐火建築物の建築をする事業者に対する譲渡**

　地上階数4以上の中高層の耐火建築物の建築をする政令で定める事業を行う者に対する措置法第37条第1項の表の第1号に規定する既成市街地又はこれに類する地区内にある土地等の譲渡で、次の要件を満たし事業の用に供されるもの（(6)～(9)、(10)、(12)～(16)に掲げる譲渡に該当するものを除く）（措法31の2②12、措令20の2⑭⑮、措規13の3⑦）。

　イ　事業の施行地区の面積が1000㎡以上（事業が認定再開発事業である場合には、500㎡以上）であること。
　ロ　事業の施行地区内に都市施設の用に供される土地又は建築基準法施行令に規定する空地が確保されていること。
　ハ　事業の施行地区内の土地の高度利用に寄与するものとして土地の所有者または借地権者の数が2以上であること。

(15) **開発許可を受けて一団の宅地の造成を行う者に対する譲渡**

　開発許可を受けて住宅建設の用に供される一団の宅地の造成を行う者に対する土地等の譲渡で、一団の宅地の用に供されるもの（(7)から(10)に掲げる譲渡に該当するものを除く）（措法31の2②13、措令20の2⑯、措規13の3⑪13）。

イ　一団の宅地の面積が1,000㎡（面積が1,000㎡未満である区域内の一団の宅地の面積場合500㎡）以上のものであること。
　ロ　一団の宅地の造成が開発許可の内容に適合して行われると認められるものであること。

(16)　**開発許可を要しない住宅地造成事業のための譲渡**

　宅地の造成に開発許可を要しない場合において住宅建設の用に供される一団の宅地の造成を行う者に対する土地等の譲渡で，一団の宅地の用に供されるもの（(7)から(10)に掲げる譲渡又は政令で定める譲渡に該当するものは除く）（措法31の2②14，措令20の2⑰，⑱，⑲，措規13の3①14）。

　イ　一団の宅地の面積が1,000㎡（三大都市圏の特定市町村の市街化区域内で土地区画整理事業として行われる場合は500㎡）以上のものであること。
　ロ　都市計画法第4条第2項に規定する都市計画区域内において造成されるものであること。
　ハ　一団の宅地の造成が，住宅建設の用に供される優良な宅地の供給に寄与するものであると都道府県知事の認定を受けて行われ，かつ，認定の内容に適合して行われると認められるものであること。

(17)　**一団の住宅又は中高層の耐火共同住宅の建設のための譲渡**

　一団の住宅又は中高層の耐火共同住宅の建設を行う個人又は法人に対する土地等の譲渡で，一団の住宅又は中高層の耐火共同住宅の用に供されるもの（(6)～(9)又は(12)～(14)に掲げる譲渡に該当するものを除く）（措法31の2②15，措令20の2⑳，措規13の3⑧）。

　イ　一団の住宅の場合，建設される住宅の戸数が25戸以上のものであること。
　ロ　中高層の耐火共同住宅の場合，住居の用途に供する独立部分15戸以上のものであること又は床面積が1,000㎡以上のものであること。
　ハ　都市計画区域内において建設されるものであること。
　ニ　一団の住宅又は中高層の耐火共同住宅の建設が優良な住宅の供給に寄与するものであることについて都道府県知事（中高層の耐火共同住宅でその用に供される土地の面積が1,000㎡未満のものにあっては，市町村長）の認定を受けたものであること。
　ホ　耐火建築物又は準耐火建築物であること。
　ヘ　地上階数3以上の建築物であること。
　ト　床面積の4分の3以上に相当する部分が専ら居住の用（居住の用に供される

部分に係る廊下，階段その他その共用に供されるべき部分を含む。）に供されるものであること。
　　チ　住居の用途に供する独立部分の床面積が50㎡（寄宿舎の場合18㎡以上）以上200㎡以下のものであること。

(18) **仮換地が指定された地域の住宅等建設のための譲渡**
　　住宅又は中高層の耐火共同住宅（次に掲げる要件を満たすものに限る。）の建設を行う個人又は法人に対する土地等（土地区画整理法第2条第4項に規定する施行地区内の土地等で同法第98条第1項の規定による仮換地の指定がされたものに限る。）の譲渡のうち，指定の効力発生の日（同法第99条第2項の規定により使用又は収益を開始することができる日が定められている場合には，その日）から3年を経過する日の属する年の12月31日までの間に行われるもので，譲渡をした土地等につき仮換地の指定がされた土地等が住宅又は中高層の耐火共同住宅の用に供されるもの（措法31の2②16，措令20の2㉒）。
　　イ　住宅の場合，床面積が50㎡以上200㎡以下のもの及び住宅の用に供される土地等の面積が100㎡以上500㎡以下のものであること（(7)から(11)又は(15)から(17)に掲げる譲渡に該当するものを除く）。
　　ロ　中高層の耐火共同住宅にあっては，次の要件を満たすものであること。
　　　a　耐火建築物又は準耐火建築物であること。
　　　b　地上階数3以上の建築物であること。
　　　c　床面積の4分の3以上に相当する部分が専ら居住の用（居住の用に供される部分に係る廊下，階段その他その共用に供されるべき部分を含む。）に供されるものであること。
　　　d　住居の用途に供する独立部分の床面積が50㎡（寄宿舎の場合18㎡以上）以上200㎡以下のものであること。

6　**確定優良住宅地等予定地のための譲渡**
(1) **確定優良住宅地等予定地のための譲渡とは**
　　確定優良住宅地等予定地のための譲渡とは，宅地の造成又は住宅の建設を行う業者に対する土地等の譲渡で，その譲渡の日から2年を経過する日の属する12月31日までの期間内（以下「予定期間」という。）に優良住宅地等のための，上記5(15)から(18)までに掲げる土地等の譲渡の要件に該当することが確実である場合のことをいう（措法31の2③，措令20の2㉓，㉔，㉕）。

(2) 「確定優良住宅地等予定地のための譲渡の特例期間」の判定

　措置法令第20条の2第23項から第25項までの規定による確定優良住宅地予定地のための譲渡の特例期間の判定は，措置法第31条の2第2項第12号に規定する「一団の宅地の造成を行う個人又は法人」，同項第13号若しくは第14号に規定する「住宅建設の用に供される一団の宅地の造成を行う個人又は法人」又は同項第15号若しくは第16号に規定する「住宅又は中高層の耐火共同住宅の建設を行う個人又は法人」が措置法規則第13条の3第11項の規定により税務署長に提出した事業概要書等により行うことに留意する。

　したがって，土地区画整理法による土地区画整理事業として行われる住宅建設の用に供される一団の宅地の造成事業にあっては，造成事業として国土交通大臣から最初に証明を受けた日から2年を経過する日の属する年の12月31日までに事業計画を変更して，新たに国土交通大臣の証明を受けた場合には，変更後における住宅建設の用に供される一団の宅地の造成事業の事業概要書に基づき特例期間の判定を行うこととなる。

　なお，措置法令第20条の2第23項第3号に規定する「住居の用途に供する独立部分が50以上のもの」であるかどうかの判定は，建設される一棟の中高層の耐火共同住宅により行うことに留意する。

　措置法令第20条の2第24項又は第25項に規定する「確定優良住宅地造成等事業につき開発許可等を受けることができると見込まれる日として所轄税務署長が認定した日」は，一の事業ごとに一定の日を税務署長が判定することになること，及び認定した日の属する年の12月31日までの期間内に開発許可等を受けることができなかった確定優良住宅地造成等事業を行う個人又は法人に対する土地等の譲渡については，その全部が措置法第31条の2第2項第13号から第16号までに掲げる土地等の譲渡に該当しないこととなるから，同条第3項の規定の適用を受けた者は同条第8項の規定により修正申告書を提出しなければならない（措通31の2-28）。

(3) 確定優良住宅地等予定地のための譲渡が優良住宅地等のための譲渡に該当することとなった場合の証明書類

　措置法第31条の2第3項に規定する確定優良住宅地等予定地のための譲渡に係る土地等の買取りをした個人又は法人は，譲渡が同項に規定する期間内に同条第2項第13号から第16号までに掲げる土地等の譲渡に該当することとなった場合，同条第5項の規定により同条第3項の規定の適用を受けた者に対して，措置法規則第13条の3第1項第13号から第16号までに掲げる書類（既に交付しているものを除

く。）を交付しなければならないこととされているが，この場合には同規則第13条の3第2項の規定の適用はないことに留意する（措通31の2-29）。

7 地方道路公社等に対する土地等の譲渡

措置法第31条の2第2項第1号に規定する「その他これらに準ずる法人に対する土地等の譲渡」とは，措置法令第20条の2第1項第2号に掲げる法人（以下「特定法人」という。）に対する土地等の譲渡で，特定法人が行う措置法第33条第1項第1号に規定する土地収用法等に基づく収用（同項第2号の買取り及び同条第4項第1号の使用を含む。）の対価に充てられるものをいうから，特定法人が収用に係る事業の施行者に代わり土地等を買い取った場合には，優良住宅地の造成等のための税率の特例に該当しない（措通31の2-1）。

8 収用対償地の買取りに係る契約方式

次に掲げる方式による契約に基づいて，土地収用法等に基づく収用の対価に充てられることとなる土地等（以下「代替地」という。）が特定法人に買い取られる場合は，「収用の対価に充てられる土地等の譲渡」に該当する。ただし，代替地の譲渡について措置法第34条の2の規定を適用する場合，優良住宅地の造成等の税率の特例は適用できない（措通31の2-2）。

(1) 特定法人，収用により譲渡する土地等（以下「事業用地」という。）の所有者及び代替地の所有者の三者が，次に掲げる事項を約して契約を締結する方式
　　イ　代替地の所有者は，特定法人に代替地を譲渡すること。
　　ロ　事業用地の所有者は，特定法人に事業用地を譲渡すること。
　　ハ　特定法人は，代替地の所有者に対価を支払い，事業用地の所有者には代替地を譲渡するとともに事業用地の所有者に支払うべき補償金等（事業用地の譲渡に係る補償金又は対価に限る。）の額から代替地の所有者に支払う対価の額を控除した残額を支払うこと。

　代替地の譲渡について「収用の対価に充てられる土地等の譲渡」に該当するのは，代替地のうち事業用地の所有者に支払われるべき事業用地の譲渡の補償金又は対価に相当する部分に限られる。例えば，この契約方式に基づいて特定法人が取得する代替地であっても事業用地の上にある建物に対して支払われるべき移転補償金に相当する部分には優良住宅地の造成等のための税率の特例の適用がない。

(2) 特定法人と事業用地の所有者が次に掲げる事項を約して契約を締結する方式
　　イ　事業用地の所有者は，特定法人に事業用地を譲渡し，代替地の取得を希望する旨の申出をすること。

ロ　特定法人は，事業用地の所有者に代替地の譲渡を約すとともに，事業用地の所有者に補償金等を支払うこと。ただし，補償金等の額のうち代替地の価額に相当する金額については特定法人に留保し，代替地の譲渡の際にその対価に充てること。

⑨　収用対償地が農地等である場合

　特定法人が行う土地収用法等に基づく収用の対価に充てる土地等が農地又は採草放牧地（以下「農地等」という。）であるため，特定法人，事業用地の所有者及び農地等の所有者の三者が，次に掲げる事項を内容とする契約を締結し，農地等の所有者が農地等を譲渡した場合には，「収用の対価に充てられる土地等の譲渡」に該当する。ただし，代替地の譲渡について，特定住宅地造成事業等の1,500万円控除の特例を適用する場合，優良住宅地の造成等の税率の特例は適用できない（措通31の2-3）。

(1)　農地等の所有者は，収用の事業用地を譲渡した者に，その農地等を譲渡すること。

(2)　特定法人は，農地等の所有者に譲渡の対価を直接支払うこと。

　上記契約方式における農地等の譲渡について「収用の対価に充てられる土地等の譲渡」に該当するのは，農地等のうち事業用地の所有者に支払われるべき事業用地の譲渡に係る補償金又は対価のうち，農地等の譲渡の対価として特定法人から農地等の所有者に直接支払われる金額に相当する部分に限られる。

⑩　独立行政法人都市再生機構等に対する土地等の譲渡

　独立行政法人都市再生機構，土地開発公社又は措置法令第20条の2第2項に掲げる法人に対して土地等を譲渡した場合の優良住宅地の造成等の税率の特例の適用については，次による（措通31の2-4）。

(1)　措置法第31条の2第2項第2号に規定する「当該譲渡に係る土地等が当該業務を行うために直接必要であると認められるもの」とは，独立行政法人都市再生機構，土地開発公社又は措置法令第20条の2第2項に掲げる法人に対する次の土地等の譲渡をいう。その法人に対する土地等の譲渡であっても，例えば，法人が職員宿舎の敷地の用として取得する土地等は該当しない。

　イ　宅地又は住宅の供給業務を行う法人により宅地又は住宅の用に供するために取得されるもの

　ロ　土地の先行取得の業務を行う法人により先行取得の業務として取得されるもの

土地の先行取得の業務とは，国又は地方公共団体等が将来必要とする公共施設又は事業用地等を国又は地方公共団体等に代わって取得することを業務の範囲としている法人が行う業務をいう。例えば，土地開発公社にあっては，公有地の拡大の推進に関する法律第17条第1項第1号イからハ，ホ及び第3号（第1号ロ，ハ及びホの業務に附帯する業務に限る。）に掲げる業務をいうのであるから，公共施設用地等の取得に際してその対償地を取得することも先行取得の業務に該当する。

　(2)　独立行政法人都市再生機構又は地方住宅供給公社が措置法第34条第2項第1号《特定土地区画整理事業等のために土地等を譲渡した場合の譲渡所得の特別控除》に規定する宅地の造成，共同住宅の建設又は建築物及び建築敷地の整備に関する事業の用に供するために取得する土地等は「当該業務を行うために直接必要であると認められるもの」に該当する。

11　収用交換等による譲渡

　措置法第31条の2第2項第3号に規定する「土地等の譲渡で第33条の4第1項に規定する収用交換等によるもの」とは，譲渡が同法第33条第1項各号《収用等に伴い代替資産を取得した場合の課税の特例》又は同法第33条の2第1項各号《交換処分等に伴い資産を取得した場合の課税の特例》の規定に該当する場合をいう。したがって，譲渡が措置法第33条の4第3項各号に掲げる場合に該当する場合であっても，その譲渡は同法第31条の2第2項第3号に該当する。

　ただし，措置法第33条，第33条の2又は第33条の4の規定を適用する場合には，この特例は適用できない（措通31の2-5）。

12　建築物の「敷地面積」の意義

　措置法令第20条の2第5項第1号に規定する認定建替計画に定められた新築する建築物の「敷地面積」とは，原則として，新築する一棟の建築物の敷地面積をいう。ただし，附属建築物がある場合には，敷地面積は，新築する主たる建築物と附属建築物との敷地の用に供される土地等の面積による（措通31の2-6）。

13　建築物の「建築面積」の意義

　措置法第31条の2第2項第11号に規定する建築物の「建築面積」は，建築基準法施行令第2条第1項第2号に規定する建築面積をいい，建築面積が150㎡以上であるかどうかの判定は，建築物一棟ごとの建築面積により行うものとする。

　建築面積が150㎡以上であるかどうかの判定に当たっては，住宅に附属する車庫など主たる建築物の維持，又はその効用を果すために必要と認められる附属建築物がある場合であっても，主たる建築物の建築面積により行う（措通31の2-7）。

14 建築物の建築をする事業の施行地区の面積要件等

　措置法第31条の2第2項第11号に規定する建築物の建築をする事業の施行される土地の区域（以下「施行地区」という。）の面積とは、原則として、事業により建築される一棟の建築物の敷地の用に供される土地等の面積をいう。ただし、附属建築物がある場合には、施行地区の面積は、事業により建築される主たる建築物と附属建築物との敷地の用に供される土地等の面積による。

　措置法令第20条の2第12項第2号ロに規定する「建築面積の敷地面積に対する割合」を求める場合における建築面積は、主たる建築物の建築面積と附属建築物の建築面積の合計面積により、敷地面積は、建築基準法施行令第2条第1項第1号に規定する敷地面積によることに留意する（措通31の2-8）。

15 建築事業を行う者が死亡した場合

　措置法第31条の2第2項第11号に規定する建築物の建築をする事業を行う者が建築工事の完了前に死亡した場合であっても、その死亡前に設計図などにより建築計画が具体的に確定しており、かつ、その死亡した者の相続人が計画に従って建築を行う場合、その相続人を、同号に規定する建築物の建築をする事業を行う者として、死亡した者に対する土地等の譲渡について優良住宅地の造成等の税率の特例を適用することができる。

　措置法第31条の2第2項第11号に規定する建築物の建築をする事業を行う者が、建築物の建築工事完了前に建築事業の施行地を譲渡した場合、その者に対する土地等の譲渡についてはこの特例の適用ができない（措通31の2-9）。

16 建築物を2以上の者が建築する場合

　措置法第31条の2第2項第11号に規定する建築物の建築をする事業を行う者又は同項第16号に規定する住宅若しくは中高層の耐火共同住宅の建設を行う個人若しくは法人が2以上ある場合、特例の適用についての留意事項並びに同条第2項第10号及び第16号に規定する要件の判定は、次による（措通31の2-10）。

① 事業を行う者又は建設を行う個人若しくは法人が2以上ある場合であっても、これらの者に対する土地等の譲渡について同条第1項の規定の適用があるが、土地等のうち所得税基本通達33-15の2《共同建築の場合の借地権の設定》の(2)の取扱いによりその土地等を買い受けた者によって土地等の貸付けが行われたものとされる部分については、同項の規定の適用はないことに留意する。ただし、その貸付けが使用貸借に基づく場合にはこの限りではない。

② 措置法第31条の2第2項第11号に規定する建築物の建築面積要件及び施行

地区の面積要件の判定は，事業を行う者が2以上ある場合であっても，建築物の建築面積及び当該事業の施行地区の面積の全体により行うものとする。
③　措置法第31条の2第2項第16号イに規定する住宅の床面積要件及び敷地面積要件の判定は，建設を行う個人又は法人が2以上ある場合であっても，土地等の面積の全体により行うものとする。

17　開発許可を受けた者が有する宅地造成区域内の土地等の譲渡についての特例の不適用

　　措置法第31条の2第2項第13号に規定する宅地の造成を都市計画法第29条第1項の許可（同法第4条第2項に規定する都市計画区域内において行われる同条第12項に規定する開発行為に係るものに限る。以下「開発許可」という。）を受けて行う個人又は法人は，同法第44条又は第45条に規定する開発許可に基づく地位の承継（以下「開発許可に基づく地位の承継」という。）があった場合，開発許可に基づく地位の承継に係る被承継人である個人若しくは法人，又は開発許可に基づく地位の承継をした個人若しくは法人をいう。開発許可に基づく地位の承継に係る被承継人である個人が，開発許可に係る宅地造成事業の施行地域内に有する土地等を開発許可に基づく地位の承継をした個人又は法人に譲渡した場合の土地等の譲渡については，優良住宅地の造成等の税率の特例の適用はない（措通31の2-13）。

18　宅地の造成等を行う個人又は法人

　　措置法第31条の2第2項第11号に規定する建築物の建築，同項第13号若しくは第14号に規定する宅地の造成又は同項第15号若しくは第16号に規定する住宅若しくは中高層の耐火共同住宅の建設を行う個人又は法人には，建築物の建築，宅地の造成又は住宅若しくは中高層の耐火共同住宅の建設を事業として行っていない個人又は法人も含まれる。したがって，例えば，同項第16号に規定する住宅又は中高層の耐火共同住宅の建設を行う個人又は法人には，その建設する住宅又は中高層の耐火共同住宅をその個人の住宅の用又はその法人の従業員の宿舎の用などに使用する場合における個人又は法人も含まれる（措通31の2-14）。

19　「住宅建設の用に供される一団の宅地の造成」の意義

　　措置法第31条の2第2項第13号又は第14号に規定する「住宅建設の用に供される一団の宅地の造成」とは，公共施設及び公益的施設（教育施設，医療施設，官公庁施設，購買施設その他の施設で，居住者の共同の福祉又は利便のために必要なものをいう。）の敷地の用に供される部分の土地を除き，事業の施行地域内の土地の全部を住宅建設の用に供する目的で行う一団の宅地の造成をいう。したがって，開

発許可を受けて行われる宅地の造成が，例えば，住宅地の造成と工業団地の造成とである場合の造成を行う者に対する土地等の譲渡については，優良住宅地の造成等の税率の特例の適用はない（措通31の2-15）。

開発許可を受けて住宅地の造成と工業団地の造成とが行われた場合，造成された住宅地に措置法第31条の2第2項第15号に規定する「一団の住宅又は中高層の耐火共同住宅」が建設される場合であっても，同号の規定の適用はない。

20 「一団の宅地の面積」の判定

措置法第31条の2第2項，第13号イ又は第14号イに規定する「一団の宅地の面積」の判定は，開発許可を要するものについては開発許可の申請時，土地区画整理法による土地区画整理事業については事業の施行に係る認可時，開発許可を要しないものについては都道府県知事に対する優良宅地の認定申請時の面積により行うほか，次の点に留意する（措通31の2-16）。

① 宅地造成事業がその施行者を異にして隣接する地域において施行される場合の「一団の宅地の面積」の判定は，宅地造成される土地の全体の面積により行うのではなく，事業の施行者ごとに行うこと。

② 宅地造成事業の施行者が取得した土地と事業の施行者が他の者から造成を請け負った土地とを一括して宅地造成する場合の「一団の宅地の面積」の判定は，宅地造成される土地の全体の面積により行うのではなく，事業の施行者が所有する土地の面積のみで行うこと。

③ 宅地造成事業の施行地域内に公共施設又は公益的施設を設置する場合の「一団の宅地の面積」の判定は，施設の敷地の用に供される土地を含めて行うこと。

④ 一団の土地のうちに所得税基本通達33-6の6（法律の規定に基づかない区画形質の変更に伴う土地の交換分合）又は33-6の7（宅地造成契約に基づく土地の交換等）の定めにより譲渡がなかったものとして取り扱う土地がある場合の「一団の宅地の面積」の判定は，譲渡がなかったものとして取り扱う部分の土地を除いて行うこと。

21 「土地区画整理法に規定する組合員である個人又は法人」の意義

措置法規則第13条の3第1項第14号に規定する「土地区画整理法第2条第3項に規定する施行者又は同法第25条第1項に規定する組合員である個人又は法人」には，土地区画整理法による土地区画整理事業として行われる住宅建設の用に供される一団の宅地の造成事業について，措置法第31条の2第3項に規定する確定優良住宅地等予定地のための土地等の買取りに該当する事業である旨の国土交通大臣

の証明を受けた者で，土地区画整理事業の施行認可や土地区画整理組合の設立認可前における土地区画整理法第2条第3項に規定する施行者又は同法第25条第1項に規定する組合員となることが確実と認められる個人又は法人が含まれる（措通31の2-17）。

22　国土交通大臣の証明の日前に土地等を譲渡した場合

土地区画整理法による土地区画整理事業として行われる住宅建設の用に供される一団の宅地の造成事業を行う土地区画整理法第2条第3項に規定する施行者又は同法第25条第1項に規定する組合員である個人又は法人に対して，国土交通大臣の証明の日前に土地等を譲渡した場合，その買取者は，措置法規則第13条の3第1項第14号に規定する買取者の要件を満たさないこととなるので，土地等の譲渡については措置法第31条の2第3項の規定の適用はない（措通31の2-18）。

23　「住宅又は中高層の耐火共同住宅」の建設を行う者

措置法第31条の2第2項第15号に規定する「住宅又は中高層の耐火共同住宅」は，住宅又は中高層の耐火共同住宅を建設するために土地等を買い取った個人（建設を行う個人の死亡により建設に関する事業を承継した相続人又は包括受遺者が建設を行う場合には，死亡した個人又は相続人若しくは包括受遺者）又は法人（建設を行う法人の合併による消滅により建設に関する事業を引き継いだ合併法人が建設を行う場合には，合併により消滅した法人又は合併法人とし，建設を行う法人の分割により建設に関する事業を引き継いだ分割に係る同条第12号の3に規定する分割承継法人が建設を行う場合には分割をした法人又は分割承継法人）が建設した住宅，又は中高層の耐火共同住宅に限られる（措通31の2-19）。

24　「住居の用途に供する独立部分」及び「床面積」の判定

措置法第31条の2第2項第15号ロに規定する「中高層の耐火共同住宅にあっては住居の用途に供する独立部分（建物の区分所有等に関する法律第2条第1項に規定する建物の部分に相当するものをいう。）が15以上」又は「中高層の耐火共同住宅の床面積が1,000㎡以上」であるかどうかの判定は，中高層の耐火共同住宅の一棟ごとの独立部分の戸数又は一棟ごとの床面積により行う（措通31の2-20）。

25　換地処分後の土地等の譲渡

土地区画整理事業の施行に伴い，土地区画整理法第98条第1項《仮換地の指定》の規定による仮換地の指定（仮に使用又は収益をすることができる権利の目的となるべき土地又はその部分の指定を含む。）があり，かつ，指定の効力発生の日（同法第99条第2項《仮換地の指定の効果》の規定により使用又は収益を開始するこ

とができる日が定められた場合には，その日）から3年を経過する日の属する年の12月31日までの間に換地処分が行われた場合，換地処分により取得した土地等をその取得の日から期間の末日までの間に措置法第31条の2第2項第16号に規定する住宅又は中高層の耐火共同住宅の建設を行う個人又は法人に譲渡したとき（譲渡した土地等が住宅又は中高層の耐火共同住宅の用に供される場合に限る。）は，同号に掲げる土地等の譲渡に該当するものとして取り扱う（措通31の2-21）。

26 住宅の床面積等

措置法第31条の2第2項第16号に規定する住宅又は中高層の耐火共同住宅が2棟以上建設される場合，同号に規定する要件に該当するかどうかの判定については，次による（措通31の2-22）。

(1) 措置法令第20条の2第22項に定める住宅の床面積及び住宅の用に供される土地等の面積要件については，次の点に留意する。

イ 住宅の床面積が200㎡以下50㎡以上であるかどうかの判定は，一棟の家屋ごとに行うが，一棟の家屋で，その構造上区分された数個の部分を独立して住居の用途に供することができるものの床面積要件の判定は，それぞれ，その区分された住居の用途に供することができる部分（以下「独立住居部分」という。）の床面積と共用部分の床面積を各独立住居部分の床面積に応じて按分した面積との合計面積により行うこと。

ロ 住宅の用に供される土地等の面積が500㎡以下100㎡以上であるかどうかの判定は，その建設される一の住宅の用に供される土地等の面積により行い，また，一棟の家屋が独立住居部分からなる場合の敷地面積要件の判定は，一棟の家屋の敷地面積を一棟の家屋の全体の床面積に占める床面積の判定の基礎となる各独立住居部分の床面積の割合に応じて按分した面積により行うこと。

ハ 各独立住居部分の一部分が，床面積の要件，又は敷地面積の要件に該当しない場合には，住宅建設を行う者に対する土地等の譲渡のうちその独立住居部分を有する一棟の家屋の敷地の用に供される土地等の譲渡について優良住宅地の造成等の税率の特例の適用はないこと。

(2) 中高層の耐火共同住宅の各独立住居部分の一部分が措置法令第20条の2第21項第4号に規定する床面積の要件に該当しない場合には，中高層の耐火共同住宅の建設を行う者に対する土地等の譲渡のうち床面積の要件に該当しない独立住居部分を有する一棟の中高層の耐火共同住宅の敷地の用に供される土地等の譲渡についてこの税率の特例の適用はないことに留意する。

27 併用住宅の場合

　住宅以外の部分の床面積が全体の床面積の2分の1未満である併用住宅は，措置法第31条の2第2項第16号に規定する「住宅」に該当する。したがって，併用住宅についての措置法令第20条の2第22項に定める床面積要件及び敷地面積要件の判定は，併用住宅全体の床面積及び併用住宅の用に供される土地等の面積により行う（措通31の2-23）。

28 床面積の意義

　措置法第31条の2第2項，措置法令第20条の2第20項，第22項及び措置法規則第13条の3第1項に規定する床面積は，建築基準法施行令第2条第1項第3号に規定する床面積によるものとする（措通31の2-24）。

29 土地区画整理事業等の施行地区内の土地等の譲渡

　土地区画整理法による土地区画整理事業，新都市基盤整備法による土地整理又は大都市地域における住宅及び住宅地の供給の促進に関する特別措置法（以下「大都市地域住宅等供給促進法」という。）による住宅街区整備事業の施行地区内にある従前の宅地（宅地の上に存する権利を含む。）を次に掲げる者に譲渡した場合，従前の宅地に係る仮換地がそれぞれ次に掲げる用途又は用に供されるときは，従前の宅地がこれらの用途又は用に供されるものとして優良住宅地の造成等の税率の特例を適用することができる（措通31の2-25）。

① 措置法第32条の2第2項第2号に掲げる法人
　同号に規定する業務を行うために直接必要であると認められる用途
② 同項第11号に規定する建築物の建築をする事業を行う者
　同号に規定する建築物の建築をする事業の用
③ 同項第13号又は第14号に規定する個人又は法人
　これらの号に規定する一団の宅地の用
④ 同項第15号に規定する個人又は法人
　同号に規定する一団の住宅又は中高層の耐火共同住宅の用

30 国土利用計画法の許可を受けて買い取られる場合

　措置法規則第13条の3第10項第1号イ（1）に規定する「国土利用計画法第14条第1項の規定による許可を受けて当該土地等が買い取られる場合」とは，同項の規定による許可を受けた後において，許可内容に従って締結した売買契約に基づいて買い取られる場合をいう。したがって，同項の許可の内容と異なる事項を約した売買契約に基づいて買い取られた土地等の譲渡所得については，たとえ譲渡所得に

係る確定申告書に措置法規則第13条の3第10項第1号イ（1）に規定する書類の添付がある場合であっても、措置法第31条の2第3項の規定の適用はない（措通31の2-26）。

31　国土利用計画法の届出をして買い取られる場合

措置法規則第13条の3第9項第1号イ（2）に規定する「国土利用計画法第27条の4第1項（同法第27条の7第1項において準用する場合を含む。）の規定による届出をして当該土地等が買い取られる場合」とは、同法第27条の4第1項（同法第27条の7第1項において準用する場合を含む。）の規定による届出をした日から起算して6週間を経過した日（同日前に都道府県知事（指定都市にあっては、指定都市の長）から同法第27条の5第3項（同法第27条の8第2項において準用する場合を含む。）に規定する勧告をしない旨の通知を受けた場合には、通知を受けた日。）以後において、届出の内容に従って締結した売買契約に基づいて買い取られる場合をいう。したがって、次に掲げる売買契約に基づいて買い取られた土地等に係る譲渡所得については、たとえ確定申告書に措置法規則第13条の3第9項第1号イ（2）に規定する書類の添付がある場合であっても、措置法第31条の2第3項の規定の適用はない（措法31の2-27）。

① 　届出をした日から起算して6週間を経過した日の前日までの間に締結した売買契約

② 　届出の内容と異なる事項を約した売買契約（その買取り価額が届出に係る予定対価の額未満である売買契約を除く。）

32　優良住宅地等のための譲渡に関する証明書類等

措置法第31条の2第2項に規定する優良住宅地等のための譲渡及び同条第3項に規定する確定優良住宅地等予定地のための譲渡に関する証明書類等の内容の一覧表は、国税庁ホームページ（税法・通達等・質疑応答事例＞法令解釈通達＞所得税＞措置法通達＞租税特別措置法（山林所得・譲渡所得関係）の取扱いについて＞別表1）で確認できる。

33　特定非常災害に基因するやむを得ない事情により予定期間を延長するための手続等

予定期間内に確定優良住宅地等予定地のための譲渡に該当することが困難となり、税務署長の承認を受けた場合、予定期間の末日から2年以内の日で税務署長が認定した日の属する年の12月31日まで延長ができる（措法31の2⑦、措令20の3㉖、措規13の3⑮⑯）。

① 確定優良住宅地造成等事業を行う事業者は，予定期間の末日の属する年の翌年1月15日までに，一定の事項を記載した「確定優良住宅地造成等事業に関する期間（再）延長承認申請書【特定非常災害用】」に事業概要書等を添付して，税務署長に提出する。

② 税務署長からその申請に係る「確定優良住宅地造成等事業に関する期間（再）延長承認通知書【特定非常災害用】」の送付を受けた場合，事業者は事業用地提供者にその承認通知書の写しを交付する。

③ 事業用地提供者は，承認通知書の写しを納税地の税務署長に提出する。

　措置法令第20条の2第24項に規定する確定優良住宅地造成等事業を行う個人又は法人が，同条第27項に規定する所轄税務署長の承認を受けようとする場合には，措置法規則第13条の3第15項に規定する申請書を措置法第31条の2第7項に規定する非常災害が生じた日の翌日から同条第3項に規定する予定期間（以下「予定期間」という。）の末日の属する年の翌年1月15日までの間に税務署長に提出しなければならない。

　なお，措置法令第20条の2第27項に規定する税務署長の承認を受けたものについて，措置法第31条の2第7項の規定の適用を受けた場合には，その後に同条第3項に規定する政令で定めるやむを得ない事情による予定期間の延長を行うことはできないことに留意する（措通31の2-31）。

2 申告にあたっての要点

1 申告要件

　優良住宅地の造成等の税率の特例は，適用を受けようとする年分の確定申告書に，措置法第31条の2第1項の適用を受ける旨を記載があり，かつ，同項の規定に該当するものとして，次の「確定申告の手続要領」に記載の書類の添付がある場合に限り適用がある。

2 確定申告の手続要領

1　「確定申告書第三表（分離課税用）」の特例適用欄に「措法31条の2（第）1項○号（該当号）」と記入する。 2　措置法規則第13条の3各号に規定する各特例要件に該当することを証する書類。 （措法31の2①，②，③，措規13の3各号）

③ 確定申告書に必要な証明書類の添付がなかった場合

措置法第31条の2第1項又は第3項の規定は，確定申告書に措置法規則第13条の3第1項各号又は第9項各号に掲げる区分に応じ，各号に規定する書類の添付がある場合に限り適用があるのであるが，確定申告書に書類の添付がない場合であっても，その添付がなかったことについてやむを得ない事情があると認められるときは，書類の提出があった場合に限り，優良住宅地の造成等の税率の特例を適用することができる（措通31の2-30）。

④ 修正申告

確定優良住宅地等予定地のための特例を適用して税額軽減を受けており，その要件に該当しなくなった場合は，その特例期間経過後4か月以内に修正申告を提出して不足する所得税を納付する。

優良住宅地の造成等の税率の特例の適用を受けた譲渡の全部又は一部が予定期間内に措置法第31条の2第2項第12号から第16号までに掲げる土地等の譲渡に該当しないこととなった場合，その期間を経過した日から4月以内に譲渡のあった日の属する年分の所得税についての修正申告書を提出し，かつ，期限内に税額を納付しなければならない。該当しないこととなった譲渡は，確定優良住宅地等予定地のための譲渡ではなかったものとみなす（措法31の2⑧）。

事例　　　　　　　　　　　　　　　　　　　CASE STUDY
こんな場合は適用できない?!

Q 特例の併用適用

宅地が学校用地として7,000万円で市に収用された。地方公共団体に対する譲渡であるので，収用の場合の5,000万円控除を適用し，5,000万円を超える部分については優良住宅地等の軽減税率を適用して申告する予定である。

A

優良住宅地の造成等のための軽減税率の特例は，収用の場合の特別控除の特例と併用適用できない。特別控除5,000万円を超える部分は一般の長期譲渡所得の税率で計算する。平成15年まで併用適用できたため，適用誤りが多く指摘される特例である。

Q 建物への併用適用

10年以上所有していた貸家とその敷地を再開発事業のために譲渡した。建物部

分にも譲渡益が算出されたので，優良住宅地等の軽減税率を適用して申告した。

A

　優良住宅地の造成等のための軽減税率の特例は土地等に限られる。建物部分の譲渡所得金額は分離長期譲渡所得の税率（国税15％）で計算する。優良住宅地の造成等のために譲渡する場合，土地建物を一括のことが多く，建物の譲渡益についても軽減税率を適用する誤りが多いので注意する。

Q　超過物納の場合でも適用できるか

　相続税の納付を物納で行った。物納財産は被相続人が30年以上前に取得した土地である。超過物納であったため450万円が支払われた。この金額は所得税の対象となるか。その場合税率はいくらか。

A

　超過物納は譲渡所得の課税の対象となる。超過物納部分は，国に対する譲渡であることから，優良住宅地の造成等のための軽減税率の特例が適用できる。なお，譲渡した時が，相続税の申告期限後3年以内であれば，譲渡所得の計算において，相続税額の取得費加算の特例（措法39）が適用できる。

措置法第32条第3項

2 短期保有の土地等を譲渡した場合の短期譲渡所得の税率の特例

　収用があった場合や国や地方公共団体に譲渡した場合，その土地等が短期譲渡所得に該当することがある。短期譲渡所得に対する税率は30％であるが，収用等一定の要件に該当する場合，15％に軽減される（以下「短期譲渡の税率の特例」という。）。

　この特例が適用される資産を「分離短期軽減資産」という。

1 特例の適用要件

① 特例の内容

　短期譲渡の税率の特例は，次に該当する場合に適用できる（措法32①③）。

(1) 譲渡した年の1月1日において所有期間が5年以下のものであること
(2) 次に掲げる土地等の譲渡であること（措法32③，28の4③1～3，措令19⑧～⑩）
　① 国又は地方公共団体に対する土地等の譲渡（賃借権の設定等を含む）
　② 独立行政法人都市再生機構，土地開発公社その他これらに準ずる法人で，宅地若しくは住宅の供給，又は土地の先行取得の業務を行うことを目的とするものとして，次に掲げるものに対する土地等の譲渡で，業務を行うために直接必要であると認められるもの（措令19⑨）。譲渡した土地等の面積が1,000㎡以上である場合には，適正な対価以下である譲渡に限る。
　　イ　独立行政法人都市再生機構，土地開発公社，成田国際空港株式会社，独立行政法人中小企業基盤整備機構，地方住宅供給公社，日本勤労者住宅協会
　　ロ　公益社団法人（社員総会における議決権の全部が，その地方公共団体が保有しているものに限る）又は公益財団法人（拠出された金額の全額がその地方公共団体が拠出しているものに限る）のうち次の要件を満たすもの。
　　　i　宅地もしくは住宅の供給又は土地の先行取得の業務を主たる目的としてい

ること

   ii その地方公共団体の管理の下にあること

   ③ 土地等の譲渡で措置法第33条の4第1項に規定する収用交換等によるもの（①②の譲渡に該当するものを除く。また、譲渡する面積が1,000㎡以上である場合には、適正な対価以下である譲渡に限る。）

2 税率

　税率は短期譲渡所得金額の15％（住民税5％）である。

3 建物等への適用

　短期譲渡の税率の特例の対象となる分離短期譲渡所得は、土地又は土地の上に存する権利の譲渡による所得に限られる。建物及びその附属設備又は構築物の譲渡による所得はこれに含まれないことに留意する。

　また、特例の対象となる土地又は土地の上に存する権利の譲渡は、措置法規則第13条の5第1項《証明》の規定により証明されたものに限られる（措通32-7）。

4 適正な対価の運用停止

　譲渡する面積が1,000㎡以上の場合の、上記 1 (2)②及び③の適正な対価以下であることの証明は1999年（平成11年）1月1日から2023年（令和5年）3月31日までの譲渡について適用されない（措法28の4⑥、措規13の5③）。

2 確定申告の手続要領

1 申告要件

　居住用財産の軽減税率の特例は、適用を受けようとする年分の確定申告書に、措置法第32条第3項の適用を受ける旨を記載があり、かつ、同項の規定に該当するものとして、次の「確定申告の手続要領」に記載した書類の添付がある場合に限り適用がある（措法32③、措規11、13の5）。

2 確定申告の手続要領

1 「確定申告書(分離課税用)第三表」の特例適用条文欄に「措法32条2項」と記入する。
2 収用等の事実を証明する次の書類を添付する。
　イ　1(2)①に該当する場合
　　　国または地方公共団体の,その土地等を買い取った旨を証する書類
　ロ　1(2)②に該当する場合
　　　土地等を買い取りする者の,その土地等を業務の用に直接供するために買い取った旨を証する書類。
　ハ　1(2)③に該当する場合
　　　収用証明書等。

(措規11①, 13の5①)

措置法第35条の2

3 特定期間内に取得をした土地等を譲渡した場合の長期譲渡所得の特別控除

　特定期間内に取得をした土地等を譲渡した場合の長期譲渡所得の特別控除（以下「特定の土地等の1,000万円控除の特例」という。）は、経済情勢のバロメーターでもある土地取引の活性化を狙って打ち出された特例である。2009年（平成21年）1月1日から2010年（平成22年）12月31日までの間（以下「取得期間」という。）に取得した土地等で、譲渡の年の1月1日において所有期間が5年を超えるものの譲渡をした場合、長期譲渡所得の金額から1,000万円を控除できる。

1　特例適用要件

①　特例の内容
　この特例の内容は次のとおりである（措法35の2①）。
　①　取得期間に国内にある土地等の取得をしたこと。
　　「取得をした日」の判定は、所得税基本通達33-9《資産の取得の日》の取扱いに準ずる（措通35の2-2）。
　②　①の土地等は譲渡した年の1月1日において、所有期間が5年を超えること。
　　土地等の譲渡には、譲渡所得の起因となる不動産等の貸付けを含む（措法35の2②）。
　③　長期譲渡所得の金額から1,000万円が控除される。
　　長期譲渡所得の金額が1,000万円に満たない場合は、その長期譲渡所得の金額が限度である。

②　特例の適用が受けられない場合
(1)　取得した土地等が次によるものでないこと（措法35の2①、措令23の2②、措通35の2-1）
　①　相続、遺贈、贈与及び交換によるもの
　②　代物弁済としての取得によるもの

③ 所有権移転外リース取引によるもの
④ 取得期間に土地等を取得した者からの相続等により取得したもの
(2) 取得した相手方が次のものではないこと（措法35の2①，措令23の2①）
　なお，次の要件に該当するかどうかは，取得をした時において判定する（措通35の2-3）。「生計を一にしているもの」は，所得税基本通達2-47（生計を一にするの意義）に定めるところによる（措通35の2-4）。
① 譲渡者の配偶者及び直系血族
② 譲渡者の親族で譲渡者と生計を一にしている者
③ 譲渡者と婚姻の届出をしていないが，事実上婚姻関係と同様の事情にある者及び婚姻関係と同様の事情にある者の親族でその者と生計を一にしている者
④ 譲渡者から受ける金銭その他の財産によって生計を維持している者及びその者の親族でその者と生計を一にしている者（①から③に該当する者及び使用人を除く。）
　生計を維持している者とは，給付を受ける金銭その他の財産又は給付を受けた金銭その他の財産の運用によって生ずる収入を日常生活の資の主要部分としている者をいう。ただし，譲渡者から離婚に伴う財産分与，損害賠償その他これらに類するものとして受ける金銭その他の財産によって生計を維持している者は，含まれない（措通35の2-5）。
⑤ 譲渡者の①及び②に掲げる親族，使用人若しくはその使用人の親族でその使用人と生計を一にしているもの，又は③及び④に該当する者を判定の基礎となる株主又は社員とした場合に同族会社となる会社その他の法人
　「株主等」とは，株主名簿又は社員名簿に記載されている株主等をいう。しかし，株主名簿又は社員名簿に記載されている株主等が単なる名義人であって，名義人以外の者が実際の権利者である場合には，その実際の権利者をいう（措通35の2-6）。
　「会社その他の法人」には，例えば，出資持分の定めのある医療法人のようなものがある（措通35の2-7）。
(3) 土地等の譲渡について次の特例の適用を受ける場合（措法35の2②）
　次の特例の適用を受ける場合，この特例は受けられない。ただし，同一年中に他にこの特例の対象となる土地等の譲渡がある場合，その土地等について特例の適用ができる。
① 固定資産の交換の特例（所法58）

交換に伴って受領した交換差金について特定の土地等の1,000万円控除の特例の適用はできない（措通35の2-12）。
② 収用交換等の5,000万円控除の特例（措法33の4）
③ 特定土地区画整理事業等の2,000万円控除の特例（措法34）
④ 特定住宅地造成事業等の1,000万円控除の特例（措法34の2）
⑤ 農地保有合理化等の800万円控除の特例（措法34の3）
⑥ 居住用財産の3,000万円控除の特例（措法35①）
⑦ 相続財産の3,000万円控除の特例（措法35③）

(4) 土地等の譲渡について次の特例を選択適用した場合

次の特例とは選択適用となっており、各特例でその旨定められている。
① 優良住宅地の造成等の税率の特例（措法31の2）
② 低未利用土地等の100万円控除の特例（措法35の3）
③ 特定民間再開発事業の場合の買換等の特例（措法37の5）
④ 特定の交換分合の特例（措法37の6）
⑤ 先行取得土地等の特例（措法37の9）

(5) 譲渡した土地等の全部又は一部について次の特例の適用を受ける場合（措法35の2①）
① 収用交換等の特例（措法33、33の2）
② 換地処分等の特例（措法33の3）
③ 特定の居住用財産の買換等の特例（措法36の2、36の5）
④ 特定の事業用資産の買換等の特例（措法37、37の4）
⑤ 特定普通財産と隣接土地等の交換の特例（措法37の8）

3 立退料等を支払って貸地の返還を受けた場合

　土地を他人に使用させていた者が、立退料等を支払ってその借地人から貸地の返還を受けた場合は、その土地の借地権等に相当する部分の取得があったものとし、支払った金額（その金額のうちに建物、構築物等の対価に相当する金額があるときは、その金額を除く。）を、土地の借地権等に相当する部分の取得価額として特定土地等の1,000万円控除の特例を適用することができる（措通35の2-8）。

4 土地等と建物等を一括取得した場合の土地等の取得価額の区分

　土地等を建物等と一の契約により取得した場合の土地等の取得価額は、次によるものとする（措通35の2-9）。
(1) 土地等及び建物等の価額が当事者間の契約において区分されており、かつ、そ

の区分された価額が土地等及び建物等の取得の時の価額としておおむね適正なものであるときは，契約により明らかにされている価額による。
(2) 土地等及び建物等の価額が当事者間の契約において区分されていない場合であっても，例えば，土地等及び建物等が建設業者から取得したものであってその建設業者の帳簿書類に土地等及び建物等のそれぞれの価額が区分して記載されている等それぞれの価額が取得先等において確認され，かつ，その区分された価額が取得の時の価額としておおむね適正なものであるときは，その価額によることができる。
(3) (1)及び(2)により難いときは，一括して取得した土地等及び建物等の取得の時における価額の比により按分して計算した土地等の金額を取得価額とする。

⑤ 換地処分等により取得した土地等

取得期間内に取得された土地等が，土地区画整理事業（土地区画整理法），土地整理（新都市基盤整備法），住宅街区整備事業（大都市地域住宅等供給促進法），土地改良事業（土地改良法），市街地再開発事業（都市再開発法），防災街区整備事業（密集市街地における防災街区の整備の促進に関する法律）又はマンション建替事業若しくは敷地分割事業（マンションの建替え等の円滑化に関する法律）が施行された場合，事業の施行により換地取得資産，変換取得資産，対償取得資産，防災変換取得資産，変換後資産（措置法令第22条の3第9項に規定する変換後資産をいう。）又は分割後資産（同条第11項に規定する分割後資産をいう。）（以下「換地取得資産等」という。）を取得した場合，換地取得資産等のうち土地等に係る部分については，取得期間内に取得された土地等に該当するものとして特定土地等の1,000万円控除の特例を適用する（措通35の2-10）。

⑥ 収用等に伴い代替資産を取得した場合の課税の特例等の適用を受けた土地等の所有期間の判定

取得期間内に措置法第33条《収用等に伴い代替資産を取得した場合の課税の特例》，第33条の2《交換処分等に伴い資産を取得した場合の課税の特例》又は第33条の3《換地処分等に伴い資産を取得した場合の課税の特例》の規定の適用を受けて取得した土地等（交換により取得したものを除く。）について措置法第35条の2第1項に規定する所有期間とは，その土地等を実際に取得した日の翌日から引き続き所有していた期間をいう（措通35の2-11）。

2 申告にあたっての要点

1 申告要件

　特定土地等の1,000万円控除の特例は、適用を受けようとする年分の確定申告書に、措置法第35条の2第1項の規定の適用を受ける旨の記載があり、かつ、同項の規定に該当するものとして、次の「確定申告の手続要領」に記載した書類の添付がある場合に限り適用がある（措法35の2③）。譲渡所得金額が1,000万円以下であっても申告が必要である。

2 確定申告の手続要領

> 1　「確定申告書（分離課税用）第3表」の特例適用条文欄に「措法35条の2（第）1項」と記載する。
> 2　譲渡した土地等が平成21年1月1日から平成22年12月31日までに取得したものであることを明らかにする書類、登記事項証明書、売買契約書の写しその他の書類
>
> 　　　　　　　　　　　　　　　　　　　　（措法35の2③、措規18の3）

3 確定申告の提出がなかった場合

　確定申告書の提出がなかった場合又は必要事項の記載若しくは必要書類の添付がない確定申告書の提出があった場合であっても、提出又は記載若しくは添付がなかったことについてやむを得ない事情があると税務署長が認めるときは、必要事項を記載をした書類及び財務省令で定める書類の提出があった場合に限り、特定土地等の1,000万円控除の特例を適用することができる（措法35の2④）。

措置法第40条の3の2

4 債務処理計画に基づき資産を贈与した場合の課税の特例

　中小企業法人の取締役等で，その法人の保証債務を行っている者が，有価証券を除く資産に設定された賃借権，使用貸借権その他の権利でその法人の事業の用に供されているものを，債務処理に関する計画で一般に公表されて債務処理を行うための手続きに関する準則に下で策定され一定の要件を満たすもの（以下「債務処理計画」という。）に基づいてその法人に贈与した場合，贈与がなかったものとみなされる（以下「債務処理計画に基づいた贈与の特例」という。）。つまり，所得税法第59条第1項のみなし譲渡課税が行われない。

1 特例の適用要件

1 特例の内容

　中小企業者である法人の取締役等が債務処理計画に基づき，特定の資産を贈与した場合には，次に掲げる①から④の要件をすべて満たしているときに限り，資産の贈与がなかったものとみなされ，所得税法第59条第1項第1号の適用がない（措法40の3の2①）。

　なお，贈与に伴い債務を引き受けさせることなどによる経済的な利益による収入がある場合は含まれない（措通40の3の2-6）。

① 取締役等が，債務処理計画に基づき，内国法人の保証債務の一部を履行していること。
② 債務処理計画に基づいて行われた内国法人に対する資産の贈与及び①の保証債務の一部の履行後においても，内国法人の債務の保証に係る保証債務を有していることが，債務処理計画において見込まれていること。
③ 内国法人が資産の贈与を受けた後に，その資産を事業の用に供することが債務処理計画において定められていること。
④ 次のイ及びロの要件のいずれかを満たすこと。
　イ　平成28年4月1日以後の贈与については，内国法人が中小企業者等に対する金融の円滑化を図るための臨時措置に関する法律第2条第1項に規定する金融機関か

第6章　その他の特例　443

ら受けた事業資金の貸付けについて，債務の弁済の負担を軽減するため，同法の施行の日（平成21年12月4日）から平成28年3月31日までの間に条件の変更が行われていること。
□ 債務処理計画が平成28年4月1日以後に策定されたものである場合，法人が同日前に次のいずれにも該当しないこと。
　a　株式会社地域経済活性化支援機構法第25条第4項に規定する再生支援決定の対象となった法人
　b　株式会社東日本大震災事業者再生支援機構法第19条第4項に規定する支援決定の対象となった法人
　c　産業復興機構（株式会社東日本大震災事業者再生支援機構法59①）の組合財産である債権の債務者である法人（2022年（令和4年）4月1日以後の贈与に適用する。）
　d　銀行法施行規則第17条の2第6項第8号に規定する合理的な経営改善のための計画を実施している会社（措規18の19の2①）

② 特例の適用期間

　この特例は2013年（平成25年）4月1日から2025年（令和7年）3月31日までの贈与に適用される。

③ 中小企業者の範囲

　中小企業者に該当する法人とは，措置法令第27条の4第25項に規定する法人をいい，具体的には，次のいずれかに掲げる法人（内国法人に限る。）をいう（措通40の3の2-1）。

(1) 資本金の額又は出資金の額が1億円以下の法人のうち次に掲げる法人以外の法人

　イ　発行済株式又は出資（自己の株式又は出資を除く。ロにおいて同じ。）の総数又は総額の2分の1以上が同一の大規模法人（資本金の額若しくは出資金の額が1億円を超える法人，資本若しくは出資を有しない法人のうち常時使用する従業員の数が1,000人を超える法人又は次に掲げる法人をいい，中小企業投資育成株式会社を除く。ロにおいて同じ。）の所有に属している法人

　　(イ)　大法人（次に掲げる法人をいう。以下このイにおいて同じ。）との間に完全支配関係（法人税法第2条第12号の7の6に規定する完全支配関係をいう。(ロ)において同じ。）がある普通法人
　　　A　資本金の額又は出資金の額が5億円以上である法人
　　　B　保険業法第2条第5項に規定する相互会社及び同条第10項に規定する外国相互会社のうち，常時使用する従業員の数が1,000人を超える法人
　　　C　法人税法第4条の3に規定する受託法人

ロ　普通法人との間に完全支配関係がある全ての大法人が有する株式（投資信託及び投資法人に関する法律第2条第14項に規定する投資口を含む。）及び出資の全部を全ての大法人のうちいずれか一の法人が有するものとみなした場合において，いずれか一の法人とその普通法人との間にいずれか一の法人による完全支配関係があることとなるときのその普通法人（(イ)に掲げる法人を除く。）

　ロ　イに掲げるもののほか，その発行済株式又は出資の総数又は総額の3分の2以上が大規模法人の所有に属している法人

　ハ　他の通算法人（法人税法第2条第12号の7の2に規定する通算法人をいう。）のうちいずれかの法人が次に掲げる法人に該当しない場合における通算法人

　　(イ)　資本金の額又は出資金の額が1億円以下の法人のうちイ及びロに掲げる法人以外の法人

　　(ロ)　資本又は出資を有しない法人のうち常時使用する従業員の数が1,000人以下の法人

(2)　資本又は出資を有しない法人のうち常時使用する従業員の数が1,000人以下の法人（その法人が法人税法第2条第12号の6の7に規定する通算親法人である場合，(1)ハに掲げる法人を除く。）

(注)　「常時使用する従業員の数」は，常用であると日々雇い入れるものであるとを問わず，事務所又は事業所に常時就労している職員，工員等（役員を除く。）の総数によって判定する。この場合，法人が酒造最盛期，野菜缶詰・瓶詰製造最盛期等に数か月程度の期間その労務に従事する者を使用するときは，従事する者の数を「常時使用する従業員の数」に含める。

4　中小企業者又は取締役等の判定時期

　措置法第40条の3の2第1項に規定する「個人の有する資産（有価証券を除く。）で当該資産に設定された賃借権，使用貸借権その他資産の使用又は収益を目的とする権利が現に当該内国法人の事業の用に供されているもの」とは，同項に規定する個人が有する資産で同項に規定する内国法人への貸付けの用に供しているものであり，かつ，資産に設定された権利が内国法人の事業の用に供されているものをいう（措通40の3の2-3）。

　なお，個人が有する措置法令第25条の18の2第1項第1号に規定する建物等で内国法人への貸付けの用に供しているもの（建物等がその内国法人の事業の用に供されているものに限る。）の敷地の用に供されている個人の有する土地を，内国法

人に贈与した場合にも，措置法第40条の3の2第1項の規定の適用がある。

5 特例の対象となる贈与資産

取締役等の有する資産（有価証券を除く。）で，その資産に設定された賃借権，使用貸借権その他資産の使用又は収益を目的とする権利が，現に内国法人の事業の用に供されているものをいう。具体的には，個人が有する資産で内国法人への貸付けの用に供しているものであり，かつ，資産に設定された権利が内国法人の事業の用に供されているものをいう（措通40の3の2-3）。

6 事業の用に供されている部分

贈与した資産に設定された賃借権，使用貸借権その他の資産の使用又は収益を目的とする権利が現に内国法人の事業の用に供されている部分とそれ以外の用に供されている部分とがあるときには，事業の用に供されている部分は，贈与した資産が，建物及びその附属設備又は構築物（以下「建物等」という。）の場合には(1)の算式により計算した床面積に相当する部分となり，建物等の敷地の用に供されている土地の場合には(2)の算式により計算した面積に相当する部分となる。また，工業所有権その他の資産（有価証券，土地及び建物等を除く。以下「工業所有権等」という。）の場合には(3)の算式による割合又は権利の種類及び性質に照らして合理的と認められる基準により算出した内国法人の事業の用に供されている割合による（措通40の3の2-4）。

(1) 贈与した資産が建物等の場合

（贈与した建物等のうち内国法人の事業の用に専ら供されている部分の床面積(A)） ＋ （贈与した建物等のうち内国法人の事業の用に供されている部分とその他の部分とに併用されている部分の床面積） × $\dfrac{A}{A + その他の部分に専ら供されている部分の床面積}$

(2) 贈与した資産が建物等の敷地の用に供されている土地の場合

（贈与した土地のうち内国法人の事業の用に供されている建物等の敷地として専ら供されている部分の面積） ＋ （贈与した土地のうち内国法人の事業の用に供されている建物等の敷地として供されている部分とその他の部分とに併用されている部分の面積） × $\dfrac{建物等の床面積のうち上記(1)の算式により計算した内国法人の事業の用に供されている部分の床面積}{建物等の床面積}$

（注）贈与した土地が事業の用に供される建物等の「敷地」に該当するかどうかは，社会通念に従い，土地が建物等と一体として利用されているものであったかどうかにより判定する。

(3) 贈与した資産が工業所有権等の場合

$$\frac{贈与した個人がその内国法人から収入すべき工業所有権等の使用料の額}{贈与した個人が収入すべき工業所有権等の使用料の総額}$$

7 債務処理計画

(1) 債務処理計画の内容

債務処理に関する計画とは，法人税法施行令第24条の2第1項第1号から第3号まで及び第4号又は第5号に掲げる要件に該当するものであり，次の①から③までの要件を満たし，かつ④又は⑤のいずれかの要件を満たすものをいう（措法40の3の2①，措令25の18の2②，法令24の2①）。

① 一般に公表された債務処理を行うための手続についての準則（公正かつ適正なものと認められるものであつて，次のイ及びロに掲げる事項が定められているもの（その事項が準則と一体的に定められている場合を含む。）に限るものとし，特定の者（政府関係金融機関，株式会社地域経済活性化支援機構及び協定銀行を除く。）が専ら利用するためのものを除く。）に従って策定されていること。

イ 債務者の有する資産及び負債の価額の評定に関する事項（公正な価額による旨の定めがあるものに限る。）

ロ その計画が準則に従って策定されたものであること，並びに②及び③に掲げる要件に該当することについて確認する手続，並びに確認する者（計画当事者以外の者又は計画に従って債務免除等をする者で，財務省令で定める者に限る。）に関する事項

② 債務者の有する資産及び負債について，①イに規定する事項に従って資産評定が行われ，資産評定による価額を基礎とした債務者の貸借対照表が作成されていること。

③ ②の貸借対照表における資産及び負債の価額，計画における損益の見込み等に基づいて債務者に対して債務免除等する金額が定められていること。

④ 2以上の金融機関等（次に掲げる者をいい，債務者に対する債権が投資事業有限責任組合契約等の組合財産である場合の，その投資事業有限責任組合契約等を締結している者を除く。）が債務免除等をすることが定められていること。

イ 預金保険法に掲げる金融機関（協定銀行を除く。）

ロ 農水産業協同組合貯金保険法に規定する農水産業協同組合

ハ 保険業法に規定する保険会社及び外国保険会社等

ニ 株式会社日本政策投資銀行

ホ　信用保証協会
　　ヘ　地方公共団体（イからホまでに掲げる者のうち，いずれかの者とともに債務免除等をするものに限る。）
　⑤　政府関係金融機関，株式会社地域経済活性化支援機構又は協定銀行（これらのうち債務者に対する債権が投資事業有限責任組合契約等の組合財産である場合における投資事業有限責任組合契約等を締結しているものを除く。）が有する債権又は株式会社地域経済活性化支援機構が信託の受託者として有する債権（株式会社地域経済活性化支援機構法に掲げる業務に係るものに限る。）又は協定銀行が信託の受託者として有する債権につき債務免除等をすることが定められていること（法規8の6②）。

(2)　債務処理計画と会社更生法の更生計画
　債務処理計画とは，法人税法施行令第24条の2第1項第1号から第3号まで及び第4号又は第5号《再生計画認可の決定に準ずる事実等》に掲げる要件を満たすものをいうことから，民事再生法の規定による再生計画認可の決定が確定した再生計画又は会社更生法の規定による更生計画認可の決定を受けた更生計画は，債務処理計画には含まれない（措通40の3の2-5）。

8　保証債務の一部の履行の範囲

　「保証債務の一部を履行している場合（措法40の3①1）」とは，民法第446条《保証人の責任等》に規定する保証人の債務又は同法第454条《連帯保証の場合の特則》に規定する連帯保証人の債務の履行があった場合のほか，次に掲げる場合も，同項に規定する債務処理計画に基づきそれらの債務を履行しているときは，債務処理計画に基づいた贈与の特例の適用がある（措通40の3の2-7）。
　⑴　不可分債務の債務者の債務の履行をしている場合
　⑵　連帯債務者の債務の履行をしている場合
　⑶　合名会社又は合資会社の無限責任社員による会社の債務の履行をしている場合
　⑷　措置法第40条の3の2第1項に規定する内国法人の債務を担保するため質権若しくは抵当権を設定した者がその債務を弁済し又は質権若しくは抵当権を実行されている場合
　⑸　法律の規定により連帯して損害賠償の責任がある場合において，その損害賠償金の支払をしている場合

9 事業資金の貸付条件の変更

　措置法第40条の3の2第1項第4号イに規定する事業資金の貸付けに係る債務の弁済の負担を軽減するための条件の変更とは，例えば，返済金額の減額，返済割合等の変更，元本の返済猶予（例えば，代物弁済の受領，利息のみの返済又は利息の支払猶予等），借入期間の延長等のことをいい，その条件の変更は，平成21年12月4日から平成28年3月31日までの間に行われていなければならない（措通40の3の2-8）。

2　申告にあたっての要点

1 申告要件

　債務処理計画に基づいた贈与の特例は，適用を受けようとする年分の確定申告書に，措置法第40条の3の2第1項の規定の適用を受ける旨の記載があり，かつ，同項の規定に該当するものとして，次の「確定申告の手続要領」に記載した書類の添付がある場合に限り適用がある（措法40の3の2②）。

2 確定申告の手続要領

> 1　「確定申告書（分離課税用）第三表」の「特例適用欄」に「措法40条の3の2（第1項）」と記入する。
> 2　「譲渡所得の内訳書（確定申告書付表兼計算明細書）」
> 3　債務処理計画に基づき資産を贈与した場合の課税の特例に関する明細書
> 　イ　贈与をした資産の種類，数量及び当該贈与の時における価額
> 　ロ　資産の贈与を受けた内国法人の名称及び本店又は主たる事務所の所在地
> 　ハ　資産の贈与の年月日及び取得の年月日
> 　ニ　その他参考となるべき事項
> 4　債務処理計画に係る法人税法施行規則第8条の6第1項各号に掲げる者の債務処理計画が要件を満たすものであり，かつ，法第40条の3の2第1項の資産の贈与が債務処理計画に基づき同項各号に掲げる要件を満たして行われたものである旨を証する書類。
> 　　　　　　　　　　　　　　　　　（措法40の3の2②，措規18の19の2①，②）

3 確定申告の提出がなかった場合

　確定申告書の提出がなかった場合又は必要事項の記載若しくは必要書類の添付がない確定申告書の提出があった場合であっても，提出又は記載若しくは添付がなかったことについてやむを得ない事情があると税務署長が認めるときは，必要事項を記載した書類及び財務省令で定める書類の提出があった場合に限り，債務処理計画に基づいた贈与の特例を適用することができる（措法40の3の2③）。

措置法第35条の3

5 低未利用土地等を譲渡した場合の長期譲渡所得の特別控除

　取引価額が低額な土地の売買は，取引コストが相対的に高くなり取引が進まないことが多い。そのため，活用がなされず，放置されることになる。このような土地が譲渡され，一定の要件に該当する場合，その所得から100万円の特別控除を適用することができる制度である。（以下「低未利用土地等の100万円控除の特例」という。）

1 特例の適用要件

1 特例の内容

　低未利用土地とは，居住の用，業務の用その他の用途に供されておらず，又はその利用の程度がその周辺の地域における同一の用途若しくはこれに類する用途に供されている土地の利用の程度に比し著しく劣っていると認められる土地又は低未利用土地の上に存する権利をいう（以下「低未利用土地等」という。）（措法35の3①）。

2 特例の適用要件

　特例の適用要件は次のとおりである（措法35の3①）。

① 譲渡の対価の額（以下「譲渡対価」という。）が，その土地上にある建物を含めて500万円以下であること。
② 譲渡した年の1月1日において，所有期間が5年を超えること。
③ 譲渡した土地等が都市計画区域内に所在すること。
④ 譲渡した相手が，親子夫婦など特別な関係でないこと。
⑤ 譲渡後に，その土地等が利用されること。
⑥ 譲渡した土地等について，収用等の場合の特別控除や事業用資産を買い換えた場合の課税の繰延べなど，他の譲渡所得の課税の特例を受けないこと。

③ 譲渡の対価の額

　措置法第35条の3第2項第2号に規定する「譲渡の対価の額」とは，例えば譲渡協力金，移転料等のような名義のいかんを問わず，その実質において低未利用土地又は低未利用土地の上に存する権利（以下「低未利用土地等」という。）の譲渡の対価たる金額をいう（措通35の3-1）。

④ 譲渡対価が500万円を超えるかどうかの判定

　譲渡対価が500万円を超えるかどうかの判定は，次により行う（措通35の3-2）。
① 低未利用土地等が共有である場合は，所有者ごとの譲渡対価により判定する。
② 低未利用土地等とその譲渡とともにしたその土地の上にある資産の所有者が異なる場合は，低未利用土地等の譲渡対価により判定する。
③ 低未利用土地とその土地の上に存する権利の所有者が異なる場合は，所有者ごとの譲渡対価により判定する。
④ 同一年中に低未利用土地等が2以上ある場合は，低未利用土地等ごとの譲渡対価により判定する。

⑤ 所得税法第58条の固定資産の交換の特例との選択適用

　措置法第35条の3第1項に規定する譲渡には，所得税法第58条《固定資産の交換の場合の譲渡所得の特例》の規定の適用を受ける譲渡は含まれないことから，低未利用土地等の譲渡について同条の規定の適用を受ける場合には，その譲渡に伴って取得した交換差金について，この特例の適用を受けることはできない（措通35の3-3）。

⑥ 特例の適用期間

　2020年（令和2年）7月1日～2022年（令和4年）12月31日までの間に譲渡した場合に適用できる。

2　特例の適用できない譲渡の相手及び併用特例

① 譲渡の相手方の制限

　取得した相手方が次のものではないこと。なお，次の要件に該当するかどうかは，譲渡した時において判定する。その他の取扱いは措置法通達35の2-4から5の2-7までを準用する（措令23の3，23の2①，措通35の3-4）

> ① 譲渡者の配偶者及び直系血族
> ② 譲渡者の親族で譲渡者と生計を一にしている者
> ③ 譲渡者と婚姻の届出をしていないが,事実上婚姻関係と同様の事情にある者及び婚姻関係と同様の事情にある者の親族でその者と生計を一にしている者
> ④ 譲渡者から受ける金銭その他の財産によって生計を維持している者及びその者の親族でその者と生計を一にしている者(①から③及び譲渡者の使用人を除く。)
> ⑤ 譲渡者の①及び②に掲げる親族,使用人若しくはその使用人の親族でその使用人と生計を一にしているもの,又は③及び④に該当する者を判定の基礎となる株主又は社員とした場合に同族会社となる会社その他の法人

2 併用して適用が受けられない特例

(1) 低未利用土地等の譲渡で次の特例の適用を受ける場合(措法35の3②3)

> ① 固定資産の交換の特例(所法58)
>   交換差金について,この適用を受けることはできない(措通35の3-3)。
> ② 収用交換等の5,000万円控除の特例(措法33の4)
> ③ 特定土地区画整理事業等の2,000万円控除の特例(措法34)
> ④ 特定住宅地造成事業等の1,000万円控除の特例(措法34の2)
> ⑤ 農地保有合理化等の800万円控除の特例(措法34の3)
> ⑥ 居住用財産の3,000万円控除の特例(措法35①)
> ⑦ 相続財産の3,000万円控除の特例(措法35③)
> ⑧ 特定の土地等の1,000万円控除の特例(措法35の2)

(2) 譲渡した低未利用土地等の全部又は一部に次の特例を受ける場合(措法35の3①)。

> ① 収用交換等の特例(措法33,33の2)
> ② 換地処分等の特例(措法33の3)
> ③ 特定の居住用財産の買換等の特例(措法36の2,36の5)
> ④ 特定の事業用資産の買換等の特例(措法37,37の4)
> ⑤ 特定普通財産と隣接土地等の交換の特例(措法37の8)

(3) 土地等の譲渡について次の特例を選択適用した場合

> ① 優良住宅地の造成等の税率の特例(措法31の2)
> ② 居住用財産の軽減税率の特例(措法31の3)
> ③ 特定民間再開発事業の場合の買換等の特例(措法37の5)
> ④ 特定の交換分合の特例(措法37の6)
> ⑤ 先行取得土地等の特例(措法37の9)

(4) 連年適用を受ける場合(措法35の3③)

低未利用土地等と一筆であつた土地からその年の前年又は前々年に分筆された土

地等の譲渡（譲渡所得の基因となる不動産等の貸付けを含む。）を前年又は前々年中にした場合にこの特例の適用を受けているときは，適用できない。

3 申告にあたっての要点

1 申告要件

　低未利用土地等の100万円控除の特例を受ける場合，適用を受けようとする年分の確定申告書に，措置法第35条の3第1項の規定の適用を受ける旨の記載があり，かつ，同項の規定の適用を受けようとする低未利用土地等の譲渡の後の利用に関する書類その他次の「確定申告の手続き」要領に記載した書類の添付がある場合に限り適用がある（措法35の2③）。

2 確定申告の手続要領

> 1　「確定申告書（分離課税用）第3表」の特例適用条文欄に「措法35条の3（第）1項」と記載する。
> 2　土地等の所在地の市区町村長の，次のイからニまでに掲げる事項を確認した旨並びにホ及びヘに掲げる事項を記載した書類
> 　イ　土地等が都市計画区域内にあること
> 　ロ　土地等が，譲渡した時において低未利用土地等に該当するものであること
> 　ハ　土地等が，売った後に利用されていること又は利用される見込みであること
> 　ニ　土地等の所有期間が5年を超えるものであること
> 　ホ　土地等と一筆であった土地からその年の前年又は前々年に分筆された土地等の有無
> 　ヘ　上記ホの分筆された土地等がある場合，その土地等につきこの②の書類のその土地等を売った者への交付の有無
> 3　譲渡した金額が，低未利用土地等の上にある建物等の対価を含めて500万円以下であることを明らかにする書類（売買契約書の写し等）
>
> （措法35の3④，措規18の3の2）

3 確定申告書の提出がなかった場合

　確定申告書の提出がなかった場合又は必要事項の記載若しくは添付がない確定申告書の提出があった場合，その提出又は記載若しくは添付がなかったことについてやむを得ない事情があると認めるときは，記載した書類及び財務省令で定める書類の提出があった場合に限り，低未利用土地等の100万円控除の特例を適用することができる（措法35の3⑤）。

索　引

【あ】

明渡裁決 ································ 386
移設困難な機械装置の補償金 ········ 348
1億円を超えるかどうかの判定 ······ 252
一の事業 ································ 398
移転補償金 ····························· 344
遺留分侵害額請求 ············· 53, 128
員外貸付 ······························· 119
印紙税 ··································· 75
営利目的で継続的な資産の譲渡 ····· 22

【か】

買換え等の特例 ················· 41, 53
買換資産 ························ 90, 270
買換資産の取得が遅れた場合 ······· 287
買換資産を2以上取得した場合の取得の日
······································· 302
買換適合表 ······················ 271, 272
買換土地等 ···························· 191
概算取得費 ····························· 70
回収不能額等 ·························· 120
回収不能の判定 ······················ 115
買取り等の申出の日 ················ 382
家屋と土地等の所有者が異なる場合の特別控除 ································· 171
確定優良住宅地等予定地のための譲渡 ··· 420
借入金の利子 ··························· 58
仮換地等 ······························ 289
換地 ··································· 138
換地取得資産等 ······················ 441
換地処分等の特例 ············ 361, 378
関連事業 ······························ 339
起業者 ································ 336
既成市街地等 ························ 272
既存の公的施設 ····················· 340
逆収用の請求 ························ 351
キャピタル・ゲイン ··················· 6
旧借地権部分 ··························· 51

求償権の行使不能 ····················· 118
旧譲渡資産 ······························ 41
旧底地部分 ······························ 51
強制換価手続等による譲渡 ··········· 17
業務用の固定資産 ····················· 62
共有地の分割 ························ 130
居住用買換譲渡損失の特例 ········· 210
居住用家屋 ··························· 151
居住用家屋取得相続人 ······ 251, 253
居住用家屋の一部を譲渡した場合 ··· 164
居住用家屋の所有者とその敷地の所有者が異なる場合 ························· 158
居住用家屋の範囲 ··················· 153
居住用財産譲渡の特例 ············· 142
居住用財産の3,000万円控除の特例 ··· 169
居住用財産の軽減税率の特例 ······ 151
居住用財産の譲渡の日 ············· 152
居住用底地 ···················· 159, 173
居住用部分 ··························· 160
極めて長期間保有していた不動産の譲渡による所得 ··························· 134
区画形質の変更(等) ·········· 134, 135
国や公益法人等に対して財産を寄附した場合 ··································· 19
経済的利益 ····························· 16
経費補償金 ··························· 344
経費補償金等の課税延期 ··········· 356
契約解除に伴い支出する違約金 ····· 63
契約効力発生日 ························ 39
契約の効力発生の日 ··················· 39
減価償却資産の取得費 ················ 67
限定承認 ································ 11
権利金等 ································ 14
権利取得裁決 ························ 386
公益的施設 ··························· 426
公益法人等 ····························· 19
交換・買換えによって取得した資産 ··· 41
交換差金等 ··························· 103
交換取得資産 ·················· 91, 100

454

| 交換譲渡資産 ················· 91, 100
| 交換処分等の特例 ··················· 361
| 交換費用の区分 ····················· 104
| 公共事業施行者 ····················· 336
| 公共事業用資産の買取り等の証明書 ····· 387
| 公共事業用資産の買取り等の申出証明書
| ································· 387
| 公共施設 ··························· 426
| 工場等 ····························· 280
| 固定資産税の清算金 ·················· 51
| 固定資産の交換の特例 ··············· 100
| 個別法 ····························· 368

【さ】

| 災害跡地 ··························· 214
| 災害により家屋が滅失した場合 ······· 156
| 財産分与 ··························· 124
| 再取得価額 ························· 357
| 債務処理計画 ······················· 443
| 債務処理計画に基づいた贈与の特例 ··· 443
| 産業振興機械等 ····················· 296
| 残地補償金 ························· 348
| 山林の伐採又は譲渡による所得 ········ 23
| 事業継続法 ························· 369
| 事業とは ··························· 274
| 事業に準ずるもの ··················· 274
| 事業の用に供する期限 ··············· 290
| 事業用地 ··························· 422
| 資産の取得の日 ······················ 38
| 事前協議 ··························· 360
| 実質上の債務者 ····················· 119
| 実測清算金 ·························· 55
| 借地権 ······························ 14
| 借地権等 ···························· 43
| 借地の無償返還 ······················ 13
| 借家人補償金 ······················· 353
| 受遺者等 ······················· 53, 128
| 収益補償金 ························· 344
| 収益補償金の課税延期 ··············· 356
| 収益補償金の対価補償への振替え ····· 357
| 従前の宅地等 ······················· 289
| 従前の土地の所有者 ················· 138
| 集中地域 ··························· 279

| 収入金額 ···························· 49
| 住民票の添付要件 ··················· 149
| 収用交換等の5,000万円控除の特例
| ······························ 361, 381
| 収用交換等の特例 ··················· 361
| 収用代替の特例 ····················· 361
| 収用等対象資産 ····················· 362
| 収用等とは ························· 336
| 収用等の証明書 ····················· 387
| 重要文化財等の敷地 ·················· 20
| 重要文化財を譲渡した場合 ············ 20
| 受益者等 ··························· 105
| 取得期間 ··························· 438
| 取得指定期間 ·················· 287, 363
| 取得の日を引き継ぐ特例 ·············· 41
| 取得費 ······························ 57
| 使用開始の日 ························ 59
| 少額減価償却資産等の譲渡 ············ 23
| 少額重要資産 ························ 23
| 承継相続人 ·························· 85
| 譲渡家屋 ··························· 158
| 譲渡価額 ···························· 54
| 譲渡価額が定められていない場合の譲渡
| 収入価額 ························· 316
| 譲渡敷地 ··························· 158
| 譲渡資産 ······················· 90, 211
| 譲渡資産に係る住宅借入金等 ········· 231
| 譲渡所得の基因となる資産 ············· 8
| 譲渡対価 ··························· 186
| 譲渡代金が回収不能となった場合 ····· 112
| 譲渡担保 ··························· 132
| 譲渡の相手方の制限 ············ 147, 165
| 譲渡の概念 ·························· 9
| 譲渡の対価の額 ····················· 252
| 譲渡の日 ···························· 46
| 譲渡費用 ···························· 74
| 所有隣接土地等 ····················· 330
| 生活に通常必要でない資産 ··········· 110
| 生活用動産の譲渡 ···················· 17
| 税金負担分の追加払い ················ 55
| 生計を一にしている親族が居住している
| 家屋 ····························· 154
| 前3年以内の譲渡 ··················· 186

索引　455

先行取得	286, 366
先行取得資産に係る買換えの特例の適用に関する届出書	286
総合課税	27
総合短期資産	33
総合長期資産	33
総所得金額等	217
相続財産の3,000万円控除の特例	238
相続時精算課税適用資産	85
相続税の取得費加算の特例	79
相続税の取得費加算の特例との選択適用	256
相続等	61, 238
贈与等	19, 64
測量費	75
底地	43
措置法	7
その他の補償金	344
損益通算	31
損益の計算	29

【た】

対価補償金	344
代行買収	355
代償債務者	126
対象従前居住の用	256
対象譲渡	219
対象譲渡資産一体家屋等	251, 254
代償分割	126
大深度	15
大深度地下法	15
代替資産等	60
代替地	400, 422
代物弁済	19, 50
宅地造成事業	402
立退料	75
建物等	6
建物等の取壊しに要した費用	75
建物の標準的な建築価額表	69
棚卸資産に準ずる資産の譲渡	22
棚卸資産の譲渡	22
短期譲渡の税率の特例	435
地上権等を設定した場合	14

中高層耐火共同住宅の建設のための買換えの特例	307
中高層耐火建築物等の建設のための買換等の特例	307
中高層耐火建築物等の建設のための交換の特例	307
中高層耐火建築物の取得をすることが困難である特別の事情	316
超過物納	21
通算後譲渡損失の金額	224
低額譲渡	10
低未利用土地等	450
低未利用土地等の100万円控除の特例	450
適用後譲渡	251, 255
適用前譲渡	251
店舗等併用住宅	160
当初対象譲渡	252
特殊関係者	147
特定居住用財産の譲渡損失の特例	229
特定施設	273, 282
特定事由	239, 256
特定住宅地造成事業等の1,500万円控除の特例	394
特定譲渡	210, 229
特定土地区画整理事業等の2,000万円控除の特例	390
特定の居住用財産の買換えの特例	183
特定の居住用財産の買換等の特例	183
特定の居住用財産の交換の特例	183
特定の交換分合の特例	324
特定の事業用資産の買換えの特例	270
特定の事業用資産の買換等の特例	270
特定の事業用資産の交換の特例	305
特定の土地等の1,000万円控除の特例	438
特定普通財産	330
特定普通財産と隣接土地等との交換の特例	330
特定法人	422
特定民間再開発事業の場合の買換えの特例	307
特定民間再開発事業の場合の買換えの特例	309
特別控除の種類	36

特別控除の累積限度額	37
特例期間	84
土地建物等	28
土地等	7
土地と建物を一括購入している場合の取得費	68
取壊し跡地	214
取壊し損失	76

【な】

任意換価手続	18
任意の区画整理	136
農業振興地域整備法	324
農地保有合理化等の800万円控除の特例	407

【は】

配偶者居住権等	43, 264
発生資材	374
引継価額	270, 299
引継価額等が不明な場合	98
引き家補償	347
非業務用の固定資産	62
非居住用部分	160
被相続人以外に居住をしていた者	244
被相続人居住用家屋	238
被相続人居住用家屋及び敷地等	238
被相続人居住用家屋の敷地等	238
1組法	369
負担付贈与	56
物納	21
分筆費用	75
分離課税	28

分離譲渡所得間の損益の相殺	30
分離短期一般資産	29
分離短期軽減資産	29
分離短期資産	34
分離長期一般資産	29
分離長期軽課資産	29, 151
分離長期資産	34
分離長期特定資産	29, 412
法人に対する贈与又は遺贈	11
法律の規定に基づかない区画形質	136
保証債務の特例	114
保証債務の履行の範囲	117
本体事業	339

【ま】

マンションの取得の日	45
見積額	301, 322
みなし譲渡	10
無償譲渡	10
名目上の債務者	119
面積制限	277

【や】

有償譲渡	10
優良住宅地の造成等の税率の特例	412
用途上不可分の関係にある2以上の建築物	246
予定期間	420

【ら】

離婚	124
離婚等に伴う分与財産	63

著者紹介

武田秀和（たけだ　ひでかず）

税理士（武田秀和税理士事務所所長（東京税理士会日本橋支部））
中央大学法学部卒
東京国税局資料調査課，浅草，四谷税務署他東京国税局管内各税務署資産課税部門等に勤務

事業内容

相続税・贈与税・譲渡所得を中心とした申告・相談業務・財産整理業務を中心に事業を展開している。また，北海道から沖縄までの各地の税理士に対する資産税関係の講演を行っている。

主な著書

「借地権　相続・贈与と譲渡の税務（第3版：共著）」（税務経理協会）
「譲渡所得の基礎　徹底解説」（同上）
「相続税調査はどう行われるか」（同上）
「土地評価実務ガイド（改訂版）」（同上）
「贈与税の基本と特例Q&A」（同上）
「遺産分割と遺贈の相続税実務ポイント解説」（税務研究会）
「一般動産・知的財産権、その他の財産の相続税評価ポイント解説」（同上）
「「相続税・贈与税の重要テーマ」ポイント解説」（同上）

主なDVD

「間違いが多い土地建物の譲渡所得と調査実態」（（一般社団法人）法律税金経営を学ぶ会）
「相続税・贈与税の税務調査は特殊」（同上）
「家屋・金・海外財産・美術品と知的財産権の相続税評価」（同上）
「災害発生前後の相続・贈与と土砂災害特別警戒区域内の土地の評価」（同上）
「書籍には書いていない相続税申告の基礎知識」（㈱レガシィ）
「財産評価の重要ポイント」（JPマーケティング㈱）
日本税理士会連合会・東京税理士会他研修団体によるWeb研修

主な雑誌連載

「サラリーマンでもわかる相続税対策」（ビジネス月刊誌「リベラルタイム」）
「税理士のための一般財産評価入門」（週刊「税務通信」）

主な雑誌インタビュー記事・寄稿記事

月刊税務通信／月刊税務弘報／週刊ダイヤモンド／週刊東洋経済／週刊エコノミスト／週刊文春／週刊朝日

他多数

著者との契約により検印省略

『土地建物の譲渡所得Q&A』　　　平成25年4月1日　　初版発行
　　　　　　　　　　　　　　　　平成27年2月20日　　改訂版発行
『不動産の売却にかかる譲渡所得の税金』　平成30年3月1日　　初版発行
　　　　　　　　　　　　　　　　令和4年11月20日　　第2版発行

【事例でわかる】
不動産の売却にかかる譲渡所得の税金
［第2版］

著　者	武　田　秀　和
発行者	大　坪　克　行
製版所	株式会社森の印刷屋
印刷所	株式会社技秀堂
製本所	牧製本印刷株式会社

| 発行所 | 東京都新宿区
下落合2丁目5番13号 | 株式
会社 | 税務経理協会 |

郵便番号　161-0033　振替 00190-2-187408　電話 (03) 3953-3301 (編集部)
　　　　　　　　　　FAX (03) 3565-3391　　　　 (03) 3953-3725 (営業部)
URL http://www.zeikei.co.jp/
乱丁・落丁の場合はお取替えいたします。

Ⓒ 武田秀和　2022　　　　　　　　　　　　　　Printed in Japan

本書の無断複製は著作権法上での例外を除き禁じられています。複製される場合は、そのつど事前に、出版者著作権管理機構（電話 03-5244-5088、FAX 03-5244-5089, e-mail : info@jcopy.or.jp）の許諾を得てください。
JCOPY〈出版者著作権管理機構 委託出版物〉

ISBN978-4-419-06886-8　C3034